ENCICLOPEDIA DE LAS

PLANTAS MEDICINALES

ENCICLOPEDIA DE LAS

PLANTAS MEDICINALES

Jorge D. Pamplona Roger

Doctor en Medicina y Cirugía

Médico especialista en cirugía general y del aparato digestivo

1

BIBLIOTECA EDUCACIÓN Y SALUD

editorial safeliz

APIA

Director fundador de la Biblioteca Educación y Salud **José Rodríguez Bernal**

Equipo editorial:

Director General **Jonathan Valls**
Director de Administración **Alejo Goya**
Director de I+D **Jorge D. Pamplona Roger**
Director comercial **Jesús García**

Producción **Elías Peiró**
Organización de Producción **Luis González**
Redacción **Francesc X. Gelabert** (jefe de Redacción)
Juan Fernando Sánchez
Raquel Carmona
Mónica Díaz
Maquetación, diseño y fotografía **Elisabeth Sangüesa**
José Mª Weindl
Javier Zanuy
Isaac Chía

Control de Fabricación **Martín González Huelmo**

Impresión: MARPA Artes Gráficas – E-50172 Alfajarín, Zaragoza (España)

IMPRESO EN ESPAÑA / *PRINTED IN SPAIN*

Octubre 2002: 1ª edición

Pradillo, 6 – Pol. Ind. La Mina
E-28770 Colmenar Viejo, Madrid (España)
tel. [+34] 918 459 877 – fax [+34] 918 459 865
e-mail: admin@safeliz.com – www.safeliz.com

Esta Enciclopedia es publicada para Interamérica por:
Asociación Publicadora Interamericana (APIA)
2905 NW 87th Ave., Miami, FLORIDA 33172, U.S.A.
tel. (305) 599-0037 – fax (305) 592-8999
e-mail: mail@iadpabooks.org – www.iadpabooks.org

ISBN: 84-7208-151-6 (obra completa)
84-7208-152-4 (tomo 1)
Depósito legal: Z-2442-2002

Advertencia: Es el deseo del autor y de los editores que el contenido de esta obra sirva para orientar e informar a nuestros lectores acerca del valor de las plantas medicinales, sin pretender en ningún caso sustituir la asistencia médica en cualesquiera de sus aspectos preventivos, diagnósticos o terapéuticos. Las recomendaciones y consejos dados en esta obra son de tipo general, y no tienen en cuenta las circunstancias específicas de cada paciente. Es necesario que el diagnóstico de una enfermedad sea hecho por un especialista o profesional de la medicina, por lo que ante síntomas patológicos no conviene automedicarse. Existen sustancias vegetales que ingeridas por vía oral o aplicadas externamente, pueden causar una reacción alérgica en personas sensibles. El autor, los editores y los distribuidores de esta obra no se hacen responsables de cualquier problema derivado de una identificación errónea de las plantas o de su empleo inapropiado por parte de los lectores. En la página 74 se dan consejos para el uso seguro de las plantas medicinales.

Al lector

Ignoradas en unas épocas de la historia, y hasta despreciadas en otras, las plantas medicinales llevan varios milenios esperando callada y pacientemente a que los seres humanos dirijamos hacia ellas nuestra atención, para conocerlas, estudiarlas, aplicarlas –y por qué no– para amarlas.

Después de una época de brillantes progresos científicos, en la que la terapéutica, –ciencia de la curación–, ha cifrado todas sus esperanzas en sofisticados laboratorios y en dispositivos de alta tecnología, vuelve a resurgir el interés por los remedios simples que ofrece la naturaleza: no solo las plantas, sino también el agua (hidroterapia), el sol (helioterapia) o las tierras medicinales (geoterapia), entre otros.

La ayuda que el ser humano necesita para sus muchas enfermedades y dolencias, viene ahora de la tierra, de las simples hierbas del campo. En esos humildes rastrojos, en ese árbol silvestre olvidado, en los "simples" –como se llamó antaño a las plantas medicinales–, ahí es donde esconde la naturaleza sus mejores remedios para la salud de los humanos.

Cuando salga al campo, querido lector, no menosprecie aquello que parece simple, esas humildes plantas. Más bien, mírelas con consideración y respeto, pues de ellas proceden la mayor parte de los medicamentos. Y si es usted creyente en un Dios de amor que creó la vida, eleve una mirada al cielo en señal de gratitud por habernos provisto de tantos vegetales benefactores capaces de curar las enfermedades y de aliviar nuestras dolencias, haciendo así más llevadero el paso por esta vida.

Es tan amplio y variado el mundo de las plantas, hay tanto descubierto y tantísimo por descubrir en las cerca de 400.000 especies de vegetales que pueblan el planeta Tierra, que con esta obra, no hacemos más que asomarnos tímidamente al vasto océano del conocimiento de la botánica y de la fitoterapia.

Editorial Safeliz facilita enormemente esta tarea del conocimiento, al utilizar en esta enciclopedia, que forma parte de la amplia ***Biblioteca Educación y Salud****, la tecnología más avanzada en el campo de la edición, junto con una realización editorial de nivel internacional.*

Querido lector, conozca las plantas, y las amará. Este es el sincero deseo del autor,

Dr. Jorge D. Pamplona Roger.

Plan general

Tomo 1

Primera parte: Generalidades

El mundo vegetal, cap. 1

Recolección y conservación, cap. 2

Formas de preparación y empleo, cap. 3

Principios activos, cap. 4

Precauciones y toxicidad, cap. 5

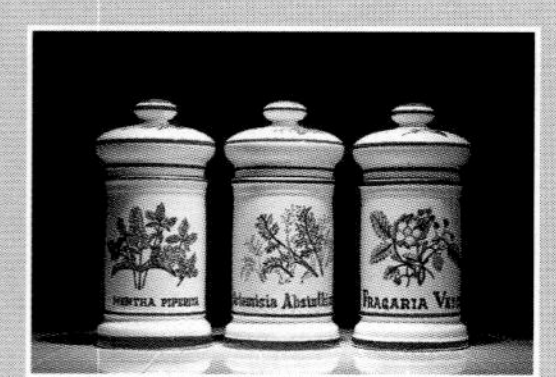

De la planta al medicamento, cap. 6

de la obra

Segunda parte: Descripción

Plantas para los ojos, cap. 7

Plantas para la garganta, cap. 11

Plantas para las venas, cap. 14

Plantas para el aparato respiratorio, cap. 16

Tomo 2

Plantas para el aparato genital masculino, cap. 23

Plantas para la piel, cap. 27

Índice de enfermedades

En letra negrita figuran los nombres de las enfermedades que sirven de encabezamiento en las tablas de enfermedades.

Índice de enfermedades (continuación)

Índice de plantas

En letra negrita figuran los nombres de las plantas principales, que sirven como título en las páginas de descripción.

Índice de plantas (continuación)

*Ver más sinónimos de nombres de plantas en los **índices alfabéticos** que figuran al final del segundo tomo.*

PRÓLOGO

En los albores del siglo XXI el hombre posee una extraordinaria capacidad para conocer la mente y el cuerpo humano. Hoy tenemos más centros de investigación, más hospitales y mejores profesionales de la medicina que nunca. Sin embargo, los enormes avances de la ciencia puestos a disposición de la humanidad no parecen satisfacer todas nuestras necesidades de salud. ¿Por qué los medios científicos más avanzados no logran mitigar el dolor y la enfermedad? Posiblemente porque los mayores esfuerzos de la ciencia están destinados más a curar que a prevenir. La mejor tecnología médica y los mejores especialistas no pueden compensar las consecuencias de los hábitos insanos.

Con el propósito de dar respuesta y aportar soluciones a los males que nos aquejan, hemos creado un proyecto editorial denominado **BIBLIOTECA EDUCACIÓN Y SALUD***. Un prestigioso equipo de profesionales ofrece a esta sociedad dolida la* **BIBLIOTECA** *imprescindible para la familia, compuesta de varias enciclopedias. La* **ENCICLOPEDIA DE LAS PLANTAS MEDICINALES***, reeditada aquí, es la primera que vio la luz. Le siguieron la 'Enciclopedia salud y educación para la familia' y la 'Enciclopedia de los alimentos y su poder curativo'. Y vendrán otras sobre ecología, medicina natural, salud mental... Todas ellas con un denominador común:* ***la procura y conservación de la salud****, preferentemente por medio de elementos naturales.*

La **ENCICLOPEDIA DE LAS PLANTAS MEDICINALES** *es una parte fundamental de la* **BIBLIOTECA EDUCACIÓN Y SALUD***. Las más de cuatrocientas plantas tratadas en esta obra están clasificadas de acuerdo con sus propiedades curativas para cada parte del cuerpo humano y para cada enfermedad. Las aplicaciones medicinales de las plantas descritas están basadas en investigaciones botánicas, químicas y farmacéuticas. Se da una razón científica de la acción curativa y preventiva de cada planta sobre el organismo, basándose en su composición química y no por tradición o simplemente porque "mi abuela ya la usaba". La* **ENCICLOPEDIA DE LAS PLANTAS MEDICINALES** *propone, en un orden fácil de consulta, un completo panorama de conocimientos médicos. Toda la obra ha sido cuidada en cada uno de sus aspectos por un gran profesional, su autor, el doctor Jorge D. Pamplona Roger, que ha vivido la experiencia del hospital, del laboratorio de investigación, de la biblioteca, del estudio de la realidad fisiológica humana. El texto está bien vestido con un diseño moderno, una ilustración riquísima, y muchos gráficos y tablas, que tienen como fin ayudar al lector a comprender mejor las propiedades de las plantas y sus aplicaciones medicinales.*

La **ENCICLOPEDIA DE LAS PLANTAS MEDICINALES***, reimpresa ya en múltiples ocasiones, ha aparecido en alemán, francés, inglés y portugués (ediciones brasileña y portuguesa), además de castellano. Y en breve verá la luz la versión italiana. Nos consta ya la positiva influencia de esta obra, tanto en los hogares europeos como en los americanos.*

Por último hemos de consignar nuestro profundo agradecimiento al doctor Pamplona Roger, autor de esta obra, que de forma eminente ha regalado su saber, haciendo posible que esta **ENCICLOPEDIA DE LA PLANTAS MEDICINALES** *llegue al gran público. Pero esta obra no brillaría como ahora lo hace ante el lector, sin la abnegación, la diligencia y el bien hacer de un equipo editorial como el que tiene Safeliz en la actualidad. A todos los que trabajan en esta casa y se han desvivido, derrochando esfuerzos e ilusión, para hacer realidad este ambicioso proyecto editorial, deseo expresarles mi mejor y más sincero sentir, con la más agradable, sencilla y profunda de las palabras: Gracias.*

JOSÉ RODRÍGUEZ BERNAL
Director fundador de la
BIBLIOTECA EDUCACIÓN Y SALUD

PRESENTACIÓN

Las mentes más abiertas de la medicina oficial se interrogan respecto a los motivos por los que los pacientes acuden cada vez con más frecuencia a los profesionales, incluso no médicos, que practican distintas formas de medicina natural, como la fitoterapia; o que por lo menos se sirven de algunos de sus métodos. Así, el profesor Léon Schwartzenberg, distinguido oncólogo, que fue ministro de Sanidad en Francia, señalaba recientemente: «Pese a todos los progresos actuales, nuestra medicina tecnológica tiene mucho que aprender de estas medicinas más "tranquilizadoras". Esto no es forzosamente una vuelta atrás. El progreso nunca debe ser sectario.»

Entre esas mentes abiertas a las nuevas tendencias de la terapéutica ocupa un destacado lugar el doctor Jorge D. Pamplona Roger. Especialista en cirugía general y digestiva, se fue interesando cada vez más, en el ejercicio de su disciplina, por la medicina preventiva y la educación para la salud al observar que una buena parte de las patologías que le llegaban a la consulta o al servicio de urgencias, guardaban una relación directa con hábitos insanos de vida.

Sigue así el doctor Pamplona Roger una corriente iniciada fundamentalmente por la OMS (Organización Mundial de la Salud) en los años finales del decenio de 1970-80, al promover una mayor atención a las formas terapéuticas de la medicina tradicional, creando incluso un servicio especializado en la Secretaría de la OMS, en la sede de Ginebra. En 1991, la 44ª Asamblea Mundial de la Salud adoptó la resolución 44.34, en la que insta a los estados miembros de la Organización a promover el empleo de «remedios tradicionales inocuos, eficaces y científicamente válidos».

El autor del presente libro se dedica de pleno, desde hace unos años, a investigar y promover un modo de vida sano basado en el uso ***racional*** *y* ***científico*** *de los remedios que ofrece la naturaleza. Que un médico, con el bagaje científico del doctor Pamplona, haya dado este giro copernicano a su carrera, es claro indicio de que algo importante está sucediendo en la ciencia y el arte de curar. Merece pues este libro que le presten la más detenida consideración tanto los enfermos como los sanos (situación transitoria, como bien sabemos, ya que el sano es muchas veces un enfermo que se ignora), pues a todos ellos les resultará enormemente beneficioso.*

DR. JOSÉ A. VALTUEÑA

Presidente del Centro Internacional de Educación para la Salud (Ginebra).

Colaborador externo de la OMS (Organización Mundial de la Salud).

PREFACIO

En las últimas décadas se ha producido un desarrollo tan espectacular de la industria farmacéutica, así como de la producción de medicamentos sintéticos, que resulta razonable preguntarse si un libro sobre plantas medicinales puede tener todavía valor práctico. ¿Acaso no hay ya medicamentos específicos para cada enfermedad?

Los medicamentos de síntesis química que proporciona la moderna industria farmacéutica, han demostrado su eficacia en caso de procesos agudos y de afecciones graves, debido en parte a la inmediatez de sus efectos. Ahora bien, ningún producto químico se halla exento de efectos secundarios más o menos imprevisibles e importantes. Harold Burn, catedrático de farmacología de la Universidad de Oxford afirma: «Toda sustancia elaborada en un laboratorio, y por lo tanto extraña a los organismos vivos, tiene que ser aceptada con la máxima prevención por médicos y enfermos, y no debe considerarse inofensiva sin pruebas válidas.»

Si bien es cierto que los controles por los que tiene que pasar cualquier medicamento son ahora más estrictos que nunca antes, y que los fármacos actuales son, en general, bastante seguros, los efectos secundarios siguen apareciendo. El número de enfermos alérgicos a los antibióticos y a otros medicamentos aumenta continuamente; los fenómenos de intolerancia digestiva a los medicamentos, especialmente a los antiinflamatorios, son motivo de numerosas consultas médicas; cada vez hay más personas "enganchadas" a determinados sedantes, tranquilizantes y otros psicofármacos. Se calcula que una de cada diez consultas médicas tiene que ver con efectos indeseables de algún medicamento.

Estos fenómenos cada vez más frecuentes, han suscitado un renovado interés por los medicamentos naturales de origen vegetal, tanto por parte de los médicos como de los enfermos. La antigua fitoterapia, renovada por la ciencia moderna, conserva, hoy como ayer, su poder curativo, sobre todo en las afecciones crónicas, en las enfermedades degenerativas, en los estados de cansancio injustificados, así como en las numerosas enfermedades metabólicas que sufrimos como consecuencia del inapropiado estilo de vida predominante en la actualidad.

Las plantas han sido utilizadas como remedio para las dolencias de los seres humanos –y también de los animales– desde muy antiguo. Todas las civilizaciones se han valido de ellas para aliviar el sufrimiento, y en muchos casos, hasta para curar la enfermedad. Posiblemente el Creador diera a los humanos los vegetales, con todo su poder curativo, para hacerles más llevadera la carga de la vida.

Hoy conocemos con exactitud la composición de muchísimas plantas medicinales, de modo que las podemos aplicar de forma racional cuando mejor conviene. Esto es precisamente lo que el autor trata de hacer en este libro: A partir de las sustancias activas de una planta, y de los resultados que proporciona la investigación farmacéutica y clínica, se deducen sus propiedades y aplicaciones medicinales.

En la **primera parte** *de esta obra se presentan todos los aspectos técnicos y prácticos de la fitoterapia: fundamentos de botánica, recolección, formas de empleo de las plantas, principios activos y propieda-*

des, sin olvidar las posibles contraindicaciones y efectos tóxicos de algunas plantas medicinales.

En la ***segunda parte*** *se enumeran las plantas medicinales más útiles para cada una de las enfermedades y dolencias más comunes. Se describen más de 500 plantas, ordenadas según sus aplicaciones medicinales. Al analizar las sustancias activas vegetales y su modo de acción, el autor no se limita a reproducir los conocimientos tradicionales de tipo empírico, sino que se esfuerza por ofrecer, en un lenguaje accesible para todos, los últimos resultados de la moderna investigación fitoterápica.*

El lector tiene pues en sus manos, más que una simple guía de plantas medicinales. La peculiaridad y el valor de este libro residen, precisamente, en el enfoque racional, a la vez que sumamente práctico para el gran público, que el autor da a los tratamientos a base de plantas medicinales. Obras como ésta contribuyen a superar la falta de credibilidad que el uso de las plantas había suscitado en ciertos ambientes científicos, y también entre los médicos. A medida que las plantas medicinales se vayan conociendo mejor, serán más y más utilizadas y apreciadas por médicos y enfermos. Los laboratorios farmacéuticos están dirigiendo sus esfuerzos investigadores hacia el mundo vegetal, que todavía guarda grandes secretos por revelar, de tal forma que cada vez hay más medicamentos elaborados a base de plantas medicinales.

Como producto que son de la naturaleza, las plantas medicinales ejercen todo su poder curativo y también preventivo cuando se las usa en combinación con otros elementos naturales favorecedores de la salud, como el sol, el agua, el aire puro, una alimentación sana, y el equilibrio mental. Ésta ha sido mi propia experiencia durante los largos años de ejercicio profesional como médico.

Las plantas medicinales no se deberían usar únicamente buscando en ellas una acción curativa –como se hace con un fármaco– cuando ya se ha manifestado la enfermedad. Precisamente, una de sus grandes virtudes es su capacidad para regular los procesos vitales y para prevenir la enfermedad. El uso adecuado de las plantas medicinales, dentro de un conjunto de hábitos de vida sana, puede evitar que las debilidades de nuestro organismo y la predisposición a padecer ciertas enfermedades evolucionen hasta convertirse en enfermedades declaradas.

El mundo de las plantas medicinales tiene muchas cosas que ofrecer para nuestro propio bienestar. Este libro le ayudará a conocer mejor las plantas y a usarlas adecuadamente para el cuidado de su salud.

Hemos entrado ya en la era de la "medicina verde".

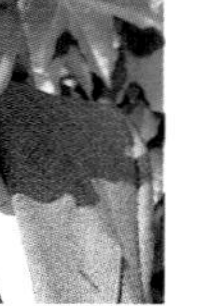

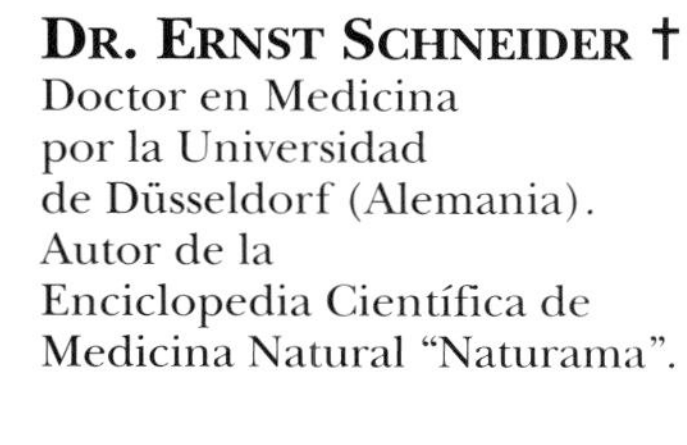

DR. ERNST SCHNEIDER †
Doctor en Medicina
por la Universidad
de Düsseldorf (Alemania).
Autor de la
Enciclopedia Científica de
Medicina Natural "Naturama".

Índice de capítulos

ENCICLOPEDIA DE LAS

PLANTAS MEDICINALES

PRIMERA PARTE

Generalidades

«Los prados y las colinas son las mejores farmacias.»

PARACELSO

Médico y naturalista del siglo XVI

1

EL MUNDO VEGETAL

QUÉ SORPRESA! Este trocito de corcho está formado por miles de diminutas celdas, unidas unas con otras. ¡Si parece un panal de abejas...!–, exclama Robert Hooke, célebre físico inglés del siglo XVII, sorprendido por aquello que contempla a través del microscopio.

Su espíritu científico hace que se asombre ante lo que para otros hubiera pasado desapercibido. Hooke acaba de descubrir que la materia viva no está formada por una masa uniforme y continua, como ocurre con una piedra o un mineral, sino por la unión de muchas pequeñas unidades independientes.

–Las llamaré células –dijo Hooke– a esas pequeñas celdillas que forman el corcho. Porque en latín *cellula* significa 'huequecillo'.

La célula vegetal

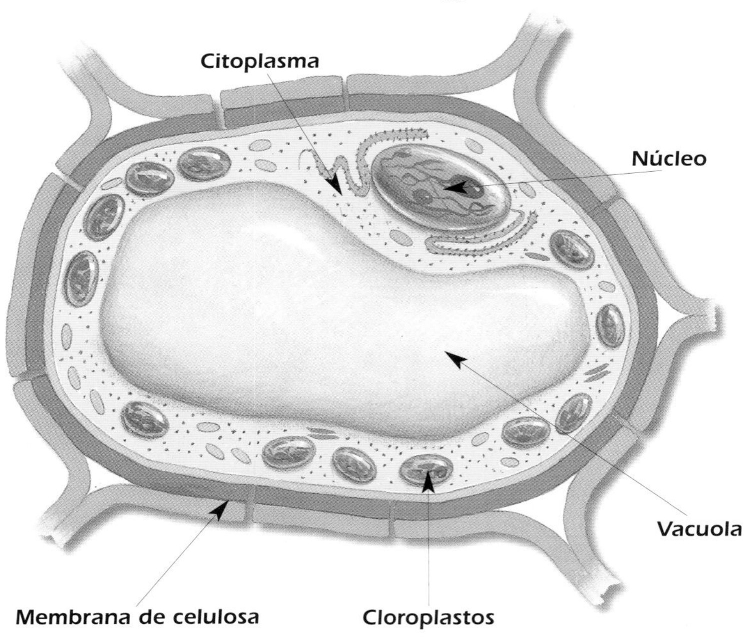

La célula: unidad de vida

Al estudiar otros vegetales con el microscopio, los científicos se dieron cuenta de que no solo la corteza del alcornoque estaba constituida por células. Todos los seres vivos, ya sean vegetales o animales, están formados por una o por muchas células agrupadas.

Cada célula es una unidad de vida. Es la porción más pequeña de un ser vivo que tiene vida propia; es decir, que nace, se nutre, crece, se reproduce y muere.

El tamaño de las células oscila generalmente entre 5 y 50 micras (milésimas de milímetro), es decir que en un milímetro cabrían de 20 a 200 células, según su tamaño.

Algunas células se hallan predestinadas a vivir únicamente durante unos minutos, renovándose de continuo, mientras que otras viven tanto tiempo como el ser vivo del cual forman parte.

Constitución celular

Cada célula está formada por:

- El **núcleo,** que contiene la información genética que recibió de su antecesora, en la que se encuentran impresas todas sus características en forma de cromosomas y genes, las cuales, a su vez, las transmitirá a sus descendientes.

- El **citoplasma,** de consistencia viscosa semejante a la clara de huevo, donde se producen todos los procesos bioquímicos.
- La **membrana** citoplasmática, que rodea por completo a la célula, y filtra selectivamente las sustancias que deben penetrar en su interior.

Características de la célula vegetal

Las células que constituyen los vegetales presentan dos características fundamentales, que no poseen las células animales:

1. La membrana de celulosa

Se trata de una gruesa membrana celular, situada por fuera de la membrana citoplasmática, que está formada por celulosa. Es como un estuche poroso que la aísla y protege, y que persiste cuando muere la célula, convirtiéndose en su sarcófago. Las células animales carecen de esta gruesa membrana celulósica, por lo que, al morir, se descomponen por completo y no dejan rastro.

La membrana de las células adultas puede contener otras sustancias además de la celulosa:

- la **lignina**, en las células de la madera;
- la **suberina,** en las del súber o corcho;
- la **pectina** o la **cutina**, en la cutícula que recubre los tallos jóvenes y las hojas.

Así pues, lo que en realidad vio Hooke al microscopio –el corcho– no fueron las células de la corteza del alcornoque, sino sus estuches o membranas celulares, que persisten después de la muerte de las células. Igualmente, la madera se halla constituida por las gruesas membranas de celulosa y lignina, que recubrían a las células del tronco del árbol ya muertas.

2. Los plastos

Esta es otra peculiaridad de las células vegetales. Los plastos son unos corpúsculos

Observando al microscopio el corcho, procedente de la corteza del alcornoque, Robert Hooke descubrió en el siglo XVII que la materia viva está formada por pequeñas unidades llamadas células.

Las células vegetales se diferencian de las animales por estar rodeadas de una gruesa membrana de celulosa que las recubre, y por contener cloroplastos llenos de clorofila. Así pues, la celulosa (también llamada fibra vegetal) y la clorofila, son las sustancias más representativas del reino vegetal.

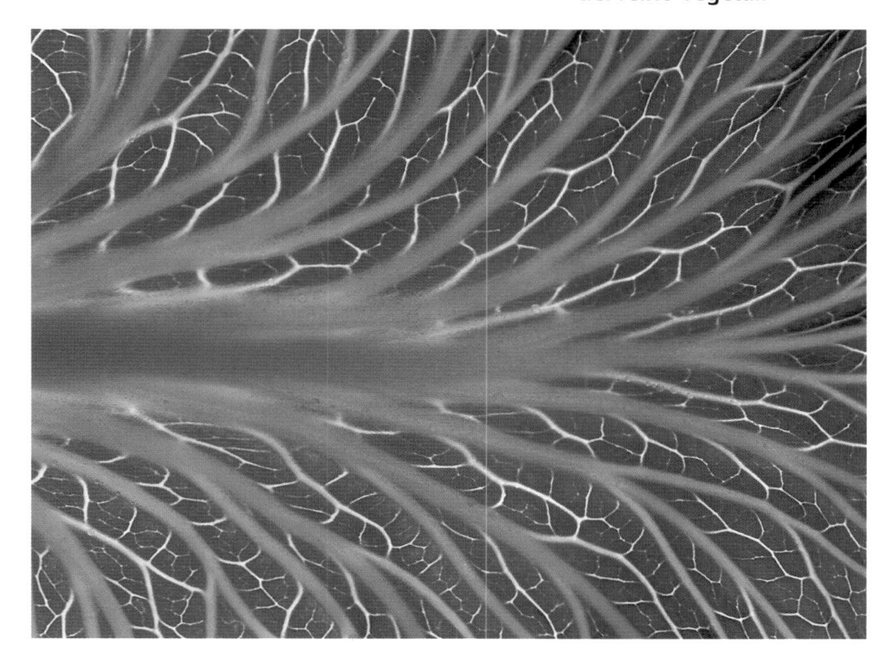

Izquierda:
Los colosales secuoyas de los bosques de California se cuentan entre los árboles más altos del planeta.

Derecha:
La isla de Tenerife, en las Canarias, alberga varios ejemplares de dragos como este, árboles milenarios de hasta 5.000 años de edad.

situados en el citoplasma, que contienen diversas sustancias colorantes. Los más comunes son los **cloroplastos,** de color verde debido a su contenido en clorofila.

En los cloroplastos tiene lugar la **fotosíntesis**, extraordinaria reacción química por la que las sustancias minerales inorgánicas del suelo y del aire se transforman en almidón y en otras sustancias orgánicas, gracias a la energía de la luz del sol.

Las células son unos prodigiosos laboratorios químicos. En cada una de ellas, a pesar de su diminuto tamaño, se producen miles de reacciones químicas que dan como resultado la síntesis de glúcidos (hidratos de carbono), lípidos (grasas) y prótidos (proteínas); que, o bien se van acumulando en su interior, o se vierten al exterior.

Los alcaloides, esencias y otros principios activos, producidos asimismo en las células vegetales, se almacenan en unas cavidades situadas en el citoplasma, llamadas **vacuolas**. Cuando estas vacuolas se rompen por la presión ejercida sobre alguna de las partes de la planta, se liberan los principios activos contenidos en su interior.

Diversidad del reino vegetal

–Estos ladrillos son para levantar la pared exterior, esos para recubrir las habitaciones interiores, y aquellas baldosas para el suelo de la cocina...

El arquitecto da las órdenes oportunas, con el fin de que cada uno de los cientos, o quizá miles, de distintos elementos que constituyen la casa, sea colocado en su lugar. Cuando el edificio se halle terminado, todos reconocerán el trabajo de quien proyectó la obra y ha dirigido su ejecución.

Sin embargo, pocos son conscientes de lo admirable que resulta el hecho de que los miles de millones de "ladrillos", es decir, células, que forman una planta u otro ser vivo, se hallen tan bien ubicados en su lugar, y funcionando adecuadamente. ¿Qué arquitecto o ingeniero hizo el diseño? ¿Quién lo ha ejecutado? ¿Por qué las células epidérmicas se agrupan siempre para recubrir a las hojas y los tallos? ¿Por qué las células alargadas y huecas se unen entre ellas para formar los vasos por los que discurre la savia?

Los vegetales son los seres vivos formados por células vegetales. Algunos constan de una sola célula **(unicelulares),** como las bacterias y ciertos tipos de algas o de hongos. Otros están formados por numerosas células **(pluricelulares),** como las algas y hongos comunes, y todos los vegetales superiores o plantas.

El mundo vegetal ofrece una sorprendente diversidad de "construcciones", pues resultan prácticamente infinitas las posibilidades de combinar diferentes tipos y número de elementos o células.

Variedad de tamaño

El tamaño de los vegetales puede oscilar desde unas cuantas milésimas de milímetro, como los microbios, hasta más de 80 metros, como los colosales secuoyas de California, o incluso 150 metros, como los eucaliptos gigantes de Australia, considerados como los árboles más altos del mundo. Pero hay todavía un vegetal que los sobrepasa en tamaño: el sargazo gigante, un alga marina que puede alcanzar hasta los 300 metros de longitud.

Variedad de volumen

En cuanto a volumen, el árbol más grande del mundo, y también uno de los más longevos (se le calculan de 4.000 a 5.000 años), es posiblemente el ciprés de Moctezuma, que existe en el cementerio de Santa María de Tule, en el estado mexicano de Oaxaca. Bajo su inmensa copa de 132 metros de diámetro, única en el mundo, acampó el conquistador español Hernán Cortés con todas sus tropas en el año 1519.

Variedad de hábitat

Unas plantas viven en el agua, como los berros o los nenúfares, otras en regiones secas o desérticas, como el ágave o el aloe; unas en terrenos fríos, como el frambueso o el arándano, otras en lugares cálidos, como la higuera o la lavanda; unas en re-

El famoso "ciprés de Moctezuma", también conocido como "árbol de Tule", se encuentra en el bello estado mexicano de Oaxaca. Según la información que se ofrece al visitante, mide 41,8 metros de alto y su gigantesco tronco alcanza los 14 metros de diámetro. Se le calcula un volumen de 816,8 metros cúbicos, y un peso de 636,1 toneladas, lo que le hace ser el árbol más voluminoso del mundo (aunque no el más alto), y posiblemente, la criatura viviente de mayor peso y volumen que existe sobre el planeta Tierra (las ballenas más grandes no sobrepasan las 150 toneladas de peso).

Botánicamente se trata de un ahuehuete o sabino ('Taxodium mucronatum' Tenore), de la familia de las Taxodiáceas.

Toda la tierra es un inmenso jardín, o al menos, ese fue el deseo de su Creador. Pero además de adornar, las flores y las plantas, muchas de las cuales poseen propiedades medicinales, contribuyen grandemente al bienestar y a la salud.

giones polares, como los musgos o líquenes, otras en zonas tropicales, como el guayaco o el aguacate.

Variedad de duración

La vida de los vegetales tiene una duración muy variable: algunas bacterias viven tan solo durante unos minutos; la grama y otras hierbas pueden ver limitada su existencia a unos pocos días, en caso de sequía. Sin embargo, el abeto llega hasta los 800 años, y el castaño y el olivo pueden superar el milenio.

En el cementerio de Yorkshire, en Inglaterra, hay un tejo al que se le calculan 3.000 años de antigüedad. Existen secuoyas en California y baobabs en África, que tienen más de 4.000 años de existencia. Estos venerables árboles siguen vivos, impasibles después de haber visto surgir y desaparecer grandes imperios, civilizaciones y las más diversas creaciones humanas.

Pero la plusmarca de longevidad la ostenta un drago del valle de la Orotava, en la isla de Tenerife (España), que en 1868 fue arrancado por un huracán. En su tronco se pudieron contar ¡más de 5.000 anillos! (que equivalen a 5.000 años). No se conoce ningún otro árbol que haya superado esta edad.

Variedad de estructura: de una a millones de células

- Los vegetales más sencillos o **protofitos,** están formados por una sola célula de tamaño microscópico. Tal es, por ejemplo, el caso del alga espirulina (pág. 276), que destaca por sus extraordinarias propiedades medicinales. Cuando la consumimos, tomamos millones de individuos, todos ellos formados por células idénticas. Como es lógico, en estos seres vivos no cabe establecer ninguna parte diferenciada.
- Los **talofitos** son vegetales cuyo cuerpo o talo está formado generalmente por una masa de múltiples células poco diferenciadas, es decir, muy semejantes entre ellas. Carecen de verdaderos tejidos y órganos; no tienen raíces, ni tallos, ni hojas, ni flores. Tal es el caso de las algas, los hongos y los líquenes. Se usan los talos de la laminaria, del liquen de Islandia, del musgo de Irlanda, y los del sargazo vejigoso, llamado también fucus.
- Los **cormofitos** son los vegetales superiores, comúnmente llamados plantas. Están formados por millones de células, entre las que hay unos setenta u ochenta tipos diferentes. Cada uno de estos tipos de células se especializa en realizar unas determinadas funciones, formando así los distintos órganos o partes de la planta: la raíz, el tallo, las hojas, las flores, etcétera.

Variedad de forma

La forma de los vegetales también presenta enormes contrastes: desde la delicadeza de una violeta, hasta la agresividad de un cacto; desde la sencillez del tomillo, hasta la sofisticación de una orquídea. Y qué decir de su color, de los distintos tonos de verde de las hojas, todos ellos parecidos,

pero ninguno exactamente igual; o de la gran diversidad de colores de las flores, que abarcan todo el espectro lumínico.

¿Conoce usted, querido lector, alguna planta fea? Dentro de la inmensa riqueza de formas, gamas y matices, cada vegetal guarda su equilibrio, su armonía y su encanto. Y además, muchos de ellos nos sirven de alimento y curan nuestras dolencias.

Variedad de propiedades medicinales

La gran riqueza del mundo vegetal se pone asimismo de manifiesto en los múltiples principios medicinales que sintetizan las plantas: Desde antibióticos, como los del ajo y la capuchina; hasta cardiotónicos, como los de la digital y el cacto; pasando por sedantes, como los de la amapola y la valeriana; o bien antirreumáticos, como los del harpagofito; o tonificantes, como los del ginseng y el romero. Su gama de propiedades cubre prácticamente todas las necesidades de la terapéutica. «Los prados y las colinas son las mejores farmacias», decía Paracelso, el famoso médico y naturalista suizo del siglo XVI.

Unidad de origen

¿Somos conscientes del mérito del arquitecto que construyó nuestra casa? El orden no surge jamás del azar, por muchos millones de años que queramos concederle. Del puro azar no puede surgir más que un creciente desorden.

Para que aparezca el orden, y se mantenga, resulta indispensable la acción directa de una Inteligencia superior. Al profundizar en el estudio del mundo vegetal, no podemos por menos que reconocer la actuación del Creador del universo, que proyectó los "edificios" (seres vivos), disponiendo tan acertadamente sus "ladrillos" (células).

Partes de las plantas

Los principios activos se distribuyen de forma desigual por las diferentes partes u órganos de la planta, debido a la especialización de sus células. No basta con saber que la valeriana es un buen sedante; hay que saber qué parte de la planta se debe utilizar. En algunos casos, toda las partes de la planta contienen los mismos principios activos, de forma que es indiferente usar unas u otras. Pero también se dan los siguientes casos:

- Que los principios activos medicinales se concentren en **una sola parte** de la planta. Por ejemplo, únicamente la raíz del ginseng contiene sustancias tonificantes.
- Que **cada parte** de la planta produzca **sustancias diferentes**, y por lo tanto tenga

continúa en la página 29

La OMS (Organización Mundial de la Salud) considera como 'planta medicinal' a todo vegetal que contiene en uno o más de sus órganos, sustancias que pueden ser usadas con finalidades terapéuticas o que son precursoras en la semisíntesis químicofarmacéutica.

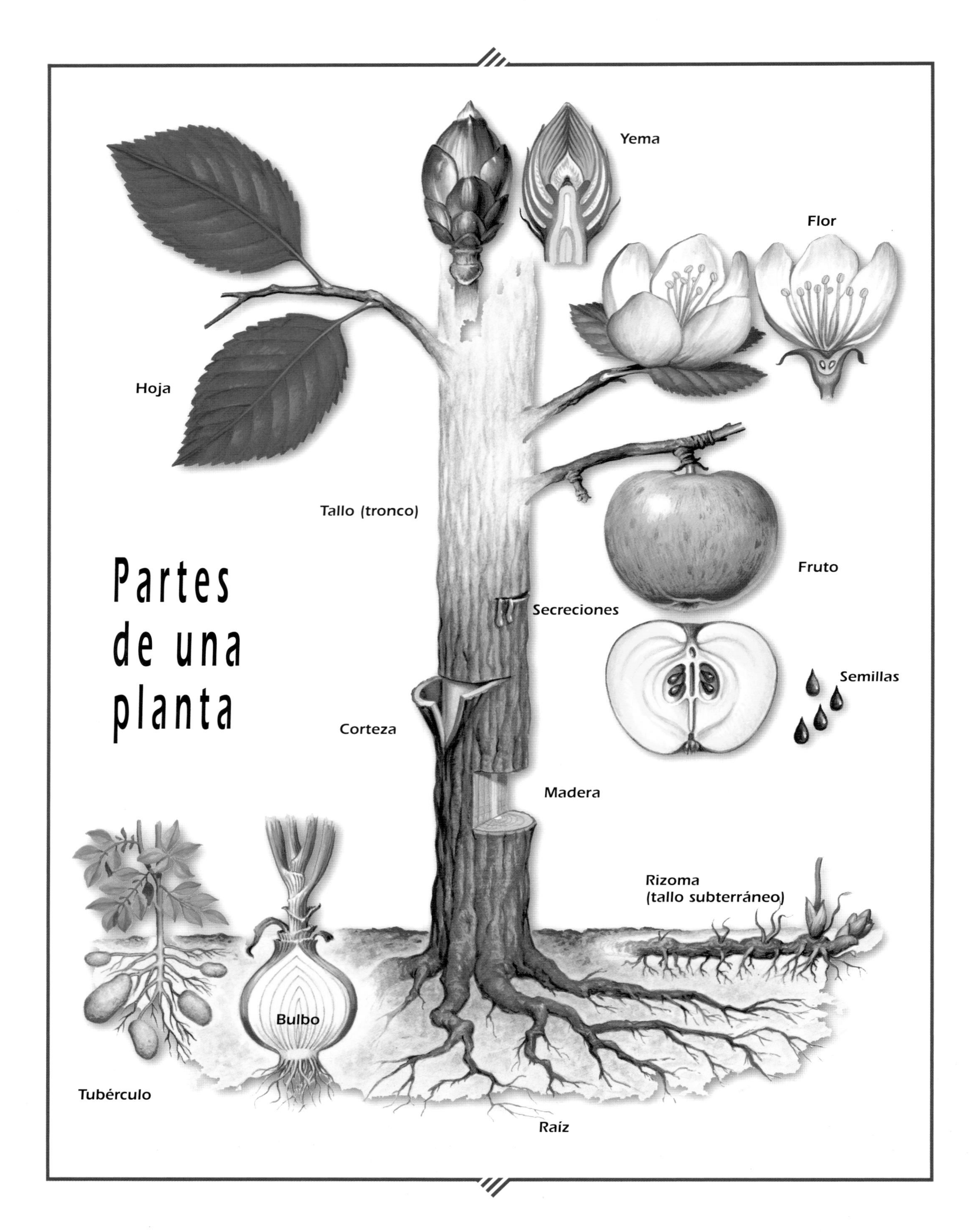
Yema
Flor
Hoja
Tallo (tronco)
Partes de una planta
Fruto
Secreciones
Semillas
Corteza
Madera
Rizoma
(tallo subterráneo)
Bulbo
Tubérculo
Raíz

viene de la página 27

distintas propiedades. Las flores del naranjo son sedantes; sus frutos, las naranjas, son tonificantes; y la corteza de ellos, digestiva y aperitiva.

- Que **unas partes** produzcan **principios medicinales**, y, en cambio, **otras partes** de la misma planta elaboren **sustancias tóxicas**. Este es el caso de la raíz de la consuelda, un gran cicatrizante, debido a la alantoína que contiene; mientras que en su tallo y sus hojas se encuentra un alcaloide, que los hace muy tóxicos.

Por todo lo dicho, conviene conocer y saber identificar cada una de las partes u órganos constituyentes de una planta.

Raíz

La raíz es el órgano encargado de extraer del suelo las sales minerales y el agua, y de bombearlas hacia las hojas, con el fin de alimentar a toda la planta. En general todas las plantas producen y almacenan en su raíz almidón, inulina y otros glúcidos (que por lo común reciben el nombre de hidratos de carbono) como por ejemplo la achicoria, la alcachofa, la bardana, la carlina, el diente de león, la equinácea, la jalapa, la ratania y el salsifí.

Pero en la raíz de otras plantas se producen también alcaloides (por ejemplo: ipecacuana, rauwolfia), glucósidos (por ejemplo: acónito, cinoglosa, equinácea, saxífraga) o vitaminas (por ejemplo: zanahoria).

En algunos casos solamente se aprovecha la corteza de la raíz, por acumularse en ella los principios activos, como es el caso del agracejo, el boj, el guayabo o el té de Nueva Jersey.

Rizoma

El rizoma es un tallo subterráneo, que tiene apariencia de raíz, pero que en realidad no crece hacia abajo sino que lo hace horizontalmente. También acumula hidratos de carbono y sustancias de reserva, así como otros principios activos. En muchos casos se lo prefiere a la raíz propiamente dicha (bistorta, cálamo aromático, cúrcuma, grama lirio, polipodio, ruibarbo).

La bardana ('*Arctium lappa*' L.) es una de las plantas cuya raíz es más rica en principios activos: contiene sustancias antibióticas, diuréticas e hipoglucemiantes (que hacen descender el nivel de glucosa en la sangre).

Bulbo

Se denomina bulbo a un engrosamiento subterráneo del tallo formado por numerosas capas superpuestas. En el bulbo se encuentran esencias azufradas (ajo, cebolla), sustancias aromáticas (azucena), o alcaloides (cólquico o azafrán silvestre).

Tubérculo

Un tubérculo es un tallo subterráneo especializado en almacenar sustancias de re-

Además de belleza y grato aroma, las flores aportan numerosos principios activos de acción medicinal: aceites esenciales, alcaloides, pigmentos, glucósidos y otros.

serva. Así, por ejemplo, el del satirión manchado, una orquídea de cuyo tubérculo se extrae una harina medicinal.

Corteza

La corteza es la capa que recubre al tallo y a la raíz. En ella se acumulan abundantes principios activos (aliso, canelo, cáscara sagrada, condurango, frángula, quino, roble, tilo, etc.).

Tallo

El tallo sirve de comunicación entre la raíz y el resto de la planta, y en algunos casos contiene principios activos (alcachofera, caña amarga y de azúcar, cola de caballo, efedra, esparraguera). El tallo puede ser **herbáceo**, que es el caso de las plantas llamadas herbáceas), o **leñoso** (con madera), como en los árboles y arbustos. La madera se usa por su esencia (alcanforero, ciprés, cuasia, guayaco) o bien para quemarla y preparar carbón vegetal (álamo negro, haya).

Yema

Cada yema es el esbozo de una futura rama. Contienen resinas y esencias. En fitoterapia se usan, por ejemplo, las yemas de abedul, abeto blanco, álamo negro y pino.

Hojas

Podemos decir que las hojas son el laboratorio químico por excelencia de la planta. En ellas se realiza la **fotosíntesis**, es decir, el conjunto de reacciones químicas mediante las cuales la planta produce sustancias químicas complejas a partir de las sustancias inorgánicas de la tierra y del aire. Las células de las hojas contienen clorofila, que capta la energía de la luz solar y la transforma en energía química.

Los hojas **producen la mayor parte de principios activos** de las plantas, especialmente los alcaloides, esencias, glucósidos y taninos. Por eso **son la parte más usada de las plantas medicinales.** Algunas de las hojas más útiles en fitoterapia son las de: aloe, avellano, boldo, damiana, digital, gayuba, hamamelis, laurel, muérdago, nogal, olivo, vid y zarza.

Flores

Son las flores el órgano reproductor de la planta. Contienen numerosos principios activos: **aceites esenciales** (acacia falsa, azucena, capuchina, tanaceto, tilo), **alcaloides** (amapola, buglosa, pasionaria), **pigmentos** (aciano, rosal), **glucósidos** (cacto, caléndula, lúpulo, naranjo, saúco), y otros muchos.

- **Estigmas:** De algunas flores, como las del azafrán o el maíz, se usan solo los estig-

Los frutos aportan sobre todo vitaminas, sales minerales, azúcares y ácidos orgánicos. Algunos, como los del serbal silvestre ('Sorbus aucuparia' L.), llamados serbas, contienen además pectina, fibra vegetal soluble de acción laxante, y taninos de acción astringente. El resultado de esta combinación de principios activos es un efecto regulador y normalizador del tránsito intestinal.

mas (parte superior del pistilo u órgano femenino de la flor).

- **Amentos:** Son racimos péndulos formados por flores casi siempre unisexuales. Se usan, por ejemplo, los del avellano.

Fruto

El fruto es el órgano vegetal que procede de la flor y que envuelve a las semillas.

Los **frutos carnosos** contienen abundantes **ácidos orgánicos,** azúcares y vitaminas (agracejo, arándano, caimito, cerezo, espino blanco, saúco, zarza); otros son **secos,** como los de las Umbelíferas, y contienen **aceites esenciales** (anís verde, comino, perejil); y algunos se usan por el **látex** que producen (adormidera).

La **baya** es un fruto carnoso, pero sin hueso.

Pedúnculos

El pedúnculo es la ramificación del tallo que sostiene a la flor, al fruto (rabos), o a la hoja (en este caso se llama **peciolo**). Por ejemplo, se usan los de la cereza y los del culantrillo.

Sumidad

Se llama sumidad a la parte superior de una planta, en la que se encuentran pequeñas hojas y flores que se usan conjuntamente (ajenjo, brezo, orégano, romero, tomillo, vara de oro, y en general, todas las plantas de la familia de las Labiadas). Cuando contiene muchas flores recibe el nombre de **sumidad florida.**

Semilla

En cada semilla se encuentra el germen de la futura planta y uno o dos **cotiledones** con sustancias de reserva. Las semillas proporcionan **glúcidos y lípidos** (avellano, avena, cacao, maíz, nuez), **mucílagos** (alholva, lino, zaragatona) y **aceite** (adormidera, lino, onagra, ricino, vid).

A las semillas de los cereales se las denomina **granos**.

Secreciones

Las secreciones no se pueden considerar propiamente partes de una planta, ya que se trata de sustancias líquidas más o menos viscosas producidas por el vegetal:

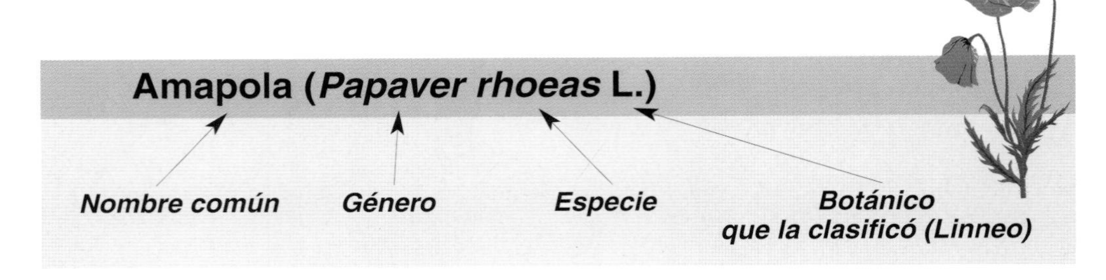

Los nombres científicos de las plantas en latín, se basan en el sistema binomial de Linneo: primero el género y después la especie. A diferencia del nombre vulgar, cuyo ámbito de validez es local, el nombre científico es utilizado en todo el mundo. De esta forma se facilita mucho el entendimiento entre especialistas de diferentes países.

Solamente una parte de las más de 390.000 especies vegetales que pueblan el planeta Tierra han sido identificadas y clasificadas. ¡Cuántos secretos por descubrir guarda todavía el mundo vegetal!

- el **látex**, blanquecino, diferente de la savia, (adormidera, celidonia, higuera, lechuga silvestre, papayo);
- la **resina,** rica en esencias balsámicas, (abeto, asafétida, copaiba, guayaco, lentisco, pino); y
- la **savia,** líquido nutritivo de la planta, (abedul, agave, vid).

Los nombres de las plantas

¿Cómo nombrar ordenadamente la gran variedad de plantas que forman el mundo vegetal? ¿Cómo clasificarlas? ¿Por el color de sus flores? ¿Por la forma de sus hojas? ¿O quizá por las sustancias químicas que producen?

En la antigua Grecia, Aristóteles, Teofrasto y Dioscórides, ya idearon sistemas para nombrar y clasificar las plantas. Desde entonces, otros investigadores y científicos también intentaron establecer un sistema universal, pero ninguno tuvo éxito. De manera que el número creciente de nombres y de clasificaciones en uso dificultaba el intercambio de conocimientos y experiencias entre botánicos, farmacéuticos y médicos de diversas regiones o países.

Para hacer frente a esta diversidad, el gran naturalista y botánico sueco Carl von Linné (latinizado: Linnaeus, castellanizado: Linneo) introdujo en 1753 un método de nomenclatura y clasificación de plantas que ha obtenido aceptación universal. Se denomina **sistema binomial**, pues asigna a cada especie un par de nombres: el primero corresponde al **género**, y el segundo a la **especie** propiamente dicha. Linneo tuvo, como Adán en el jardín del Edén, el privilegio de poner nombre a todas las plantas conocidas. Utilizó el latín, que, por ser una lengua muerta, no daba lugar a que se produjeran deformaciones en los nombres.

Los nombres vulgares de las plantas varían mucho entre los diferentes idiomas del mundo. Incluso en una misma región o área lingüística, reciben diferentes nom-

bres. Pero los nombres latinos que les dio Linneo, siguen fijos y son de uso universal. Sirva como homenaje a este gran observador de la naturaleza, la ele mayúscula seguida de un punto [L.] que figura tras el nombre científico de la mayor parte de las plantas medicinales; las cuales fueron nombradas y clasificadas por él.

La clasificación de las plantas

Linneo clasificó las plantas con arreglo a las peculiaridades de sus órganos reproductores. Pero a medida que fue progresando la botánica, especialmente gracias al microscopio, el sistema original de Linneo se ha ido modificando y perfeccionando hasta llegar al esquema actual.

La especie y sus variedades

La unidad de clasificación es la especie; agrupa a todos los individuos que tienen la mayor parte de sus características en común. Así por ejemplo, la amapola (*Papaver rhoeas* L.) es una especie.

Todas las amapolas de un campo de trigo se parecen mucho entre sí. Pero cuando comparamos las que crecen en España, por ejemplo, con las que se crían en México, notaremos algunas diferencias. Todas son amapolas y pertenecen a la misma especie; pero constituyen variedades diferentes.

Las variedades que puede presentar una misma especie son consecuencia del tipo de terreno en que se críe, del clima y de las posibles hibridaciones o cruces que haya sufrido. Su composición química es la misma para todas las variedades, pero puede haber diferencias en la concentración de principios activos. Así por ejemplo, la adormidera que se cría en los países del Oriente Medio y Asia produce más morfina que la europea.

Dentro de cada especie existen numerosas variedades. Por ejemplo, de la especie 'Rosa gallica' L. (rosal) existen más de 10.000 variedades, cada cual produce rosas con características peculiares.

El género

Las especies parecidas entre sí se agrupan en géneros. Por ejemplo, la amapola (*Papaver rhoeas* L.) y la adormidera (*Papaver somniferum* L.) pertenecen al mismo género *Papaver*. Ambas especies producen alcaloides similares, aunque son más activos los de la adormidera.

La familia

Varios géneros similares se agrupan en una familia. Por ejemplo, la amapola y la adormidera, junto con la celidonia mayor (*Chelidonium majus* L.), forman la familia de las Papaveráceas. Todas ellas producen un látex rico en alcaloides más o menos narcóticos.

El orden y la división

Las familias similares se agrupan en órdenes; estos en clases, y estas, a su vez, en divisiones o tipos.

Clasificación de

PROTOFITOS

*Son los vegetales más simples y pequeños que existen (microscópicos). Son **unicelulares y procariotas,** es decir, están formados por **una sola célula,** en la que el núcleo no está definido. Sin*

TALOFITOS

*Son vegetales formados generalmente por **múltiples células,** pero todas ellas **similares.** Al no haber diferenciación celular, o ser esta muy escasa, tampoco existen tejidos ni órganos. El **talo,** o cuerpo de estos vegetales, se halla constituido por una masa de células casi iguales, sin vasos ni fibras conductoras; y carece de verdaderas raíces, tallos y hojas. Los talofitos comprenden las **algas,** los **hongos** y los **líquenes,** como por ejemplo, el liquen de Islandia ('Cetraria islandica' L., pág. 300).*

CRIPTÓGAMAS

CORMOFITOS

*Plantas que se caracterizan por poseer **células diferenciadas** que forman distintos **tejidos y órganos.** El **cormo** es el aparato vegetativo de estas plantas, que, al contrario que el talo de las talofitas, está formado por verdaderas **raíces, tallos y hojas** bien diferenciados; todas ellos surcados por vasos y fibras conductoras.*

*Todos los vegetales a los que vulgarmente llamamos **'plantas',** son cormofitos, es decir, pertenecen al reino de las **metafitas.** Dentro de este reino se incluyen también a las **briofitas,** constituidas por los **musgos,** y que no figuran en este esquema, por no describirse ninguno en esta Enciclopedia de las Plantas Medicinales.*

FANERÓGAMAS
ESPERMATOFITOS

los vegetales

embargo, a pesar de su sencillez, tienen una gran importancia biológica, pues **sin ellos sería imposible la vida en la tierra.**
*Los protofitos incluyen a las **bacterias,** que no tienen clorofila, y a los **cianofitos** o algas azules, que sí la tienen. La espirulina ('Spirulina maxima' [Set.-Gard.] Geitler, pág. 276) es un ejemplo de protofito (alga azul) con aplicación medicinal.*

Los **seres vivos,** en lugar de los dos reinos tradicionales: ***vegetal*** y ***animal,*** en la actualidad se clasifican en **cinco reinos:**

- **MÓNERAS:** incluyen los protofitos y los procariotas.
- **PROTOCTISTAS:** algas unicelulares y protozoos.
- **HONGOS:** levaduras, mohos, hongos superiores (setas).
- **METAFITAS:** vegetales pluricelulares con tejidos definidos (cormo).
- **METAZOOS:** animales pluricelulares.

ALGAS

HONGOS

LÍQUENES

VASCULARES
PTERIDOFITOS

__Criptógamas__ son todas las __plantas sin flores. Criptógamas vasculares__ son las que __no tienen flores,__ pero __sí poseen cormo__ (raíces, tallos y hojas surcados por vasos conductores). La cola de caballo ('Equisetum arvense' L., pág. 704) y los helechos como el helecho macho ('Dryopteris filix-mas' L., pág. 500), son ejemplos de criptógamas vasculares.

Son plantas __cormofitas__ con __tejidos y órganos bien diferenciados__ (raíces, tallos y hojas), que se reproducen por __semillas.__ Su característica más llamativa es que tienen __flores,__ es decir, órganos reproductores visibles y bien diferenciados (masculino y femenino). Son las __plantas más numerosas__ de la tierra (más de 250.000 especies). Según el tipo de semillas, se clasifican en __gimnospermas__ y __angiospermas.__

GIMNOSPERMAS

Son plantas __fanerógamas__ (con flores) cuyas __semillas__ están __al descubierto,__ sin la protección de un fruto (gimnosperma: del griego 'gymnos', desnudo, y 'sperma', semilla). Comprenden unas 800 especies, entre las que destaca el orden de las Coníferas, como el abeto y el pino.

ANGIOSPERMAS

Son plantas __fanerógamas__ (con flores) que producen __semillas__ encerradas __en el ovario,__ que posteriormente se convierten en __fruto__ (angiosperma: del griego 'ageion', vaso o recipiente, y 'sperma', semilla). Son las plantas superiores dentro de la escala vegetal, y forman el __grupo más numeroso__ de las __fanerógamas__ o plantas con flores.

Tipos

Según su forma

Acorazonada
Su forma recuerda a la de un corazón (por ejemplo la nueza negra, pág. 679).

Lanceolada
Con forma de lanza (por ejemplo la bistorta, pág. 198).

Sagitada
Su forma recuerda a la de una saeta (por ejemplo la correhuela mayor, pág. 491).

Bilobulada
Está hendida en dos lóbulos (por ejemplo el ginkgo, pág. 234).

Palmeada
Es una hoja compuesta, en la que sus divisiones o foliolos se disponen como los dedos de una mano (por ejemplo el castaño de Indias, pág. 251).

Elíptica
Tiene forma de elipse (por ejemplo la belladona, pág. 352).

Ovalada
Tiene forma de óvalo (por ejemplo la escrofularia, pág. 543).

Según su nervadura

Paralelinervia
Los nervios discurren paralelos a lo largo de la hoja (por ejemplo el muérdago, pág. 246).

Penninervia
Los nervios nacen a lo largo de un eje central (por ejemplo el avellano, pág. 253).

Curvinervia
Los nervios describen una curva a lo largo de la hoja (por ejemplo el llantén, pág. 325).

Radial
Los nervios salen como radios a partir de un centro común (por ejemplo la hierba centella, pág. 665).

de hojas

Según su borde

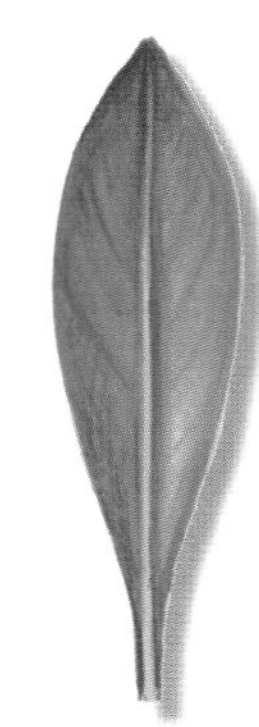

Entera
El borde es liso (por ejemplo el laurel, pág. 457).

Dentada
El borde tiene pequeños entrantes (por ejemplo la ortiga, pág. 278).

Lobulada
El borde tiene hendiduras que forman lóbulos (por ejemplo el roble, pág. 208).

Partida
Las hendiduras del borde alcanzan el nervio central, (por ejemplo la achicoria, pág. 440).

Hendida
Las hendiduras del borde se acercan al nervio central (por ejemplo el cardo mariano, pág. 395).

Según su posición en el tallo

Peciolada
Las hojas están unidas al tallo por medio de un peciolo o rabo.

Opuestas
Son hojas pecioladas que nacen de dos en dos, enfrentadas entre sí.

Alternas
Son hojas pecioladas que nacen de una en una a lo largo del tallo.

Sesiles
Son hojas que no tienen peciolo (rabo). Cuando nacen abrazando al tallo se llaman decurrentes.

Anatomía de las hojas

Yema terminal
Es el órgano de crecimiento del tallo. A partir de ella crece el tallo y se forman nuevas hojas.

Limbo
Es la parte plana de la hoja. Su parte superior se llama haz, y la inferior, envés.

Peciolo
Rabito que une la hoja al tallo

Haz

Ápice

Envés

Nervios o nervaduras
Son la prolongación del peciolo. Por ellos discurre la savia.

Las hojas son los laboratorios químicos de las plantas, en los que sustancias inorgánicas simples como el agua, el dióxido de carbono y ciertos minerales, se transforman en sustancias orgánicas: hidratos de carbono, grasas, vitaminas y otros principios activos.
La síntesis de las proteínas comienza en la raíz, a partir del nitrógeno del suelo.

Yema axilar
Órgano de crecimiento que se sitúa entre el tallo y el peciolo. En la primavera da lugar a un nuevo tallo con hojas, o a una flor.

Sección de una hoja vista al microscopio

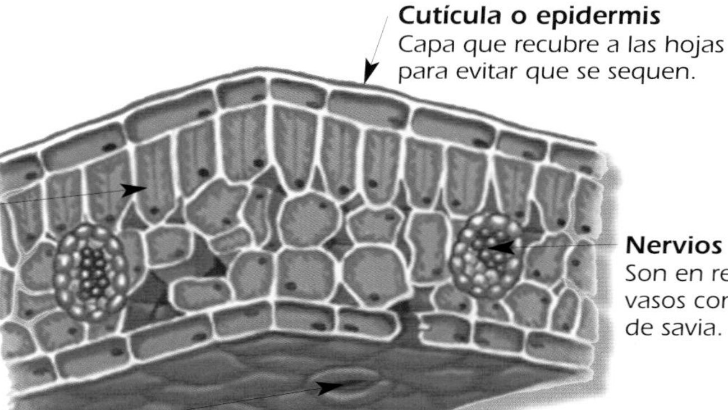

Cutícula o epidermis
Capa que recubre a las hojas para evitar que se sequen.

Parénquima
Está formado por células muy ricas en clorofila, lo que confiere el color verde a la hoja.

Nervios
Son en realidad vasos conductores de savia.

Estomas
Pequeños orificios situados en el envés de la hoja, a través de los cuales las hojas eliminan vapor de agua y oxígeno, y absorben dióxido de carbono. Los estomas están rodeados por unos labios que actúan como válvula, abriéndose y cerrándose para controlar así el paso de agua y de gases según las necesidades de la planta.

Tipos de raíces

La raíz absorbe minerales y agua del suelo mediante unos finos pelillos absorbentes situados al final de sus ramificaciones.
Además, fija el vegetal al terreno.

Raíz típica

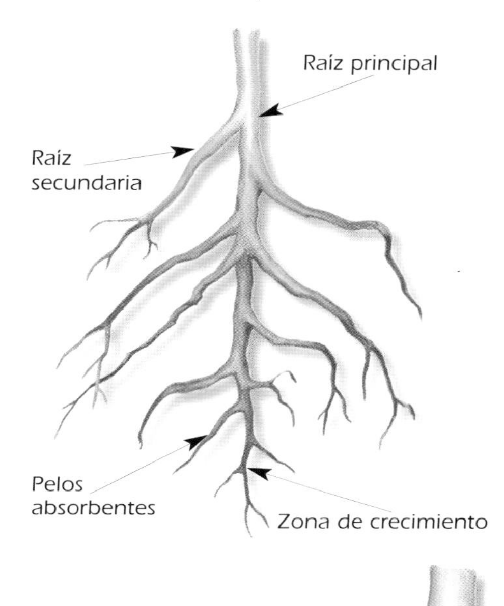

Tuberosa
Produce abultamientos llamados tubérculos, en los que se acumulan hidratos de carbono, proteínas y otras sustancias de reserva.

Napiforme
Tiene forma cónica, y almacena sustancias de reserva (por ejemplo la zanahoria, pág. 133).

Fasciculada
Formada por raíces secundarias del mismo grosor que nacen juntas en la base del tallo (por ejemplo la cebolla, pág. 294).

Leñosa
Sus ramificaciones son duras y gruesas (por ejemplo el roble, pág. 208).

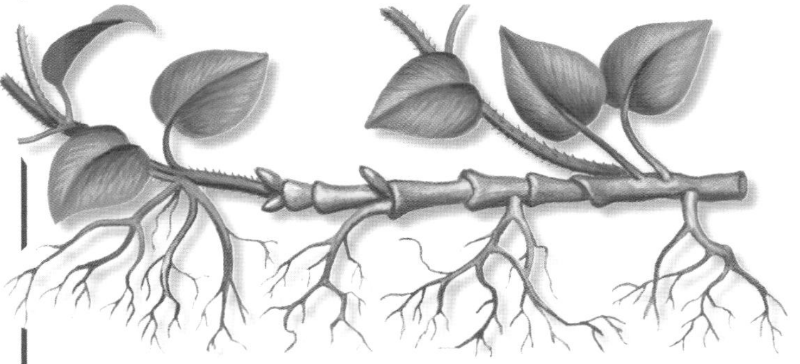

Raíces adventicias
Son las que nacen directamente de un tallo aéreo o bien de un tallo subterráneo, llamado rizoma (por ejemplo la verónica, pág. 475).

Bulbo
En realidad el bulbo no es una raíz sino una yema subterránea formada por hojas carnosas en capas superpuestas (por ejemplo, la cebolla, pág. 294).

Tipos de tallos

El tallo conecta la raíz y las hojas. Contiene vasos conductores por los que circula la savia.

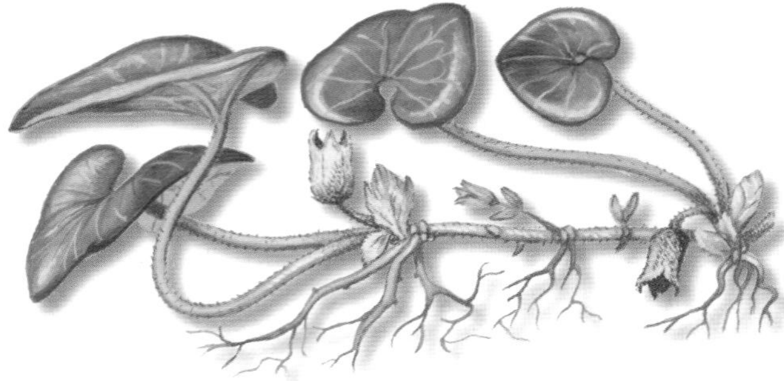

Leñoso
La celulosa que recubre las células de los tallos leñosos (troncos) se halla impregnada de lignina. Esta sustancia otorga a la celulosa la dureza y consistencia propias de la madera.

Subterráneo o rizoma
Es un tallo que se desarrolla y discurre por debajo del suelo. Aunque parezca una raíz, en realidad no lo es (por ejemplo el ásaro, pág. 432).

Herbáceo
Es un tallo frágil, pues la celulosa que recubre sus células no está lignificada. Se renueva cada año (por ejemplo la achicoria, pág. 440).

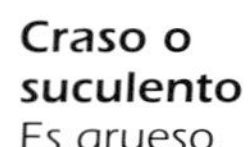

Craso o suculento
Es grueso, esponjoso y sin hojas. Almacena gran cantidad de agua en su interior. Propio del cacto (pág. 216) y de otras plantas típicas de las regiones desérticas.

Trepador
No tiene la suficiente consistencia como para mantenerse erguido por sí mismo, por lo que necesita apoyarse en otras plantas mediante zarcillos (por ejemplo la nueza negra, pág. 679).

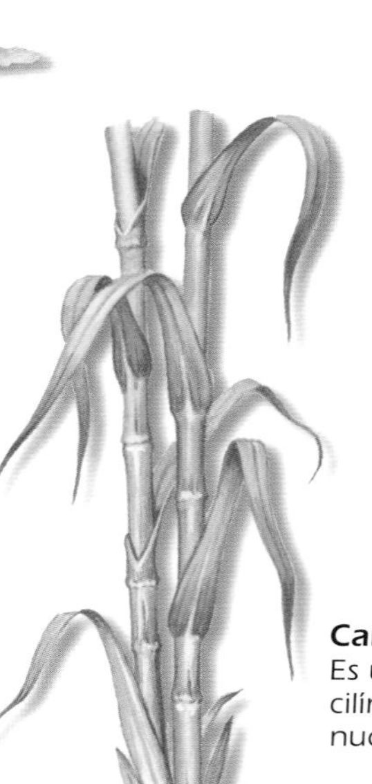

Rastrero o estolón
Crece horizontalmente, apoyándose en el suelo (por ejemplo el fresal, pág. 575).

Caña
Es un tallo herbáceo, cilíndrico y hueco, con nudos bien marcados.

Tipos de inflorescencias

Las inflorescencias son grupos de flores que tienen un pedúnculo (rabito) común.

En espiga
Formada por grupos de flores que nacen directamente del tallo (por ejemplo la gatuña, pág. 581).

En capítulo
Los capítulos florales o cabezuelas son grupos de pequeñas flores unidas por un mismo pedúnculo (rabito). Los capítulos dan la impresión equivocada de ser una única flor, cuando en realidad son muchas (por ejemplo el árnica, pág. 662).

En corimbo
Formada por flores cuyos pedúnculos nacen de diversos puntos, pero que alcanzan la misma altura (por ejemplo la milenrama, pág. 691).

En amento
Es una espiga que pende, formada por flores muy pequeñas (por ejemplo el avellano, pág. 253).

En umbela
Formada por flores cuyo pedúnculo sale de un punto común (por ejemplo la primavera, pág. 328).

En umbela compuesta
Formada por varias umbelas sencillas (por ejemplo el anís, pág. 465).

Anatomía

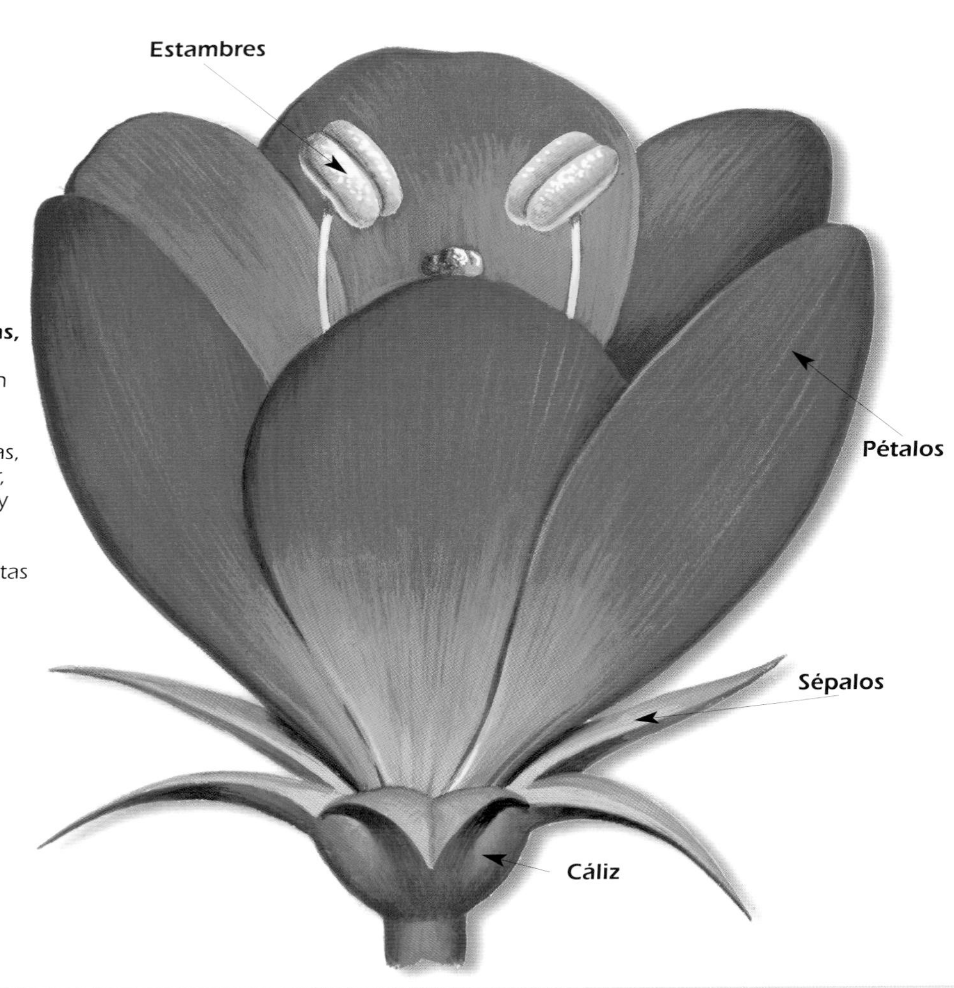

La flor es el órgano de reproducción de las plantas **fanerógamas,** es decir, con flores. Las fanerógamas se dividen en dos grupos: plantas **gimnospermas** (sus semillas están desnudas, es decir, sin fruto alrededor, como por ejemplo el pino y otras coníferas), y plantas **angiospermas** (sus semillas están recubiertas por un fruto más o menos carnoso). Las flores de las angiospermas son las más grandes y vistosas.

Tipos de flores

Acampanada
Su corola (conjunto de los pétalos) tiene la forma de una campana.

Labiada
Los pétalos de la corola forman dos labios, uno superior y otro inferior.

Rosácea
Es la flor típica de la familia de las Rosáceas, cuyos pétalos se disponen en forma radial.

de una flor

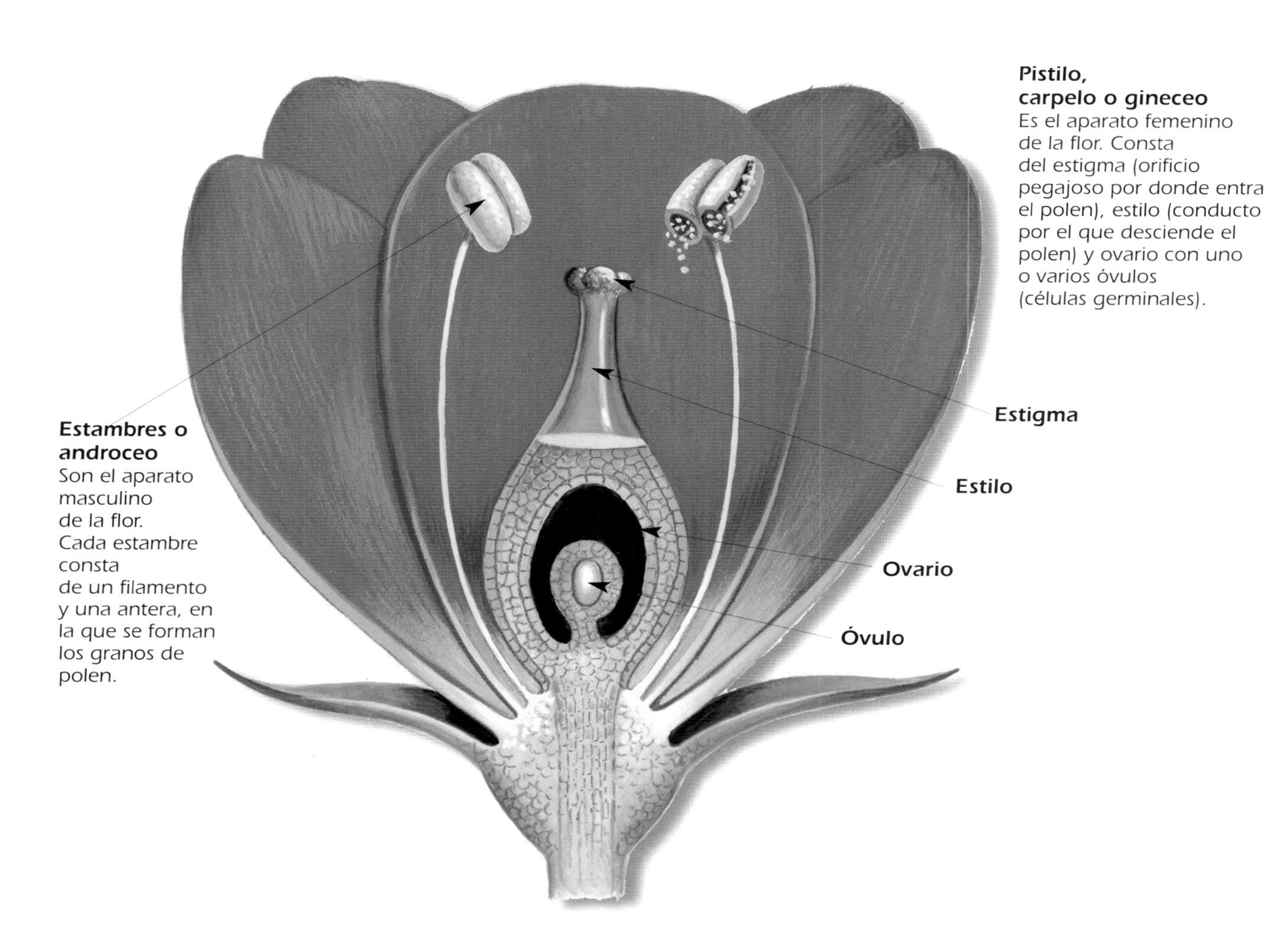

Pistilo, carpelo o gineceo
Es el aparato femenino de la flor. Consta del estigma (orificio pegajoso por donde entra el polen), estilo (conducto por el que desciende el polen) y ovario con uno o varios óvulos (células germinales).

Estambres o androceo
Son el aparato masculino de la flor. Cada estambre consta de un filamento y una antera, en la que se forman los granos de polen.

Grano de polen

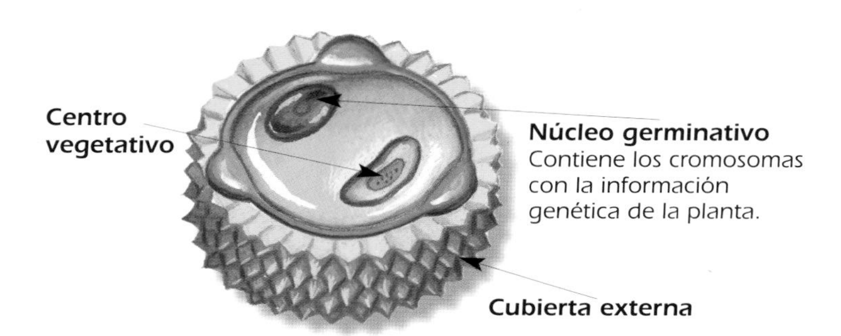

Núcleo germinativo
Contiene los cromosomas con la información genética de la planta.

La fecundación de las flores
Para que se produzca la fecundación y se forme la semilla y el fruto después de la flor, es necesario que un grano de polen caiga sobre el estigma de la flor. Si el polen y la flor son de la misma especie, el polen emite una prolongación que baja por el estilo hasta llegar al ovario. Allí los cromosomas masculinos del polen se unen con los femeninos del óvulo, y se forma la semilla y el fruto. Las plantas con flores se reproducen sexualmente. Esto significa que existen dos partes, la masculina y la femenina. Ambas deben unirse para dar lugar a una nueva planta.

RECOLECCION Y CONSERVACION

LAS FARMACIAS, las herboristerías, y algunos comercios especializados en productos naturales, disponen de una gran variedad de plantas medicinales en diversas presentaciones. Estas plantas deben contar con la garantía de los profesionales que nos las suministran, y por lo tanto, es de suponer que estarán bien identificadas y correctamente conservadas.

No obstante, quizá el lector desee aprovechar una salida al campo para recoger sus propias plantas; con lo cual, además de disfrutar del aire puro, del paisaje y del ejercicio, se llevará a casa productos de la naturaleza que pueden ser auténticos medicamentos para su salud. Ahora bien, en este caso habrá de tener en cuenta algunos factores que influyen en la riqueza de principios activos de las plantas, así como las técnicas de recolección y de conservación.

Concentración de los principios activos

No todas las plantas de la misma especie producen siempre igual cantidad y concentración de principios activos. Estos pueden variar mucho de una planta a otra, dependiendo de diversos factores biológicos o ambientales. Conviene conocer tales factores, para evitar sorpresas en cuanto a la intensidad de las propiedades medicinales

Recoger plantas medicinales a la vez que se da un paseo por el campo, es un placer sumamente gratificante. En este capítulo se presentan diversas indicaciones que conviene tener en cuenta.

El clima y el terreno influyen mucho en la riqueza de principios activos de una planta.

de las plantas recogidas, ya sea por exceso o por defecto.

Según la edad

Los jugos de las plantas jóvenes son acuosos y contienen pocos principios activos en disolución. A medida que crecen, aumenta su producción y su concentración, para volver a disminuir con el envejecimiento, hasta el punto de resultar finalmente inservibles para aplicaciones medicinales. Conviene pues recoger las plantas cuando no sean ni muy jóvenes ni viejas.

Sin embargo, el momento óptimo para recogerlas varía mucho de unas plantas a otras, en virtud de la duración de su vida. Así, por ejemplo, en las plantas anuales (que solo viven un año) suele coincidir con el comienzo de la floración, en la primavera. Para las plantas que viven varios años, en cambio, hay que esperar pacientemente a que llegue su madurez. Por ejemplo la genciana tarda 10 años en empezar a dar flores y en producir una raíz rica en sustancias medicinales; el alcanforero no produce alcanfor hasta pasados los 30 años de edad; y el castaño no empieza a fructificar hasta los 25 años, y hasta los 100 no alcanza la madurez.

Existen algunos principios activos que únicamente se producen en las plantas maduras o desarrolladas por completo. Tal es el caso de los alcaloides, que prácticamente no se encuentran en las plantas jóvenes. Por ejemplo, la lechuga tierna apenas contiene sustancias activas; sin embargo, cuando se espiga y florece, produce alcaloides de efectos sedantes y somníferos. Lo mismo ocurre con el acónito, que cuando es joven resulta inofensivo, mientras que cuando madura contiene alcaloides muy tóxicos que pueden provocar la muerte.

Según el clima y el terreno

Las plantas productoras de esencias, como las de la familia de las Labiadas (por ejemplo: ajedrea, orégano, salvia, tomillo) producen más principios activos en climas y terrenos soleados y secos. ¡Qué poco huele el tomillo que se cría en los lugares húmedos! Lo mismo ocurre con las Umbelíferas (por ejemplo: angélica, anís, comino) que pierden su aroma en los terrenos húmedos.

Es interesante comprobar como cada especie vegetal parece tener asignado un lugar donde desarrollar mejor sus principios activos. Las plantas que se crían en las montañas pueden resultar inactivas cuando crecen en las tierras bajas de la costa (como ocurre con la valeriana o la digital), y viceversa.

Hay plantas tropicales, que al transplantarlas a lugares templados, dejan de producir sustancias medicinales. Tal es el caso del árbol de la quina, del guayaco y de diversas especies propias de climas cálidos.

La calidad del terreno también influye en el rendimiento de las plantas: unas precisan de suelos calcáreos y otras de suelos arenosos o silíceos. Las plantas productoras de alcaloides rinden más en suelos ácidos, pues de esta forma se ven forzadas a producir sustancias alcalinas (alcaloides)

Cuando se sale al campo con niños, hay que vigilarlos para evitar que sufran intoxicaciones accidentales con plantas venenosas. Lo mejor es enseñarles las precauciones que se deben tener a la hora de recolectar plantas medicinales.

para compensar la acidez. Por su parte, las plantas destinadas a producir hojas rinden más en suelos ricos en nitratos, mientras que las que producen semillas se desarrollan mejor en suelos ricos en fosfatos.

Según el cultivo

Cuando se saca una planta silvestre de su ambiente puramente natural y se la abona, se labra su tierra, se la poda y se la riega regularmente –es decir, se la cultiva–, se producen interesantes cambios en su fisiología que repercuten en sus propiedades medicinales. Las plantas cultivadas:

- **Elaboran mayor cantidad de hidratos de carbono** que las silvestres. Diríase que ocurre lo mismo que con las personas, que al adquirir hábitos sedentarios, acumulan mayor cantidad de sustancias de reserva. Así, por ejemplo, el cerezo silvestre da unos frutos menos dulces y vistosos que el cultivado; y sin embargo, las cerezas silvestres son mucho más ricas en principios activos medicinales.
- **Disminuye su sabor amargo o acre,** y se hacen más fácilmente comestibles. Algo así ocurre, por ejemplo, con la achicoria y el cardo silvestre, que pierden su amargor característico cuando son cultivados; pero a la par, disminuyen sus propiedades medicinales, que en gran parte dependen de las sustancias amargas que contienen.

Siempre que se pueda hay que elegir las plantas silvestres, o bien aquellas que han

En las orillas de los caminos suelen crecer numerosas plantas medicinales. Pero, ¡cuidado! Si se trata de caminos o de carreteras transitadas por automóviles, las plantas que allí crecen suelen padecer un elevado nivel de contaminación por carbonilla y plomo, debido a los gases de escape.

sido cultivadas en condiciones lo más parecidas posible a su estado natural. Tenga esto en cuenta cuando decida plantar en su jardín algunas matas de salvia, de cola de caballo o de saúco, por mencionar algunas.

Recolección

Acaba de amanecer y el azul raso del cielo anuncia que hará buen día. Usted prepara su mochila. No ha olvidado proveerse de un libro con buenas ilustraciones, que le van a permitir identificar las plantas. Sale bien de mañana, cuando todavía refresca, dispuesto a recolectar sus especies preferidas. Al llegar al lugar elegido, el sol ya ha hecho notar su presencia, y el rocío se acaba de evaporar. ¡Ahora justamente es el momento! Aproveche esas primeras horas de la mañana de un día seco y soleado, para la recolección.

Técnica de la recolección

Todo el mundo es capaz de recolectar plantas. Pero cuando estas se van a usar con propósitos medicinales, hay que tomar algunas precauciones especiales, como las que se describen a continuación:

1. Evitar las plantas de los lugares contaminados

Desgraciadamente, en pleno campo también puede haber contaminación química. ¡Y mucha! No recolecte las plantas que se crían en determinados lugares, si no quiere que su tisana se convierta en un "cóctel" de sustancias químicas venenosas.

Vemos cuáles son los lugares más contaminados que deben evitarse:

- Las **orillas de las carreteras:** Ahí abunda la carbonilla, el plomo y otros tóxicos procedentes de los tubos de escape de los automóviles, que pueden impregnar a los vegetales.

Si encuentra una planta en el campo, y no sabe de qué especie se trata, ¡no la toque! Primero identifique la planta, después recoléctela sin destruir ni expoliar.

Rábano

Plantas que deben usarse frescas

En algunas plantas ocurre que, nada más haber sido recolectadas, se ponen en marcha reacciones químicas catalizadas por enzimas, que en unos casos inactivan sus principios activos, y en otros los transforman en sustancias tóxicas, como ocurre, por ejemplo, con los berros. Por eso tienen que usarse siempre frescas. Son las siguientes:

Planta	Pág.	Partes utilizadas
Aliaria	560	Toda la planta
Berro	270	Hojas y tallos
Cinoglosa	703	Hojas
Ciprés	255	Frutos y madera
Coclearia	356	Toda la planta
Eupatorio	388	Hojas y raíz
Hiedra	712	Hojas
Rábano	393	Raíz
Siempreviva mayor	727	Hojas
Tormentilla	519	Rizoma
Vellosilla	504	Toda la planta
Verbena	174	Toda la planta

Los ciclos de las plantas

*Según la duración del ciclo biológico, las **plantas herbáceas** pueden ser:*

- ***Anuales:*** *Son plantas que nacen, crecen, fructifican y mueren en el plazo de un año. Por lo general las plantas que se reproducen por semillas son anuales.*
- ***Bienales:*** *Son plantas que necesitan dos años para completar su ciclo biológico. El primer año nacen y crecen, y el segundo fructifican y mueren. Son plantas bienales: alcaravea, apio, bardana, buglosa, digital, gordolobo, onagra, zanahoria.*
- ***Vivaces:*** *Son plantas que viven varios años, floreciendo en cada uno de ellos. Sin embargo, sus partes aéreas (tallos, hojas, etc.) mueren cada año, persistiendo únicamente de un año a otro, los rizomas o las raíces. Es decir, los órganos aéreos de las plantas vivaces son anuales, mientras que sus raíces viven varios años.*

*Las **plantas leñosas** (arbustos y árboles) suelen vivir desde varios hasta centenares o incluso miles de años.*

- Los **linderos y lugares próximos a los campos de cultivo:** Si estos han sido rociados con pesticidas y herbicidas, es prácticamente seguro que las plantas de alrededor también habrán recibido salpicaduras de esas sustancias químicas.
- Los **lugares próximos a chimeneas** o vertidos de industrias contaminantes (mercurio, cadmio, etc.).

2. Recolectar solo las plantas sanas y limpias

Se deben recolectar únicamente las plantas sanas y limpias. Deseche pues las plantas que presenten signos de haber sido atacadas por insectos o parásitos, o que hayan sido roídas por caracoles. ¡Cuidado con las que tienen deposiciones de animales!

3. Procurar que las plantas estén secas

Las plantas recolectadas en días húmedos o lluviosos se enmohecen fácilmente, y por tanto se conservan peor. De modo que hay que recogerlas cuando se hallen bien secas.

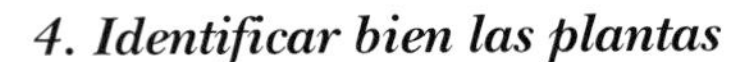

4. Identificar bien las plantas

Ante cualquier planta, si tiene duda, deténgase tranquilamente frente a la especie en cuestión. Observe sus detalles. Aspire su aroma. Consulte los dibujos y las fotografías de su libro. Si persisten las dudas, y no consigue identificar positivamente la especie, absténgase de usarla. Los errores se pueden pagar muy caros.

5. Recolectar sin destruir

No arranque la planta, siempre que le resulte posible. Tenga en cuenta que hay especies protegidas (como la genciana o el árnica), y que en los Parques Nacionales está prohibido recolectar plantas.

6. No mezclar especies distintas

Resulta incorrecto juntar en una misma cesta o bolsa especies diferentes. Es preferible utilizar un recipiente para cada especie, de forma que las plantas se puedan identificar con más claridad.

Partes que se recolectan

Debido a que no todas las partes de una planta tienen siempre interés desde el punto de vista médico, es necesario tener en cuenta una serie de indicaciones según la porción de ella que vayamos a tomar.

Flores

Las flores se recolectan antes de que la corola se encuentre completamente abierta, que es cuando los pétalos contienen más sustancias activas. Al transportarlas hay que evitar el calor y las bolsas de plástico.

Hojas

Las hojas se recogen al comienzo de la floración, pero antes de que las flores se hayan desarrollado; puesto que es entonces cuando contienen mayor cantidad de jugos. No cortarlas todas, pues la planta moriría. Se desechan las hojas manchadas (puede ser signo de una infección por vi-

La conservación de las plantas medicinales requiere tres procesos: desecación, envasado y almacenamiento.

rus). No se deben amontonar ni arrugar, sino que han de almacenarse extendidas en un lugar plano.

Tallos

El momento ideal para recolectar los tallos es después de que han brotado las hojas, pero antes de que hayan salido las flores.

Sumidades

Las sumidades, es decir, las extremidades floridas de las plantas, se recolectan usando unas tijeras adecuadas, no partiéndolas con la mano, con objeto de no lesionar los tallos. Hay que cortar por donde el tallo todavía es tierno, y no más abajo, donde se lignifica y endurece. Suele ser suficiente con cortar una porción de 20 a 30 cm.

Corteza

Por regla general la corteza se recolecta al principio de la primavera, siempre antes de la floración, que es cuando circula más savia por los tallos y las ramas, y es además cuando mejor se puede separar del tronco.

Raíces y rizomas

Las raíces y los rizomas se recolectan en otoño, cuando hayan caído todas las hojas, o en primavera, cuando empiecen a brotar. En las plantas bienales, el momento ideal es el otoño del primer año. En las plantas vivaces es conveniente esperar al segundo o tercer año de vida.

Antes de proceder a su conservación, las raíces y los rizomas hay que lavarlos bien con el fin de eliminar la tierra y los insectos que puedan llevar adheridos. No conviene rascarlas con cepillo, porque se eli-

Una desecación correcta es la clave para una buena conservación de las plantas medicinales.

minan las capas de células superficiales que pueden contener principios activos, como ocurre con la raíz de la valeriana.

Conservación

Como lo normal es que las plantas medicinales no se utilicen inmediatamente después de su recolección, es necesario conocer cuáles son los mejores métodos para que conserven sus propiedades curativas.

La conservación de las plantas medicinales requiere tres procesos: desecación, envasado y almacenamiento.

1. Desecación

La desecación consiste en eliminar progresivamente la humedad. Una planta húmeda es fácil presa de bacterias y hongos, que la atacan alterando sus principios activos. Además, estas bacterias u hongos pueden producir sustancias tóxicas. Las bacterias necesitan más de un 40% de humedad para poder reproducirse, y los hongos del 15% al 20%. Una planta bien seca no suele contener más de un 10% de humedad, lo cual impide la reproducción de tales microorganismos.

Consejos prácticos para desecar correctamente las plantas

- **Tiempo necesario:** En tiempo cálido, las flores se secan en 4-8 días, y las hojas en 3-6 días. En tiempo frío pueden tardar unos días más.
- La desecación **nunca debe hacerse al sol,** pues se perderían muchos de los principios activos de las plantas, especialmente las esencias. Tiene que realizarse siempre a la sombra, en **lugares bien aireados y exentos de polvo.**
- Los productos vegetales recolectados **se extienden** sobre un papel o cartón situado en el suelo, o bien encima de estanterías. No hay que colocarlos directamente sobre el cemento o ladrillos.
- Deben colocarse **en capas finas, y removerlas** una o dos veces al día.
- **No debe usarse papel impreso,** como el de periódico, pues los productos químicos de las tintas pueden pasar a la planta.

Pensamiento

Plantas que deben usarse secas

Existen plantas que contienen enzimas (fermentos) que hidrolizan u oxidan algunos de sus propios componentes químicos, ya sean tóxicos o inactivos, transformándolos en otros con acción medicinal. Este proceso fermentativo es lento y ocurre simultáneamente a la desecación. Por lo tanto estas plantas deben ser usadas secas para que tengan efectos medicinales.

Planta	Pág.	Partes utilizadas
Ásaro	432	Hojas y raíz
Asclepias	298	Raíz
Bola de nieve	642	Corteza
Cáscara sagrada	528	Corteza
Cinoglosa	703	Raíz
Clavero	192	Botones florales
Clematítide	699	Hojas, flores y raíz
Colombo	446	Raíz
Epilobio	501	Flores y raíz
Frángula	526	Corteza
Galega	632	Toda la planta
Galeopsis	306	Toda la planta
Graciola	223	Toda la planta
Hepática	383	Hojas
Hierba centella	665	Hojas y flores
Judía (fríjol)	584	Vainas
Liquen de Islandia	300	Talo
Lirio	315	Rizoma
Pensamiento	735	Toda la planta
Pie de gato	297	Flores
Pimentero	370	Frutos
Tusílago	341	Hojas y flores

- Las **sumidades** y las **flores** que no pierdan fácilmente sus pétalos, **se cuelgan** atadas en ramilletes boca abajo a lo largo de una cuerda, en un lugar a la sombra y bien aireado (por ejemplo, cerca de una ventana abierta). Estos ramilletes pueden protegerse con un cono de papel, para evitar la exposición directa a la luz.
- Los **frutos** pueden secarse **extendidos** sobre bandejas o **ensartados** a lo largo de un hilo.

La mayor parte de las plantas pueden consumirse tanto frescas como secas. Hay algunas, sin embargo, que únicamente proporcionan efectos medicinales cuando están frescas, mientras que otras solo se pueden usar cuando están secas (ver los recuadros, págs. 47, 50).

2. Envasado

Una vez secos los productos vegetales recolectados, tienen que ser envasados de forma que no sufran deterioros por la acción del aire, el sol, la humedad, el calor, u otros factores externos.

Consejos prácticos para el envasado

- Es preferible envasar los productos vegetales **sin triturar,** pues de esta manera ofrecen menor superficie sobre la que puedan actuar las bacterias, los hongos y las enzimas que los corrompen o enrancian. Es preferible triturarlos inmediatamente antes de su consumo.
- Emplear recipientes de **vidrio, cerámica, hojalata** (latas), **tela o cartón.** Debe evitarse el plástico. No es preciso que el cierre sea hermético.
- Hay que **rotular** los recipientes con el **nombre** de la planta, y también conviene indicar el **lugar** de recolección así como la **fecha** de envasado.

Conviene rotular los recipientes en los que se almacenan las plantas, y guardarlos en un lugar oscuro, fresco y seco para que se conserven bien sus principios activos.

3. Almacenamiento

Los recipientes que contienen los productos de las plantas deben conservarse en un **lugar oscuro, fresco y seco.** La luz, el calor y la humedad son las principales causas de deterioro.

Es necesario **comprobar periódicamente** el estado de las plantas almacenadas, para detectar a tiempo insectos, hongos, mohos o putrefacciones que pudieran alterar su valor medicinal.

Como regla general, las plantas medicinales no se deben conservar durante más de **dos años.**

¿Guardianes o destructores?

Plantas amenazadas de extinción

Las plantas resultan ***imprescindibles*** para el mantenimiento de la vida en este planeta. Todos los animales y los seres humanos dependemos de las plantas verdes para la obtención de alimento, pues ellas son ***los únicos*** seres vivos capaces de aprovechar la energía solar para producir hidratos de carbono, proteínas, grasas, vitaminas y otras sustancias orgánicas.

Además, las plantas contribuyen de modo decisivo al ***equilibrio ecológico*** y al mantenimiento del ***medio ambiente:*** evitan la erosión del suelo, enriquecen la atmósfera con oxígeno, almacenan agua y fertilizan el suelo.

Y, por si fuera poco, los vegetales son una fuente muy importante de sustancias medicinales.

Cada una de las más de 390.000 especies vegetales que pueblan el planeta Tierra constituye una forma diferente de vida, con unos genes propios y únicos. Cuando una especie desaparece o se extingue se produce una pérdida irreparable en el patrimonio biológico de la humanidad.

Los seres humanos, que deberíamos ser los guardianes de este legado de biodiversidad que nos ha sido confiado por el Creador, nos convertimos a veces en sus destructores. Según la Unión Internacional para la Conservación de la Naturaleza, el 20% de las 390.000 especies que existen en el mundo (unas 78.000) corre el riesgo de desaparecer. La Smithsonian Institution de los Estados Unidos estima que de las 20.000 especies distintas de plantas fanerógamas que existen en el territorio continental de ese país, el 10%, es decir, unas 2.000, se hallan amenazadas, o en peligro de extinción, o ya desaparecidas.

¿Cuáles son las causas de semejante exterminio de especies vegetales? Según el *Libro rojo de especies vegetales amenazadas,* publicado por el Ministerio de Agricultura de España, estas son algunas de ellas:

- **incendios** forestales;
- **desarrollo turístico** de las costas y las zonas montañosas;

«Los bosques preceden a las civilizaciones. Los desiertos, las siguen.»
François-René Chateaubriand (1768-1848), escritor y político francés.

Recolectar sin expoliar

- *Recolectar únicamente en los* ***lugares*** *donde está* ***permitido;*** *nunca en los Parques Nacionales o Naturales, ni en las Reservas Biológicas.*
- ***Respetar las especies protegidas,*** *por estar en peligro de extinción (conviene informarse previamente ante las autoridades agrícolas de la región).*
- *Recolectar solo* ***pequeñas cantidades*** *de plantas, especialmente de las que son poco abundantes.*
- *Recolectar* ***sin destruir ni arrancar*** *las plantas, siempre que resulte posible.*

Al guardar y proteger las plantas de nuestro planeta estamos contribuyendo, entre muchas otras cosas, a curar y a aliviar a multitud de enfermos actuales y futuros.

• **contaminación** del agua, del aire y del suelo (por herbicidas agrícolas);
• **recolección** de especies raras por aficionados;
• **construcción** de presas, autopistas y carreteras;

¿Podemos imaginar la pérdida tan grande que hubiera supuesto para la humanidad que los árboles del género *Cinchona* de las selvas sudamericanas, hubieran sido arrasados por los *bulldozer* antes de que se descubriera en ellos la quinina que ha servido para curar a tantos enfermos de paludismo? ¿O si las hermosas flores de la familia de la digital hubieran sido recolectadas masivamente antes de que se hubieran descubierto en ellas los glucósidos cardiotónicos que han aliviado a tantísimos enfermos del corazón?

Pongamos ***todos*** nuestra pequeña parte –o quizás no tan pequeña– para conservar, lo mejor posible, las especies vegetales. Y si salimos a recolectar, tengamos en cuenta las recomendaciones que se dan en el cuadro de la página contigua.

La genciana ('Gentiana lutea' L.) es una de las muchas plantas amenazadas de extinción, por lo que, si se encuentra, no se debe recolectar nunca.

La foto de la izquierda muestra las fantásticas cataratas de Iguazú, en la frontera entre Brasil y Argentina. En Sudamérica se encuentran las mayores selvas del planeta, una auténtica reserva vegetal que encierra todavía muchos secretos botánico-medicinales por descubrir. Por ello se ha definido a la selva amazónica como "la mayor farmacia del mundo".

El mundo vegetal podría existir sin los animales y sin los seres humanos, en correspondencia con el hecho de que fueron creados primero, tal como lo refiere el relato bíblico. Sin embargo, los animales y los seres humanos no podríamos sobrevivir muchos días sin las plantas. Respetarlas y protegerlas forma parte de nuestro deber como habitantes del planeta Tierra.

3 FORMAS DE PREPARACION Y EMPLEO

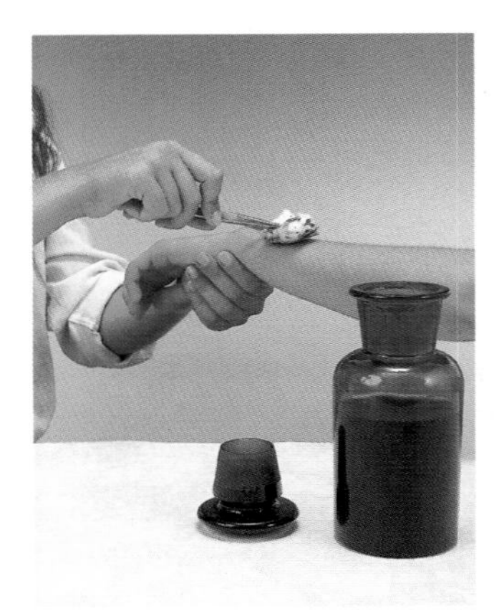

Las tinturas constituyen una forma clásica de preparación de las plantas medicinales.

SUMARIO DEL CAPÍTULO

EXISTEN DIVERSAS formas de preparar las plantas medicinales con vistas a su utilización. Con todas ellas se pretende:

- **Facilitar y hacer más asequible la administración** de la planta.
- **Aumentar la concentración** de alguno de los **principios activos** de la planta, que, por sus propiedades fisicoquímicas particulares, resultan más fácilmente disueltos al emplear un determinado método de preparación. Por ejemplo, mediante la destilación por vapor se consiguen extraer, y por lo tanto, concentrar, los aceites esenciales.
- **Favorecer la conservación** de la planta o de sus preparados. Por ejemplo, las decocciones se conservan durante más tiempo que los jugos frescos, e incluso que las infusiones, debido a que durante la decocción el líquido queda prácticamente esterilizado.

Para cada planta medicinal existen unas formas óptimas de preparación y de empleo. Es conveniente conocerlas, y saber aplicarlas adecuadamente, con el fin de aprovechar mejor las propiedades de cada planta o de sus partes.

Tisanas

Las tisanas se obtienen tratando los productos vegetales con agua. Son la forma más popular de preparar las plantas medicinales. El agua es el vehículo ideal para extraer la mayor parte de los productos químicos producidos por las plantas, pues se trata del disolvente universal por excelencia.

El arte de elaborar tisanas

1. Colocación de la parte de la planta a usar, en un recipiente adecuado. Las plantas pueden estar sueltas en el recipiente, o bien colocadas dentro de un colador para infusiones o en una bolsita (saquito). Lo habitual es poner primero las plantas y luego verter el agua encima. Pero también puede hacerse al revés.

2. Escaldado de las plantas con agua a punto de hervir.

3. Tomar la infusión después de dejarla reposar y enfriar en un recipiente tapado, para evitar que las esencias y otros componentes se volatilicen con el vapor.

Bolsitas para infusiones

En el comercio existen numerosos preparados de plantas ya listos para ser empleados en infusiones. Las plantas se expenden dentro de una bolsita o saquito que sirve de filtro, ya trituradas y convenientemente dosificadas. El modo de empleo es muy sencillo:

1. Colocar la bolsita en una taza o vaso.

2. Verter agua hirviendo.

3. Dejar reposar durante unos 5 minutos, tapando el recipiente con un plato u otro tipo de tapadera.

Las tisanas se usan sobre todo para tomar por boca (vía oral). Pero también pueden emplearse en compresas, colirios, lociones, etcétera, tal como se indica más adelante en el apartado "Formas de empleo" (pág. 64).

Las tisanas son el resultado de la acción del agua sobre los productos vegetales. Según como se aplique esa agua, son tres los procedimientos por los que se puede obtener una tisana: infusión, decocción y maceración. En los tres casos, se debe empezar por:

1. **Pesar o medir** la cantidad adecuada de producto vegetal a utilizar.
2. **Desmenuzar y triturar** bien las partes de la planta a utilizar. Tal como se indica en el capítulo anterior "Recolección y conservación" (ver pág. 51), las plantas se tienen que guardar lo más enteras posible, desmenuzándolas en el momento de usarlas. De esta forma conservan mejor sus propiedades.

Infusión

La infusión es el procedimiento ideal para obtener tisanas de las **partes delicadas** de las plantas: hojas, flores, sumidades y tallos tiernos. Con la infusión se extraen una gran cantidad de sustancias activas, con muy poca alteración de su estructura química, y por lo tanto, se conservan al máximo las propiedades.

Técnica de preparación

Las infusiones se preparan siguiendo los siguientes pasos:

1. **Colocación:** Colocar la parte de la planta a usar (hojas, flores, etc.) en un recipiente de porcelana, barro cocido, vidrio o similar, que resista bien la acción súbita del calor. Las plantas pueden estar sueltas dentro del recipiente, o bien juntas en el interior de un colador para infusiones, que se pone dentro del recipiente.
2. **Escaldado:** Verter agua a punto de hervir sobre las plantas, en la proporción adecuada.
3. **Extracción:** Tapar el recipiente y esperar durante un tiempo para dar lugar a que se produzca la extracción y disolución de los principios activos. Normalmente es suficiente con 5 a 10 minutos. Cuanto más gruesas o duras sean las partes de las plantas empleadas, tanto más tiempo se requerirá para la extracción.
4. **Colado:** Filtrar el líquido pasando la infusión por un colador. Si las plantas se han colocado previamente en un colador para infusiones dentro del recipiente, resulta suficiente con levantarlo y dejar colar el líquido.

Conservación de las infusiones

En general, las infusiones pueden conservarse durante unas doce horas. Se preparan por la mañana, y se van tomando a lo largo del día. Si el ambiente es muy caluroso, lo aconsejable es guardarlas en el frigorífico. Se pueden volver a calentar, pero sin que lleguen a hervir. No se deberían tomar infusiones que hayan sido preparadas con más de 24 de horas de antelación.

Maceración en aceite

Se llena un frasco con la parte de la planta a macerar, y se cubre de aceite, preferiblemente de oliva. Se deja reposar durante varios días o semanas, según la planta.

Mediante esta técnica se obtienen aceites de hipérico, lavanda, caléndula, achiote, azucena, árnica y laurel, entre otras plantas.

Los aceites así obtenidos se usan sobre todo en aplicación local sobre la piel. De esta forma se aprovechan las propiedades emolientes (suavizantes) del aceite sobre la piel, además de la acción específica de la planta utilizada.

En la página 627 se ilustra la preparación del aceite de caléndula.

Decocción

La decocción se utiliza para preparar tisanas a base de **partes duras** de las plantas (raíces, rizomas, cortezas, semillas), que precisan de una ebullición mantenida para liberar sus principios activos. La decocción presenta el inconveniente de que algunos de los principios activos pueden degradarse por la acción prolongada del calor.

Técnica de la decocción

Una decocción se debe preparar de la siguiente forma:

1. **Colocación**: Colocar el producto a usar en un recipiente adecuado con la proporción de agua requerida.
2. **Cocción:** Hervir durante 3 a 15 minutos a fuego lento.
3. **Dejar reposar** durante unos minutos.
4. **Filtrar** con un colador.

Conservación de las decocciones

Puesto que han sido hervidas, las decocciones se conservan durante más tiempo que las infusiones, especialmente si se guardan en el refrigerador. Pueden utilizarse durante varios días, aunque no conviene pasar de una semana.

Maceración

La maceración consiste en la extracción de los principios activos de una planta o parte de ella a temperatura ambiente, utilizando el agua como disolvente (puede hacerse también con alcohol o aceite). Se trata sencillamente de "poner a remojo", lo mejor trituradas que sea posible, las partes de las plantas a utilizar.

La maceración es el método preferible para los siguientes casos:

- Plantas cuyos principios activos **se destruyen con el calor.**
- Plantas **muy ricas en taninos.** Cuando se toman por vía oral, un exceso de taninos comunica a la infusión un gusto amargo o áspero. La maceración tiene la ventaja de extraer la mayor parte de los principios activos, dejando los taninos en la planta.

Técnica de la maceración

Para realizar una maceración se procede la siguiente forma:

1. **Colocar** las partes a usar, con la proporción de agua requerida (a la temperatura ambiente), en un recipiente opaco (que no deje pasar la luz).

La infusión, la decocción y la maceración tienen en común el utilizar el agua como agente extractivo. Por ello se agrupa a estos tres métodos bajo el nombre genérico de tisanas.

Los procedimientos físico-químicos por los que el agua extrae los principios activos de las plantas son distintos en cada caso, pero el resultado final es muy similar.

Dosificación de las tisanas

Volumen	Hojas o flores secas*	Raíces o rizomas secos*
Una cucharilla de café = 5 ml	1 g	3 g
Una cucharilla de postre = 10 ml	2 g	5 g
Una cuchara sopera = 15 ml	4 g	10 g
Una pizca o pulgarada (lo que se coge entre índice y pulgar) = 2 ml	0,5 g	1,5 g
Un puñado = 20 ml	5 g	12 g

*Cantidades aproximadas

Una medida de planta seca equivale a 3 o 4 de planta fresca.

2. **Dejar reposar** en un lugar fresco, al abrigo del sol. Remover de vez en cuando.
3. Si la maceración es de **partes blandas** (hojas, flores, etc.) es suficiente con **12 horas**. Si se trata de **partes duras** (raíces, cortezas, semillas, etc.) hay que esperar **24 horas**. Tiempos más largos favorecen la fermentación o el enmohecimiento.
4. **Filtrar** con un colador.
5. El líquido resultante del macerado puede **calentarse suavemente** antes de tomarlo.

Conservación de los macerados

Los macerados pueden conservarse durante bastante tiempo (hasta un mes), especialmente cuando el líquido extractivo utilizado como disolvente es el aceite o el alcohol en lugar del agua.

Dosificación de las tisanas

En general, las plantas medicinales no requieren una dosificación tan estricta como los medicamentos. Dado el amplio margen de tolerancia en la mayor parte de ellas (ver pág. 102), en general no es preciso medir con absoluta precisión el peso de planta que se emplea en una tisana ni el volumen que se toma.

En el análisis particular de cada planta se detallan las dosis. Pero, en general, podemos decir que para un adulto son las siguientes:

- **Infusiones:** de 20 a 30 g de planta seca por litro de agua, lo que equivale aproximadamente a una cucharadita de postre (2 g) por taza de agua (150 ml).
- **Decocciones y maceraciones:** de 30 a 50 g por litro de agua.

Lo habitual, para un adulto, es tomar de **3 a 5 tazas diarias** de tisana (una taza = 150 ml).

A lo largo de esta obra, si no se indica lo contrario, las cantidades recomendadas se refieren siempre a plantas secas. Cuando se usa la planta fresca, hay que emplear una cantidad de tres a cuatro veces mayor para obtener el mismo efecto que con la planta seca.

Dosis infantiles

Para los niños se preparan tisanas más diluidas (con menos cantidad de planta); o bien se pueden preparar con igual concentración, en cuyo caso se administra un cantidad menor de tisana en cada toma. La dosis infantil se reduce proporcionalmente según la edad:

- **edad escolar** (6 a 12 años): la **mitad** de la dosis que para un adulto,
- **edad preescolar** (de 2 a 6 años): **un tercio** de la dosis de los adultos,
- **niños hasta 2 años:** de **un cuarto** a **un octavo** de la dosis de adulto.

A los niños se les debe administrar únicamente plantas exentas de cualquier tipo de efectos tóxicos.

Las tisanas elaboradas con la mezcla de varias plantas, pueden dar un resultado positivo; pero hay que asegurarse de que las diversas plantas usadas combinan adecuadamente entre sí.

En la segunda parte de esta obra, se dan tablas de plantas para diversas afecciones, que combinan favorablemente.

¿Cuándo y cómo endulzar las tisanas?

Lo **preferible** es tomar las tisanas en su estado natural, **sin endulzar**. Sin embargo, en algunos casos puede ser conveniente endulzarlas:

- Cuando se trate de plantas de muy **mal sabor.**
- Cuando sean tisanas para los **niños,** excepto que se busque un efecto vermífugo (expulsión de parásitos intestinales). En este caso concreto no conviene administrar azúcar o miel, pues estos productos favorecen el desarrollo de los gusanos.
- Cuando se administren a enfermos **convalecientes o debilitados.**

No conviene endulzar las tisanas que, por su **efecto aperitivo**, se ingieren antes de las comidas, ya que los azúcares pueden disminuir la sensación de hambre. También deberán abstenerse de endulzarlas los **diabéticos**, que en caso necesario pueden usar edulcorantes químicos.

Cuando se decida endulzar una tisana, la **miel** es el ***producto ideal***: Procede de las flores, y, además de azúcares, contiene sales minerales y vitaminas de gran valor nutritivo. Si no se dispone de miel, se puede usar en su lugar **azúcar moreno, melaza** (miel de caña), o **sirope de arce**, que también son ricos en minerales y vitaminas, y superiores en propiedades al azúcar blanco.

Unas gotas de jugo (zumo) de **limón**, o un trozo de su corteza, pueden también mejorar el sabor de algunas tisanas.

¿Por qué no hacer todo lo posible por convertir nuestra medicina en un placer?

¿Tisanas de una o de varias plantas?

La mezcla de varios tipos de plantas en una misma tisana puede tener efectos positivos, si esas plantas se combinan adecuadamente, teniendo en cuenta su composición química y sus propiedades.

Todas las plantas que se recomiendan para cada enfermedad en las tablas de la segunda parte de esta obra (por ejemplo, págs. 129-130, 140-144, etc.), resultan adecuadas para ser combinadas entre sí.

La mezcla de varias plantas tiene la ventaja de que los posibles efectos indeseables de cada una de ellas (mal sabor, intolerancia digestiva), quedan atenuados. Pero no siempre es necesario mezclar las plantas. Una sola planta bien aplicada, puede ejercer mayores efectos que la mezcla de varias, si no están bien combinadas.

Los jugos frescos de las plantas constituyen la forma de preparación más rica en vitaminas, enzimas y otros principios activos. Pero deben tomarse recién hechos, para que conserven todas sus propiedades.

Otras formas de preparación

Además de las sencillas tisanas, existen otras formas de preparar las plantas medicinales que requieren conocimientos e instrumentos especializados, propios de la profesión farmacéutica. Son las llamadas **"preparaciones galénicas"** en honor de Galeno, médico griego del siglo II d.C., o también **"preparaciones oficinales",** porque se realizan en las oficinas de farmacia.

Sin embargo, algunas de estas formas de preparación, como los jugos o los jarabes, también pueden ser realizadas en casa, con medios más sencillos. Exponemos a continuación las formas de preparación más utilizadas en fitoterapia.

Jugos o zumos

Se deben preparar con la **planta fresca** recién recolectada, machacándola en un mortero y después filtrándola. También se pueden obtener mediante licuadora eléctrica.

Los jugos, también llamados jugos, se pueden obtener tanto de las plantas herbáceas, como de las hojas o de las frutas. El jugo de las hojas del aloe es muy apreciado como aperitivo y digestivo.

Los jugos tienen la **ventaja** de contener todos los **principios activos sin degradar**, especialmente las vitaminas. Pero se deben tomar en **pequeñas dosis**, a cucharaditas, pues pueden resultar algo fuertes para los estómagos delicados. En algún caso puede ser conveniente rebajarlos con agua. Muchos de ellos se usan para hacer jarabes.

En ningún caso se empleará el jugo de las plantas que únicamente se deben consumir secas (ver pág. 50).

Polvos

Para la obtención de polvo con fines medicinales, las partes de la planta a utilizar se dejan en desecación durante más tiempo del habitual, y luego se trituran finamente. Se puede obtener polvo medicinal de una planta a partir de sus hojas (por ejemplo, de digital o de sen), de las sumidades floridas (ajenjo, lúpulo), de la cor-

teza (cáscara sagrada, sauce), de los frutos (cilantro), y sobre todo de las raíces (ginseng, harpagofito, jalapa, polígala, violeta, etc., etc.).

El polvo ofrece las siguientes ventajas:

1. **Se aprovechan al máximo** los principios activos de la planta, especialmente cuando se trata de partes duras como las raíces.
2. Permiten una **dosificación más exacta,** como se requiere, por ejemplo, en el caso de plantas potencialmente tóxicas (digital, rauwolfia), que se emplean en dosis muy pequeñas (de unos pocos gramos, o incluso de miligramos).

Formas de administración del polvo

El polvo medicinal se puede administrar de las siguientes formas:

- En **infusión** (por ejemplo: canelo, ginseng, lúpulo, sen), vertiendo sobre él agua caliente.
- **Aspirándolo** por la nariz como estornutatorio (ásaro, betónica) o como hemostático contra las hemorragias nasales (hojas de la vid).
- **Mezclado con miel** constituyendo una pasta (abrótano hembra, ajenjo, cilantro).
- **Mezclado con aceite** para aplicación externa emoliente (semillas de achiote).

Jarabes

Los jarabes consisten en soluciones concentradas de azúcares con jugos u otras partes de la planta. Tienen la ventaja de que enmascaran el mal sabor de muchas plantas, y por lo tanto facilitan su ingestión. Resultan de gran utilidad para administrarlos a los **niños**.

Siempre que resulte posible, los jarabes se deben preparar con **miel**, pues de esta manera se añaden sus propiedades pectorales y tonificantes a las propias de la planta. En su defecto, se puede usar azúcar moreno. Para su elaboración, la mezcla se debe calentar a fuego lento. De esta forma se facilita la disolución de los azúcares.

La mayor parte de los jarabes se emplean en caso de afecciones respiratorias (por ejemplo: amapola, cebolla, ipecacuana, saúco, violeta). Los que se realizan con frutos tienen propiedades tonificantes, refrescantes y vitamínicas (por ejemplo los del agracejo, frambueso, grosellero o zarza).

Los **diabéticos** deben **abstenerse** de ingerir jarabes, por su gran contenido en azúcar.

Linimentos

Los linimentos son una mezcla (emulsión) de extractos de plantas medicinales con aceite y/o alcohol, de consistencia blanda, que se aplica sobre la piel acompañado de un suave masaje. Las sustancias activas penetran en los tejidos profundos. Los linimentos se usan sobre todo para afecciones reumáticas y musculares.

Los jarabes se preparan añadiendo miel o azúcar (preferiblemente sin refinar) sobre una infusión o decocción más concentrada de lo normal, o también sobre el jugo de frutos. Generalmente los jarabes se elaboran al 50%, es decir, añadiendo el mismo peso de azúcar o de miel que de infusión o de frutos.

Al calentar la mezcla se facilita la disolución de los azúcares.

En la página 295 se explica la preparación del jarabe de cebolla contra la tos.

Ventajas e inconvenientes de los extractos

Los extractos constituyen una forma artificial de preparar las plantas medicinales, con sus ventajas e inconvenientes que conviene conocer

Ventajas:

Mayor concentración: Con el extracto se logra una mayor concentración de ciertos principios activos de la planta, precisamente de los que son solubles en el disolvente empleado para la extracción. Esto hace que el extracto tenga, en general, una **acción más potente** que la planta entera.

Mayor disponibilidad: El extracto puede estar disponible en cualquier época del año y en cualquier momento del día, siendo su **uso tan fácil** como el de tomar **unas gotas.** Por el contrario, preparar un jugo fresco o una infusión de plantas no está siempre a nuestro alcance.

Inconvenientes:

Mayor riesgo de toxicidad: Desde el momento en que se altera el equilibrio natural de los componentes de una planta, extrayendo o purificando algunos de sus principios activos, aumenta el riesgo de que se produzcan efectos tóxicos. Por lo tanto, las **dosis** de extractos deben ser **cuidadosamente respetadas.** Dos son las razones para ello:

1. **La mayor concentración** de determinados componentes (los principios activos).
2. **La falta de otros componentes** que acompañan a los principios activos de la planta en su estado natural, cuya función es precisamente la de compensar o disminuir los posibles efectos tóxicos de los principios activos.

Esto explica, por ejemplo, el hecho de que las esencias (extractos muy concentrados) sea necesario usarlas con gran precaución, especialmente cuando son ingeridas, pues pueden producir fácilmente intoxicaciones (ver pág. 97).

Mayor posibilidad de degradación de los principios activos: Si el extracto no ha sido obtenido en un laboratorio especializado y mediante los métodos correctos, se corre el riesgo de destruir ciertos principios activos de la planta sensibles al calor o a los disolventes empleados.

Presencia de disolventes: El disolvente que más se emplea es el **alcohol** etílico. Los restos que de él pueden quedar en el extracto suponen un inconveniente para los niños y para determinadas personas a las que el alcohol les resulta especialmente nocivo, aun en pequeñas dosis.

Los extractos de plantas medicinales deben ser considerados como fármacos a todos los efectos, tanto en cuanto a sus ventajas como en cuanto a sus posibles efectos indeseables.

Extractos

Los extractos se obtienen por la acción de un disolvente sobre las partes activas de la planta. Finalmente puede eliminarse el disolvente, con lo que quedan únicamente los principios activos de la planta. Como disolventes se emplean el alcohol etílico, el propilenglicol, el éter, la glicerina, diversos aceites y el agua.

Tipos de extractos

El líquido extractivo resultante puede concentrarse en diferentes grados, con lo que se obtienen diferentes tipos de extractos:

- **Extractos líquidos:** Poseen la consistencia de un líquido ligeramente espeso.
- **Extractos fluidos:** Poseen la consistencia de la miel fresca. Son los más utilizados debido a su facilidad de uso y a su buena conservación. En los extractos fluidos el peso del producto obtenido es el mismo que el de la planta seca empleada para su obtención.
- **Extractos blandos:** Tienen consistencia pastosa, similar a la de la miel. Contienen como máximo un 20% de agua.
- **Extractos secos:** Pueden ser reducidos a polvo. Contienen como máximo un 5% de agua. Su ventaja es la gran concentración de principios activos que presentan (1 g de extracto seco equivale a 5 g de planta).
- **Nebulizados:** Es una de las técnicas más modernas para la obtención de extractos. Consiste en atomizar o vaporizar la solución extractiva, y someterla entonces a una corriente de aire a alta temperatura. De esta forma se consigue que el disolvente se evapore de forma rápida y desaparezca por completo.

Tinturas

Las tinturas son soluciones alcohólicas que logran una concentración muy alta de ciertos principios activos de la planta, precisamente de los que son solubles en alcohol. Se preparan dejando macerar la planta bien seca y triturada en alcohol, a temperatura ambiente, durante dos o tres días, o hasta 15 días como en el caso del árnica.

Hay dos motivos por los que las tinturas se deben usar con **gran precaución**:

1. Su **elevada concentración** de determinados principios activos. Por ello, no se debe sobrepasar la dosis prescrita, que normalmente es de 15 a 25 gotas (de 3 a 7 para los niños) disueltas en agua, tres veces diarias.
2. Su **contenido alcohólico:** Aunque la cantidad de alcohol que se ingiere al tomar unas gotas de tintura no es muy alta, puede ser suficiente para producir intolerancia digestiva en personas sensibles. Las tinturas se hallan **contraindicadas** en caso de **afecciones hepáticas**.

En general, recomendamos que las tinturas se administren únicamente en pa-

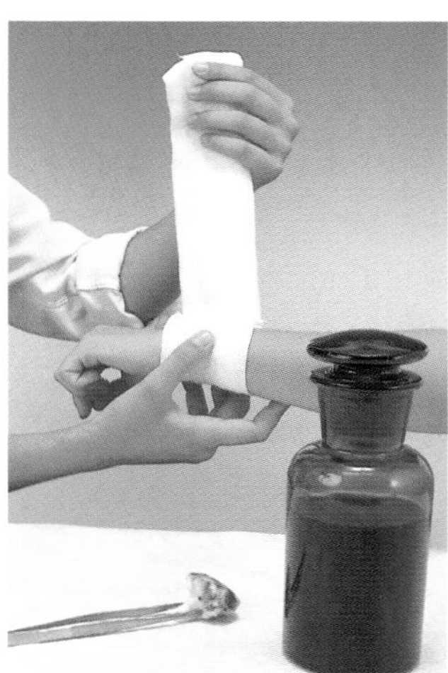

Los usos externos son la forma más segura de aplicar las tinturas. Ingeridas por vía oral, deben ser empleadas con mucha precaución, a causa de su contenido alcohólico.

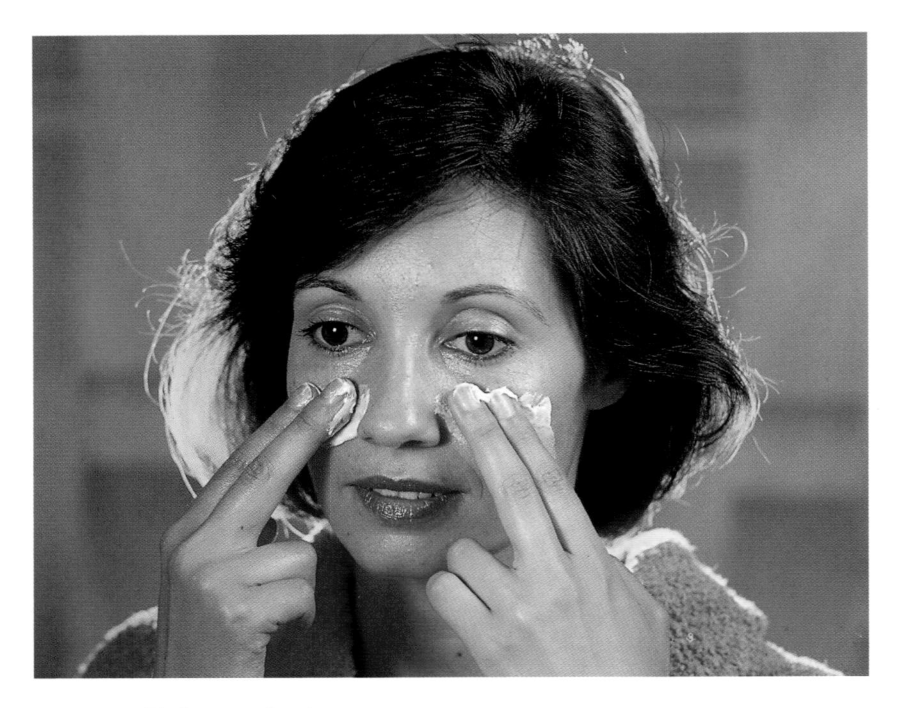

En los ungüentos, las pomadas y las cremas, los principios activos se hallan disueltos en un excipiente graso, lo que facilita su absorción por la piel.

cientes con padecimientos muy concretos, y ***siempre*** **bajo indicación y control facultativo.** ***En ningún caso*** se deben administrar **a los niños.** Lo más recomendable es utilizarlas **por vía externa *únicamente*,** como por ejemplo las de acónito, árnica, cáñamo o romero.

Ungüentos

En los ungüentos los principios activos se hallan disueltos en una sustancia grasa. Las grasas más usadas tradicionalmente han sido la vaselina, el aceite, la lanolina o el sebo animal. Los ungüentos son sólidos a temperatura ambiente, y al extenderlos sobre la piel con una suave fricción, se reblandecen. Las **pomadas** y las **cremas** se preparan con otros excipientes grasos elaborados por la moderna industria farmacéutica.

El ungüento popúleo se prepara con los brotes tiernos del álamo negro, tiene un efecto muy beneficioso contra las hemorroides (ver pág. 760). Los ungüentos de beleño y de acónito, plantas tóxicas por vía interna, se han usado durante mucho tiempo como calmantes de neuralgias, ciáticas y dolores rebeldes.

Formas de empleo

A la hora de emplear una planta o alguno de los preparados elaborados con ellas, distinguimos:

- **Uso interno:** Cuando se ingiere por la boca, pasando al estómago y al resto del aparato digestivo. Desde allí ejercen su acción, bien sea absorbiéndose y pasando a la sangre, o actuando directamente sobre el interior del conducto digestivo (como la fibra o los mucílagos de algunas plantas).

  Internamente se emplean las tisanas (infusión, decocción o maceración), y también los aceites, jarabes, jugos, polvos, tinturas, y otros preparados farmacéuticos galénicos.

- **Uso externo:** Cuando la planta o sus preparados se aplican sobre la piel o las cavidades del organismo (boca, oído, vagina, etc.) sin pasar al conducto digestivo.

  Para uso externo se emplean las mismas tisanas, jugos, aceites y otras preparaciones que para uso interno, aunque conviene que estén más concentradas.

Hay que tener en cuenta que muchas sustancias activas de las plantas pueden también **absorberse por la piel,** cuando se aplican por vía externa pasando así a la sangre. Por lo tanto, las plantas potencialmente tóxicas deben ser aplicadas con prudencia, incluso en uso externo. Así ocurre, por ejemplo, con las pomadas y ungüentos de acónito, beleño, cáñamo y cicuta, utilizadas desde la antigüedad para calmar neuralgias y dolores reumáticos.

Los baños, (enemas), fomentos, vahos y otras aplicaciones de hidroterapia, ya tienen efectos curativos de por sí, aunque se realicen únicamente con agua. Al realizarlos con una tisana u otra preparación de plantas, los efectos medicinales propios de estas se suman a los del agua, con lo que se gana en eficacia.

Romero

Plantas para realizar baños

Para realizar un baño con plantas medicinales, se preparan 2-3 litros de una infusión o decocción concentrada (40-80 g de planta por litro de agua). Se vierte dicha infusión o decocción en la bañera, a la vez que se cuela, mezclándola con el agua de baño. En vez de infusión o decocción, pueden usarse de 5 a 10 gotas de esencia de la planta.

Planta	Pág.	Parte utilizada	Acción
Abrótano hembra	470	Sumidades (infusión)	Emoliente, relajante y sedante
Caléndula	626	Aceite	Suavizante de la piel
Cálamo aromático	424	Rizoma (decocción)	Sedante en caso de insomnio
Lavanda	161	Agua o esencia	Relajante y defatigante
Manzanilla	364	Cabezuelas florales (infusión)	Relajante
Mejorana	369	Esencia	Antirreumática y tonificante
Romero	674	Sumidades floridas (infusión)	Tonificante
Salvia	638	Hojas (decocción)	Embellece la piel
Tomillo	769	Sumidades floridas (infusión)	Tonificante y antirreumática
Trébol común	340	Flores y hojas (decocción)	Suavizante de la piel

Baños

Un baño consiste en la inmersión completa o parcial del cuerpo en agua, a la que se pueden añadir preparados de plantas medicinales, como por ejemplo:

- **Infusiones o decocciones concentradas:** Como norma general, una infusión o decocción para añadir posteriormente al agua de baño se puede realizar con 40 a 80 g de la planta (dos o tres puñados grandes) por cada litro de agua. Para una bañera de tamaño normal, suele ser suficiente con preparar dos o tres litros de infusión o decocción. Una vez colada, se añade al agua de la bañera.
- **Esencias:** Suele ser suficiente con emplear de 5 a 10 gotas de esencia, disueltas en el agua de la bañera.

Los baños se usan especialmente por su efecto antirreumático, relajante y sedante (por ejemplo, con abrótano hembra, cálamo aromático, lavanda, mejorana o trébol). El baño con cálamo aromático resulta especialmente útil contra el insomnio.

Baños de asiento

Para tomar un baño de asiento con plantas medicinales, se preparan uno o dos litros de la decocción o infusión a utilizar (que generalmente es más concentrada que la que se utiliza para tomar), y se vierten en una bañera, añadiendo el agua necesaria hasta que se alcance el nivel del bajo vientre, por debajo del ombligo.

Las piernas y la parte superior del cuerpo no deben estar en contacto con el agua. Lo ideal es realizarlos en una bañera especial para baños de asiento, aunque también pueden tomarse en un bidé, en una palangana ancha, o sentándose en una bañera con las rodillas en alto y flexionadas. Mientras se toma el baño, hay que friccionar suavemente el bajo vientre (anatómicamente llamado hipogastrio) con una esponja o paño de algodón.

Los baños de asiento producen un estímulo circulatorio en la parte inferior del abdomen, que tiene efectos favorables sobre los órganos que allí se alojan: intestino grueso, vejiga de la orina y órganos genitales internos. Además, actúan directamente sobre la piel y mucosas externas de los órganos genitales y del ano. Resultan muy eficaces en los siguientes casos:

- **afecciones anorrectales,** como las hemorroides o la fisura de ano,
- **cistitis e infecciones** urinarias,
- afecciones de la **próstata,**
- **trastornos ginecológicos** en general, pero en especial en caso de menstruaciones dolorosas y de infecciones genitales femeninas.

Normalmente los baños de asiento se toman con el **agua fría o tibia,** a menos que se indique lo contrario. De esta forma se obtiene un mayor efecto tonificante. Sin embargo, existen casos en los que es preferible usar **agua caliente**:

- **espasmos abdominales,** causados, por ejemplo, por cólicos digestivos, cistitis o dismenorrea (regla dolorosa);
- **fisura anal:** afección que se caracteriza por el dolor al defecar, que en algunos

Utensilios necesarios para realizar un baño de asiento: bañera, infusión o decocción de la planta para ser añadida al agua, colador, y esponja o guante de baño.

Zarza

Plantas para realizar baños de asiento

Los baños de asiento con plantas medicinales son muy recomendables para las afecciones del ano y del recto, de los órganos urinarios bajos (vejiga de la orina y uretra), así como de los órganos genitales. Se toman tibios o fríos, excepto en caso de espasmos abdominales o de fisura anal, que deben tomarse calientes.

Planta	Pág.	Preparación	Indicaciones	Acción	Observaciones
Alholva	474	Decocción con 100 g de semillas trituradas (o de harina) por litro de agua. Dejar hervir durante un cuarto de hora	Hemorroides	Las desinflama y reduce	También se aplica en forma de cataplasma fría sobre el ano
Avellano	253	Decocción con 30-40 g de hojas y corteza de ramas jóvenes por litro de agua	Hemorroides	Sedante y antiinflamatoria	También se puede usar empapando compresas que se aplican sobre el ano
Capuchina	772	Infusión con 30-50 g de flores o de frutos por cada litro de agua	Trastornos menstruales	Regula y normaliza las reglas	El baño tiene que ser caliente
Cardo santo	444	Decocción con un puñado de hojas, tallos y/o flores de cardo santo, por cada litro de agua	Hemorroides	Antiséptica y cicatrizante	
Castaño de Indias	251	Decocción de 50 g de corteza de ramas jóvenes y/o semillas por litro de agua	Hemorroides	Calma el dolor y las reduce	
Ciprés	255	Decocción con 50 g de nueces (frutos) por litro de agua	Hemorroides	Reduce su tamaño y alivia el dolor que producen	
Escrofularia	543	Decocción con 20 g de planta por litro de agua	Hemorroides	Calma el dolor y reduce su tamaño	Se aplica también en forma de compresas sobre el ano
Llantén	325	Decocción con 50-100 g de planta por litro de agua	Hemorroides	Desinflama los tejidos	También se puede usar en enemas
Nogal	505	Decocción con 100 g de hojas y/o nogalina (cáscaras) por litro de agua	Hemorroides	Cicatrizante y antiinflamatoria	Se recomiendan dos o tres aplicaciones cada día
Ratania	196	Decocción con 30-40 g de corteza de la raíz por litro de agua	Hemorroides e infecciones genitales	Antiinflamatoria y astringente	
Roble	208	Decocción con 60-80 g de corteza por litro de agua	Hemorroides y fisuras anales	Cicatriza y detiene la pequeña hemorragia acompañante	El baño de asiento debe ser caliente, de unos 10 minutos de duración
Zarza	541	Decocción con 50-80 g hojas y brotes de zarza por litro de agua	Hemorroides	Las desinflama y evita que sangren	Se aplica también en forma de compresas sobre el ano

casos se acompaña de la emisión de unas gotas de sangre. No se debe confundir con las **hemorroides**. En caso de fisura conviene aplicar baños de asiento calientes, mientras que cuando se trata de hemorroides, se recomienda que el agua esté fría.

La **duración** de un baño de asiento debe ser corta (inferior a 3 minutos) si se realiza con agua fría, mientras que se puede llegar a los 10 minutos si el agua empleada está tibia o caliente. Normalmente se toman uno o dos diarios, e incluso tres. Conviene renovar el agua cada vez.

Los baños de asiento con plantas medicinales se pueden preparar fácilmente en casa, tal como se expone en la página 65.

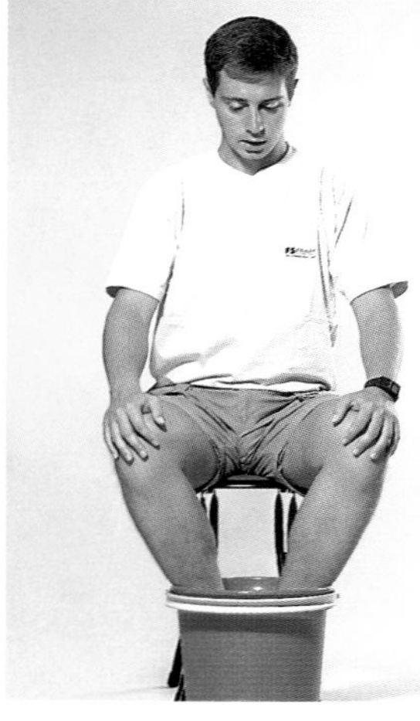

Los baños calientes de pies (pediluvios) son muy efectivos para descongestionar la cabeza en caso de resfriado o gripe.

Los baños de manos (maniluvios) dan muy buenos resultados contra los sabañones.

Baños de pies (pediluvios)

Los pediluvios, o baños de pies, cuando se toman calientes, resultan muy útiles para aliviar los dolores de cabeza (especialmente si se añade al agua harina de mostaza), y para mejorar la circulación en las piernas (con hojas de vid o de ortiga blanca, por ejemplo). Normalmente se realizan añadiendo a los 3 o 5 litros necesarios para el pediluvio, un litro de la misma infusión o decocción que se recomienda tomar por boca.

Baños de manos (maniluvios)

Los maniluvios, o baños de manos, se aplican con éxito para mejorar la circulación sanguínea en las extremidades superiores. Tienen que tomarse tibios o algo calientes. Para hacer desaparecer el eritema pernio (sabañones) y las manos frías y violáceas debidos a espasmos de las arterias, se recomiendan los maniluvios de ginkgo (ver pág. 234).

Cataplasmas

Las cataplasmas se pueden preparar de diversas maneras:

- Con **harina de semillas** (lino, mostaza, alholva): Se amasa la harina con agua hasta formar una pasta uniforme y fluida. Seguidamente se calienta en un recipiente, agitando continuamente, hasta que adquiera una consistencia pastosa. Se aplica sobre la piel con un espesor de uno o dos centímetros, y se protege con un paño de algodón o de franela.

Las cataplasmas de plantas medicinales ejercen un gran efecto antiinflamatorio sobre la piel y los tejidos profundos.

- Con **hojas o raíces** de plantas frescas machacadas (bardana, berro, cebolla, col, consuelda): Se machacan en un mortero hasta obtener una papilla uniforme, la cual se extiende sobre un paño y se aplica fría o caliente según se requiera.
- Con **frutos** (fresas, higos), machacados y envueltos en un paño.

Utilidad de las cataplasmas

Las cataplasmas, al permanecer durante largo tiempo en contacto con la piel, refuerzan diversas propiedades de las plantas, como, por ejemplo, las siguientes:

- **Cicatrizantes** (acedera, bardana, col, consuelda, higos, llantén).
- **Resolutivas,** para madurar y provocar la evacuación de abscesos y furúnculos (aguacate, alholva, borraja, lino, yuca).
- **Analgésicas y sedantes,** para cólicos, cistitis, dolores menstruales, etcétera (granos de maíz, lino, tomillo).
- **Pectorales y antiinflamatorias:** El prototipo de estas compresas es la que se prepara con harina de linaza (semillas de lino). Se les puede añadir un poco de mostaza para que además tengan efecto revulsivo.
- **Revulsivas:** Atraen la sangre hacia la piel, descongestionando los órganos internos. Se prescriben sobre todo en afecciones reumáticas. Se preparan, por ejemplo, con hierba centella, ortigas, mostaza o ruda.

Técnica de aplicación de las cataplasmas

En la aplicación de las cataplasmas conviene tener en cuenta lo siguiente:

- **Temperatura:** Las cataplasmas se aplican calientes, entre 40°C y 50°C. Una forma práctica de calentarlas es ponerlas debajo de la plancha durante unos minutos envueltas en una funda o paño,
- **Protección de la piel:** Las cataplasmas con efecto revulsivo, especialmente las que contienen harina de mostaza, llamadas **sinapismos**, pueden producir irritación en la piel, por lo que deben envolverse cuidadosamente en un paño de franela. Para el resto basta con una gasa.
- **Duración:** de 5 a 10 minutos. Es mejor realizar varias aplicaciones cortas a lo largo del día, que una sola prolongada.

Compresas

Las compresas resultan más fáciles de usar que las cataplasmas, aunque su efecto también resulta menos intenso.

Técnica de aplicación de las compresas

Las compresas se realizan de la siguiente forma:

1. **Impregnar** un pedazo de gasa o franela en una tisana, jugo, tintura u otro preparado líquido.
2. **Aplicarlo** sobre la zona de piel afectada durante un tiempo que depende de cada planta (de 5 a 10 minutos por lo general).

Las compresas se realizan empapando un paño en un líquido obtenido a partir de la planta medicinal (tisana, jugo, etc).

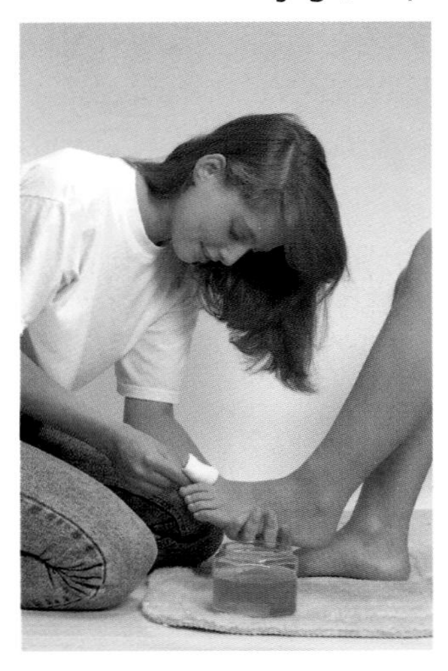

Fomentos

Técnica de aplicación

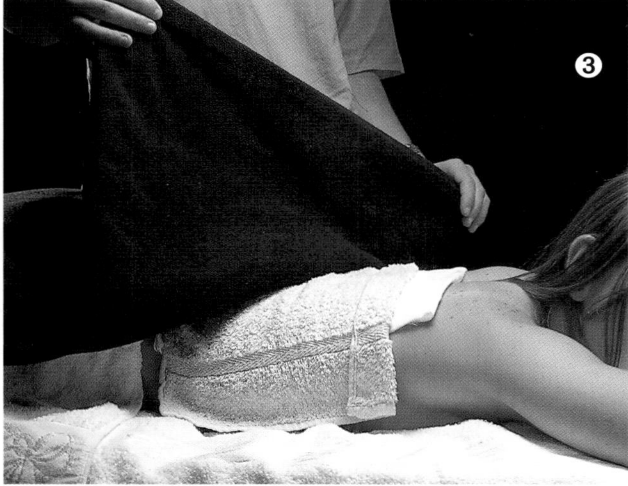

1. Preparar uno o dos litros de una **infusión o decocción** de la planta adecuada. Normalmente conviene que sea un poco **más concentrada** de lo habitual de (50 a 100 g por litro de agua). También se pueden añadir a uno o dos litros de agua caliente, de 5 a 10 gotas de **esencia** de la planta.
2. Cuando el líquido descrito está **bien caliente**, se sumerge en él un **paño o toalla de algodón**. (Foto ❶)
3. **Escurrir** el paño y aplicarlo sobre la zona a tratar, protegiendo la piel con **otro paño seco**. (Foto ❷)
4. **Cubrir** estos dos paños con una **manta de lana**, para conservar el calor. Está comprobado que la lana es el material que mejor conserva el calor, incluso cuando está húmeda o mojada. (Foto ❸)
5. Pasados **3 minutos**, cuando ya empieza a enfriarse el paño húmedo, se vuelve a empapar en el líquido caliente.
6. La aplicación de fomentos debe durar de **15 a 20 minutos**. Terminar con una **fricción de agua fría** sobre la zona tratada.

Fomentos con plantas medicinales

Los fomentos con plantas resultan especialmente eficaces, pues a los efectos terapéuticos propios del agua y el calor, se añaden los de la planta medicinal utilizada. Se aplican sobre la zona afectada en cada caso. Sus indicaciones más importantes son:

1. ***Dolores de espalda** causados por afecciones reumáticas, por artrosis, o por tensión muscular. Se recomiendan especialmente en caso de lumbalgia (dolor de riñones) o de ciática.*
Plantas recomendadas: harpagofito, lavanda, romero, roble.

2. ***Cólicos o espasmos abdominales:** biliares, intestinales o renales.*
Plantas recomendadas: naranjo (flores), manzanilla, lavanda, salvia, tilo.

3. ***Infecciones agudas** de la garganta y de las vías respiratorias: laringitis, traqueítis, bronquitis.*
Plantas recomendadas: abeto, pino, eucalipto, tomillo, tusílago.

Los vahos con hojas de tilo limpian, suavizan y embellecen la piel del rostro.

3. Si la gasa o franela se seca, **volverla a impregnar.** Es mejor renovar las compresas a menudo y aplicarlas varias veces diarias, a mantener la misma durante mucho tiempo.

Algunas plantas pueden teñir la piel cuando se aplican en compresas, especialmente las que contienen taninos (aliso, nogal, roble). Una fricción con jugo (zumo) de limón puede ayudar a restablecer el color normal de la piel.

Indicaciones de las compresas

Las compresas se usan como **cicatrizantes y antisépticas** en heridas y úlceras de la piel (agrimonia, aliso, avellano, caléndula, capuchina, cebolla, col, cola de caballo, hiedra, nogal, regaliz, roble), para la **belleza** de la piel (fresal, hamamelis, rosal, tilo), para los **ojos** (aciano, manzanilla), o como **analgésicas y calmantes** (lúpulo, muérdago).

Fomentos

Los fomentos se aplican como las compresas, pero con el líquido a la máxima temperatura que pueda resistir la piel. Se colocan dos paños más, además del que se empapa en la infusión o decocción medicinal: uno seco por debajo, para proteger la piel, y otro por encima para conservar el calor.

Se usan sobre todo en **afecciones respiratorias** (catarros y bronquitis), inflamaciones de la **garganta** y de la **tráquea, cólicos** (renales, hepáticos o intestinales) y **dolores ciáticos.** En estos casos se realizan con la misma tisana que se recomienda para uso interno, con lo cual se refuerza su acción.

Lociones y fricciones

Las **lociones** se realizan con una infusión, decocción, maceración o jugo que se extiende mediante un ligero masaje sobre la piel.

Las **fricciones** se aplican de la misma forma, generalmente con aceites esenciales (ver pág. 96), y con un masaje más enérgico.

Ambas se pueden aplicar con la mano o con un paño suave impregnado en el líquido.

Indicaciones de las lociones y fricciones

Las lociones y las fricciones tienen las siguientes aplicaciones:

- **Afecciones de la piel** en general (por ejemplo con arándanos, caléndula, cariofilada, equinácea, hojas de olivo, ortiga, pensamiento, saponaria, tomillo o tusílago).
- **Prurito,** es decir, picor en la piel (borraja, hierba mora, verónica).
- **Belleza:** eliminación de la celulitis, embellecimiento de la piel o adelgazamiento (fresal, equinácea, rosal, rusco).
- **Reumatismo** (laurel, lavanda).
- Ahuyentar los **mosquitos** (ajenjo).

Vahos

Los vahos son baños de vapor que se aplican sobre la cabeza, el tórax o incluso todo el cuerpo.

Los gargarismos y enjuagues bucales con flores y corteza de frutos de granado son muy útiles en caso de faringitis, gingivitis (inflamación de las encías) y parodontosis (aflojamiento y caída de los dientes).

Técnica de los vahos

Los vahos se realizan de la siguiente forma:

1. Colocar una **olla de agua hirviente** que contenga las plantas a utilizar, sobre un taburete. La olla debe estar tapada. En vez de plantas se pueden añadir 2 o 3 gotas de un aceite esencial al agua.
2. El paciente **se sienta** en una silla y **se cubre** con una toalla grande o sábana, de forma que no se escape el vapor.
3. **Destapar** la olla **progresivamente** para dejar salir el vapor.
4. La aplicación dura de **10 a 15 minutos**, hasta que deja de salir vapor.
5. Conviene acabar con una **fricción** de agua fría o alcohol sobre la zona que ha permanecido expuesta al vapor.

Indicaciones de los vahos

Los vahos resultan de gran utilidad para combatir las **afecciones respiratorias**: sinusitis, faringitis, laringitis, traqueítis, catarros bronquiales y bronquitis. También se hallan indicados en caso de **otitis**. Facilitan la eliminación del moco, gérmenes y restos celulares depositados en las mucosas respiratorias; con lo cual se acelera su proceso de regeneración y curación.

Gargarismos

Los gargarismos (gárgaras) son una forma fácil y sencilla de aplicar las plantas medicinales sobre el interior de la garganta.

Técnica de los gargarismos

Los gargarismos se llevan a cabo de la siguiente forma:

1. **Tomar sin tragar** un sorbo de tisana (generalmente infusión) tibia. No se deben usar líquidos muy calientes ni muy concentrados.
2. Echar la **cabeza hacia atrás**.
3. Intentar **pronunciar la letra 'a'** de forma prolongada durante **medio o un minuto.**
4. **Echar el líquido** de la boca: ***Nunca* se debe tragar**, pues se supone que se ha contaminado con las sustancias de desecho.
5. Se repite todo el proceso durante 5 o 10 minutos.

Indicaciones de los gargarismos

Los gargarismos actúan sobre la mucosa que recubre el fondo de la boca, la faringe (garganta) y las amígdalas (anginas). Limpian la mucosidad, los gérmenes y los restos de células muertas y de toxinas que se depositan en esa zona en caso de irritación, de inflamación o de infección. Tienen efecto emoliente (suavizante), antiséptico y astringente (secan, desinflaman y cicatrizan).

Los lavados oculares deben hacerse dejando escurrir el líquido desde la sien hacia la nariz, pues este es el trayecto seguido normalmente por las lágrimas.

Las plantas que más se usan para gargarismos son: aliso, bistorta, cariofilada, corteza y hojas de castaño, cebolla, cincoenrama, driada, endrino, epilobio, fresal, gatuña, granado, hidrastis, llantén, nogal, ratania, romero, saúco, tormentilla y verbena.

Enjuagues

Los enjuagues bucales consisten en **mover un sorbo** de líquido (generalmente infusión o decocción) **en todos los sentidos,** dentro de la boca. Son muy útiles en caso de estomatitis, gingivitis, piorrea y otras **afecciones bucodentales.** Se realizan con las mismas plantas que los gargarismos.

Colirios

Los colirios son líquidos empleados para tratar las afecciones de los ojos o de los párpados.

Deben ser **poco concentrados, no irritantes,** y aplicados a **temperatura tibia.** Se recomienda realizarlos con infusiones hechas con agua hervida previamente durante 5 minutos, o con decocciones, para conseguir una mayor esterilidad. Son muy utilizados los colirios de aciano, agripalma, eufrasia, manzanilla u hojas de vid.

Lavados oculares

Los lavados oculares se realizan empapando una **compresa** en la decocción de una planta, y dejando escurrir suavemente el líquido desde la sien hasta la nariz (de afuera hacia adentro).

Al igual que ocurre con los colirios, es preferible realizar los lavados oculares con infusiones en las que se ha hervido previamente el agua, o con decocciones, con el fin de que el líquido que vaya a entrar en contacto con el ojo esté estéril. Cinco minutos de hervor es suficiente para conseguir una esterilidad adecuada.

Enemas

Los enemas, o lavativas, consisten en la introducción de un líquido en el intestino grueso a través del ano, por medio de un irrigador de goma. El líquido a introducir puede ser una infusión o decocción poco concentrada, a temperatura corporal (37°C).

Precauciones al aplicar enemas

Cuando se aplica un enema, se deben tener presentes algunas precauciones:

1. Colocar al paciente sobre su **lado derecho,** con las **piernas encogidas.**
2. Introducir la punta del irrigador con la ayuda de **aceite** o de **vaselina.**
3. **Evitar** que el líquido entre a una **pre-**

Los enemas con infusiones o decocciones de plantas medicinales, conjugan la acción limpiadora del agua con los efectos terapéuticos de las plantas.

sión excesiva, no elevando el recipiente que lo contiene a más de un metro por encima del nivel del enfermo.

4. Es suficiente con **300-500 ml** de líquido. En los **niños** basta con **100-200 ml.**
5. El paciente tiene que **retener** el líquido durante **5-10 minutos.**
6. **No aplicar más de tres** enemas diarios. Se evitará administrarlos **después de las comidas.**
7. En muchos casos se requiere la prescripción y supervisión de un facultativo.

Objetivos de los enemas

Con los enemas se pretende:

- **Evacuar** el recto y el intestino grueso en caso de **estreñimiento**, especialmente cuando es debido a una afección febril o infecciosa (por ejemplo con hojas de olivo, malva o sen).
- **Desinflamar** el ano y el recto en caso de **fisuras, hemorroides e inflamaciones** anales (con llantén, roble o zaragatona).
- **Desinflamar** el intestino grueso en caso de **colitis o diarrea** (erígeron, malva), **espasmos digestivos** (asafétida) o **diarreas de los lactantes** (salicaria).
- Eliminar los **parásitos intestinales** (ajo, cuasia, tanaceto).

Irrigaciones vaginales

Una irrigación vaginal consiste en la introducción de infusiones o decocciones poco concentradas, y a temperatura corporal (37°C), en la vagina, por medio de una cánula o irrigador especial.

Las plantas más empleadas para estas irrigaciones son: bistorta, cincoenrama, granado, malva, pie de león, pimpinela mayor, ratania, rosal, salicaria, salvia y sauce blanco.

Se usan en caso de **vaginitis y leucorrea** (flujo excesivo). En caso de **embarazo** ***se deben evitar*** todo tipo de irrigaciones vaginales.

Al colocar una irrigación vaginal es preciso aplicar **poca presión**, con el fin de evitar que el líquido ascienda al útero, cuya cavidad está normalmente cerrada por el cuello uterino. Es recomendable que las irrigaciones vaginales se apliquen **bajo control facultativo.**

Uso seguro de las plantas medicinales

Lo primero es adoptar un estilo de vida sano

Antes de aplicar cualquier planta medicinal de forma regular o continuada (lo mismo que ocurre con cualquier otro tipo de tratamiento), es necesario tener en cuenta lo siguiente:

1. Buscar la causa de los trastornos, por poco importantes que puedan parecer. Tomar unas plantas (lo mismo que cualquier medicamento) con el único objetivo de calmar o de neutralizar ciertos síntomas, puede producir un alivio momentáneo.

Sin embargo, si la causa de esos síntomas persiste, la enfermedad seguirá avanzando hasta manifestarse con mayor intensidad, y entonces puede ser demasiado tarde para curarla.

Ante cualquier síntoma extraño, es necesario someterse a un ***diagnóstico médico***, realizado por profesionales competentes con medios y procedimientos ***científicos***. Solo después de esto se podrán aplicar con seguridad los tratamientos a base de plantas medicinales, o cualesquiera otros.

2. Eliminar hábitos nocivos para la salud: Si los síntomas o trastornos se deben a hábitos insanos o a un estilo de vida poco saludable, el tratamiento con plantas resultará de poca utilidad; e incluso podría llegar a ser contraproducente, al enmascarar determinados síntomas mientras persiste su causa.

El **primer paso** para la restauración de la salud debe ser la adopción de un **estilo de vida sano**, eliminando los hábitos nocivos que pudieran existir. De bien poco serviría tomar plantas mucolíticas o expectorantes para tratar la bronquitis, si se continúa fumando o respirando aire contaminado, por ejemplo.

La mayor parte de las enfermedades crónicas en los países desarrollados están relacionadas directamente con los hábitos alimentarios inadecuados y con el consumo de sustancias tóxicas tales como el tabaco, las bebidas alcohólicas y otras drogas.

3. Usar únicamente plantas bien identificadas: Lo más recomendable y seguro es que estén envasadas, correctamente etiquetadas y bajo la garantía de un laboratorio o profesional farmacéutico.

Las leyes de muchos países, incluidos los de la Unión Europea, prohíben la venta ambulante de plantas medicinales.

4. Evitar la autoprescripción "a la ligera": Lo ideal es que las plantas medicinales sean prescritas o recomendadas por un médico competente.

Sin embargo, la legislación sanitaria en la mayor parte de los países, registra un cierto número de especies de plantas de uso habitiual, que pueden usarse libremente, sin prescripción facultativa. En este caso, se habla de **autoprescripción (automedicación) responsable:** Uno mismo decide qué plantas va a tomar, pero de forma responsable, es decir, informándose previamente de las propiedades de dichas plantas, así como de las posibles precauciones que su uso requiera.

5. Precaución al usar una planta durante largos periodos de tiempo: Como norma general, se debe evitar el uso continuado de una misma planta durante más de dos o tres meses. Cuando esto pueda parecer necesario, conviene informarse bien de los posibles efectos secundarios indeseables de dicha planta, además de obtener consejo facultativo.

6. Prudencia con las mujeres embarazadas y los niños: Hay que ser especialmente prudente a la hora de administrarles una planta medicinal, lo mismo que con todos los medicamentos (ver págs. 101-102).

Casos prácticos

El uso adecuado de las plantas medicinales, junto con otros hábitos de vida sana, puede impedir que las debilidades de nuestro organismo evolucionen hasta convertirse en enfermedades declaradas.

1. Buscar la causa de los trastornos

Juan es un hombre robusto de 55 años, que nunca había padecido trastornos importantes. Desde hace más de un año ha perdido el apetito, y ciertos alimentos, como por ejemplo la carne, le provocan rechazo e incluso náuseas.

Se automedica con unas plantas que le recomendaron unos vecinos del pueblo, muy efectivas –según le aseguraron– para abrir el apetito. Los primeros meses obtuvo cierta mejoría, pero últimamente, aunque no tiene dolor, su apetito no mejora, ha adelgazado, y finalmente se decide a ir al médico.

Un examen endoscópico del estómago muestra que la causa de su inapetencia es un cáncer de estómago. El tumor está ya demasiado avanzado como para pronosticar un buen resultado quirúrgico.

Este es un caso típico de cáncer de estómago. Si Juan hubiera buscado la causa de su síntoma al principio de su aparición, el pronóstico de su enfermedad hubiera sido mucho más favorable.

2. Eliminar hábitos nocivos para la salud

Marcelo es camionero y pasa muchas horas sentado al volante. Padece de hemorroides, y a menudo se le inflaman y le sangran.

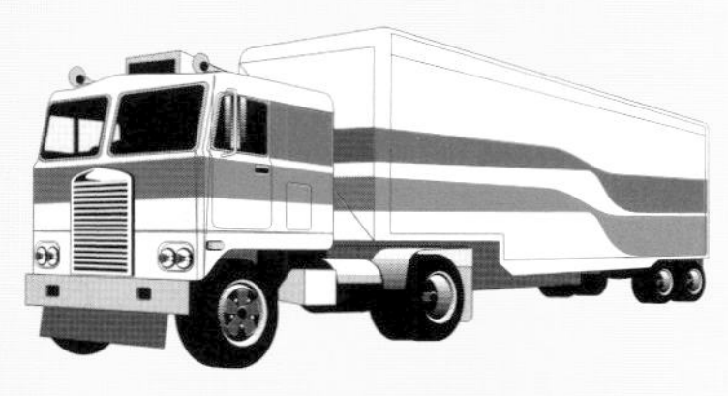

A Marcelo le gusta la comida fuerte, muy condimentada con pimienta o con chile (guindilla). La fruta apenas si la prueba. Él mismo nota que, cuando come mucho picante, las hemorroides se le ponen peor. Pero ha descubierto unas plantas que le recomendaron en una farmacia, con la que se aplica unos baños de asiento que le alivian mucho. Así que continúa con sus comidas picantes, y cuando se ve apurado, se da un baño de asiento.

Pero las hemorroides fueron empeorando, hasta que un día sufrió un dolor anal muy intenso, que no mejoraba con las plantas ni con nada. Su médico de cabecera lo envió urgentemente al cirujano de guardia, con el diagnóstico de trombosis hemorroidal, una complicación muy dolorosa de las hemorroides.

Si Marcelo hubiera adoptado una alimentación más sana, las hemorroides no habrían progresado. En tal caso, los baños de asiento con plantas que habitualmente él se aplicaba, hubieran resultado suficientes para mejorar y hasta curar su enfermedad.

PRINCIPIOS ACTIVOS

Las plantas son capaces de producir una amplia variedad de principios activos, a partir de sustancias tan simples como el agua, el dióxido de carbono, el nitrógeno y otros elementos minerales.

SUMARIO DEL CAPÍTULO

El laboratorio vegetal

Las plantas son unos laboratorios bioquímicos extraordinarios. A partir de sustancias tan simples como el agua (H_2O) de la tierra y el dióxido de carbono (CO_2) del aire, son capaces de producir almidón (hidrato de carbono o glúcido), devolviendo además oxígeno (O_2) al aire.

Esta reacción química, conocida como **fotosíntesis**, se lleva a cabo gracias a la **clorofila** contenida en las hojas de las plantas, que capta la energía lumínica del sol y la transforma en energía química.

Para ser más exactos, esta reacción química nos indica que, con seis moléculas de agua y otras tantas de dióxido de carbono, se produce una de glucosa y seis de oxígeno (ver cuadro de la página contigua).

En una segunda fase, las moléculas de glucosa se polimerizan (se unen entre sí) para formar **almidón o celulosa**, que son **las sustancias más abundantes** del reino vegetal. Ambas tienen la misma fórmula química, y difieren únicamente por la forma en la que están unidas las moléculas de glucosa que las constituyen.

A partir de la glucosa y el almidón producidos en las hojas, combinándolos con las sales minerales que se absorben en la raíz, las plantas sintetizan lípidos (grasas), esencias, glucósidos, taninos, vitaminas y otros principios activos. Las proteínas y los alcaloides se producen en la raíz y en otras partes de la planta, a partir de los nitratos del suelo. Por medio de los vasos conductores del tallo y de sus ramificaciones, son transportadas y repartidas por toda la planta.

De esta forma las plantas sintetizan una gran variedad de sustancias químicas. Hasta ahora se han identificado unas 12.000 diferentes, y con toda seguridad aún quedan

continúa en la página 78

Fotosíntesis

La base química de la vida en la tierra

La fotosíntesis se desarrolla en dos fases:

Primera fase:

$$6\ H_2O + 6\ CO_2 \longrightarrow C_6H_{12}O_6 + 6\ O_2$$

Agua + Dióxido de carbono = Glucosa + Oxígeno

Segunda fase:

$$n\ (C_6H_{12}O_6) \longrightarrow n\ (C_6H_{10}O_5) + n\ (H_2O)$$

Varias moléculas de glucosa unidas = Almidón + Varias moléculas de agua

A partir de dos sustancias inorgánicas, el **agua** (que las plantas toman del suelo) y el **dióxido de carbono** (gas que forma parte del aire), las plantas producen **glucosa** y después **almidón**, dos sustancias orgánicas que forman parte de la materia viva. A partir de la glucosa, del nitrógeno mineral y de otros elementos del suelo, los vegetales producen todas las demás sustancias que los forman mediante una compleja serie de reacciones químicas.

Esta formidable reacción química que es la fotosíntesis, solo es posible gracias a la **clorofila,** pigmento verde que se encuentra exclusivamente en las plantas, y que actúa como catalizador o facilitador de la reacción.

La fotosíntesis es la base química de la vida sobre nuestro planeta. Y, aunque pueda parecernos sencilla, ningún laboratorio ha sido capaz de reproducir esta reacción bioquímica. Gracias a ella, lo simple se hace complejo; la materia inorgánica se transforma en orgánica. Dicho de otro modo: La materia muerta –del suelo y del aire– se transforma en materia viva –el vegetal–.

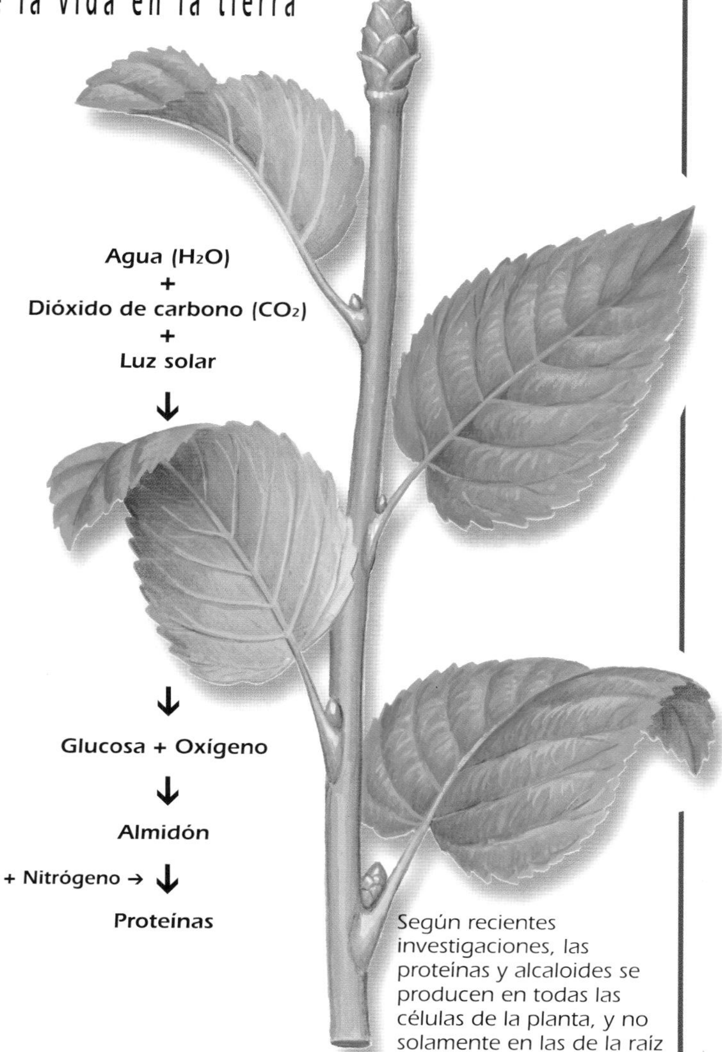

Según recientes investigaciones, las proteínas y alcaloides se producen en todas las células de la planta, y no solamente en las de la raíz

Funciones de las hojas

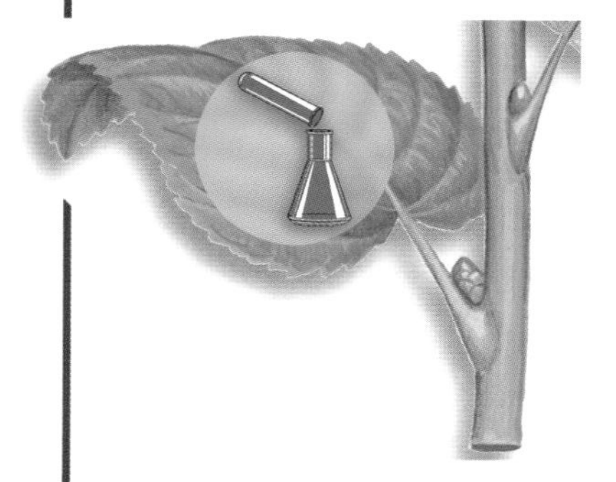

1. Elaboración de la savia a partir de las sustancias absorbidas por la raíz.

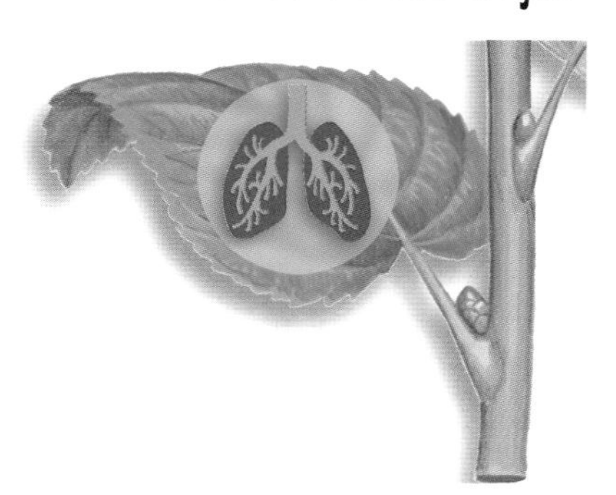

2. Producción de oxígeno y de vapor de agua, como resultado de la fotosíntesis.

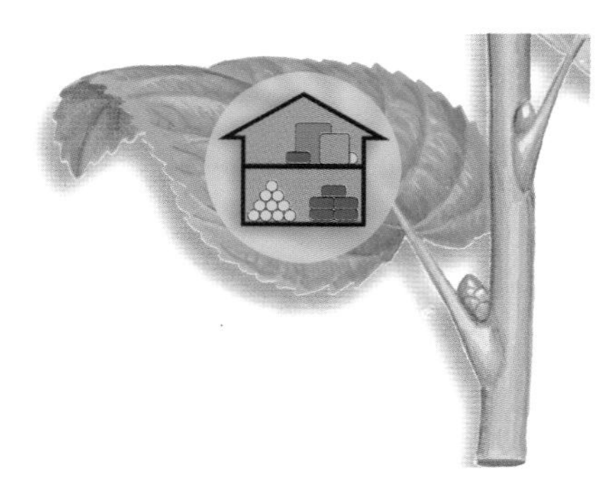

3. Almacenamiento de nutrientes como el almidón, azúcares, vitaminas, etcétera.

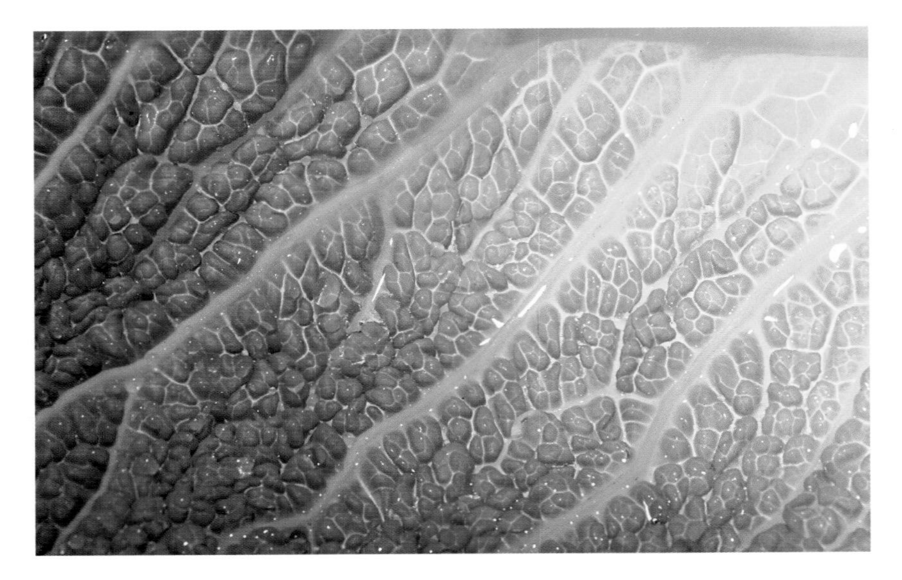

Los principios activos contenidos en las plantas medicinales, no solo alivian los trastornos, sino que regulan los procesos vitales y previenen la enfermedad.

viene de la página 76

muchas por descubrir y analizar. De entre todas estas sustancias químicas, se da el nombre de **principios activos** a aquellas que presentan una acción específica sobre el organismo. Según su naturaleza química, se clasifican en varios grupos que conviene conocer: glúcidos, lípidos, proteínas, vitaminas, minerales, alcaloides, glucósidos, esencias y resinas, ácidos orgánicos, taninos. Vamos pues a estudiarlos con cierto detenimiento.

Hidratos de carbono

Los hidratos de carbono, conocidos también como **glúcidos,** son sustancias compuestas de hidrógeno, oxígeno y carbono. Son muy abundantes en los vegetales, que los producen por medio de la fotosíntesis.

Para una mejor comprensión describimos separadamente los tipos de glúcidos o hidratos de carbono más importantes que se hallan presentes en las plantas: azúcares, almidón, celulosa, mucílagos, pectina e inulina.

Azúcares

Los azúcares son glúcidos (hidratos de carbono) simples, solubles en agua y de sabor dulce. Los más comunes son la **glucosa** y la **fructosa** (monosacáridos), y la **sacarosa** (disacárido). Se encuentran sobre todo en los frutos. Los organismos animales los utilizan como fuente básica de energía, por lo que tienen efecto tonificante.

Los diabéticos tienen que ingerirlos bajo control, aunque siempre teniendo en cuenta que la misma cantidad de azúcar, es mucho mejor tolerada si se toma junto con las vitaminas, la fibra vegetal, los ácidos orgánicos y los restantes componentes de los frutos, que si se toma como producto químico puro en forma de azúcar refinado (blanco) de mesa.

La **fructosa** se halla presente, junto con la glucosa, en la fruta madura. A diferencia de esta última, la fructosa no precisa de la insulina para ser aprovechada por el organismo, por lo que es mucho mejor tolerada por quienes padecen diabetes (falta de insulina).

Los frutos descritos en esta obra, más ricos en azúcares, son: agracejo, algarrobas, arándanos, caimito, cerezas, frambuesas, fresas, grosella, guanábano, higos, madroños, manzana, piña americana, uva y moras (zarzamoras). Los tallos de la caña azucarera son muy ricos en sacarosa.

Almidón

El almidón es el glúcido (hidrato de carbono) más representativo de los que producen las plantas. Su molécula es un polímero, formada por la unión en cadena de numerosas moléculas de glucosa. Sus propiedades son:

- **Energético:** Las enzimas digestivas rompen las moléculas de almidón, liberando glucosa, que es el combustible (energía) más importante para nuestras células.
- **Emoliente:** Tiene acción suavizante y antiinflamatoria sobre la piel y las mucosas.

La mayor parte de las plantas produce al-

midón como sustancia de reserva en las raíces y las semillas. Las más ricas en almidón, de entre las tratadas en este libro, son: avena, castañas, lirio (raíz), maíz, yuca (raíz).

Celulosa

La celulosa es una fibra vegetal insoluble. Es el hidrato de carbono más abundante en los vegetales. Aunque nuestro organismo no es capaz de asimilarla (el de los rumiantes sí), desarrolla una importante función mecánica en el intestino: facilitar el progreso de las heces y evitar el estreñimiento.

Mucílagos

Los mucílagos son derivados de los glúcidos de consistencia gelatinosa, que tienen la propiedad de retener agua (efecto hidrófilo), por lo que se hinchan y aumentan de volumen. Los mucílagos tienen las siguientes acciones:

- **Lubrifican y protegen** la capa mucosa de todo el conducto digestivo, que tapiza su interior desde la boca hasta el ano. Actúan localmente, sin ser absorbidos a la sangre. Protegen tanto de la irritación mecánica producida por el movimiento del bolo alimenticio o de las heces, como de la irritación química producida por los jugos digestivos (especialmente los ácidos) y por las fermentaciones intestinales. A ello se debe su efecto **emoliente** (suavizante), **antiinflamatorio** y ligeramente **laxante.** Resultan de utilidad en todas las **afecciones inflamatorias** del **aparato digestivo**: esofagitis, gastritis, úlcera gastroduodenal, gastroenteritis, colitis, proctitis (inflamación del recto), fisuras anales y hemorroides.
- **Obesidad:** Si se toman mucílagos con agua, aumentan el volumen del bolo alimenticio en el estómago, produciendo sensación de saciedad. De ahí que se usen para combatir la obesidad. En el intestino, aumentan el volumen de las heces, con lo cual facilitan su tránsito y su expulsión en caso de estreñimiento crónico. Esto explica la aparente paradoja de que se administren tanto en las **colitis** (efecto antiinflamatorio) como en el **estreñimiento.**
- **Emolientes y antiinflamatorios,** aplicados sobre la piel.
- **Antitusígenos:** Sobre el aparato respiratorio, suavizan las mucosas irritadas en caso de laringitis o traqueítis, calmando la tos.

Los vegetales con mayor contenido en mucílago son: alholva, borraja, col, lino, liquen de Islandia, llantén, malva, malvavisco, musgo de Irlanda, pensamiento, polipodio, salicaria, satirión manchado (orquídea), tusílago y zaragatona.

Pectina

La pectina es un glúcido (hidrato de carbono) que no se absorbe en el intestino,

El pensamiento (*'Viola tricolor'* L.) contiene mucílagos y saponinas, que le otorgan propiedades suavizantes, antiinflamatorias y cicatrizantes. Las lociones y lavados con su infusión combaten eficazmente la sequedad, las estrías y las arrugas de la piel, por lo que es muy apreciado como cosmético.

Los frutos del olivo ('Olea europaea' L.) proporcionan el más medicinal de los aceites. El aceite de oliva actúa como laxante, colagogo, emoliente y regulador del colesterol.

sino que actúa localmente como **lubrificante y suavizante** para el paso de las heces, al igual que los mucílagos o la fibra vegetal de celulosa.

Lo contienen sobre todo las manzanas, y también otros frutos, como por ejemplo: los arándanos, las algarrobas, las castañas, las cerezas, las endrinas, el escaramujo, el guayabo, las serbas y el tamarindo.

Inulina

La inulina es un glúcido formado por cadenas de moléculas de fructosa, en vez de glucosa como el almidón. Se llama así por haber sido descubierto en la raíz del helenio (*Inula helenium* L.). Se encuentra sobre todo en las raíces como material de reserva (achicoria, alcachofera, bardana, carlina, consuelda mayor, diente de león, equinácea, helenio y sombrerera).

La inulina se transforma en fructosa (azúcar de la fruta) durante la digestión. Este azúcar tiene la peculiaridad de no precisar de la insulina para su metabolismo, por lo que los diabéticos la toleran mucho mejor que la glucosa. Además, favorece las funciones del hígado.

La inulina (sin 's') no debe confundirse con la insulina (con 's'), que es la hormona que segrega el páncreas y que regula el nivel de glucosa (azúcar) en la sangre. Un bajo nivel de producción de insulina o la carencia de ella –caso de los diabéticos–, provoca el aumento del nivel de glucosa en la sangre y en la orina.

Lípidos o grasas

Los lípidos o grasas son sustancias cuyas moléculas están formadas por la unión de la glicerina u otros alcoholes, con diferentes ácidos grasos. Contienen hidrógeno, oxígeno, carbono y en algunos casos, fósforo. Las plantas los producen a partir de los hidratos de carbono, como sustancias de reserva energética.

Los lípidos se usan por sus propiedades **nutritivas y energéticas,** y por su acción **suavizante y emoliente.** Son ricos en lípidos: el aguacate, la algarroba, las avellanas, las nueces, las pipas de girasol, la avena, el cacao, el alga espirulina, el germen de maíz, las olivas (aceitunas).

Aceites

Los aceites son sustancias grasas líquidas a temperatura ambiente, que se extraen por presión en frío y decantación (también por medio de disolventes y otros procesos industriales), de los frutos y de las semillas de las plantas.

Están compuestos por ésteres de la glicerina con ácidos grasos mono o poliinsaturados, y al contrario que las grasas ani-

males, presentan la propiedad de **reducir el colesterol** sanguíneo.

No se deben confundir con los aceites esenciales o esencias (ver "Esencias", pág. 90).

Los aceites se usan por sus propiedades:

- **Laxantes** (de oliva) o **purgantes** (de cártamo, de ricino).
- **Hipolipemiantes,** es decir, reductores del **colesterol** en sangre (de semillas de algodonero, de adormidera, o de girasol; de germen de maíz, de oliva, de onagra,o de pepitas de uva).
- **Emolientes** (de semillas de algodonero, de lino, o de oliva). El aceite de **oliva,** el rey de los aceites, se usa también como disolvente de los principios activos de otras plantas puestas a macerar en él (por ejemplo, semillas de achiote o sumidades de hipérico). De esta forma se aplica externamente sobre quemaduras y diversas afecciones de la piel.

Proteínas

Todas las plantas producen y contienen proteínas en mayor o menor proporción. Son sustancias complejas, cuyas moléculas están formadas por cadenas de aminoácidos. Contienen hidrógeno, oxígeno, carbono y nitrógeno.

Algunas proteínas son de gran valor biológico, debido a su contenido en **aminoácidos esenciales,** es decir, aquellos que el organismo humano no puede producir. Estas proteínas de gran valor biológico, imprescindibles en la dieta de los humanos, se encuentran no solo en los alimentos animales, sino también en muchos de los vegetales. Así, por ejemplo, la alfalfa, el alga espirulina, las nueces y el sésamo, son especialmente ricos en proteínas de gran valor nutritivo.

Otras plantas, tratadas en esta obra, de elevado contenido proteínico son: el aguacate (también rico en lípidos o grasas), las algarrobas, la alholva, las avellanas, la avena, el cacao, las castañas, el maíz, el sargazo vejigoso (alga *Fucus*).

La alfalfa (*Medicago sativa* L.) es muy rica en proteínas de gran valor biológico. Contiene además, vitaminas, minerales y enzimas.

Vitaminas

Las vitaminas son sustancias de naturaleza química muy variada que tienen en común lo siguiente:

- Actúan como **biocatalizadores** de numerosas reacciones químicas, por lo que resultan imprescindibles para la vida. Un biocatalizador es un catalizador or-

Cada tipo de vitamina realiza una función preventiva y benefactora sobre nuestro organismo. Los frutos de las plantas constituyen una buena fuente de vitaminas. La guayaba ('Psidium guajaba' L.) es muy rica en vitaminas A, B y sobre todo C, lo que explica su efecto tonificante sobre el organismo.

gánico. Y un **catalizador,** en química, es todo producto que, sin llegar a formar parte de los productos finales de la reacción, hace posible que esta se produzca, o la acelera.

- **No pueden ser producidas** por nuestro organismo, por lo que tienen que ser ingeridas con regularidad.

Los vegetales son la fuente más importante de vitaminas para nuestro organismo, excepto de la D, que es sintetizada en nuestra piel por acción de los rayos solares.

A continuación ofrecemos una relación de las principales vitaminas y las plantas analizadas en esta obra que son ricas en cada una de esas vitaminas:

Provitamina A (caroteno)

Contienen provitamina A en un porcentaje elevado: alfalfa, berros, cacao, cerezas, frambuesas, pipas de girasol, guayabas, manzanas, papayas, zanahorias.

Vitaminas del grupo B

Aguacate, alsine, apio, avena, cacao, cerezas, diente de león, espirulina, fresas, ginseng, pipas de girasol, nueces, sésamo, son plantas ricas en vitaminas del complejo B.

Vitamina B_{12}

La vitamina B_{12} es producida por ciertas bacterias, seres vivos que forman parte del reino vegetal. Los mamíferos superiores, especialmente los herbívoros, obtienen la vitamina B_{12} de las plantas que ingieren, que habitualmente se hallan contaminadas por bacterias productoras de B_{12}. Los animales almacenan esta vitamina en sus tejidos, especialmente en el hígado. La leche y los huevos también contienen vitamina B_{12}. Así pues, la fuente primaria de vitamina B_{12} son determinadas bacterias que la producen, y que, a pesar de ser microscópicas, también son vegetales.

Los seres humanos no tenemos la misma capacidad que los animales para absorber la vitamina B_{12} que se encuentra en las bacterias que contaminan los vegetales; o bien, posiblemente, los vegetales que ingerimos, por estar más limpios, no contienen tantas bacterias como los que ingieren los animales. El hecho es que los humanos que siguen una dieta vegetariana estricta pueden padecer deficiencias de vitamina B_{12}, si bien esto ocurre con una menor frecuencia de lo que cabría esperar. La alimentación vegetariana complementada con huevos y leche proporciona a las personas sanas una cantidad suficiente de B_{12}.

El alga espirulina (ver pág. 276) es una de las fuentes más ricas de vitamina B_{12} que se conocen; pero no porque dicha alga la produzca, sino porque habitualmente está contaminada por unas bacterias muy ricas en dicha vitamina.

Vitamina C

Coclearia, col, escaramujo, frambuesas, guayabas, limones, naranjas, serbas, verdolaga, son buenas fuentes naturales de vitamina C.

Vitamina E

Berros, espirulina, girasol, maíz, sésamo, son plantas ricas en vitamina E.

Vitamina P

Alfalfa, esparraguera, naranjas, rusco, y algunas otras de las plantas que se analizan en esta obra, son buenas fuentes de vitamina P. A la vitamina P también se le llama rutina (ver pág. 88).

Minerales

Después de quemar una planta seca, toda la materia orgánica queda calcinada, y sus cenizas son los minerales de la planta.

Normalmente, los átomos de los minerales contenidos en las plantas se encuentran unidos a moléculas de ácidos, formando de esta manera **sales minerales**. Veamos los minerales más importantes para el ser humano que se encuentran en las plantas analizadas en esta obra:

Calcio

El calcio resulta indispensable para la formación de los huesos. Interviene en las funciones del corazón y del sistema nervioso. Se encuentra especialmente en: alfalfa, avena, borraja, cebollas, guayabas, manzanas, mijo de sol, nueces, ortiga mayor, pulmonaria y sésamo.

Fósforo

El fósforo interviene también en la composición de los huesos y en el sistema nervioso. Lo contienen: alfalfa, alholva, avena, cebollas, guayabas, manzanas, nueces, sésamo, zanahorias.

Hierro

El hierro resulta imprescindible para la producción de sangre. Abunda en: acedera, aguacate, berro, cerezas, espirulina, guayabas, manzanas, ortiga mayor, romaza, sésamo, uvas y zurrón.

«El vino lo tomo en racimos», decía el famoso científico francés Louis Pasteur. Las uvas son una fuente muy apreciada de vitaminas y minerales, especialmente de hierro.

Magnesio

El magnesio cumple importantes funciones en la sangre y en los huesos. Se encuentra en: alsine, cebollas, col, manzanas, sésamo y tilo.

Potasio

El potasio es un diurético muy seguro, especialmente si aparece acompañado de flavonoides o saponinas. Lo encontramos especialmente en: alcachofas, alfilerillo de pastor, arenaria, cardencha, cebollas, ce-

La cola de caballo ('Equisetum arvense' L.) es una de las plantas más ricas en oligoelementos minerales, especialmente en silicio. A ello se debe su efecto regenerador sobre los tejidos. Su uso, tanto por vía interna como externa, aumenta la tersura de la piel, y fortalece las uñas y el cabello.

rezas, cola de caballo, grama, limones, ortosifón, parietaria, uvas y zanahorias.

Silicio

El silicio contribuye a la elasticidad y belleza de la piel, así como a la fortaleza del cabello y de las uñas. Resulta muy recomendable en la artrosis y la osteoporosis. Se encuentra sobre todo en la cola de caballo, y también en el alsine, la borraja, la cardencha, la centinodia, la grama, el mijo de sol y la ortiga mayor.

Yodo

El yodo es imprescindible para el desarrollo del sistema nervioso y para el funcionamiento de la glándula tiroides. Se encuentra en el berro, laminaria, musgo de Irlanda y sargazo vejigoso.

Oligoelementos

Los oligoelementos son minerales (azufre, cobre, zinc, manganeso, etc.), que se encuentran en las plantas, y también en nuestro organismo, en pequeñísimas cantidades (*oligo* = poco en griego). Sin embargo, cumplen importantes funciones metabólicas. Generalmente actúan como **biocatalizadores** de determinadas reacciones químicas en los seres vivos.

Todas las plantas contienen cantidades más o menos importantes de estos elementos, que los toman del suelo. Las plantas silvestres, que crecen en terrenos no cultivados, suelen ser más ricas en oligoelementos que las cultivadas. Los terrenos de cultivo intensivo se empobrecen con el tiempo en tales elementos, especialmente cuando se usan abonos minerales inorgánicos, que contienen solo determinados minerales y no toda la gama de oligoelementos.

Alcaloides

Los alcaloides son sustancias nitrogenadas muy complejas, de reacción alcalina, y que incluso en pequeñas dosis producen grandes efectos sobre todo el organismo.

Son sustancias muy activas, que pueden resolver enfermedades graves, pero que también pueden intoxicar si no se usan correctamente. Este es el caso de la **colchicina** del cólquico o azafrán silvestre

(pág. 666), que detiene de forma espectacular los síntomas de un ataque de gota; de la **reserpina** de la rauwolfia (pág. 242), que hace descender la presión arterial y equilibra el sistema nervioso en caso de enfermedades mentales; o de la **vincamina** de la vincapervinca (pág. 244), que mejora notablemente la circulación sanguínea en el cerebro.

Los alcaloides, tomados junto con el resto de principios activos de la planta en una tisana, resultan menos peligrosos que cuando se toman aisladamente en forma de extractos purificados o fármacos (véase el capítulo 6, "De la planta al medicamento", y la pág. 64). Así, el opio, que contiene una mezcla de más de 25 alcaloides, entre ellos morfina, es más seguro de administrar que la morfina pura.

Además, no todos los alcaloides son igualmente activos, ni se encuentran en los mismos porcentajes. Con todo ello queremos indicar que muchas plantas que contienen alcaloides pueden ser usadas como remedios caseros ***con total seguridad,*** respetando las **dosis e indicaciones,** como es el caso de la avena, el boldo, o el regaliz. Sin embargo, el uso de ciertas plantas que contienen alcaloides requiere una especial prudencia y, a ser posible, ***control facultativo,*** como indicamos en cada caso.

Vincapervinca

Plantas con alcaloides

Los alcaloides son sustancias muy activas producidas por algunas plantas, como las que aparecen en este cuadro. En general, estas plantas deben usarse con prudencia, y algunas de ellas únicamente bajo control facultativo.

Planta	Pág.	Alcaloide	Acción
Acónito	148	Aconitina	Anestésica y analgésica
Agracejo	384	Berberina	Colagoga y tonificante
Agripalma	224	Leonurina	Emenagoga
Avena	150	Avenina	Tonificante
Beleño negro	159	Atropina	Parasimpaticolítica
Beleño negro	159	Hiosciamina	Parasimpaticolítica, alucinógena
Belladona	352	Atropina	Parasimpaticolítica
Belladona	352	Hiosciamina	Parasimpaticolítica, alucinógena
Boj	748	Buxina	Febrífuga
Boldo	390	Boldina	Colerética y colagoga
Cacao	597	Teobromina	Estimulante, diurética
Cafeto	178	Cafeína	Estimulante, excitante
Cicuta	155	Coniina	Sedante, analgésica
Coca	180	Cocaína	Excitante
Colombo	446	Berberina	Colagoga y tonificante
Cólquico	666	Colchicina	Antiinflamatoria, analgésica
Dulcamara	728	Solanina	Sedante, narcótica
Estramonio	157	Atropina	Parasimpaticolítica
Estramonio	157	Hiosciamina	Parasimpaticolítica, alucinógena
Fumaria	389	Fumarina	Antiiflamatoria, antihistamínica
Hidrastis	207	Berberina	Colagoga y tonificante
Hierba mora	729	Solanina	Sedante, narcótica
Ipecacuana	438	Emetina	Emética, expectorante
Mate	182	Cafeína	Estimulante, excitante
Mate	182	Teobromina	Estimulante, diurética
Quino	752	Quinina	Febrífuga, tonificante
Rauwolfia	242	Reserpina	Hipotensora, sedante
Regaliz	308	Atropina	Parasimpaticolítica
Tabaco	183	Nicotina	Estimulante, depresora
Té	185	Cafeína (teína)	Estimulante, excitante
Vincapervinca	244	Vincamina	Vasodilatadora

Glucósidos

Las moléculas de los glucósidos, también llamados **heterósidos,** están constituidas desde el punto de vista químico por la unión de dos tipos de sustancias:

- un **glúcido** (azúcar), que puede ser la glucosa, pentosa, u otros,
- una sustancia no azucarada, llamada **genina** o aglucón, que puede ser un ácido, un alcohol, u otro compuesto orgánico.

Las propiedades de los glucósidos dependen de la naturaleza química de su genina, y son muy variadas. Para que los glucósidos liberen su parte activa, la genina, es preciso que se produzca una reacción química de hidrólisis catalizada por una enzima.

En general, los glucósidos son sustancias muy activas, cuando penetran en el orga-

Las antocianinas, sustancias que otorgan el color vivo a ciertas flores como la rosa, tienen acción medicinal.

Cebolla

Plantas con sustancias antibióticas

En esta tabla, se muestran los antibióticos más importantes presentes en las plantas descritas en esta obra. Desde el punto de vista químico, la mayor parte de ellos son glucósidos.

Planta	Pág.	Antibiótico
Ajo	230	Disulfuro de alilo
Bardana	697	Arctiopicrina
Capuchina	772	Glicotropeolina
Carlina	749	Carlinóxido
Cebolla	294	Disulfuro de alilpropilo
Drosera	754	Naftoquinonas (plumbagona)
Equinácea	755	Equinacósido
Gayuba	564	Hidroquinona
Helenio	313	Helenina
Pulsatila	623	Anemonina
Regaliz	308	Liquiritina
Rábano	393	Glucorafenina
Vellosilla	504	Umbeliferona

Color de los glucósidos antocianínicos (antocianinas)

Medio	Color
Alcalino (básico)	Azul
Neutro	Violáceo
Ácido	Rojo

nismo humano. Por eso las plantas que los contienen tienen que **dosificarse y administrarse** ***con prudencia.***

De acuerdo con su composición química y su acción, los glucósidos se clasifican en: antocianínicos, antraquinónicos, cardiotónicos, cianogenéticos, cumarínicos, fenólicos, flavonoides, saponínicos y sulfurados.

Descomposición de los glucósidos

Para que los glucósidos actúen dentro del organismo, es necesario que sus moléculas sean descompuestas por la acción de una enzima específica para cada glucósido, que se encuentra también en la planta. De esta forma, se libera la genina, que es la parte activa del glucósido. Veamos dos ejemplos:

Planta	*glucósido + enzima*	=	*genina + glúcido*
Ajo	*aliína + aliinasa*	=	*disulfuro de alilo + azúcar*
Mostaza	*sinigrina + mironasa*	=	*esencia sulfurada + azúcar*

Glucósidos antocianínicos

A los glucósidos antocianínicos se los conoce también como **antocianinas.** Son los pigmentos que comunican el color azul, violáceo o rojo a ciertas flores, frutos y raíces. Un mismo pigmento es capaz de presentar diversos colores, dependiendo de la reacción del medio en el que se encuentran.

Las antocianinas actúan como **antisépticas, antiinflamatorias y protectores capilares.** Se encuentran especialmente en las siguientes plantas: aciano, arándanos, malva, monarda, rosal, salicaria, vid y violetas.

Glucósidos antraquinónicos

Las geninas de los glucósidos antraquinónicos están formadas por diversos derivados del núcleo antraquinónico; y los azúcares que los componen son la glucosa, la ramnosa o la arabinosa.

Estos glucósidos son inactivos en su estado natural. Por acción de unas enzimas producidas por las bacterias intestinales, se libera la genina, que es el principio activo. Este proceso tiene lugar en el intestino grueso, por lo que su acción laxante o purgante se manifiesta a partir de las seis horas de haberlos ingerido.

Tienen las siguientes acciones:

- **Laxante o purgante** (según la dosis). Efecto seguro y potente. Actúan estimulando los movimientos peristálticos del intestino grueso y disminuyendo la absorción de agua. Como resultado, las heces pasan más rápido y son menos secas.
- **Digestiva, colerética y colagoga.**

En general se desaconseja su uso por las embarazadas, durante la menstruación, en caso de cólico, o si se padecen hemorroides (ver cap. 6, pág. 99).

Las plantas más ricas en glucósidos antraquinónicos son: aloe, cañafístula, cáscara sagrada, espino cerval, frángula, rubia, ruibarbo y sen.

Glucósidos cardiotónicos

La genina de los glucósidos cardiotónicos está formada por un núcleo ciclopentano-perhidrofenantreno, químicamente similar a las sales biliares, al colesterol, a las hormonas sexuales y a otras sustancias de gran actividad biológica. El azúcar constituyente es la glucosa, la galactosa o diversas pentosas.

Su acción consiste en **aumentar la fuerza contráctil del corazón,** y en **regular su ritmo.** Son sustancias muy potentes, con resultados espectaculares en muchas afecciones del corazón. Se deben dosificar y administrar con prudencia, y ***siempre*** bajo **control facultativo.**

La planta más usada por sus glucósidos cardiotónicos es la digital, insustituible en el tratamiento de muchos pacientes. Otras son: adonis vernal, asclepias, cacto, cebolla albarrana o escila, convalaria y graciola.

Antibióticos en las plantas

Los antibióticos son sustancias químicas producidas por seres vivos, generalmente vegetales, que son capaces de destruir o de detener el crecimiento de otros seres vivos como bacterias, virus y otros microorganismos. Louis Pasteur, el gran biólogo francés del siglo XIX, ya previó la posibilidad de que «la vida puede destruir la vida», aunque en aquella época no se habían descubierto aún los antibióticos.

La mayor parte de los antibióticos que se usan en terapéutica proceden de vegetales inferiores, como las bacterias o los hongos. Sin embargo, las plantas superiores también producen antibióticos, aunque en cantidades muy pequeñas. Estos tienen una estructura química más compleja que la de los producidos por los vegetales inferiores, y en algunos casos es poco conocida. Todo ello dificulta su aislamiento, su dosificación y su utilización clínica. Quizá por ello, los antibióticos producidos por las plantas superiores son poco conocidos y utilizados. La investigación química y farmacéutica está desarrollándose en este campo, y son de esperar interesantes progresos en un futuro próximo.

Glucósidos cianogenéticos

La genina de los glucósidos cianogenéticos es el **ácido cianhídrico**, sustancia muy tóxica, que puede liberarse mediante la masticación, como ocurre con las almendras amargas, las semillas de las ciruelas y de otras plantas de la familia botánica de las Rosáceas. En dosis altas puede provocar intoxicaciones.

Los glucósidos contenidos en la digital ('Digitalis purpurea' L.) ejercen un notable efecto sobre el corazón, aumentando la fuerza de sus contracciones.

La hiedra ('Hedera helix' L.) es muy rica en saponinas de acción cicatrizante y analgésica. Por eso se aplica localmente sobre la piel.

Los glucósidos cianogenéticos de interés medicinal se obtienen de las hojas del lauroceraso o laurel cerezo, así como de la corteza del cerezo de Virginia. Tienen acción **sedante y antiespasmódica.**

Glucósidos cumarínicos

La genina de los glucósidos cumarínicos, denominados también **lactónicos,** así como sus derivados, son las sustancias que otorgan el típico olor a heno que exhalan ciertas plantas herbáceas. Estos glucósidos poseen propiedades **anticoagulantes** (la vitamina K o dicumarol es un derivado de la cumarina), **antiespasmódicas** (por ejemplo, la biznaga, útil en la angina de pecho), **antibióticas** (bardana, vellosilla) y sobre todo, **venotónicas** (castaño de Indias, meliloto, rusco).

La ***esculina*** es el derivado cumarínico más activo sobre el sistema venoso. Se encuentra sobre todo en el castaño de Indias, y forma parte de varios ***preparados farmacéuticos*** contra las **varices, hemorroides y edemas.**

Glucósidos fenólicos

Los glucósidos fenólicos liberan la genina ***hidroquinona***, de potente acción **antiséptica y antiinflamatoria** sobre los **órganos urinarios.** El más importante de estos glucósidos es la ***arbutina,*** contenida sobre todo en la gayuba, y también en el brezo, damiana y madroño.

Glucósidos flavonoides

La genina de los glucósidos flavonoides está formada por la flavona y sus derivados. Constituyen un amplio grupo de sustancias químicas, cuya propiedad común es la de **reforzar** la pared de los **capilares,** mejorando los intercambios de sustancias nutritivas y de oxígeno entre la sangre que circula por ellos y los tejidos. Son también **diuréticas** (por ejemplo, la cola de caballo), **tonificantes del corazón** (espino blanco), **hemostáticas** (como la bolsa de pastor, debido al flavonoide diosmina) y **antiinflamatorias.**

La ***rutina,*** también llamada rutósido o vitamina P, es uno de los glucósidos flavonoides más activos. Se encuentra en la esparraguera, el naranjo y otras plantas cítricas, la pimienta acuática, la ruda, el rusco, el saúco y el tusílago.

Glucósidos saponínicos

Las geninas de los glucósidos saponínicos, llamadas **sapogeninas** o **saponinas,** generalmente son derivados terpénicos. Tienen la propiedad de disminuir la tensión superficial del agua, provocando la formación de espuma como hace el jabón. *In vitro* producen **hemólisis** (destrucción de los glóbulos rojos).

Sus acciones más importantes son:

- **Expectorantes:** fluidifican las secreciones mucosas, facilitando así su expectoración (por ejemplo: regaliz, polígala, gordolobo, saponaria, primavera, violeta).
- **Diuréticas** (como la zarzaparrilla).
- **Cicatrizantes y analgésicas** (hiedra).

En las últimas décadas, la investigación químico-farmacéutica ha realizado notables progresos, identificando la mayor parte de los principios activos presentes en las plantas medicinales. Ahora sabemos cómo y por qué actúan la mayor parte de las plantas que antiguamente eran usadas simplemente por tradición o intuición.

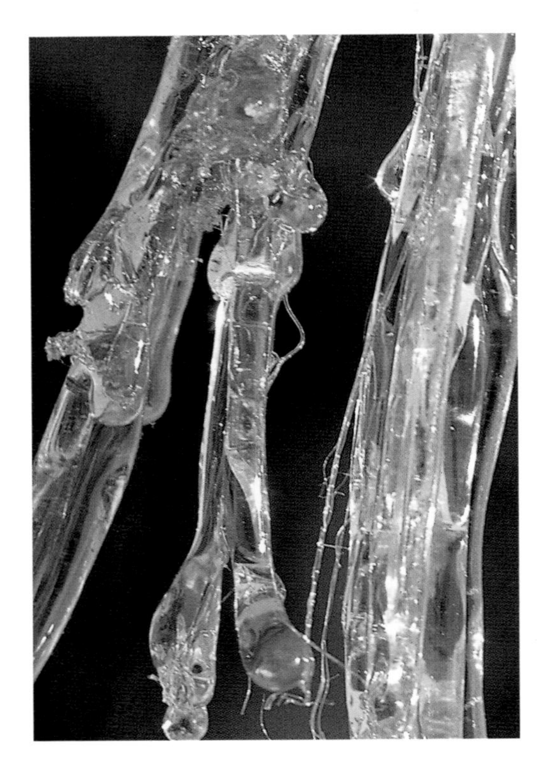

Las resinas son el residuo viscoso que queda después de la evaporación u oxidación de una esencia. Algunos árboles como el pino o el abeto, proporcionan resinas de forma natural, al incindir su tronco.

Glucósidos sulfurados

La genina de los glucósidos sulfurados está formada por sustancias azufradas, que se liberan de su azúcar correspondiente por medio de una enzima contenida en las células de la misma planta. La trituración o la masticación, al romper esas células, permite que la enzima actúe sobre el glucósido, liberando su parte activa o genina. Estas geninas azufradas son volátiles (se evaporan fácilmente) y forman esencias.

Las familias botánicas de las Crucíferas y de las Liliáceas son las mayores productoras de glucósidos sulfurados, especialmente estas plantas: ajo, aliaria, berro, capuchina, cebolla, coclearia, col, erísimo, mostaza y rábano.

Los glucósidos sulfurados son sustancias muy activas, de gran aplicación en fitoterapia, con propiedades **antibióticas** (ajo y capuchina, sobre todo), **coleréticas, colagogas** (muy útiles en afecciones hepáticas, especialmente el rábano), **rubefacientes** (en especial la mostaza), **balsámicas** (cebolla, erísimo) y **antirreumáticas** (mostaza, ajo).

Esencias y resinas

Esencias

Las esencias, conocidas asimismo como **aceites esenciales** o aromáticos, son volátiles (se evaporan fácilmente) e insolubles en agua. Normalmente se obtienen por destilación. Químicamente están constituidas por terpenos (sustancias cuya molécula está formada por cadenas del hidrocarburo isopreno) asociados a alcoholes, aldehídos, cetonas, ácidos, lactonas y glucósidos sulfurados (como el ajo y la cebolla).

Se conocen más de 600 esencias, la mayor parte de las cuales está producida por plantas de las familias de las Labiadas, Umbelíferas, Rutáceas y Compuestas. Entre las más conocidas figuran el **timol** del tomillo, el **cineol** del eucalipto, el **limoneno** del limonero y del naranjo, y el **mentol** de la menta. Cuanto más soleado y seco es el terreno donde se crían las plantas, tanto mayor es su contenido en aceites esenciales.

Precauciones en el uso de las esencias

Debido a que las esencias son principios muy concentrados y activos, hay que ser ***muy prudente*** cuando se administran ***puras*** (en gotas u otra preparación farmacéutica). En dosis altas, o tomadas durante mucho tiempo, pueden producir irritabilidad, nerviosismo e incluso convulsiones. Los ***niños son especialmente sensibles*** a los aceites esenciales. Hay registrados casos de niños que han resultado intoxicados por abusar de preparados a base de esencias balsámicas de eucalipto, lavanda u otras.

Resinas

Las resinas se obtienen de forma natural por incisión en el tallo de diversas plantas. También se pueden producir de forma artificial por evaporación, destilación u oxi-

continúa en la página 92

Procedimientos para la obtención de las esencias

• **Destilación:** Se realiza mediante un dispositivo llamado alambique. Se calienta el agua que hay en el fondo del alambique hasta la ebullición. Los principios volátiles de las plantas colocadas sobre el agua, son arrastrados por el vapor de agua. Esos vapores, que contienen los aceites esenciales de la planta, pasan a un circuito refrigerante, donde se enfrían y condensan formando el líquido destilado. Una vez terminado el proceso, al dejar reposar el líquido destilado, quedan separadas por decantación dos fracciones en el líquido destilado:

- el **aceite esencial** (esencia), que queda arriba flotando, por ser de menor densidad e insoluble en el agua, y
- el **agua floral** (hidrosol), formada por el vapor de agua condensado junto con las sustancias hidrosolubles de la planta que han sido arrastradas por él. En el agua floral también se hallan presentes pequeñas cantidades de aceites esenciales en suspensión. Las aguas florales se usan principalmente en perfumería, aunque en la actualidad se están empezado a investigar sus aplicaciones medicinales.

• **Expresión:** Consiste en la aplicación de presión sobre las partes activas de la planta, hasta extraer la esencia. Este método se emplea especialmente para obtener las esencias contenidas en la corteza de los cítricos (naranja, limón y mandarina).

• **Extracción con disolventes:** Consiste en la disolución de los principios aromáticos de las plantas en un disolvente volátil, que posteriormente se evapora dejando un residuo seco muy aromático llamado **esencia absoluta.**

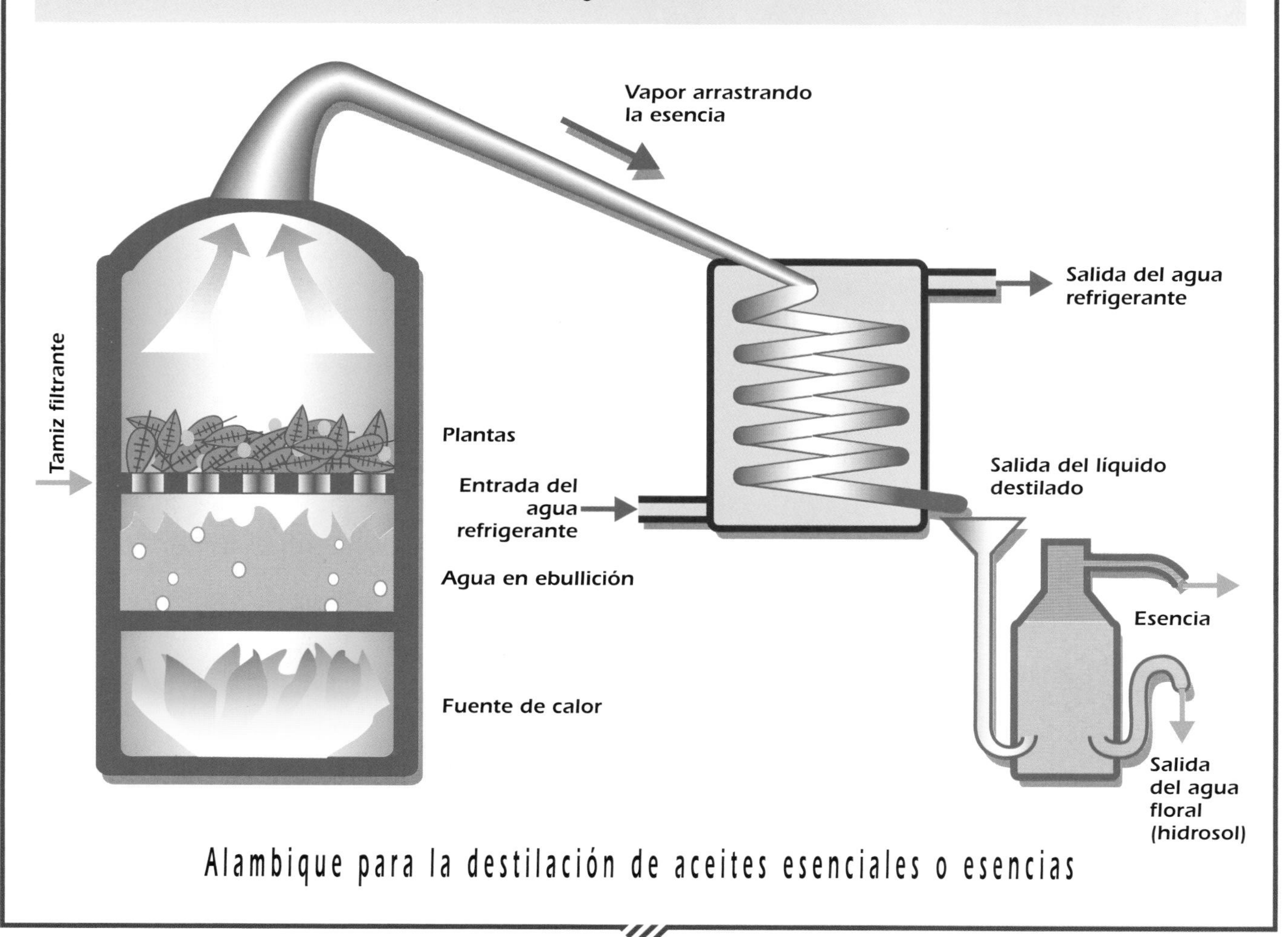

Alambique para la destilación de aceites esenciales o esencias

Los jugos (zumos) de fruta son muy ricos en ácidos orgánicos, además de contener azúcares, sales minerales y vitaminas.

viene de la página 90

dación de una esencia: el residuo viscoso que queda, es la resina. La composición química de las resinas es una mezcla muy compleja de: glúcidos, ácidos orgánicos, esencias terpénicas, alcoholes, ésteres, etcétera.

Son muchas las plantas que producen resina, pero únicamente algunas de ellas se usan con fines medicinales. Las propiedades de las resinas son muy variadas:

- **Purgantes,** como la resina de mandrágora americana o podófilo, que también se usa externamente contra las verrugas.
- **Antisépticas urinarias,** como, por ejemplo, la de la copaiba.
- **Antiespasmódicas,** como la de la asafétida.
- **Rubefacientes y antirreumáticas:** la del pino (su resina se llama **colofonia**), la del abeto y la del guayaco.

Ácidos orgánicos

En las plantas se encuentran una gran variedad de ácidos orgánicos, que se concentran especialmente en los frutos. Son los siguientes: cítrico, málico y tartárico, salicílico, oxálico y ácidos grasos.

Ácidos cítrico, málico y tartárico

Los ácidos cítrico, málico y tartárico son muy abundantes en los frutos y en las bayas, si bien su concentración va disminuyendo a medida que maduran. Aumentan la producción de saliva y ***limpian la cavidad bucal***, produciendo sensación de frescor (efecto refrescante) y disminuyendo el número de las bacterias causantes de las **caries** y de las **infecciones** bucales.

Aumentan también la producción de jugos gástricos, por lo que tienen efecto **aperitivo.** Además, son ligeramente **laxantes y diuréticos.**

Ácido salicílico

El salicílico es un ácido de tipo fenólico que tiene tres acciones principales: **antiinflamatoria, analgésica** (calma el dolor) y **antipirética** (baja la fiebre). Se usa con ***notable éxito*** en diversas afecciones **reumáticas.**

El ácido salicílico se encuentra en estado natural en varias plantas (ver cuadro de la página siguiente). A partir de él se obtiene un derivado, el ácido acetilsalicílico (la popular aspirina), que la industria farmacéutica ha conseguido producir por procedimientos de síntesis química sin necesitar del ácido salicílico natural.

La aspirina tiene las mismas propiedades que el ácido salicílico natural, pero más in-

Plantas que contienen ácido salicílico

El ácido salicílico es un precursor del ácido acetilsalicílico, comúnmente conocido como aspirina. Las plantas que contienen ácido salicílico constituyen una alternativa natural a la aspirina y a otros fármacos analgésicos o antiinflamatorios.

Planta	Pág.	Partes utilizadas
Caléndula	626	Flores
Fresal	575	Frutos
Manzano	513	Frutos
Pensamiento	735	Toda la planta
Pie de león	622	Toda la planta
Primavera	328	Rizoma, raíz
Pulmonaria	331	Toda la planta
Sauce blanco	676	Corteza
Ulmaria	667	Sumidades

tensas, por lo que puede producir con más facilidad efectos secundarios indeseables.

Ácido oxálico

El ácido oxálico es **uno de los más abundantes** en el mundo vegetal, especialmente en las **hojas verdes.** Su fórmula química es HOOC–COOH. Normalmente se halla asociado al potasio y al calcio, con los cuales forma sales minerales. En las personas propensas a ello, estas sales, que se eliminan por la orina, tienen tendencia a precipitar formando **cálculos** urinarios. Por ello, se desaconseja el uso de las plantas ricas en ácido oxálico, como por ejemplo la acedera, el ruibarbo y la aleluya, a aquellos que padecen de litiasis urinaria (piedras en el riñón).

Ácidos grasos

Los ácidos grasos son, junto con la glicerina, el componente principal de las grasas. Entre los más importantes figuran los siguientes:

- **Ácidos linoleico y linolénico:** Son ácidos grasos poliinsaturados, llamados **esenciales** porque nuestro organismo los necesita, pero no es capaz de producirlos por sí mismo. Cumplen importantes funciones en el organismo, especialmente en el **tejido nervioso.** Entre las plantas citadas en este libro, se encuentran en el aguacate, el girasol (semilla), la espirulina y el nogal (nuez).
- **Ácido oleico:** Es un ácido monoinsaturado, principal componente del aceite de oliva, que también se encuentra en el aguacate. Contribuye a regular el nivel de colesterol.

Taninos

Los taninos son compuestos fenólicos que coagulan la gelatina y otras proteínas, formando una capa seca y resistente a la putrefacción sobre la piel y mucosas. Poseen propiedades **astringentes**, **hemostáticas, antisépticas y tonificantes.** Secan y curten la piel y las mucosas, favoreciendo la resolución de los procesos inflamatorios y la cicatrización.

Su sabor es muy amargo y áspero, y en algunas plantas puede resultar excesivo o indeseable. Llegan a provocar intolerancia en estómagos delicados. Las tisanas obtenidas por **maceración** tienen la ventaja de extraer otros principios activos de la planta y solo una mínima cantidad de taninos.

Ingeridos en dosis elevadas, los taninos pueden impedir la absorción de ciertos minerales como el calcio y el hierro, así como de las vitaminas. Por ello, ***no se recomienda*** tomar plantas ricas en taninos durante ***periodos prolongados*** de tiempo (más de un mes), de forma continuada.

Los taninos se encuentran muy repartidos por todo el reino vegetal. Las plantas más ricas en taninos son: agrimonia, aliso, bistorta, castaño, culantrillo, dríada, fresal (hojas), hamamelis, haya, madroño, olmo, nogal, pie de león, ratania, roble, salicaria, té, tormentilla y zarza.

Las hojas y la corteza del castaño son muy ricas en taninos, lo cual les confiere propiedades astringentes.

Aromatoterapia (1)

El empleo terapéutico de los aceites esenciales (esencias)

El poder de los aromas

Antes de llegar a los pulmones y pasar a la sangre, las moléculas de esencia estimulan las células olfativas que se encuentran en el interior de las **fosas nasales** [1].

Esas células son en realidad neuronas, que, a través del nervio olfatorio, envían impulsos eléctricos con el mensaje oloroso codificado. El **nervio olfatorio** [2] conduce el estímulo hasta diversas partes del cerebro: la amígdala y el hipocampo del **lóbulo temporal** [3], sede de la memoria; el **tálamo** [4], sede de las emociones; y sobre todo, el **hipotálamo** [5], y a través de él, la **hipófisis** [6], centro regulador de la producción de hormonas de todo el organismo.

La relación entre el nervio olfatorio, el tálamo, el hipotálamo y la hipófisis, podría explicar los conocidos efectos reguladores de las aromas sobre el sistema neurohormonal.

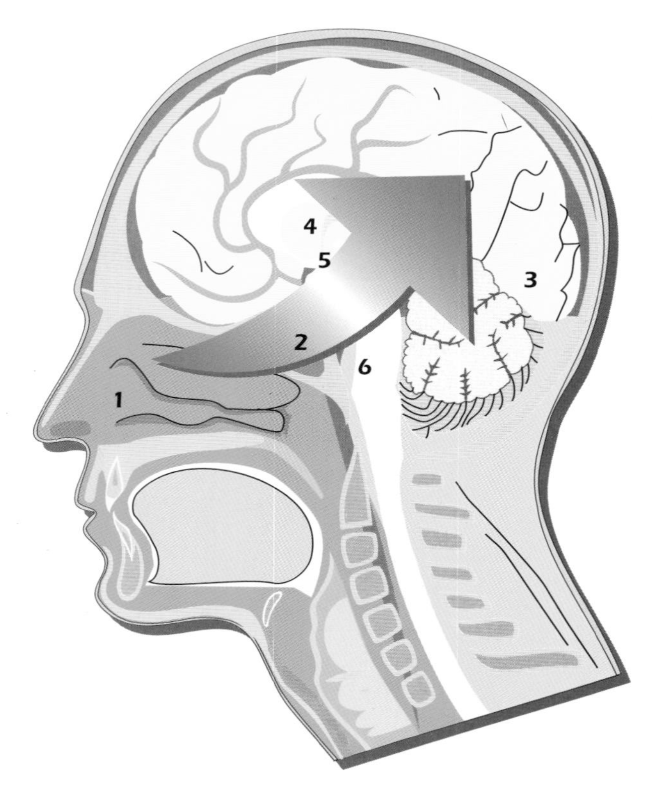

La aromatoterapia, que literalmente quiere decir 'tratamiento por medio de los aromas', constituye en realidad una forma de fitoterapia ('tratamiento por medio de las plantas'). Las propiedades curativas de los aceites esenciales eran ya conocidas desde muy antiguo, aunque de forma meramente empírica. Hoy sabemos por qué los aceites esenciales producen determinadas acciones fisiológicas sobre el organismo. Sin embargo, queda mucho por investigar acerca del mecanismo por el que ciertos aromas llegan a influir sobre el estado de ánimo e incluso sobre el comportamiento.

Para obtener un buen resultado, los tratamientos con aceites esenciales deben durar entre una y tres semanas, aplicados de cualesquiera de las siguientes formas:

1. **difusión atmosférica,**
2. **fricción sobre la piel,**
3. **baños con esencias,**
4. **vía interna.**

1. Difusión atmosférica

Es la forma más importante de aprovechar las propiedades curativas de los aceites esenciales. Estos pueden pasar al aire mediante varios procedimientos:

- Por simple **evaporación,** colocando unas gotas sobre el dorso de la mano o encima de una **fuente de calor,** como por ejemplo un radiador, y aspirando el aroma. También se puede impregnar un pañuelo, o incluso la almohada de la cama, con unas gotas de esencia.
- Por medio de un **difusor eléctrico:** pequeño aparato, que mediante un mecanismo vibratorio, produce una **vaporización** del aceite esencial contenido en su interior. ¡Tiene la ventaja de que funciona en frío, por lo que la esencia se vaporiza sin sufrir los efectos indeseables del calor. Diez o quince minutos de funcionamiento del difusor eléctrico son suficientes para llenar el aire de una habitación de micropartículas de esencia vaporizadas.

Antes de pasar a los pulmones, los aceites esenciales estimulan primeramente el sentido del olfato, desde donde ejercen su influencia sobre todo el sistema nervioso.

Se ha comprobado que tras unos minutos de respirar en un ambiente cargado de aceites esenciales, estos ya se encuentran en la sangre y poco tiempo después pueden detectarse incluso en la orina. Aunque las cantidades de esencia absorbidas por el organismo son muy pequeñas, resultan suficientes como para ejercer notables efectos fisiológicos y terapéuticos.

En general se recomienda aspirar la esencia una hora por la mañana y otra por la tarde.

continúa en la página siguiente

El simple hecho de aspirar el aroma de una flor, afecta al equilibrio hormonal, al sistema nervioso, al aparato respiratorio, e incluso, a nuestro estado de ánimo.

Los aceites esenciales se obtienen principalmente por medio de alambiques destiladores como este que se ve en la fotografía, perteneciente al Museo de los Aromas y del Perfume (La Chevêche de Graveson-en-Provence, Francia).

La producción de una buena esencia requiere cierta dosis de arte y de paciencia. De cien kilos de hojas de eucalipto, por ejemplo, se obtienen unos dos litros de aceite esencial.

Aromatoterapia (2)

Cree su propio ambiente con las esencias

Es preferible usar ***un solo aceite esencial*** *cada vez en lugar de mezclar varios de ellos.*

Según el efecto que se desee obtener, se pueden crear diversos ambientes con una de las esencias que se indican a continuación:

- *Ambiente* ***balsámico*** *para casos de sinusitis, faringitis y diversas afecciones respiratorias: eucalipto, pino, tomillo o romero.*
- *Ambiente* ***relajante y sedante*** *para casos de nerviosismo o insomnio: lavanda o naranjo. Estas dos esencias se recomiendan especialmente para los niños muy inquietos a los que les cuesta conciliar el sueño.*
- *Ambiente* ***tonificante:*** *limón, romero, menta o ajedrea.*
- *Ambiente* ***antiséptico*** *para prevenir los contagios en caso de gripe o resfriados: tomillo, salvia, eucalipto o canela.*
- *Ambiente para* ***ahuyentar*** *a los* ***mosquitos*** *y otros* ***insectos:*** *melisa o hierba luisa.*
- *Ambiente* ***antitabaco:*** *hierba luisa, geranio, sasafrás o lavanda.*

viene de la página anterior

2. Fricción sobre la piel

Una fricción con aceite esencial hace que este penetre a través de la piel, infiltrando los tejidos y pasando finalmente a la linfa y a la sangre. Al efecto del aceite esencial sobre los tejidos, se añade el propio del masaje que acompaña a la fricción, por lo que los resultados suelen ser muy notables. Cuando se aplican aceites esenciales en fricciones sobre la piel, conviene tener en cuenta lo siguiente:

- **Aplicar la fricción sobre** el pecho, el vientre, la espalda, la nuca, los brazos y las piernas.
- **Evitar el contacto** del aceite esencial con las mucosas de los ojos, de la boca y de los órganos genitales.
- Para una aplicación normal son suficientes **20 o 30 gotas** de aceite esencial, que se colocan en las palmas de las manos del que aplica la fricción.
- En caso de **pieles sensibles**, la esencia **puede diluirse**, mezclándola a partes iguales con aceite de oliva, de germen de trigo o de almendras amargas.

Fricciones con esencias

Según el efecto que se busque, las fricciones se realizarán con uno de los aceites esenciales siguientes:

- *Fricción* ***tonificante,*** *que conviene aplicar por la mañana, tras una ducha fría: romero, geranio, limón o pino.*
- *Fricción* ***relajante*** *a aplicar por la noche tras una ducha o baño caliente: lavanda, mejorana, manzanilla o naranja.*
- *Fricción* ***digestiva*** *sobre el estómago y el vientre, que se aplica después de cada comida para evitar los gases y las digestiones pesadas: alcaravea, mejorana o lavanda.*
- *Fricción* ***respiratoria*** *sobre el pecho y la espalda,recomendable en caso de resfriado, bronquitis, asma y tos catarral: pino, eucalipto, lavanda, romero o ciprés.*
- *Fricción* ***antidolorosa*** *sobre las piernas o la espalda, para aliviar los dolores musculares o articulares: romero, enebro, pino o mejorana.*
- *Fricción* ***circulatoria*** *para mejorar el retorno de la sangre venosa en caso de varices, piernas hinchadas o celulitis: ciprés o limón.*

Además de proporcionar una agradable sensación de bienestar, la inhalación de esencias (aromatoterapia) puede ejercer notables acciones medicinales: restablecimiento del sueño en caso de insomnio, equilibrio del sistema nervioso cuando hay agotamiento o depresión, aumento de la capacidad respiratoria y normalización de la tensión arterial, entre otras.

3. Baños con esencias

Los aceites esenciales mencionados en los tratamientos anteriores también pueden añadirse al agua de baño (ver pág. 65). Se usan de 3 a 10 gotas por bañera.

Las esencias también se añaden al agua de los vahos o baños de vapor (ver pág. 71). En este caso basta con 2-3 gotas.

4. Vía interna

Aunque no sea la forma ideal de aplicarlos, los aceites esenciales también pueden ingerirse por vía oral como complemento de cualesquiera de los tratamientos anteriores. La misma esencia que se aplica en difusión, en fricción o en baños, puede ingerirse para reforzar su efecto, teniendo en cuenta las siguientes precauciones:

- Los aceites esenciales son principios activos muy concentrados, por lo que **no se deben sobrepasar las dosis** indicadas, que en general son de 1-3 gotas, 3 o 4 veces diarias.
- No ingerir un mismo aceite esencial durante **más de 3 semanas** consecutivas.
- No se recomienda administrarlos a los **niños menores de 6 años** y a **mujeres embarazadas** (por su posible efecto abortivo). Para estos son preferibles los hidrosoles (ver pág. 91).
- Se recomienda ingerir los aceites esenciales colocando las gotas de una de estas tres formas:
  - Sobre el dorso de la **mano**.
  - En una cuchara junto **con miel**
  - En un vaso con **agua tibia** (no caliente, pues los principios activos se descomponen con el calor).

PRECAUCIONES Y TOXICIDAD DE LAS PLANTAS

El café es una de las plantas tóxicas más usadas en el mundo. Contiene cafeína, un alcaloide que genera adicción.

En su estado natural, tal como los muestra la fotografía, los granos de café no resultan tan tóxicos como tostados. Durante el proceso de la torrefacción se producen sustancias irritantes para el aparato digestivo, las vías urinarias y el páncreas.

SUMARIO DEL CAPÍTULO

AUNQUE la mayor parte de las plantas medicinales se puede usar sin riesgo alguno, existen algunos casos muy concretos en los que ciertas plantas pueden producir efectos indeseables. Hablando en términos farmacológicos, podríamos decir que algunas plantas presentan contraindicaciones; es decir, que no se recomienda su uso en determinadas situaciones.

Sin embargo, hay que señalar que, al contrario de lo que ocurre con algunos fármacos, las contraindicaciones del uso de las plantas no son absolutas y formales, sino relativas. El no tenerlas en cuenta, generalmente no produce trastornos graves. A continuación citamos algunas situaciones o enfermedades en las que conviene evitar el uso de ciertas plantas, o cuando menos usarlas con precaución.

Precauciones en las afecciones digestivas

Gastritis

En caso de gastritis es necesario evitar las plantas que causan irritación sobre el estómago por tener **sabor fuerte o picante,** especialmente: clavero, helecho macho, jengibre, mostaza negra, pimiento picante (chile) y pimentero.

Úlcera gastroduodenal

Es necesario evitar, especialmente en la fase aguda de la enfermedad ulcerosa gastroduodenal, las plantas que provocan aumento en la secreción de jugos gástricos (en general las **especias,** las plantas **amargas** y las **aperitivas**). Es bien sabido que el

ácido clorhídrico desempeña un importante papel en la aparición de la úlcera, especialmente en la de duodeno.

Las plantas que más aumentan la secreción de jugos en el estómago, y que por lo tanto conviene evitar en caso de úlcera gastroduodenal, son: ajenjo, café, canela, clavo, cuasia, cúrcuma, genciana, helecho macho, jengibre, mate, milenrama, mostaza negra, pimiento picante (chile), pimienta, poleo, té.

Colitis

Siempre que hay inflamación del intestino grueso (colon), manifestada por gases, fermentaciones y diarreas (entre otros síntomas), están contraindicados:

- Los **purgantes** en general, y especialmente la jalapa, el ricino, el ruibarbo y el sen.
- El **café**, por la acción irritante de su esencia.

Oclusión intestinal

En caso de oclusión intestinal se hallan formalmente contraindicados todos los **purgantes,** tanto los elaborados a base de plantas medicinales como los de síntesis química.

Hemorroides

Cuando se padecen hemorroides no se deben ingerir los **purgantes** con glucósidos antraquinónicos que provocan congestión de sangre en la pelvis, y por lo tanto hacen aumentar las hemorroides. Especialmente: aloe, cáscara sagrada, frángula y ruibarbo. Los **picantes** como el pimentero (grano) o la mostaza, también se hallan contraindicados, ya que irritan la mucosa anal a su salida con las heces.

Afecciones del hígado

El senecio, usado como emenagogo, resulta contraindicado en caso de hepatitis, cirrosis y hepatopatías (afecciones del hígado) en general, debido a la acción de sus **alcaloides.**

Las semillas del ricino son muy venenosas, pues la ingestión de tres de ellas pueden provocar la muerte de un niño. Sin embargo, el aceite que se obtiene de dichas semillas es un purgante seguro y efectivo.

Precauciones en las afecciones cardiocirculatorias

Hipertensión arterial

La bolsa de pastor, el café, el mate, el pimentero y el té, pueden aumentar la tensión arterial. Las avellanas también tienen un ligero efecto hipertensor. El regaliz retiene líquidos en los tejidos, si se toma durante mucho tiempo de forma continuada, y también puede aumentar la presión arterial. Así que todos los que padecen hipertensión deben abstenerse de consumir estas plantas o sus derivados.

Salvia

Plantas a evitar durante el embarazo

Durante el embarazo se deben evitar todas las plantas tóxicas de aplicación medicinal descritas en las tablas de las **páginas 103** y **104,** y además, las que se relacionan a continuación:

Planta	Pág.	Motivo
Ajenjo	428	Emenagoga, riesgo de aborto
Aloe	694	Oxitócico, provoca contracciones uterinas
Artemisa	624	Emenagoga, riesgo de aborto
Azafrán	448	Riesgo de aborto en dosis altas
Berro	270	Riesgo de aborto
Boj	748	Puede producir vómitos e irritación nerviosa
Boldo	390	Aunque no hay pruebas, puede que afecte al feto
Cafeto	178	Disminuye el crecimiento del feto
Cáscara sagrada	528	Laxante/purgante, produce congestión pelviana
Díctamo	358	Emenagogo, riesgo de aborto
Frángula	526	Laxante/purgante, provoca contracciones uterinas
Granado	523	Alcaloides tóxicos, posible afectación fetal (la corteza)
Jalapa	499	Purgante y emenagoga, riesgo de aborto
Perejil	583	Emenagoga, riesgo de aborto
Regaliz	308	Produce hipertensión y edemas en uso continuado
Ruibarbo	529	Purgante, produce congestión pelviana
Salvia	638	Oxitócica, contrae el útero
Sen	492	Purgante, provoca contracciones uterinas
Tanaceto	537	Emenagoga (tuyona), riesgo de aborto

Enfermedades del corazón

Si se padece cualquier trastorno cardíaco es necesario evitar el uso del café, mate, chocolate y té, incluso como plantas medicinales, por el efecto **excitante** de la **cafeína** y de la **teobromina** sobre el corazón.

Precauciones en afecciones genitourinarias

Nefritis

Las bayas del enebro y los tallos de la esparraguera se hallan contraindicados en caso de inflamación de los riñones (nefritis, glomerulonefritis, pielonefritis), porque su **efecto diurético** es **muy intenso** y pueden incluso provocar hematuria.

Adenoma de la próstata

Quienes padecen un adenoma de la próstata tienen que evitar los **diuréticos potentes** (maíz, cola de caballo, etc.) especialmente por la noche, que es cuando la dificultad para orinar es más marcada.

Precauciones en afecciones diversas

Bocio hipotiroideo

Quienes padecen bocio hipotiroideo deben evitar la **col,** pues tiene **efecto antitiroideo** (disminuye la función del tiroides). En general, se recomienda no usar la col de forma diaria o continuada durante más de dos o tres meses.

Cálculos renales o urinarios

En caso de litiasis (cálculos o piedras) renal o urinaria es necesario evitar las plantas ricas en **ácido oxálico u oxalatos** (formadores de cálculos), como la acedera, aleluya y ruibarbo.

Debilidad

En los casos de debilidad están contraindicadas la corteza del granado y el rizoma del helecho macho.

Nerviosismo

Las plantas **ricas en esencias** (especialmente eucalipto y salvia) producen irritabilidad nerviosa si se supera la dosis terapéutica. De ahí que se desaconseje su uso por personas nerviosas o irritables.

Plantas abortivas

Atención: Ninguna de las plantas que citamos como poseedoras de efecto abortivo son adecuadas para provocar un aborto. Existe un viejo aforismo atribuido a Hipócrates que advierte: *"No hay abortivos, sino tóxicos para la madre y el feto."*

Para provocar un aborto con cualquiera de estas plantas se requiere una dosis tan alta, que, con toda seguridad, producirá una intoxicación de la madre, con **graves efectos indeseables:** cólicos intestinales, vómitos, excitación nerviosa, convulsiones, etcétera. Se han dado casos de mujeres embarazadas que han muerto al intentar provocarles un aborto con plantas.

Cuando indicamos "riesgo de aborto" en la tabla de plantas (pág. 100), no queremos decir que se trate de una planta abortiva en términos absolutos, sino que aumenta el riesgo de sufrir un aborto en mujeres que ya están predispuestas a ello por alguna causa, ya sea conocida o no.

Intentar provocar un aborto a base de plantas tóxicas supone un riesgo de muerte para la madre, a la vez que para el feto.

Precauciones en la menstruación y en el embarazo

Menstruación

Las plantas que contienen glucósidos antraquinónicos, de **acción purgante,** producen una congestión de sangre en los órganos pélvicos, y además contraen la musculatura del útero. Si se usan durante la regla o los días anteriores, pueden provocar dolorosos espasmos uterinos. Son: aloe, cáscara sagrada, cuasia, frángula, ruibarbo y sen.

Las **dosis altas de ajo,** crudo o en extractos, pueden aumentar notablemente las hemorragias menstruales, por su acción fluidificante de la sangre (ver pág. 230).

Los niños, al igual que las embarazadas, deben ser muy prudentes a la hora de usar cualquier planta o medicamento.

Embarazo

Durante la gestación se hallan contraindicadas en general todas las plantas medicinales tóxicas (ver pág. 103), por el riesgo de que provoquen malformaciones en el feto o un aborto.

Pero, además de las plantas claramente tóxicas, en el embarazo conviene evitar las que figuran en el cuadro de la página 100. Las que aparecen en esta tabla son plantas de uso habitual, que no presentan efectos tóxicos. Sin embargo, en las mujeres embarazadas pueden tener efectos indeseables.

Precauciones relacionadas con la infancia

Lactancia

Hay ciertas plantas que las mujeres que lactan deben evitar, debido a que sus principios activos:

- **Pasan a la leche** y pueden **perjudicar al niño:** ajenjo, boj, café, mate, cáscara sagrada, frángula, y en general, todas las plantas peligrosas en dosis altas, es decir que son potencialmente tóxicas (ver pág. 104).
- **Pasan a la leche**, y, aunque no son tóxicos, le comunican su **sabor amargo:** artemisa, genciana, y, en general, todas las amargas.
- **Disminuyen la producción de leche:** aliso, caña común, salvia y vincapervinca.

Infancia

En general hay que ser muy prudente al administrar plantas medicinales a los niños. Hay que evitar todas las plantas tóxicas (ver pág. 103) y por precaución, tam-

continúa en la página 106

La importancia de la dosis

*En las **plantas tóxicas** (como por ejemplo la digital), la **dosis tóxica** se halla **muy próxima a la dosis terapéutica**, por lo que el margen de maniobra resulta muy estrecho. Una dosis **doble** de la recomendada como terapéutica, puede producir **efectos tóxicos**, y una **triple** puede, incluso, resultar **mortal.***
*Sin embargo, en las **plantas no tóxicas** (como por ejemplo el tomillo), se puede tomar en **dosis diez veces mayor** a las recomendadas sin que se produzcan síntomas importantes; y la dosis mortal no existe, es decir, que por mucha cantidad que se tome de estas plantas, **no hay riesgo** de que provoquen efectos irreparables.*

Planta	Parte utilizada	Dosis terapéutica	Dosis tóxica	Dosis mortal
Digital (ejemplo de planta **tóxica**)	Polvo de sus hojas secas	1 g (para un día)	2 g (vómitos, bradicardia, diarrea)	3 g (sudor frío, convulsiones, alteraciones del ritmo del corazón, y parada cardíaca)
Tomillo (ejemplo de planta **no tóxica**)	Sumidades	20 g (para un día)	200 g (síntomas leves: excitación, náuseas)	No existe

Digital

Plantas tóxicas de aplicación medicinal

Las plantas que se relacionan a continuación son de ***uso restringido*** *para determinadas enfermedades, y preferiblemente bajo* ***control facultativo.*** *El uso indebido de estas plantas puede producir intoxicaciones graves; sin embargo, su utilización correcta puede resolver graves trastornos e incluso salvar la vida de un paciente.*

Planta	Pág.	Parte utilizada	Principio activo	Aplicación medicinal	Efectos tóxicos en uso interno
Acónito	148	Raíz	Alcaloide: aconitina	Anestésico: dolores intratables	Parálisis nerviosa
Adelfa	717	Flores	Glucósido: folineriína	Cardiotónico muy activo. Contra la sarna (en uso externo)	Trastornos cardíacos. Parada cardíaca
Árnica	662	Flores, raíz	Aceite esencial	Vulneraria (sólo en uso externo)	Vómitos, vértigos, convulsiones
Beleño negro	159	Hojas	Alcaloides: atropina, escopolamina	Anestésico, narcótico (uso interno y externo): dolores intratables	Alucinaciones, taquicardia, parada cardíaca
Belladona	352	Hojas, raíz	Alcaloides: atropina, hiosciamina	Asma, dolores cólicos, dilatación de la pupila (en preparados farmacéuticos)	Taquicardia, delirio, convulsiones
Brionia	490	Raíz, bayas	Alcaloide: brionina	Antiguamente se usaba como purgante (hoy no se usa ni interna ni externamente)	La raíz es muy irritante. Las bayas son mortales
Cáñamo	152	Hojas	Cannabinoles	Analgésica contra neuralgias y dolores reumáticos (en uso externo)	Alucinaciones, locura
Castaño de Indias	251	Semillas	Esculina, saponinas	Emoliente, cosmético (sólo en uso externo)	Vómitos, diarreas, hemólisis
Cicuta	155	Frutos, hojas	Alcaloide: coniína	Analgésico, sedante: dolores intratables, cáncer neuralgias (uso interno y externo)	Vómitos, parálisis muscular, parada respiratoria
Coca	180	Hojas	Alcaloide: cocaína	Estimulante, mal de altura	Anestésico local
Cólquico	666	Toda la planta	Alcaloide: colchicina	Calma las crisis de gota (en preparados farmacéuticos)	Vómitos, diarrea, parálisis
Consuelda mayor	732	Toda la planta	Alcaloide y glucósido	Cicatrizante y emoliente (sólo en uso externo)	Parálisis nerviosa
Digital	221	Hojas	Glucósidos	Insuficiencia cardíaca (en preparados farmacéuticos)	Náuseas, vómitos, bradicardia, parada cardíaca.
Dulcamara	728	Tallos, hojas	Alcaloide: solanina	Emoliente, cicatrizante (sólo en uso externo)	Vómitos, diarrea, trastornos nerviosos.
Efedra	303	Tallos	Alcaloide: efedrina	Asma y alergias (en preparados farmacéuticos)	Estimulante del sistema nervioso simpático
Escrofularia	543	Toda la planta	Saponinas, glucósidos	Útil contra las hemorroides	Vómitos y diarreas
Estramonio	157	Hojas	Alcaloides: hiosciamina, atropina	Asma, dolores cólicos (uso interno y externo)	Alucinaciones, trastornos mentales.
Evónimo	707	Frutos	Glucósido: evonimina	Cardiotónico. Contra la sarna (uso externo)	Diarreas, trastornos cardíacos
Hiedra	712	Bayas, hojas	Saponinas	Cicatrizante, analgésica (las hojas, en uso externo)	Hojas: reacciones alérgicas. Bayas: muy tóxicas
Hierba centella	665	Toda la planta	Protoanemonina	Revulsiva, antirreumática (sólo en uso externo)	Irritante digestivo
Hierba mora	729	Hojas, tallos	Alcaloide: solanina	Emoliente, alivia picores (sólo en uso externo)	Vómitos, diarrea, trastornos nerviosos. Bayas dulces pero tóxicas
Lantana	199	Hojas, bayas	Glucósido	Desinflaman la boca (sólo en enjuagues bucales)	Vómitos, diarrea
Nueza negra	679	Bayas, raíz	Alcaloide: diosgenina	Vulneraria (sólo en uso externo)	Vómitos, diarrea

Menta

Plantas peligrosas solamente en dosis altas

El uso de las plantas que se relacionan a continuación no presenta riesgos especiales, siempre y cuando se respeten las dosis indicadas en la página correspondiente.

Planta	Pág.	Propiedades	Efectos secundarios
Abeto blanco	290	Balsámica, revulsiva	Irritación del sistema nervioso por la trementina
Adonis vernal	215	Cardiotónica	Náuseas, vómitos, diarrea
Adormidera	164	Analgésica, sedante	Obnubilación mental, depresión respiratoria, adicción
Agracejo	384	Colagoga, cardiotónica	Trastornos del sistema nervioso
Ajenjo	428	Digestiva, vermífuga, emenagoga	Temblores, convulsiones, delirio, vértigos: causados por la esencia tuyona
Ajenjo marino	431	Vermífuga	Nerviosismo
Anís estrellado	455	Digestiva, carminativa	Delirio, convulsiones: causados por la esencia anetol
Artemisa	624	Emenagoga, aperitiva	Irritación nerviosa debida a la esencia
Ásaro	432	Emética, purgante	Vómitos, diarrea
Azafrán	448	Digestiva, emenagoga	Trastornos nerviosos y renales; abortivo
Betónica	730	Astringente, vulneraria	Gastroenteritis
Boj	748	Sudorífica, febrífuga	Vómitos, trastornos nerviosos
Boldo	390	Colerética, digestiva	Somnolencia, sedación
Cafeto	178	Estimulante, cefaleas	Gastritis, arritmias cardíacas, adicción
Cariofilada	194	Astringente, digestiva	Intolerancia gástrica
Cebolla albarrana	296	Cardiotónica	Náuseas, vómitos, arritmia
Celidonia mayor	701	Antiespasmódica, colerética, sedante	Intolerancia gástrica
Cilantro	447	Digestiva, carminativa tonificante	Excitación nerviosa por la esencia
Clavero	192	Estimulante, antiséptica, analgésica	Irritación del estómago
Clematítide	699	Emenagoga, vulneraria, antirreumática	Irritación del estómago
Colombo	446	Digestiva, antidiarreica	Náuseas, vómitos
Condurango	454	Aperitiva	Convulsiones
Convalaria	218	Cardiotónica	Vómitos, diarreas
Copaiba	571	Antiséptica urinaria	Erupciones, nefritis
Cuasia	467	Digestiva, febrífuga	Vómitos
Espino blanco	219	Cardiotónica, sedante	Bradicardia, depresión respiratoria
Espino cerval	525	Purgante	Cólico intestinal
Eucalipto	304	Balsámica, antiséptica	Gastroenteritis, hematuria, trastornos nerviosos debido a la esencia
Eupatorio	388	Colerética, depurativa	Vómitos
Ginseng	608	Tonificante	Nerviosismo
Globularia mayor	503	Purgante, colagoga	Vómitos, diarrea
Graciola	223	Cardiotónica	Vómitos, cólicos intestinales
Granado	523	Vermífuga	Temblores musculares y parálisis (la corteza)
Grindelia	310	Antiespasmódica, expectorante	Alteraciones cardíacas
Helecho macho	500	Vermífuga	Irritación gástrica
Hepática	383	Hepática, vulneraria	Intolerancia digestiva
Hinojo	360	Carminativa, digestiva	Convulsiones por la esencia
Hipérico	714	Vulneraria, balsámica, digestiva	Fotosensibilización

Planta	Pág.	Propiedades	Efectos secundarios
Hisopo	312	Expectorante, carminativa	Convulsiones por la esencia
Ipecacuana	438	Emética, expectorante	Irritante para la piel
Menta	366	Digestiva, colerética, antiséptica, tonificante	Insomnio, irritabilidad, espasmos de laringe en niños (esencia)
Mostaza negra	663	Rubefaciente, antirreumática	Gastritis
Muérdago	246	Hipotensora, vasodilatadora	Vómitos, hipotensión, trastornos nerviosos
Pazote	439	Digestiva, antihelmíntica	Intolerancia digestiva
Pimentero	370	Tónica digestiva	Irritación digestiva, sangre en la orina, hipertensión
Pimienta acuática	274	Hemostática, cicatrizante	Irritación digestiva
Pino	323	Balsámica, antirreumática	Irritación del sistema nervioso por la esencia
Podófilo	517	Purgante, antimitótica	Diarrea
Polígala	327	Expectorante	Náuseas y vómitos
Retama negra	225	Cardiotónica, oxitócica, diurética	Excitación nerviosa, hipertensión
Ruda	637	Oxitócica, emenagoga, antiespasmódica	Riesgo de aborto, reacciones alérgicas en la piel
Salvia	638	Antiséptica, tonificante, emenagoga	Convulsiones, trastornos nerviosos por la esencia
Saponaria	333	Expectorante, diurética	Irritación digestiva
Sasafrás	678	Sudorífica, diurética, depurativa	Convulsiones por la esencia
Sello de Salomón	723	Diurética, vulneraria, hipoglucemiante	Trastornos nerviosos
Senecio	640	Emenagoga	Posible toxicidad sobre el hígado
Tanaceto	537	Vermífuga, emenagoga	Vómitos, convulsiones
Té	185	Estimulante, adicción	Taquicardia, nerviosismo
Trébol de agua	463	Aperitiva, febrífuga	Diarrea, vómitos
Zarzaparrilla	592	Diurética, depurativa	Náuseas, vómitos

La adelfa ('Nerium oleander' L.) es un ejemplo de planta tóxica de aplicación medicinal. La ingestión de dos de sus hojas puede provocar la muerte por parada cardíaca. Sin embargo, las flores son muy apreciadas contra la sarna, aplicadas en cataplasmas sobre la piel.

El sello de Salomón ('Polygonatum odoratum' Druce) es un ejemplo de planta peligrosa solamente en dosis altas. Si se respetan la dosis indicadas de su parte medicinal, el rizoma, no hay peligro de intoxicación.

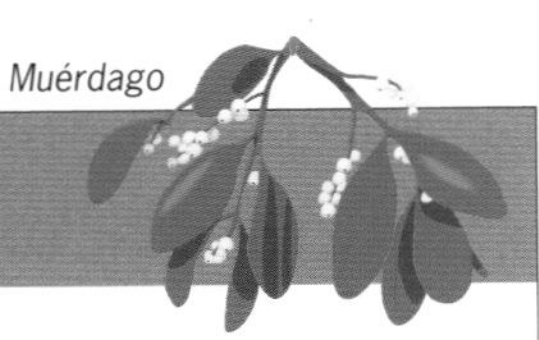

Plantas con alguna parte tóxica

Las plantas que se relacionan a continuación tienen una parte medicinal y otra parte venenosa. Conviene saberlas diferenciar para evitar intoxicaciones.

Planta	Pág.	Parte medicinal	Parte tóxica
Asclepias	298	Raíz seca	Hojas, tallos
Bola de nieve	642	Corteza seca	Bayas
Cerezo de Virginia	330	Corteza	Hojas
Convalaria	218	Hojas, flores	Bayas
Endrino	372	Frutos	Semillas (almendras)
Espantalobos	498	Hojas	Semillas
Fitolaca	722	Raíz	Bayas
Muérdago	246	Hojas	Bayas
Ricino	531	Aceite (semillas)	Semillas enteras
Salsifí	243	Hojas, raíz	Semillas, frutos
Sello de Salomón	723	Rizoma	Bayas, hojas
Tejo	336	Cúpula carnosa de las semillas	El resto de la planta

viene de la página 102

bién las peligrosas en dosis altas (ver pág. 104). Por ejemplo, no conviene administrar a los niños: ajenjo, ajenjo marino, boj, granado (corteza) y helecho macho.

La toxicidad de las plantas medicinales

La mayor parte de las plantas medicinales carecen de toxicidad y se pueden tomar con menor riesgo que cualquier fármaco de síntesis química.

Todo el mundo sabe, sin embargo, que existen plantas venenosas. Según los expertos en toxicología vegetal, se calculan en unas 700 las especies de **plantas mortales** que crecen el planeta Tierra. La más famosa de ellas quizá sea la cicuta, que causó la muerte del sabio griego Sócrates en el siglo V a.C. Otras muchas han sido empleadas a lo largo de la historia por envenenadores profesionales o por los fabricantes de los otrora famosos "polvos de heredar".

Plantas tóxicas de aplicación medicinal

Lo que no todos saben es que, algunas de esas plantas calificadas como tóxicas, también pueden resolver graves enfermedades e incluso salvar la vida. La misma planta puede matar, o puede curar. ¿Cómo puede una planta ser tóxica y medicinal a la vez? Para que una de estas plantas tenga efectos medicinales, se requiere:

1. Que la **dosis** sea correcta;
2. Que esté **bien indicada** para la enfermedad del que la toma. La misma dosis que para un individuo enfermo es curativa, en uno sano podría tener efectos tóxicos.

Las plantas que citamos en la tabla de la página 103 constituyen remedios drásticos que únicamente se deben usar en enfermedades graves que así lo requieran. En estos casos concretos, son de un gran valor terapéutico. ¡Cuánto agradece el enfermo de corazón que se está ahogando, una infusión de digital o un medicamento preparado con sus glucósidos! Lo mismo podríamos decir del que sufre un ataque de artritis gotosa, respecto a la colchicina del cólquico. Sin embargo, una misma dosis de estas plantas pueden tener efectos tóxicos indeseables en una persona sana o que no las necesita.

Las dosis tienen que estar bien calculadas, para mantenerse dentro del estrecho margen terapéutico de estas plantas, ya que su **dosis tóxica** es un poco superior a su **dosis terapéutica**. Es deseable que las plantas tóxicas de acción medicinal a las que nos referimos, sean preparadas y administradas por profesionales. De hecho, en la actualidad muchas de ellas (árnica, belladona, coca, cólquico, digital, efedra) se administran únicamente en forma de **preparados farmacéuticos,** perfectamente dosificados.

Algunas de estas plantas solo se emplean en **aplicaciones externas.** A pesar de ello

La mayor parte de intoxicaciones por plantas se producen en niños de corta edad que, con ocasión de una salida al campo, chupan o mordisquean frutos, flores u hojas venenosas sin que sus padres lo adviertan.

citamos sus efectos tóxicos por vía interna como información. Aplicadas localmente, plantas como el acónito, el beleño negro, la cicuta, y el cáñamo, por ejemplo, tienen un poderoso efecto anestésico en dolores de difícil tratamiento, causados por cáncer o neuralgias. Pero hay que usarlas con mucha prudencia, incluso cuando se aplican localmente, pues sus principios activos se absorben también por la piel.

Plantas peligrosas solamente en dosis altas

Hay otro grupo de plantas cuyo uso en dosis altas puede producir efectos secundarios indeseados. Son plantas potencialmente tóxicas; pero si se respetan las dosis indicadas, y se tienen en cuenta las precauciones que se señalan, se pueden usar sin riesgo.

Plantas con partes tóxicas

Existen plantas que producen principios medicinales en algunas de sus partes, y sustancias tóxicas sin ninguna aplicación terapéutica conocida, en otras. Conviene conocerlas, para evitar intoxicaciones accidentales por equivocación (ver tabla, pág. 106).

Plantas que frescas o secas son tóxicas

Hay plantas que únicamente se deben usar o bien frescas, o bien secas, para evitar la presencia o la formación de sustancias tóxicas (ver págs. 47 y 50).

Las intoxicaciones por plantas

No es extraño que, por diversas causas, se produzcan accidentes tóxicos relacionados con el uso de las plantas en general, y de las medicinales en particular. Los niños son los más implicados en este tipo de intoxicaciones, cuyos resultados pueden llegar a ser fatales. Es muy importante saber cómo prevenir los envenenamientos por plantas, y el modo de actuar en caso de que se hayan producido.

Causas de las intoxicaciones

Las intoxicaciones por plantas suelen producirse en la mayor parte de los casos:

- por **confundir** una planta venenosa con una medicinal, o
- por la administración de una **dosis excesiva** de una planta potencialmente tóxica.

Prevención

Ante todo, lo ideal es evitar que se produzca una intoxicación. Para ello es necesario:

1. **Identificar** positivamente cualquier planta antes de tomarla. Hay que ser muy prudente con esas plantas que nos regalan o que nos proporcionan pretendidos "expertos" en herboristería.
2. **Pesar la dosis** de planta administrada.
3. **Vigilar a los niños** en las salidas al campo. La mayor parte de los casos de in-

Confusiones frecuentes entre plantas

Cuando se recolectan ciertas plantas, se debe tener cuidado para no confundirlas con otras similares, pero tóxicas. Estas son algunas de las plantas que pueden confundirse por su parecido, causando intoxicaciones accidentales.

Planta	Pág.	Parte usada	Se confunde con	Pág.
Castaño	495	Semillas	Castaño de Indias	251
Gordolobo	343	Hojas	Digital	221
Perejil	583	Hojas	Cicuta	155
Rábano	393	Raíz	Acónito	148
Saúco	767	Bayas	Belladona	352
Saúco	767	Bayas	Yezgo	590

toxicación se producen en niños que chupan o mordisquean flores y plantas.

4. **No plantar especies tóxicas** en jardines o en lugares al alcance de los niños.

Síntomas generales

Una vez producida la ingestión, los síntomas de intoxicación pueden tardar en presentarse desde unos minutos hasta incluso tres días (como en el caso de las semillas de ricino). Aunque pueden ser muy variados, los más frecuentes son:

- sensación de irritación o de escozor en la garganta;
- náuseas y vómitos;
- dolor de cabeza, visión borrosa, dificultad para los movimientos y convulsiones.

Conducta a seguir en caso de intoxicación

1. Guardar una cierta cantidad de muestra

Se deben tomar muestras de la planta o de las plantas que se sospeche pueden haber sido la causa de la intoxicación, para que sean identificadas por expertos.

2. Provocar el vómito

Normalmente muchas plantas tóxicas ya ocasionan vómitos. Pero si no se producen, o si no son productivos, hay que provocarlos:

- estimulando la garganta con los dedos, con una cuchara, o con una pluma impregnada en aceite, o bien
- administrando una cucharada de jarabe de ipecacuana.

El vómito **no se debe provocar** en los siguientes casos:

- cuando ya han pasado más de tres o cuatro horas desde la ingestión,
- cuando el paciente ya está vomitando de forma productiva,
- cuando se halla aletargado o inconsciente (se podría ahogar).

3. Practicar un lavado de estómago

Se realiza con la ayuda de una sonda introducida a través de la boca o de la nariz. Debe ser practicado por un profesional sanitario.

4. Administrar carbón vegetal

Es un antídoto de uso general, muy útil en el tratamiento urgente de las intoxicaciones por vía digestiva. Se obtiene tras la combustión de la madera de haya, eucalipto, álamo negro o de otros árboles (ver pág. 761). Se lo llama 'activado' cuando está preparado en un laboratorio especializado para aumentar su poder de adsorción. Se presenta en forma de comprimidos o cápsulas, de los que se pueden tomar de 2 a 20, o incluso más. También se expende en polvo.

El carbón vegetal no deberían faltar en ningún botiquín. En caso de urgencia se puede hacer masticar al intoxicado cualquier trozo de carbón de madera de árboles no tóxicos, o incluso un trozo de pan quemado.

El carbón vegetal tiene una extraordinaria capacidad para adsorber (es decir, retener en su superficie) sustancias químicas, que se eliminan después con las heces, que adquieren color negro. También se administra, con excelentes resultados, en caso

Troncos de eucalipto listos para ser quemados con el fin de obtener carbón vegetal.

El carbón vegetal no debería faltar en ningún botiquín, por ser un antídoto y antidiarreico muy efectivo.

de diarrea o de fermentación intestinal, para adsorber las toxinas.

El carbón vegetal no sustituye ni al vómito ni al lavado gástrico. De hecho, para obtener una mayor efectividad, se recomienda vaciar primero el estómago mediante uno de estos dos métodos, y a continuación administrar el carbón vegetal. Cuanto menor sea la cantidad de planta venenosa que quede en el estómago, tanto más efectivo será el antídoto aplicado.

5. Administrar otros antídotos

Las sales de **magnesio** y la **clara de huevo** también se usan como antídotos universales, aunque su efectividad sea mucho menor que la del carbón. El **aceite** ***no se debe usar*** como antídoto, ya que puede favorecer la disolución y por lo tanto mayor absorción de ciertas toxinas. La **leche** se ha usado como antídoto, aunque sin un suficiente fundamento químico, por lo que **no podemos recomendar su uso.**

Existen antídotos específicos para algunos tóxicos, que suelen ser también otros tóxicos de acción contraria. Por ejemplo, el antídoto de la cicuta es la estricnina. Su uso correcto es muy difícil, y está reservado a médicos y farmacéuticos.

6. Conducta en los casos más graves

Colocar al paciente acostado y con la cabeza hacia un lado, por si vomita. Taparlo con una manta. Vigilar los movimientos respiratorios, y aplicar la respiración artificial en caso de que la precise.

7. Asistencia hospitalaria

Todas estas medidas son para casos leves, o mientras se llega a un hospital. En ningún caso deben ocasionar un retraso en el traslado a un hospital.

De la planta al medicamento

De las plantas a los medicamentos de síntesis química

En la actualidad, según el 'Boletín de la Organización Mundial de la Salud' (vol. 65, pág. 159), más del 25% de los medicamentos dispensados en las oficinas de farmacia de todo el mundo, proceden directamente de las plantas.

En el siglo I d.C. el médico y botánico griego Dioscórides escribió una obra que comprendía todos los remedios que ofrece la naturaleza, con especial énfasis en las plantas medicinales (se describen unas 600). Sus discípulos la fueron ampliando después hasta alcanzar seis volúmenes. Esta extraordinaria obra, conocida como *Materia médica* de Dioscórides, o simplemente "el Dioscórides" fue el libro de texto básico para todos los médicos occidentales durante más de 1.700 años. Según Font Quer, su difusión solo fue superada por la de la Biblia. Servía como recetario o vademécum en el que consultar las plantas y remedios útiles para cada enfermedad. Se hicieron diversas traducciones al latín y al italiano, que tuvieron amplia difusión por toda Europa. La traducción más importante al castellano fue la que realizó el doctor Andrés de Laguna en el siglo XVI.

Con el progreso de la química y el surgimiento de la farmacología, a partir del siglo XVIII, los médicos fueron sustituyendo poco a poco sus recetas a base de plantas, basadas en "el Dioscórides", por prescripciones a base de productos químicos extraídos de las plantas.

- En 1803 un joven farmacéutico alemán, Sertürner, aisló un alcaloide a partir del opio de la adormidera, al que llamó **morfina** en recuerdo de Morfeo, dios griego del sueño.
- En 1817, se aisló el principio activo de la ipecacuana, la **emetina**.
- El químico alemán Hoffmann obtuvo la **aspirina** a partir de la corteza del sauce, a mediados del siglo XIX.
- En 1920 los farmacéuticos franceses Pelletier y Caventou aislaron la **quinina** a partir del quino (árbol de la quina).

Descubiertos y aislados los principios activos de las plantas, se pensó que con ellos se podían sustituir las viejas recetas a base de plantas. Las sustancias puras eran más potentes, fáciles de dosificar, y su administración en forma de cápsula, comprimido

Diferencias entre plantas y medicamentos

	Medicamentos a base de sustancias purificadas	Plantas medicinales
Absorción	Limitada en caso de sustancias químicas inorgánicas o minerales.	Los principios activos de las plantas se absorben en general con mayor facilidad que sus equivalentes inorgánicos, obtenidos por síntesis química. Esto es debido a que, por tratarse de moléculas orgánicas (es decir, que ya forman parte de un organismo vivo: la planta), atraviesan más fácilmente la mucosa intestinal que las sustancias inorgánicas o minerales.
Dosis de principio activo	Conocida con exactitud.	Presenta diferencias según la variedad, terreno y época de recolección, lo cual puede dificultar el tratamiento con plantas que contienen sustancias muy activas o tóxicas (por ejemplo: digital, belladona, etc.).
Acción terapéutica	Depende de una sustancia químicamente pura.	Depende de la combinación de todos las sustancias activas de la planta, que se potencian y equilibran mutuamente. El conjunto de la planta resulta más activo que sus componentes por separado.
Rapidez de acción	Mayor que la de las plantas, pero con el riesgo de la posible aparición de un efecto de rebote (aumento de los síntomas después de que pasa el efecto del medicamento administrado), o de resistencias a medio o largo plazo.	Acción más lenta pero más persistente, sin efecto de rebote ni resistencias.
Efectos secundarios y tóxicos	Pueden ser importantes, y no completamente conocidos hasta después de varios años de uso. Reacciones alérgicas peligrosas.	En la mayor parte de las plantas no existen o son poco importantes, por ser muy baja la concentración de principios activos.
Riesgo de adicción	Es mayor cuanto más purificada o tratada químicamente está la sustancia activa. Es el caso de la morfina (principio activo aislado), que resulta mucho más peligrosa que el opio (sustancia natural). La heroína (derivado químico de la morfina) tiene todavía mayor toxicidad y capacidad de adicción que la morfina.	La planta en estado natural, aun en el caso de las estupefacientes, es menos peligrosa que el principio activo purificado. Las plantas sedantes suaves (pasionaria, valeriana, etc.) no crean adicción, al contrario que los tranquilizantes químicos.

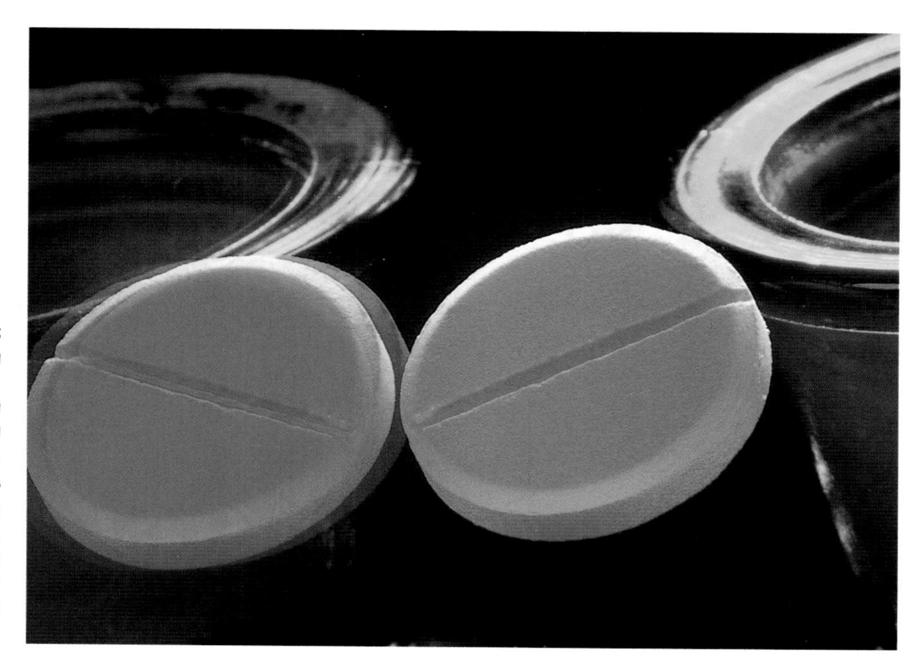

Cuanto más se manipula y procesa un producto vegetal, tanto más se aíslan y concentran sus principios activos.

De esta forma se consigue una mayor eficacia para ciertos casos concretos, aunque con la desventaja de que se pierden las propiedades globales de la planta.

Cuando en la primera mitad del siglo XX los notables avances en la producción de medicamentos de síntesis química desplazaron a los remedios vegetales, pareció que la fitoterapia llegaba a su fin.

Sin embargo, en la actualidad se está redescubriendo el valor de las plantas medicinales, que son tan efectivas o más que los fármacos, y con menos contraindicaciones.

u otra, resultaba más cómoda. Los éxitos de la química farmacéutica hicieron olvidar hasta hace unos pocos años, los remedios naturales, es decir las plantas medicinales tal como las ofrece la naturaleza, e incluso sus extractos y preparados.

Pero la euforia del éxito de la química farmacéutica, no ha durado mucho. Al contrario de lo que en principio parecía, por ejemplo, los cada vez más potentes **antibióticos sintéticos** no han sido capaces de acabar por completo con las enfermedades infecciosas. Es cierto que gracias a ellos se han salvado muchísimas vidas, pero también lo es que han aumentado enormemente las resistencias, alergias y otros efectos indeseables. Los potentes **corticoides** y **fármacos antiinflamatorios** pueden resolver un caso agudo, pero resultan inadecuados en los casos crónicos, como por ejemplo las enfermedades reumáticas, por los trastornos digestivos y otros efectos secundarios que provocan.

Retorno a lo natural

En los últimos años se ha redescubierto el valor de los remedios naturales, y la medicina vuelve a hacer un uso cada vez mayor de las plantas curativas. Se ha podido comprobar que, aunque su efecto pueda parecer más lento, los resultados son mejores a largo plazo, especialmente en enfermedades crónicas. La medicina y la botánica han estado siempre íntimamente unidas, a pesar de que durante una cierta época la química farmacéutica haya gozado de mayor protagonismo. Se calcula que en la actualidad, el 25% de los medicamentos prescritos contienen al menos una planta o alguna sustancia derivada de los vegetales. Esta proporción va en aumento, a medida que se investigan y se conocen mejor las plantas medicinales.

Ciertamente, la ciencia médica actual no puede prescindir de los potentes fármacos de síntesis química. Pero se deben usar con cautela, reservándolos para los casos más agudos o difíciles; pues en ocasiones, si bien proporcionan un alivio inmediato, no curan la enfermedad, y además tienen importantes efectos indeseables.

"Primum non nocere", es decir, ante todo, no hagas daño, sentencia el famoso aforismo médico.

¿Sufre usted de insomnio? Pues pruebe con la valeriana, la pasionaria o el espino blanco; que, al contrario que los sedantes químicos, no disminuyen los reflejos ni crean adicción.

¿Padece de dolores reumáticos? Intente aliviarlos con el harpagofito, el sauce o el romero; antes de arriesgarse a sufrir una gastritis o una úlcera de estómago con los fármacos antirreumáticos.

"Primero la palabra; después la planta; en último término ¡el cuchillo!"

Aforismo médico griego

Muchos medicamentos actúan como auténticos cuchillos químicos, cuyo uso podría evitarse usando la palabra (psicoterapia) o las plantas medicinales (fitoterapia).

¿Sufre de estreñimiento crónico? Use la malva o las semillas de lino en vez de los laxantes químicos, si quiere evitar una colitis crónica con pérdida de potasio.

Los tratamientos aplicados para hacer frente a la enfermedad deben ser proporcionales a su gravedad o malignidad.

Dice un aforismo griego: *"Primero la palabra; después la planta; en último término ¡el cuchillo!"* Algunos medicamentos de síntesis química son "cuchillos" que podrían evitarse utilizando sabiamente la palabra (psicoterapia) o las plantas medicinales (fitoterapia).

Y, desde luego, lo mejor de todo, es llevar un estilo de vida sano y una alimentación correcta; algo que nunca podrá ser sustituido ni por las plantas medicinales, ni por los medicamentos.

Plantas medicamento y medicamentos de plantas

Los medicamentos normalmente presentan ciertos inconvenientes. Claro que las plantas medicinales recolectadas y prescritas de forma empírica por "aficionados", pueden resultar asimismo peligrosas.

Es posible que lo ideal sean los preparados a base de plantas correctamente identificadas, o sus extractos, dosificados y preparados por un profesional farmacéutico, según prescripción de un médico conocedor de sus propiedades. Esta es la fitoterapia científica a la que modernamente se tiende, y que finalmente terminará con la división un tanto artificial entre plantas y medicamentos.

Cómo obtener los mejores resultados con las plantas

Los mejores resultados para la salud se obtienen usando las plantas en combinación con otros agentes naturales de acción medicinal, como por ejemplo el **agua** (hidroterapia), el **mar** (talasoterapia), el **sol** (helioterapia), las **tierras medicinales** (geoterapia), el **ejercicio físico** y la **alimentación** sana basada en productos vegetales.

Además, es necesario practicar hábitos de vida saludables, como la **abstinencia del tabaco,** de las bebidas alcohólicas y de otras drogas.

La **acción conjunta** de todos estos factores ejerce un notable estímulo sobre los mecanismos de defensa y de curación del propio organismo, que finalmente serán los que venzan la enfermedad.

En los remedios vegetales, los principios activos tienen la ventaja de estar acompañados de otras muchas sustancias, aparentemente inactivas. Sin embargo, estos componentes "de relleno" otorgan a la planta en su conjunto una eficacia y seguridad superiores a los de sus principios activos aislados y purificados.

Y además, la eficacia de las plantas medicinales se incrementa cuando se usan en el marco de una cura revitalizadora natural.

Una pionera de la moderna fitoterapia

En los últimos años del siglo XIX y los primeros del XX, los médicos todavía prescribían medicamentos a base de sustancias químicas o extractos muy enérgicos, que hoy son considerados venenosos: el **calomelano** o cloruro mercurioso (de acción fuertemente purgante), el **tartarato de antimonio** (vomitivo), la **estricnina** (excitante tóxico), o las **sales de arsénico** (contra la sífilis y otras infecciones).

Los progresos de la incipiente **industria química y farmacéutica,** tanto en Europa como en Estados Unidos, habían desencadenado un gran entusiasmo social. El continuo descubrimiento de nuevos medicamentos cada vez más potentes, aunque no menos tóxicos, parecía prometer un futuro próximo en el que iba a existir un fármaco específico para curar casi cualquier enfermedad.

En medio de aquel ambiente de euforia farmacológica cuando todo el interés de los científicos se dirigía hacia los medicamentos de síntesis química, Ellen G. White, destacada autora norteamericana dotada de una gran capacidad pedagógica y preventiva, escribía lo siguiente: *«Hay plantas sencillas que pueden emplearse para la restauración de los enfermos, cuyo efecto sobre el organismo es muy diferente del efecto de los medicamentos que envenenan la sangre y ponen en peligro la vida.»**

Esta pionera de la moderna fitoterapia recomendó el uso popular de ciertas plantas medicinales, adelantándose así en más de cien años a las leyes actualmente vigentes en la mayoría de los países occidentales, que permiten el libre uso de ciertas plantas sin necesidad de receta médica: por ejemplo, la infusión de **lúpulo** (como sedante), los **baños de pies con mostaza** (para descongestionar la cabeza), el **carbón vegetal** (por su efecto desintoxicante), y el **pino,** el **cedro** y el **abeto** (para las afecciones respiratorias).

Además de promover el uso racional de las plantas medicinales como alternativa a los enérgicos remedios medicamentosos que se usaban en aquella época, Ellen G. White hizo hincapié en un hecho que hoy es bien conocido por la ciencia médica, pero que hace un siglo constituía una auténtica novedad: **La salud no es fruto del azar,** sino más bien consecuencia de los hábitos de vida, y en especial, de la alimentación.

En nuestros días ha cobrado una mayor vigencia, si cabe, lo que fue su pensamiento central en cuanto a la salud: Que el uso inteligente de los **agentes naturales,** como el agua, el sol, el aire, las plantas medicinales, los alimentos sanos, así como la adopción de hábitos saludables (ejercicio físico, reposo adecuado, buena disposición mental y confianza en Dios), puede hacer mucho más por la salud que los potentes medicamentos de síntesis química o que los tratamientos agresivos.

**Mensajes selectos,* t. 2, pág. 330; Pacific Press Publishing Association, Mountain View (California), 1969.

El uso adecuado de las plantas medicinales, junto con otros hábitos de vida sana, puede impedir que las debilidades de nuestro organismo evolucionen hasta convertirse en enfermedades declaradas.

Las plantas medicinales

El cacao, estimulante, diurético y cicatrizante (pág. 597).

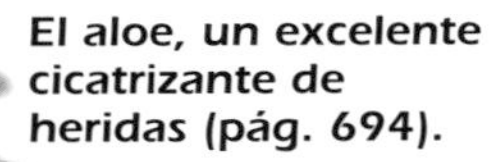

El aloe, un excelente cicatrizante de heridas (pág. 694).

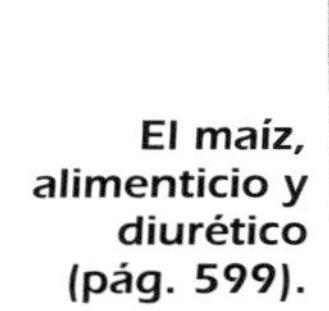

El maíz, alimenticio y diurético (pág. 599).

La capuchina, una planta antibiótica (pág. 772).

Una de las pirámides mayas de Palenque, (Chiapas, México). Las grandes culturas autóctonas del continente americano, como la maya y la azteca en México, o la inca en Perú, alcanzaron un gran desarrollo en el conocimiento y aplicaciones de las plantas medicinales. El mundo entero se ha beneficiado de las plantas medicinales y alimenticias americanas, como el cacao, el aloe, el maíz y la capuchina, además de otras como como el tomate o la patata (papa).

«*Ruego a Vuestra Majestad que no deje pasar más médicos a Nueva España* [México], *pues con los curanderos indios ya hay suficiente.*»

Así escribía Hernán Cortés al emperador Carlos I de España y V de Alemania en 1522, después de haber sido tratado con éxito por los médicos aztecas de una herida en la cabeza, que los médicos españoles no habían sido capaces de curar.

Evidentemente, los médicos nativos sabían como sacar buen provecho de la rica flora medicinal mexicana, lo que les otorgaba una notable ventaja respecto a sus colegas españoles.

La medicina en general, y el uso de las plantas medicinales en particular, se hallaban muy desarrolladas en las culturas azteca, maya e inca, así como entre los indios pobladores de Norteamérica.

En **México,** capital de la región del Anahuac, había grandes jardines botánicos alrededor de los palacios del emperador, en los que se aclimataban plantas de todo el imperio.

en América

La equinácea, estimulante natural de las defensas (pág. 755).

Vista del Cañón Bryce (Utah, EE.UU.), cuya espectacularidad se asemeja a la del Gran Cañón del Colorado. Los indios norteamericanos conocían y respetaban los recursos que ofrece la naturaleza, especialmente las plantas medicinales. La moderna investigación científica ha podido comprobar la efectividad de muchas de las plantas usadas por los indios, tales como la equinácea, la hidrastis y la hamamelis.

La hidrastis, eficaz contra los catarros (pág. 207).

La hamamelis, tonifica las venas y embellece la piel (pág. 257).

Refiere el doctor José Mª Reverte Coma, profesor de Historia de la Medicina de la Universidad Complutense de Madrid, que en el antiguo México existían diversos profesionales de la salud:

- los ***tlama-tepati-ticitl,*** médicos generalistas que curaban con plantas, baños, dieta, laxantes o purgantes;
- los ***texoxo-tlacicitl,*** que se dedicaban a la cirugía;
- los ***papiani-panamacani*** que eran los "yerberos".

Los exploradores españoles quedaron sorprendidos por la gran variedad de nuevas plantas medicinales –y también alimentarias– que encontraron en el Nuevo Mundo.

Debemos al doctor Diego Álvarez Chanca, médico español que acompañó a Colón en su primer viaje a América, la primera descripción de la papa (patata), el cacao, el maíz, la mandioca, la copaiba, el guayaco y el palo de Brasil. Otros descubrieron la zarzaparrilla, el aloe, el podófilo, la quina, la ratania, la cuasia, la capuchina y otras muchas plantas de gran interés medicinal.

Durante los siglos XVII y XVIII partieron de Europa diversas expediciones botánicas para estudiar la flora medicinal americana, de las que quizá la más importante fue la que dirigió José Celestino Mutis en 1760. La llegada de estas nuevas plantas medicinales produjo toda una revolución enriquecedora en la terapéutica al uso en el Viejo Mundo. La quina fue a la medicina, lo que la pólvora había sido al arte de la guerra.

En la actualidad se continúa investigando las propiedades curativas de muchas plantas del Nuevo Mundo, basándose en los usos tradicionales que les dan los indios nativos. La selva amazónica es un inmenso almacén farmacéutico para la humanidad, y muchos de sus recursos permanecen todavía sin explorar. Este es otro motivo más, además de los ecológicos y medioambientales, para procurar su conservación.

Cómo se descubrieron las

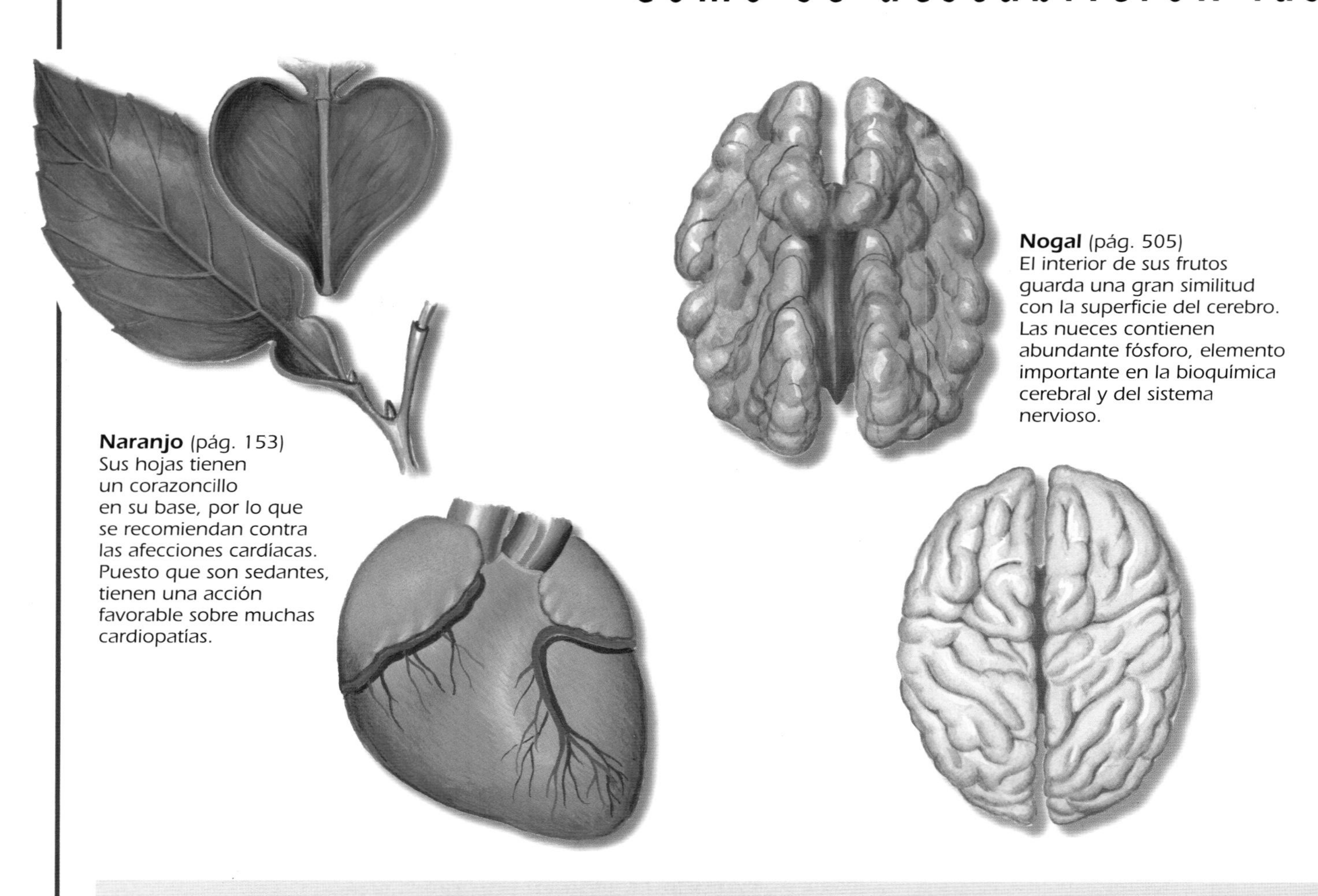

Naranjo (pág. 153)
Sus hojas tienen un corazoncillo en su base, por lo que se recomiendan contra las afecciones cardíacas. Puesto que son sedantes, tienen una acción favorable sobre muchas cardiopatías.

Nogal (pág. 505)
El interior de sus frutos guarda una gran similitud con la superficie del cerebro. Las nueces contienen abundante fósforo, elemento importante en la bioquímica cerebral y del sistema nervioso.

Los antiguos creyeron intuir las propiedades de las plantas a partir de sus características. Esta idea cristalizó ya en tiempos de Hipócrates (siglo V a.C.) en la llamada "teoría de los signos". El propio Dioscórides fue uno de sus fervientes defensores. También Paracelso, destacado médico y naturalista suizo del siglo XVI, decía así: *«Todo vegetal está señalado por la naturaleza; y para lo que él nos significa, para eso es bueno.»*

La teoría de los signos

Al igual que muchos de sus contemporáneos, el médico español del siglo XVI Andrés de Laguna, traductor al castellano de la *Materia médica* de Dioscórides, creía que la tarea del hombre consistía en descubrir las señales que el Creador había dejado en las plantas, como forma de descifrar sus virtudes. Otros eminentes botánicos y médicos aceptaron asimismo esta teoría de los signos durante más de dos mil años. Actualmente nos parece una anécdota histórica carente del más mínino rigor científico. Sin embargo, resulta curioso observar como algunas de sus proposiciones se han podido comprobar científicamente. Por ejemplo:

- las **nueces** son buenas para el cerebro, pues contienen abundante fósforo y ácidos grasos insaturados;
- la **clematítide** o aristoloquia contiene efectivamente un alcaloide de acción oxitócica, que contrae el útero;
- la **arenaria roja** es diurética y favorece la expulsión de cálculos;
- el **beleño** tiene acción analgésica;
- y las hojas de **naranjo** son sedantes, y convienen a los cardiópatas.

Claro, que son también muchos los casos en los que la teoría de los signos fracasa, por más atractiva y sugestiva que pudiera parecer. Por ejemplo:

propiedades de las plantas (1)

Escaramujo (pág. 762)
Puesto que sus ramas recuerdan los colmillos de la quijada de un perro, se ha usado para curar las heridas causadas por las mordeduras de perros y lobos. No se ha podido demostrar esta pretendida acción curativa.

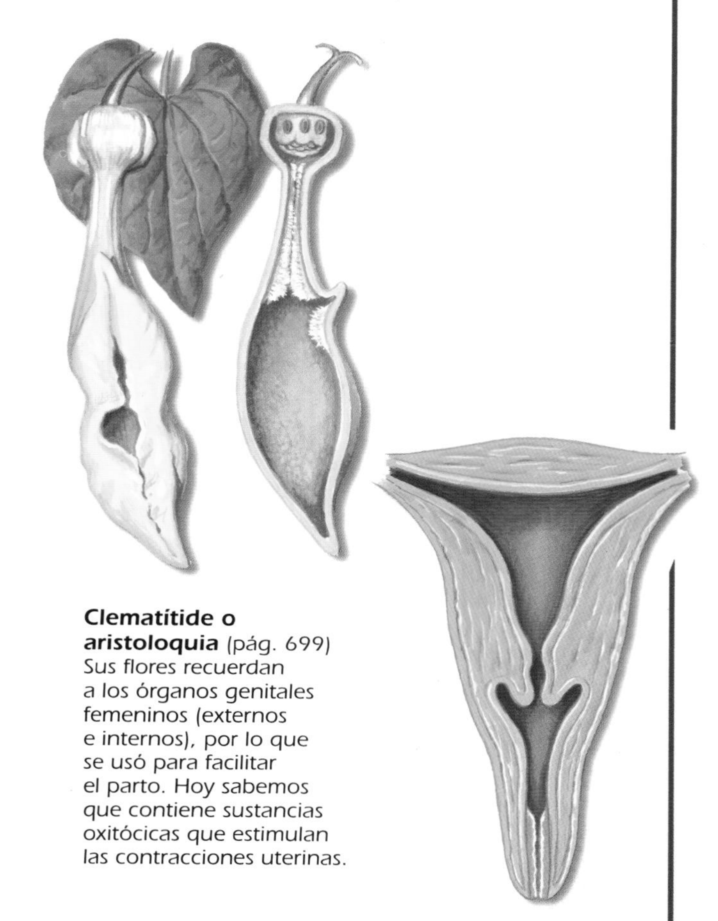

Clematítide o aristoloquia (pág. 699)
Sus flores recuerdan a los órganos genitales femeninos (externos e internos), por lo que se usó para facilitar el parto. Hoy sabemos que contiene sustancias oxitócicas que estimulan las contracciones uterinas.

- las semillas del **escaramujo** no sirven para tratar los cálculos urinarios, a pesar de su parecido;
- las hojas del **trébol común** no curan las cataratas, a pesar de su mancha blanca que recuerda el halo de una catarata ocular.

En otros casos, se han exagerado las pretendidas propiedades deducidas de los signos de una planta. Por ejemplo, las hojas de la **consuelda** nacen muy unidas al tallo, de lo que Dioscórides dedujo que la planta debía de ser un poderoso cicatrizante. Y no se equivocó, pues se ha podido comprobar que contiene alantoína, sustancia que en nuestros días forma parte de numerosas pomadas. Pero en su entusiasmo por argumentar su teoría, el sabio griego llega al extremo de decir que las raíces de la consuelda *«cocidas con carne despedazada, la juntan y reducen a unión».*

No hubiera resultado nada difícil poner en evidencia la exageración de Dioscórides; pero la ciencia de la antigüedad prefería elucubrar a experimentar. Y así, durante muchos siglos, los médicos recomendaban un baño en agua de consuelda el día anterior a la boda, a las novias que pretendían aparentar una virginidad perdida.

De la intuición a la experimentación

En la actualidad, los enormes progresos de la investigación química y farmacéutica hacen innecesario el recurrir a la intuición o a la tradición, como lo hacía antiguamente la teoría de los signos. Pero mucho más desaconsejable y hasta peligroso es el empleo de las plantas medicinales basado en la superstición o en la magia, que todavía persiste en determinados sectores sociales.

El uso racional y científico de las plantas, basado en la experimentación química y farmacológica, es realmente la única forma segura de utilizar correctamente las plantas medicinales.

Cómo se descubrieron las

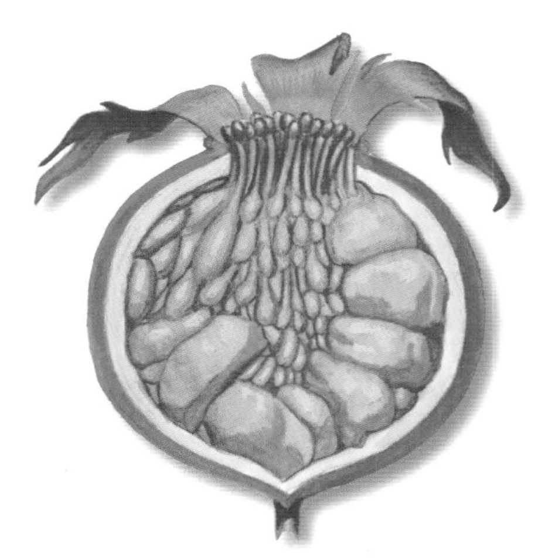

Escaramujo (pág. 762)
En el interior del fruto del escaramujo o rosal silvestre, se forman unas semillas muy duras que recuerdan a los cálculos urinarios. Además, la superficie interior del fruto recuerda a la de la vejiga de la orina. Por ello, antiguamente se recomendaba esta planta en caso de "mal de piedra" (cálculos urinarios). Actualmente no disponemos de ningún dato científico que revele una utilidad especial de los frutos o de las semillas del escaramujo en caso de litiasis urinaria.

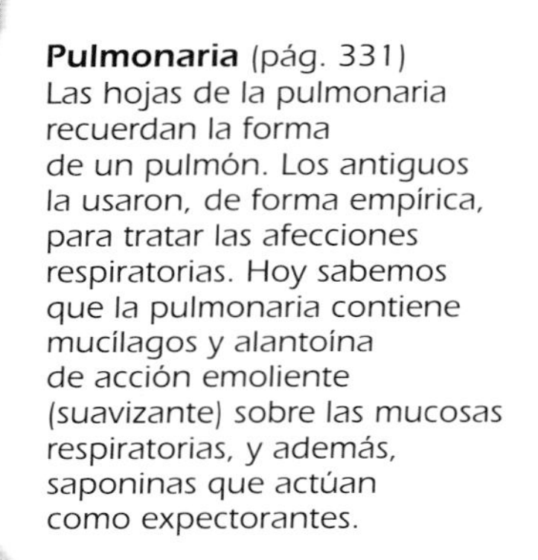

Pulmonaria (pág. 331)
Las hojas de la pulmonaria recuerdan la forma de un pulmón. Los antiguos la usaron, de forma empírica, para tratar las afecciones respiratorias. Hoy sabemos que la pulmonaria contiene mucílagos y alantoína de acción emoliente (suavizante) sobre las mucosas respiratorias, y además, saponinas que actúan como expectorantes.

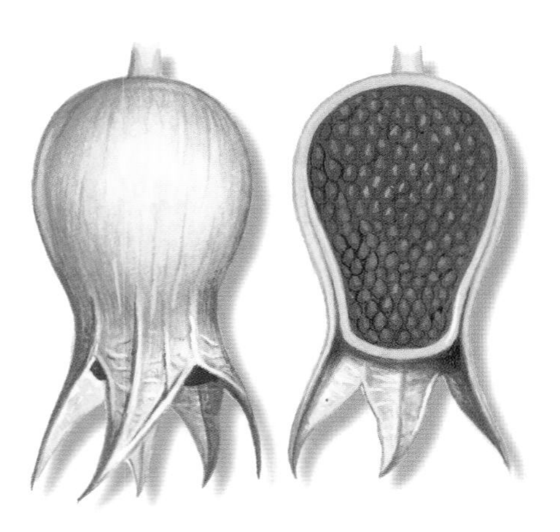

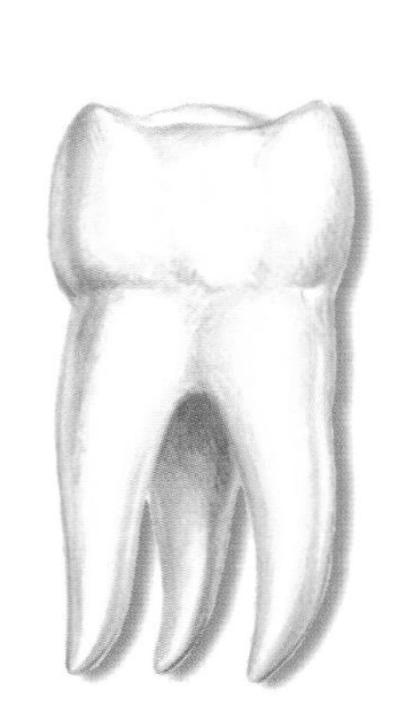

Beleño negro (pág. 159)
Desde tiempos muy antiguos se ha usado para calmar los dolores de muelas, basándose en que sus frutos recuerdan a un pieza dentaria en la que el cáliz serían las raíces dentarias. Hoy son bien conocidas sus propiedades analgésicas y narcóticas.

propiedades de las plantas (y 2)

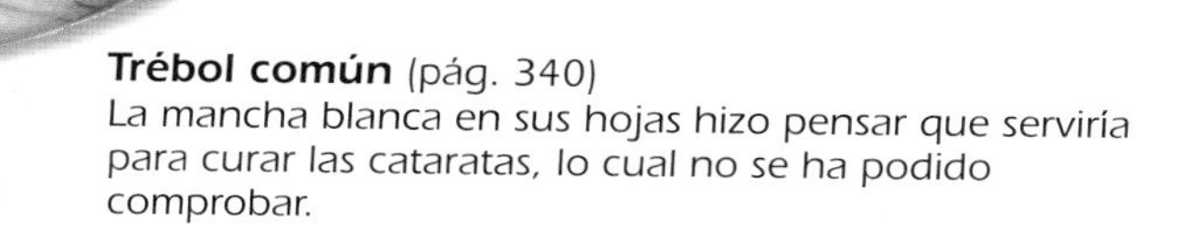

Trébol común (pág. 340)
La mancha blanca en sus hojas hizo pensar que serviría para curar las cataratas, lo cual no se ha podido comprobar.

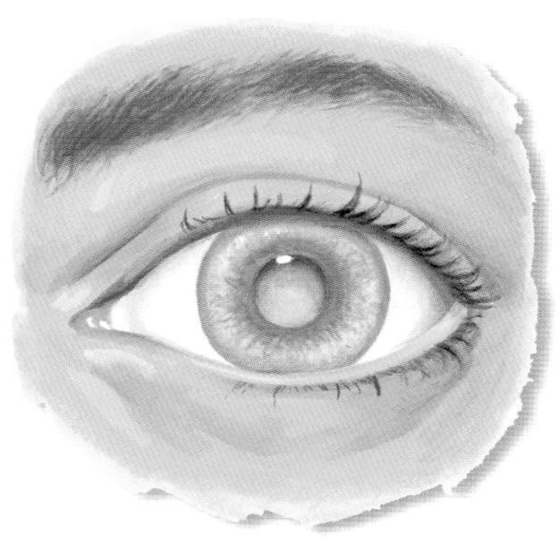

Higuera (pág. 708)
Algunos han querido ver en los higos, una imagen de las hemorroides. No hay datos experimentales que apoyen la acción favorable de los higos sobre las hemorroides.

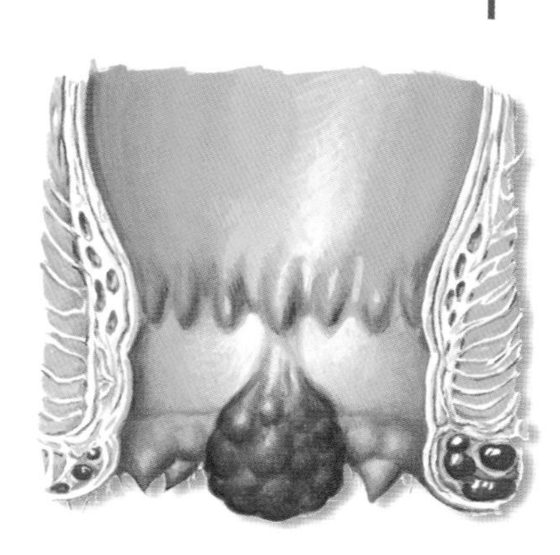

Nenúfar (pág. 607)
Puesto que nace en lugares fríos, se recomendaba para "enfriar" los instintos sexuales (anafrodisíaco). Hoy sigue teniendo la misma aplicación. Además, los partidarios de la teoría de los signos veían en sus flores blancas, un símbolo de la virginidad.

Índice de capítulos

Tomo 2

ENCICLOPEDIA DE LAS
PLANTAS MEDICINALES
SEGUNDA PARTE
Descripción
«El que desconozca las plantas, nunca podrá juzgar con acierto acerca de sus virtudes.»
CARL VON LINNÉ
Naturalista y médico sueco considerado como el padre de la moderna botánica, (1707-1788)
2

Significado de los iconos de partes botánicas
usados en esta obra

En esta enciclopedia se usa un buen número de iconos, símbolos y tablas para describir plantas, órganos del cuerpo y enfermedades. En estas cuatro páginas los describimos todos, de modo que el lector se familiarice con ellos y pueda interpretarlos fácilmente.

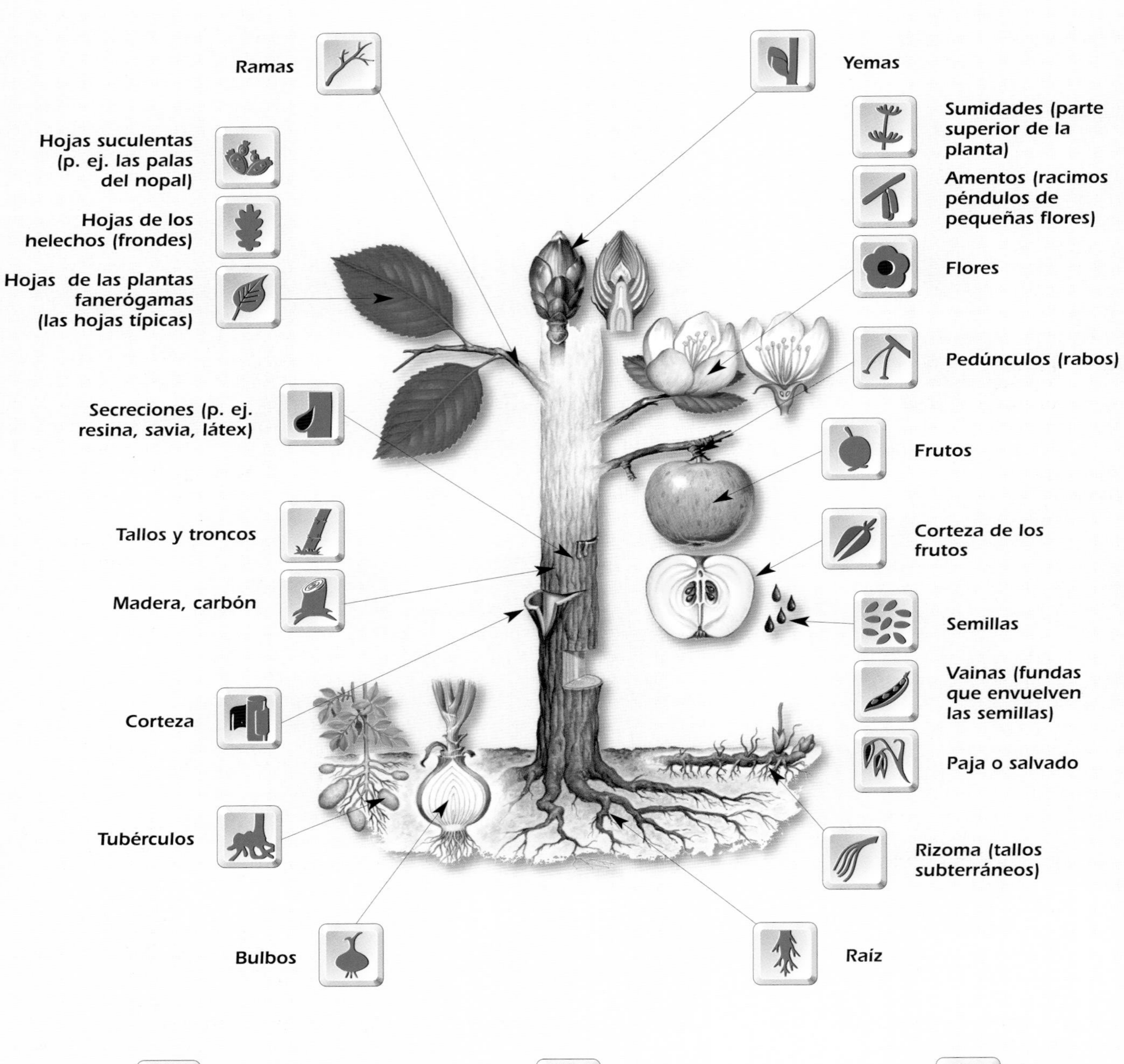

Talo (parte vegetativa de algas y musgos)

Toda la planta

Toda la planta excepto la raíz

Significado de los iconos de indicaciones médicas
usados en esta obra

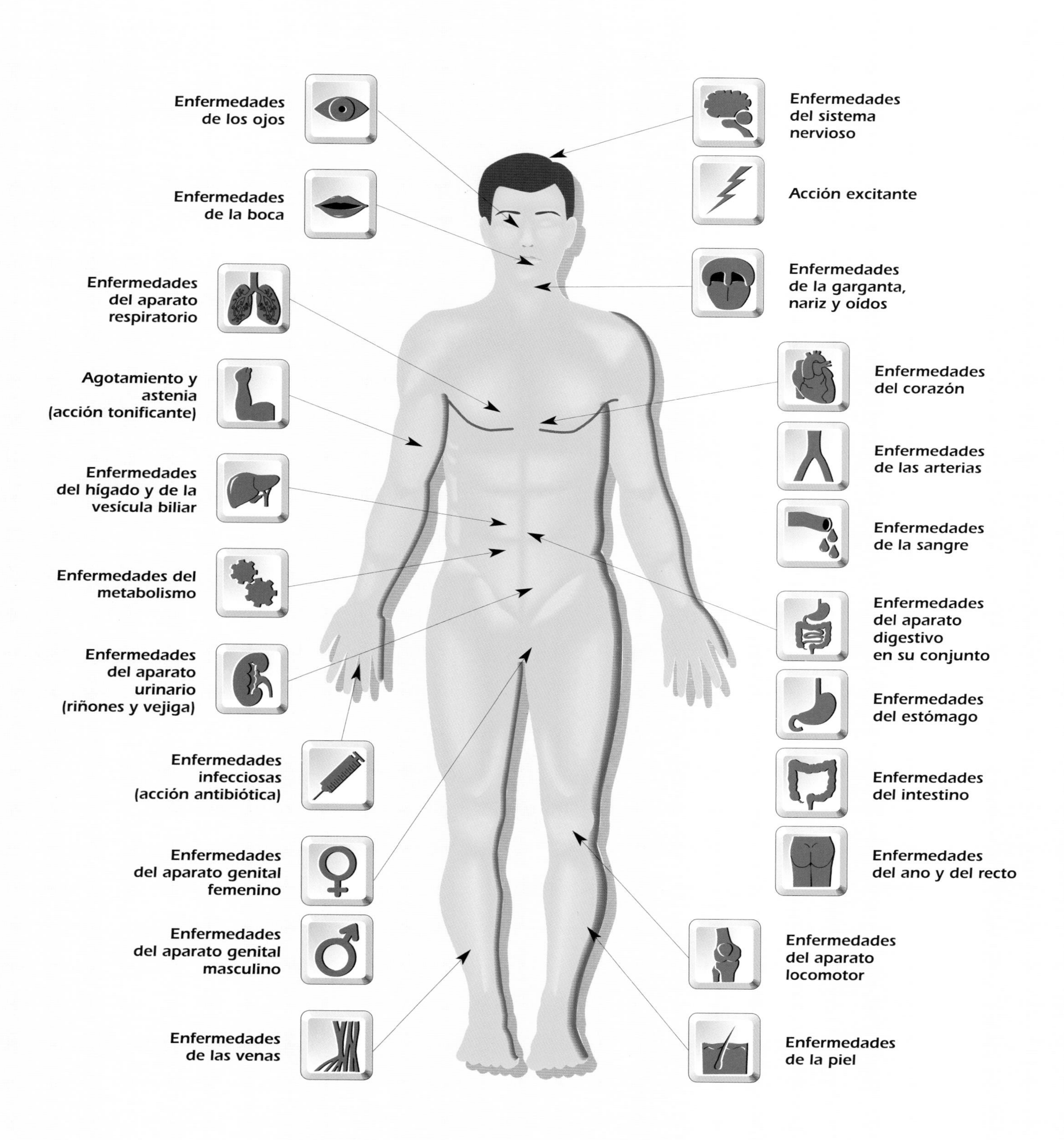

Explicación de las páginas descriptivas de las plantas

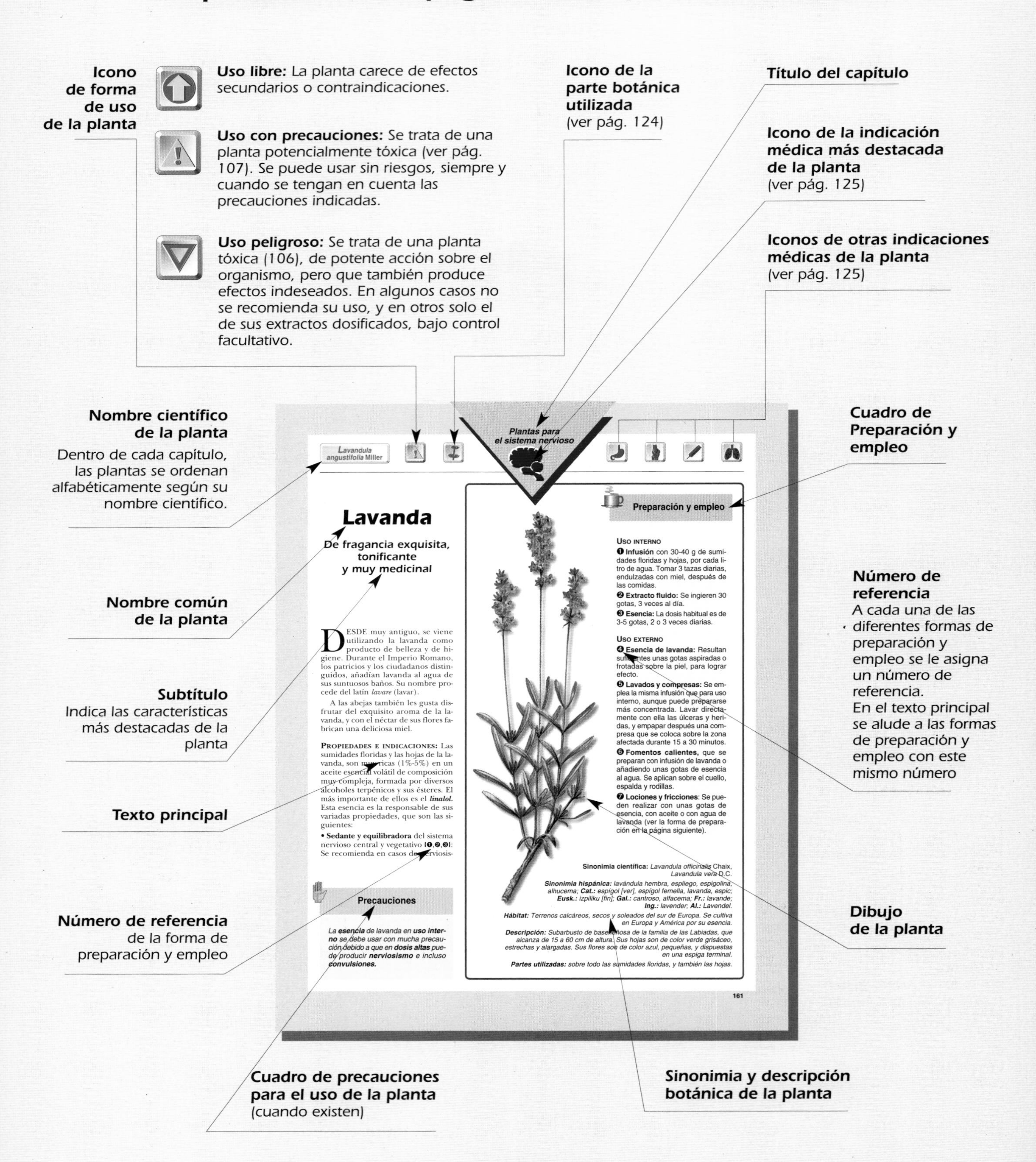

Cuadro de información
En él se dan informaciones destacadas, relacionadas con la planta que se está describiendo.

Cuadro de especies botánicas relacionadas
En él se describen otras especies similares a la planta principal, en cuanto a morfología y propiedades medicinales.

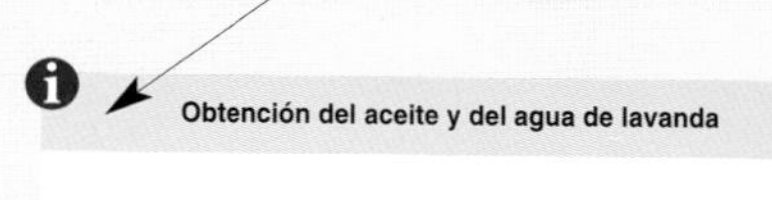

Obtención del aceite y del agua de lavanda

• ***Aceite de lavanda:*** *Se disuelven 10 g de esencia en 100 g de aceite de oliva, y se aplica como loción sobre la zona dolorida. También se puede preparar dejando 250 g de planta seca en maceración durante dos semanas en un litro de aceite, filtrándolo después.*

• ***Agua de lavanda:*** *Se disuelven 30 g de esencia en un litro de alcohol de 90º. Después de dejar reposar la mezcla durante 24 horas, se pasa por un filtro de papel y se guarda en frascos bien cerrados. Puede rebajarse con agua, si se considera que está demasiado concentrada.*

También se puede preparar dejando en maceración 250 g de sumidades floridas secas en un litro de alcohol, durante dos semanas. Transcurrido este tiempo, se pasa por un filtro de papel y se guarda en frascos bien cerrados.
Se usa como antirreumática, antiinflamatoria y relajante, aplicada externamente en baños y fricciones.

Otras especies de 'Lavanda'

Existen varias especies de plantas aromáticas pertenecientes al género *Lavandula*. Todas ellas resisten por igual el sol y la aridez del terreno, y todas regalan al caminante con una de las fragancias más apreciadas del mundo vegetal. La composición de estas especies es muy similar, y sus **propiedades medicinales las mismas.** Además de la *officinalis* o *angustifolia*, cabe destacar dos que, como ella, también se cultivan:

• *Lavandula latifolia* (L.f.) Medik. = *Lavandula spica* L. var. *latifolia* L. f.: Muy similar a la lavanda, planta con la que se hibrida y da lugar a numerosas formas intermedias. Se la conoce como: **espliego,** lavándula y alhucema, y en algunos lugares también con el nombre genérico de **lavanda***.

• *Lavandula stoechas* L.: Se caracteriza porque sus flores están agrupadas en un ramillete terminal de sección cuadrangular. Su nombre popular es **cantueso,** y también recibe la denominación de: cantuesca, azaya, estecados y tomillo borriquero**.

* ***Cat.:*** *espígol comú, espígol de fulla ampla, espígol mascle, barballó;* ***Eusk.:*** *astaizpiliku;* ***Gal.:*** *arzaia, cantroxo, esprego.*

*****Cat.:*** *tomaní, romaní mascle, timó [mascle], caps d'ase, cabeçuda;* ***Eusk.:*** *izpiliku min;* ***Gal.:*** *arzaia, cantroxo, esprego.*

En cada capítulo aparecen las plantas más importantes para el tratamiento de las enfermedades de un determinado órgano o sistema. Cuando una misma planta posee ***varias aplicaciones,*** *lo cual ocurre con frecuencia, se incluye en el capítulo correspondiente a la más importante.*
Para compensar este hecho, y facilitar las búsquedas, en las ***tablas de enfermedades*** *se relacionan todas las plantas útiles para cada dolencia, independientemente del capítulo en el que se encuentren.*

Explicación de las tablas de enfermedades

Planta
Nombre común de las plantas más adecuadas para la enfermedad.
Cada una de las plantas enumeradas se puede tomar o aplicar sola, o bien en combinación con cualesquiera otras de las plantas recomendadas para esa enfermedad.

Pág. (Página)
Página del libro en la que se encuentra la planta recomendada. Las plantas están ordenadas de acuerdo a su número de página, de menor a mayor.

Acción
Acción más destacada de la planta, en relación con la enfermedad cuyo tratamiento se está describiendo.

Enfermedad
Se relacionan algunas enfermedades o trastornos propios del órgano o sistema descrito en cada capítulo.
Por razones obvias de espacio, la lista de enfermedades o trastornos **no es exhaustiva**. Se han seleccionado únicamente las dolencias más representativas de cada órgano, y las que mejor responden al tratamiento fitoterápico.

Uso
La forma de preparación y empleo de cada planta, para la enfermedad que se describe.
Cuando no se especifica la forma de empleo, se entiende que es para uso interno.
Por ejemplo: "Infusión", quiere decir que debe ser ingerida por vía oral. "Lavados con la decocción", hace referencia a un uso externo.

Enfermedad	Planta	Pág.	Acción	Uso
QUERATITIS Es la inflamación de la córnea, que es un disco transparente de aproximadamente un milímetro de espesor, que recubre la porción anterior del globo ocular. Su gravedad depende del hecho de que la córnea inflamada puede quedar opaca y dificultar la visión. Además del ***tratamiento especializado***, se recomiendan estas plantas, y en general, todas las citadas para la **conjuntivitis.**	ZANAHORIA	133	Aporta caroteno (provitamina A) que fortalece el tejido corneal	Se tomo cruda o en jugo
	EUFRASIA	136	Antiséptica y antiinflamatoria	Lavados oculares y colirio con la infusión
	VID	544	Antiinflamatoria y cicatrizante	Lavados oculares con la savia de los sarmientos
ORZUELO Pequeño furúnculo que se forma en el borde del párpado. Con el tratamiento se persigue que madure y que se abra. También se pueden aplicar las otras plantas recomendadas para la **conjuntivitis**, a ser posible en compresas sobre los párpados.	ACIANO	131	Antiinflamatorio	Compresas sobre los ojos con agua de aciano (decocción de flores)
	ROBLE	208	Antiinflamatorio	Compresas con la decocción de la corteza
	VID	544	Antiinflamatoria y cicatrizante	Lavados oculares con la savia de los sarmientos
VISIÓN, DISMINUCIÓN Las plantas que protegen los capilares de la retina, como el arándano, o que aportan la vitamina A necesaria para las células sensibles a la luz, pueden mejorar la agudeza visual	ZANAHORIA	133	Mejora la agudeza visual, especialmente en la oscuridad	Se toma cruda o en jugo
	ARÁNDANO	260	Mejora el riego sanguíneo de la retina	Jugo fresco o decocción de frutos

PLANTAS PARA LOS OJOS

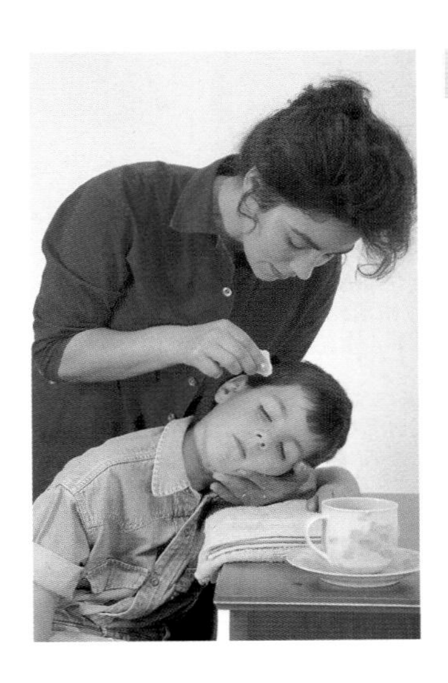

SUMARIO DEL CAPÍTULO

ENFERMEDADES Y APLICACIONES

PLANTAS

LAS PLANTAS medicinales contribuyen mediante dos mecanismos al buen funcionamiento del sentido de la vista: Aplicadas ***localmente*** sobre los ojos poseen una acción **antiséptica y antiinflamatoria,** muy útil para la higiene ocular, y en caso de conjuntivitis y de otras afecciones infecciosas o inflamatorias del polo anterior de los ojos.

Ingeridas ***por vía oral,*** hay plantas medicinales que aportan **vitamina A y antocianinas,** sustancias que mejoran la agudeza visual.

Plantas con antocianinas

El arándano es la planta con mayor concentración de antocianinas, y la que más efecto ejerce sobre la vista; pero hay también otras que pueden usarse como alternativa.

Planta	Página
Aciano	131
Arándano	260
Violeta	344
Salicaria	510
Malva	511
Vid	544
Monarda	634
Rosal	635

La **vitamina A** es necesaria para el buen funcionamiento de las células de la retina sensibles a los estímulos lumínicos.

Las **antocianinas** son sustancias de naturaleza glucosídica que comunican su típico color azul a algunas flores y frutos. Son antisépticas, antiinflamatorias, y ante todo ejercen una acción protectora sobre los vasos capilares en general, y sobre los de la retina en particular. Mejoran el riego sanguíneo en la retina. Además, las antocianinas favorecen la producción de pigmentos sensibles a la luz en las células de la retina.

Por todo ello, en uso interno, las plantas que contienen vitamina A y antocianinas, mejoran la agudeza visual y la visión nocturna.

Enfermedad	Planta	Pág.	Acción	Uso
Conjuntivitis y blefaritis	Aciano	131	Desinflama el polo anterior de los ojos	Compresas sobre los ojos, baños oculares y gotas sobre los ojos (colirio) con agua de aciano (decocción de flores de aciano)
	Zanahoria	133	Fortalece e hidrata las mucosas oculares	Se toma cruda o en jugo
	Eufrasia	136	Antiséptica y antiinflamatoria	Lavados oculares y colirio con su infusión
	Hierba de San Roberto	137	Astringente (seca la mucosa conjuntival)	Lavados oculares con su decocción
	Té	185	Astringente	Lavados oculares con su decocción
	Cariofilada	194	Desinflama y desinfecta	Lavados oculares y colirio con su infusión
	Roble	208	Antiinflamatorio. Muy útil en conjuntivitis por irritación o alergia	Compresas y baños oculares con la decocción de la corteza
	Hamamelis	257	Seda y suaviza los ojos. Alivia el picor causado por polvo, humo o cansancio ocular	Lavados oculares con la infusión de hojas y/o corteza
	Meliloto	258	Emoliente (suavizante)	Lavados oculares con su infusión
	Llantén	325	Suavizante y antiinflamatorio	Lavados oculares con su decocción
	Violeta	344	Suavizante. Especialmente útil en la blefaritis	Lavados oculares con la infusión de hojas y/o flores
	Aspérula olorosa	351	Antiinflamatoria	Lavados oculares con su decocción
	Hinojo	360	Antiinflamatorio	Lavados oculares con la infusión de semillas
	Manzanilla	364	Cicatrizante, emoliente y antiséptica	Lavados oculares con su infusión
	Verdolaga	518	Emoliente y antiinflamatoria	Cataplasmas con la planta fresca machacada
	Vid	544	Antiinflamatoria y cicatrizante. Muy útil para la higiene ocular	Lavados oculares con la savia de los sarmientos
	Rosal	635	Alivia el picor, desinflama y desinfecta	Infusión de pétalos de rosa
	Olmo	734	Desinflama y suaviza la mucosa conjuntival	Lavados oculares con la decocción de corteza
	Escaramujo	762	Antiinflamatorio y antiséptico	Lavados oculares con el agua de rosas
	Saúco	767	Suavizante y antiséptico	Compresas y lavados oculares con la infusión de flores

Conjuntivitis y blefaritis

La conjuntiva es una delicada membrana que tapiza la parte anterior del globo ocular, incluida las parte interna de los párpados. Normalmente es transparente, pero cuando se irrita o inflama (**conjuntivitis**) adquiere un color rojo sangre.

En la mayor parte de los casos, la conjuntivitis está producida por microorganismos (virus o bacterias), y se agrava por la exposición al humo, polvo, agua contaminada o luz excesiva. El forzar la vista también puede producir irritación o congestión de la conjuntiva.

El tratamiento fitoterápico se basa en aplicaciones locales de plantas ***antiinflamatorias, emolientes y antisépticas.*** En general, se recomiendan todas las plantas emolientes (ver cap. 27, pág. 680).

En los casos crónicos o persistentes, la conjuntivitis puede estar en relación con una deficiencia de vitamina A, o con un estado tóxico por mal funcionamiento del hígado o de los riñones.

La **blefaritis** es la inflamación de los párpados. Se aplican localmente las mismas plantas que en caso de conjuntivitis. Conviene prestar atención a las carencias nutritivas, especialmente de vitamina A, y de oligoelementos como el hierro.

Hamamelis

Hierba de San Roberto

Enfermedad	Planta	Pág.	Acción	Uso
QUERATITIS Es la inflamación de la córnea, que es un disco transparente de aproximadamente un milímetro de espesor, que recubre la porción anterior del globo ocular. Su gravedad depende del hecho de que la córnea inflamada puede quedar opaca y dificultar la visión. Además del ***tratamiento especializado***, se recomiendan estas plantas, y en general, todas las citadas para la **conjuntivitis.**	**ZANAHORIA**	133	Aporta caroteno (provitamina A) que fortalece el tejido corneal	Se tomo cruda o en jugo
	EUFRASIA	136	Antiséptica y antiinflamatoria	Lavados oculares y colirio con la infusión
	VID	544	Antiinflamatoria y cicatrizante	Lavados oculares con la savia de los sarmientos
ORZUELO Pequeño furúnculo que se forma en el borde del párpado. Con el tratamiento se persigue que madure y que se abra. También se pueden aplicar las otras plantas recomendadas para la **conjuntivitis**, a ser posible en compresas sobre los párpados.	**ACIANO**	131	Antiinflamatorio	Compresas sobre los ojos con agua de aciano (decocción de flores)
	ROBLE	208	Antiinflamatorio	Compresas con la decocción de la corteza
	VID	544	Antiinflamatoria y cicatrizante	Lavados oculares con la savia de los sarmientos
VISIÓN, DISMINUCIÓN Las plantas que protegen los capilares de la retina, como el arándano, o que aportan la vitamina A necesaria para las células sensibles a la luz, pueden mejorar la agudeza visual.	**ZANAHORIA**	133	Mejora la agudeza visual, especialmente en la oscuridad	Se toma cruda o en jugo
	ARÁNDANO	260	Mejora el riego sanguíneo de la retina	Jugo fresco o decocción de frutos

Aciano

Eufrasia

Las plantas más empleadas para lavar los ojos en caso de picor, irritación o cansancio ocular debido a tener que forzar mucho la vista (por ejemplo, quienes trabajan frente a una pantalla de ordenador), son las siguientes: aciano, eufrasia, hamamelis, manzanilla y rosal.

Los lavados y las compresas con estas plantas, disminuyen las ojeras y embellecen los ojos, otorgando una mirada limpia y brillante.

Aciano

Un buen remedio para los ojos

EL ACIANO salpica las doradas mieses, desde el final de la primavera, con el gracioso azul de sus flores. Desde muy antiguo, la simiente del cereal ha ido mezclada con semillas de aciano, y de esta forma han viajado juntas, repartiéndose por todo el mundo. Plinio el Viejo, naturalista romano del primer siglo de nuestra era, lo describe como «una flor molesta para los segadores», quienes sin duda trataban de evitarla con sus hoces o guadañas. Acerca de esta delicada planta, poco más nos ha llegado por escrito de los autores clásicos de la antigüedad.

Sus virtudes medicinales fueron descubiertas por Mattioli, botánico del siglo XVI, quien afirma que «las flores azules del aciano desinflaman los ojos enrojecidos». Las virtudes curativas de esta planta se deben, pensó Mattioli, a la combinación de colores opuestos, azul contra rojo, de acuerdo con la teoría de los signos.

En nuestros días, los herbicidas y los procesos de selección de las semillas de cereal, están acabando con el aciano, como si de una mala hierba más se tratase.

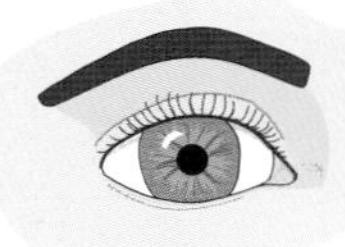
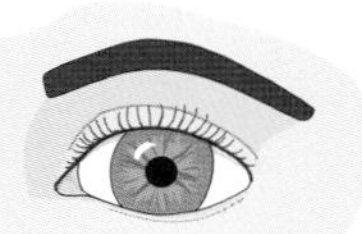

Preparación y empleo

USO INTERNO

❶ **Infusión:** 20-30 g de flores jóvenes por litro de agua. Se toma una taza antes de cada comida.

USO EXTERNO

Agua de aciano: Para obtenerla se realiza una decocción con las flores, preferiblemente frescas, en proporción de unos 30 g (2 cucharadas) por litro de agua. Dejar hervir durante 5 minutos. Se aplica sobre los ojos cuando está tibia, de una de las siguientes maneras:

❷ **Compresas:** Empapar una gasa y mantenerla unos 15 minutos sobre el ojo afectado, 2 o 3 veces al día.

❸ **Baño ocular:** Por medio de un recipiente adecuado, o simplemente escurriendo sobre el ojo afectado una gasa limpia empapada en agua de aciano. El agua debe caer desde la sien hacia la nariz.

❹ **Colirio:** Unas gotas de agua de aciano en el ojo 3 veces cada día.

Sinonimia hispánica: *azulejo, ciano, ojeras;* ***Cat.:*** *blauet, angelets, flor de blat;* ***Eusk.:*** *nabar-lore;* ***Gal.:*** *fidalguiños, acial;* ***Fr.:*** *bleuet;* ***Ing.:*** *cornflower, bluebottle;* ***Al.:*** *Kornblume.*

Hábitat: *Se cría sobre todo en los campos de cereales de toda Europa, aunque ha sido exportado a otros continentes, como el americano. En España se hace menos frecuente hacia el sur y hacia el oeste.*

Descripción: *Planta de tallo fino, de la familia de las Compuestas, que alcanza hasta medio metro de altura. Sus flores son compuestas, de un azul intenso. Las hojas, muy finas, aparecen recubiertas de un suave terciopelo.*

Partes utilizadas: *las flores.*

Las flores del aciano contienen antocianinas de acción antiséptica y antiinflamatoria. En tisana, por vía oral, mejoran la circulación sanguínea en los capilares de la retina, además de tener un efecto aperitivo y eupéptico.

Propiedades e indicaciones: Las ***FLORES*** contienen antocianinas y polifenoles de acción **antiséptica y antiinflamatoria;** principios amargos, que actúan como **aperitivos y eupépticos** (facilitan la digestión); y flavonoides con un suave efecto **diurético.**

Las flores se toman en infusión, antes de las comidas **[❶]**. Es preferible no endulzar esta tisana.

El ***AGUA DE ACIANO*** obtenida por decocción de sus flores, se usa sobre todo, por su notable efecto **antiinflamatorio,** aplicada sobre el polo anterior de los ojos.

Los lavados y baños oculares con agua de aciano alivian eficazmente los picores y la irritación de los ojos. También devuelven un aspecto fresco y terso a los párpados recargados. De ahí que en muchos lugares se le dé a esta planta el nombre de ojeras. Quienes se lavan los ojos con agua de aciano, tienen una mirada limpia y brillante, que resplandece igual que sus azules florecillas en los rubios trigales.

Estas son las indicaciones más importantes del agua de aciano:

• **Conjuntivitis** (inflamación de la membrana mucosa que recubre la parte anterior de los ojos) **[❷,❸,❹]**: Los baños oculares con agua de aciano, y también los colirios, ayudan a eliminar las secreciones (legañas), y a que desaparezca la congestión ocular.

• **Blefaritis** (inflamaciones de los párpados), y **orzuelos** (pequeños forúnculos que se forman en el borde del párpado) **[❷,❸]**. En estos casos se recomienda aplicar el agua de aciano en forma de compresas o de baño ocular.

Antiguamente se pensaba que el aciano era capaz de aclarar y conservar la vista, aunque únicamente de los que tuvieran ojos azules. Por ello, en francés, se la llama a esta planta *casse-lunettes* (rompegafas). Hoy sabemos que se trata de una leyenda, pero de todas formas, recordemos que el aciano es un gran amigo de los ojos.

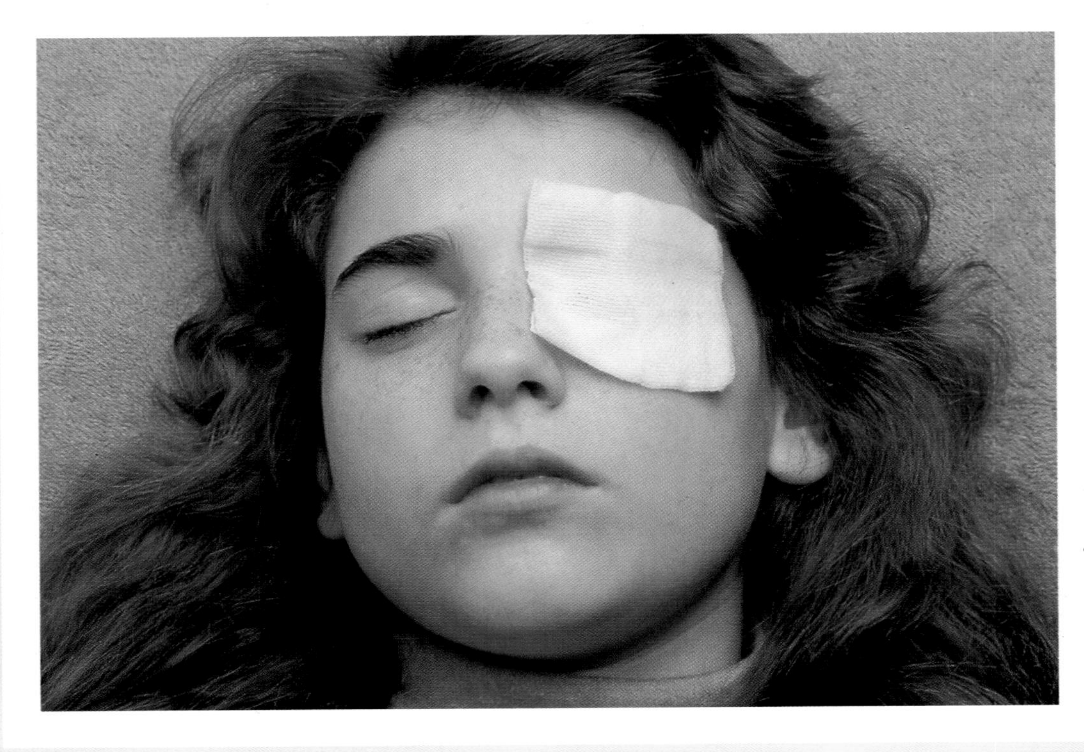

Las compresas con agua de aciano sobre los ojos reducen los párpados recargados y otorgan una mirada limpia y brillante a quienes se las aplican.

Zanahoria

Esencial para la vista y para la piel

LA ZANAHORIA pertenece a la misma familia botánica que la cicuta (pág. 155), de la que la variedad silvestre se distingue por tener una mancha de color púrpura en el centro de las umbelas florales. La zanahoria silvestre tiene una raíz leñosa que la hace inadecuada para la alimentación, pero que aplicada en cataplasma, tiene las mismas propiedades medicinales que la cultivada.

En los linderos de los cultivos pueden encontrarse zanahorias silvestres. Aunque su raíz no es comestible, en cataplasma tiene un notable efecto suavizante sobre la piel.

Preparación y empleo

USO INTERNO

❶ **Cruda:** La zanahoria, en rodajas o cortada en tiras, debiera ser ***componente indispensable*** del plato de **ensalada** que debemos consumir todos los días las personas sanas. En caso de estómago delicado la zanahoria cruda se puede consumir finamente rallada.

❷ **Jugo:** Se toma recién hecho, solo o mezclado con jugo (zumo) de limón y/o de manzana, en cantidad de medio a un vaso diario. Para notar sus efectos beneficiosos, se debe tomar durante largos periodos de tiempo (mínimo un mes).

Conviene hacer notar que la provitamina A no se destruye durante la cocción, pero sí que se degrada por la acción de la luz.

❸ **Infusión** de semillas: 20-30 g por litro de agua. Se ingieren 3 o 4 tazas diariamente.

USO EXTERNO

❹ **Cataplasmas** de zanahoria cocida y machacada, como suavizante de la piel.

Sinonimia hispánica: *bufanaga, acenoria, sinoria, forrajera;* ***Cat.:*** *pastanaga, carlota, safanòria;* ***Eusk.:*** *mandaperrexil, [zuhain]-azenario;* ***Gal.:*** *cenoura, cenoira;* ***Fr.:*** *carotte;* ***Ing.:*** *carrot;* ***Al.:*** *Mohrrübe.*

Hábitat: *La variedad silvestre es común en campos y lugares incultos de toda Europa. Su cultivo se ha extendido a los cinco continentes.*

Descripción: *Planta bienal de la familia de las Umbelíferas, de hasta 80 cm de altura. Las hojas se hallan finamente divididas y las flores son blancas, agrupadas en umbelas terminales.*

Partes utilizadas: *las raíces y las semillas.*

La zanahoria es un alimento-medicina ideal para los niños: estimula su crecimiento, aumenta las defensas, evita las diarreas, desarrolla una buena visión, y embellece la piel y el cabello. Además, contribuye a la formación de una dentadura fuerte y bien desarrollada, especialmente si se mastica cruda.

En el Papiro de Ébers, escrito en torno al año 1.500 a.C. en Egipto, ya se recomendaba la zanahoria como cosmético, aplicada en rodajas sobre el rostro. Hoy sabemos que su efecto beneficioso sobre la piel se debe especialmente a la provitamina A que contiene. La vitamina A se ha definido como la ***"vitamina de la belleza".***

PROPIEDADES E INDICACIONES: La *RAÍZ* contiene abundante pectina, sustancia glucídica de acción absorbente y **antidiarreica;** sales minerales diversas, especialmente de potasio y fósforo, así como oligoelementos, que la hacen **remineralizante y diurética;** aceite esencial, que le confiere su peculiar aroma y sus efectos **vermífugos;** y vitaminas del grupo B, algo de la C, y sobre todo, caroteno (4.500 µg por cada 100 g). La zanahoria es ***uno de los vegetales más ricos en provitamina A,*** solo superada por la alfalfa (5.300 µg por 100 g). Otras fuentes importantes de caroteno son las espinacas, la col, los albaricoques, los tomates y los pimientos.

El ***CAROTENO,*** o provitamina A, es el principio activo más valioso de la zanahoria. En el intestino se transforma en vitamina A o retinol.

La ***VITAMINA A*** desempeña funciones esenciales en la fisiología humana:

✓ en los mecanismos de la **visión** en la retina;

✓ en el buen estado de la **piel** y las **mucosas;** y

✓ en la producción de **sangre** y de **anticuerpos** (defensas).

Por su abundante contenido en provitamina A, la zanahoria resulta de gran utilidad cuando se haya producido una carencia de esta importante vitamina, bien sea por aporte insuficiente, por mala asimilación o por aumento de las necesidades.

Los síntomas o signos de falta de vitamina A, que la zanahoria contribuye a superar, son los siguientes:

• **Trastornos de la visión [❶,❷]:** pérdida de la agudeza visual, hemeralopía (dificultad para ver durante la noche o con poca luz), sequedad del polo anterior del ojo, blefaritis (inflamación de los párpados), conjuntivitis crónica y queratitis (inflamación de la córnea), entre otros.

Con el consumo abundante de zanahoria se obtienen excelentes resultados, permitiendo mejorar notablemente la capacidad visual en los casos en que su pérdida sea debida a una carencia de vitamina A.

• **Alteraciones de la piel:** sequedad, arrugas, atrofia, acné. La zanahoria contribuye, de forma muy marcada, a salud y a la belleza de la piel, tanto si se aplica externamente **[❹]** como tomada por vía oral **[❶,❷]**. Le proporciona una tersura y una suavidad que difícilmente se puede conseguir con otros cosméticos.

Existen casos rebeldes de **acné** que han mejorado después de un largo tratamiento a base de zanahoria.

También fortalece las **uñas** y el **cabello,** al que le da más brillo.

• **Alteraciones de las mucosas:** La vitamina A también interviene en la es-

Hipervitaminosis A

Los alimentos de origen animal, como el hígado de los mamíferos o de pescado, contienen abundante retinol (vitamina A animal). El retinol puede llegar a tener efectos tóxicos si se ingiere en dosis elevadas, a diferencia del caroteno (provitamina A vegetal), que no tiene ningún riesgo de toxicidad, pues el organismo solo transforma en vitamina A (retinol) el caroteno que necesita (ver en esta misma BIBLIOTECA EDUCACIÓN Y SALUD, *la 'Enciclopedia de los alimentos', T. 1 pág. 389).*

Nuestro organismo es incapaz de producir la vitamina A si no se le aporta su precursor, el caroteno.

Necesidades diarias de vitamina A:

- *400-700 µg para los niños,*
- *900 µg para los adultos,*
- *800 µg para las mujeres embarazadas y 1.300 para las que lactan.*

1 µg (microgramo) de vitamina A = 3,33 U.I. (Unidades Internacionales).

tabilidad de las mucosas, membranas que tapizan el interior de los conductos y cavidades orgánicas. Por eso resulta útil en la prevención de la litiasis urinaria y biliar, pues se ha demostrado que una mucosa sana impide la formación de **cálculos** en el interior de los conductos urinarios o biliares.

La vitamina A tiene asimismo valor como preventivo de **catarros** nasales, sinusales, faríngeos y bronquiales, pues, además de fortalecer las mucosas, aumenta las defensas. También mejora la función de la mucosa gástrica, normalizando la producción de jugos (conviene en las **gastritis**) y colabora en la cicatrización de las **úlceras.** La zanahoria calma los **dolores de estómago** y el exceso de **acidez.**

• **Trastornos metábolicos y endocrinos:** anemia, retraso del crecimiento, hipertiroidismo (regula la función del tiroides), dismenorrea, depresión nerviosa, y otros trastornos **{❶,❷}**.

Otras aplicaciones de la ***ZANAHORIA*** son las siguientes:

• **Diarreas y colitis**: Especialmente en los niños, debido a la acción de la pectina. Se administra rallada o hervida **{❶,❷}**.

• **Parásitos intestinales:** El aceite esencial que contiene la zanahoria es especialmente activo contra los oxiuros **{❶,❷}**. Se toma cruda y rallada: de medio a un kilo durante 24 horas como único alimento. También resulta efectivo tomar durante una semana todas las mañanas dos zanahorias en ayunas.

• **Crecimiento:** La zanahoria es un auténtico ***alimento-medicina para los niños*** **{❶,❷}**. Su jugo se puede administrar desde los dos meses, o incluso antes: aumenta las defensas, evita las diarreas, protege contra los parásitos, estimula el crecimiento, favorece la erupción dentaria, y fortalece la dentadura, si además de administrarla líquida, se hace que la mastiquen los niños en edad preescolar. Es muy útil en caso de **celiaquía** (malabsorción intestinal por intolerancia al gluten).

• **Curas depurativas:** La zanahoria es **alcalinizante** de la sangre, con lo que compensa y elimina los residuos ácidos del metabolismo (ácido úrico y otros) **{❶,❷}**.

• **Curas de desintoxicación:** Resulta muy apropiada para quienes desean **dejar de fumar {❶,❷},** pues acelera la eliminación de la nicotina, y por su contenido en vitamina A, regenera las mucosas del aparato respiratorio.

• **Suavizante de la piel:** Aplicada ***externamente*** en cataplasmas, se usa para curar heridas infectadas, quemaduras, eccemas, abscesos, acné, y como cosmético, para embellecer la piel **{❹}**.

Las ***SEMILLAS*** de zanahoria contienen un aceite esencial de acción **carminativa** (evita los gases intestinales), **emenagoga** (favorece las reglas) y algo **diurética,** como la mayoría de las Umbelíferas **{❸}.**

Eufrasia

Ideal para lavados oculares

PROPIEDADES E INDICACIONES: Toda la planta contiene el glucósido aucubina, taninos, ácidos fenólicos, flavonoides, vitaminas A y C e indicios de esencia. Tiene propiedades **antisépticas, antiinflamatorias y astringentes,** especialmente efectivas sobre la mucosa conjuntival.

Se viene utilizando con éxito desde la Edad Media, en casos de **conjuntivitis, blefaritis** (inflamación de los párpados), **queratitis** superficial (inflamación de la córnea) y **lagrimeo** ocular [❶,❷]. Da muy buen resultado lavar con eufrasia los **ojos legañosos,** pues, además de arrastrar las secreciones, desinflama y seca la conjuntiva.

También se aplica en gárgaras y enjuagues bucales en caso de **estomatitis** (inflamación de las mucosas bucales) y de **faringitis [❸],** así como en irrigaciones nasales en caso de **rinitis [❹]** (inflamación del interior de la nariz).

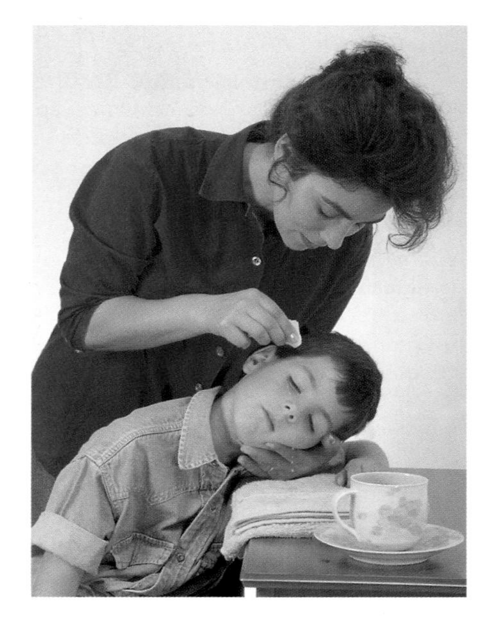

Sinonimia hispánica: *eufrasia oficinal;* ***Cat.:*** *eufràsia;* ***Eusk.:*** *begi-belar;* ***Gal.:*** *eufrasia;* ***Fr.:*** *euphraise;* ***Ing.:*** *[red] eyebright;* ***Al.:*** *Augentrost.*

Hábitat: *Praderas y bosques montañosos de toda Europa. Naturalizada en el continente americano.*

Descripción: *Planta anual, de la familia de las Escrofulariáceas, que alcanza de 10 a 30 cm de altura. Las flores son blancas con rayas violeta, y su corola está formada por dos labios. Parasita las raíces de otras plantas.*

Partes utilizadas: *la planta entera.*

La eufrasia se encuentra en las regiones montañosas de Europa y América.

Preparación y empleo

USO EXTERNO

Infusión con 40 g de planta por litro de agua. Tiene diversas aplicaciones:

❶ **Lavados oculares:** Dejar caer el líquido de afuera hacia adentro, es decir, desde la sien hasta la nariz. Los lavados oculares se realizan sobre todo por la mañana.

❷ **Colirio:** 5-10 gotas en cada ojo, 4 veces diarias.

❸ **Gargarismos y enjuagues**, en caso de afecciones bucofaríngeas.

❹ **Irrigaciones nasales** en caso de rinitis o coriza.

Hierba de San Roberto

Limpia los ojos y desinflama la boca

SE DEBE tener precaución con el fin de no confundirla con la cicuta (pág. 155). Ambas desprenden un olor desagradable y tienen las hojas muy parecidas. Ahora bien, la hierba de San Roberto resulta fácil de identificar por sus flores de color rosa, y por sus frutos desecados, semejantes a una lamparita o al pico de una grulla.

PROPIEDADES E INDICACIONES: Toda la planta contiene una sustancia amarga (geraniína), un aceite esencial que le comunica su olor típico, e importantes cantidades de tanino, que determinan su acción astringente. En ***uso interno*** presenta propiedades **astringentes, diuréticas, fluidificantes** de la sangre y ligeramente hipoglucemiantes. Se utiliza en casos de **diarrea, edemas** (retención de líquidos), y como complemento en el régimen de los **diabéticos (❶,❷)**.

En la actualidad ***se usa*** sobre todo ***externamente***, por sus propiedades **astringentes y vulnerarias,** en los siguientes casos:

- **Afecciones de los ojos:** irritación ocular, legañas, conjuntivitis **(❸)**.
- **Afecciones bucales:** estomatitis, faringitis, gingivitis **(❸)**.
- **Erupciones cutáneas:** herpes, eccemas e infecciones de la piel **(❹)**.

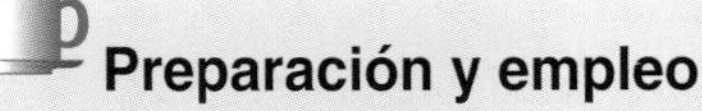

Preparación y empleo

USO INTERNO

❶ **Decocción** de 20 g de planta por litro de agua, de la que se toman 3 o 4 tazas al día.

❷ **Esencia**: La dosis habitual es de 2-4 gotas, 3 veces al día.

USO EXTERNO

❸ **Lavados** oculares y **enjuagues** bucales, con una decocción de 40 g de planta por litro de agua.

❹ **Compresas,** con esta misma decocción (40 g por litro).

Los lavados de ojos pueden hacerse con la ayuda de una copa ocular (ver pág. 72).

Sinonimia hispánica: *hierba de Roberto, hierba de San Ruperto;* ***Cat.:*** *herba de [Sant] Robert, herba de Sant Jaume, herba pudent, gerani pudent, agulles salades, poteta de gall;* ***Eusk.:*** *[San Robertoren] zaingorri;* ***Gal.:*** *herba da agulla, agulleira;* ***Fr.:*** *herbe à Robert;* ***Ing.:*** *herb Robert;* ***Al.:*** *Ruprechtskraut.*

Hábitat: *Común en lugares sombríos como muros, linderos de bosques y barrancos de toda Europa y Norteamérica.*

Descripción: *Planta herbácea de la familia de las Geraniáceas que alcanza de 20 a 60 cm de altura. Toda la planta tiene un tono rojizo, y desprende un olor desagradable típico. Sus flores son rosadas, y se presentan en grupos de dos.*

Partes utilizadas: *la planta entera.*

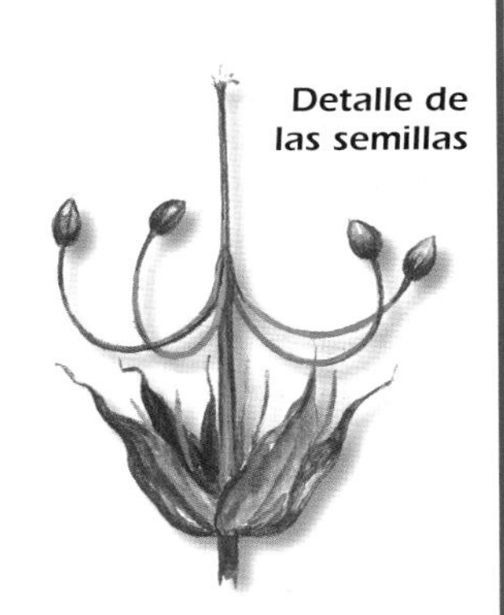

Detalle de las semillas

Plantas para el sistema nervioso

Sumario del Capítulo

Enfermedades y aplicaciones

Plantas

LAS PLANTAS medicinales ejercen notables acciones, tanto sobre el sistema nervioso central, sede de las funciones mentales, como sobre el vegetativo o autónomo, que regula y coordina las funciones de los diversos órganos del cuerpo.

A diferencia de la mayoría de los psicofármacos (medicamentos que actúan sobre las funciones mentales), las plantas ejercen sus efectos tonificantes y sedantes sobre el sistema nervioso de modo fisiológico, suave y seguro.

Además, es muy raro que se produzca dependencia de tipo psíquico o físico con el uso de las plantas medicinales que recomendamos, a diferencia de lo que ocurre con los estimulantes, sedantes, somníferos, y otros medicamentos de síntesis química.

Ciertamente, los medicamentos químicos ejercen una acción mucho más potente que las plantas medicinales, pero también con mayores efectos secundarios y riesgos en general. Ante un caso de excitación nerviosa aguda, por ejemplo, un psicofármaco de acción sedante o ansiolítica (que elimina la ansiedad) puede producir un efecto rápido e incluso espectacular; pero que muy probablemente se verá acompañado de efectos indeseables en las horas siguientes, tales como incoordinación motora y somnolencia.

Por el contrario, las plantas actúan sobre el organismo regulando y equilibrando los procesos vitales, más que anulando u oponiéndose a determinados síntomas. Por ello ejercen una verdadera acción equilibradora de las complejas funciones nerviosas y mentales, así como un efecto preventivo de trastornos y desequilibrios.

El agotamiento y la astenia

El agotamiento y la astenia (cansancio excesivo), constituyen dos de los síntomas más frecuentes en la sociedad occidental, fuertemente condicionada por conceptos tales como el rendimiento y la productividad. El sistema nervioso, como "director" de las funciones del organismo, es el encargado de mantener el tono vital que nos permite desarrollar las actividades diarias. Elevar ese tono vital constituye una de las necesidades más perentorias de muchas personas aquejadas de agotamiento nervioso, astenia o estrés. Y para ello, a menudo se recurre a sustancias estimulantes o excitantes, que, si bien logran un efecto momentáneo, acaban provocando un mayor agotamiento después de pasado el efecto.

Para el tratamiento del agotamiento y de la astenia, conviene administrar dos tipos de plantas medicinales:

- Plantas **nutritivas,** que aporten los nutrientes básicos que más suelen escasear en la dieta, y que las células nerviosas necesitan para su buen funcionamiento: vitaminas y oligoelementos.
- Plantas **tonificantes,** que aportan un estímulo fisiológico, no irritativo, sobre las funciones del sistema nervioso y del resto del organismo.

Las plantas o sustancias que únicamente alcanzan a excitar o estimular el sistema nervioso (como el café o el té), pero sin nutrir ni favorecer las funciones digestivas, no consiguen la reparación biológica de los sistemas u órganos afectados por el agotamiento. En realidad, lo que consiguen los excitantes o estimulantes es una sensación subjetiva de vitalidad, pero sin la correspondiente recuperación orgánica. Esto conduce a un mayor agotamiento, hasta llegar al fracaso o deterioro del organismo, manifestado por el infarto de miocardio, la úlcera gastroduodenal, la depresión inmunitaria (baja de defensas), e incluso posiblemente el cáncer.

Además de usar las plantas que en esta obra se recomiendan, el tratamiento del agotamiento físico o nervioso requiere imperativamente un cambio en el estilo de vida causante del agotamiento.

AGOTAMIENTO Y ASTENIA

Entendemos por **agotamiento** un estado de debilidad del organismo, a consecuencia de un esfuerzo excesivo, que no va acompañado de la necesaria recuperación de los órganos o sistemas afectados.

El **agotamiento físico** suele estar precedido por un gran esfuerzo muscular o una enfermedad grave. El **agotamiento nervioso** puede aparecer tras un período de gran actividad intelectual mantenida, o de tensión nerviosa prolongada.

El agotamiento físico y el nervioso están relacionados entre sí, pues uno puede aparecer a consecuencia del otro, y viceversa.

La **astenia** es un estado de falta o de pérdida de fuerzas que aparece espontáneamente, sin relación directa con un esfuerzo previo.

Fruto del cacao

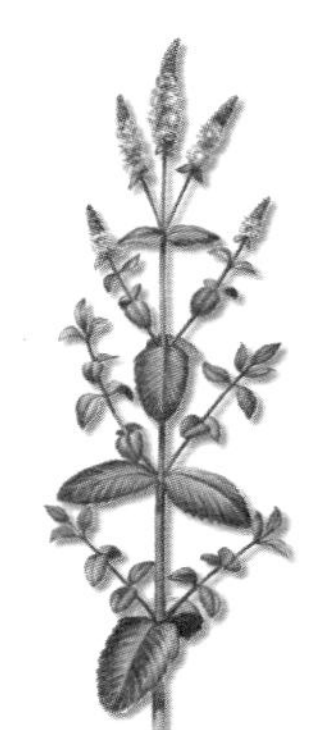

Menta

Enfermedad	Planta	Pág.	Acción	Uso
Agotamiento y astenia	AVENA	150	Tonificante, nutritiva	Copos con leche o caldo
	AJO	230	Activa el metabolismo	Crudo, en extractos o en ajoaceite
	BERRO	270	Abre el apetito y activa el metabolismo	Crudo o en jugo
	ESPIRULINA	276	Nutre, tonifica y revitaliza	Preparados farmacéuticos
	CEBOLLA	294	Aporta enzimas y oligoelementos que activan el metabolismo	Cruda, en jugo, hervida o asada
	ALSINE	334	Remineralizante y vitamínico Estimulante natural	Crudo, cocinado o en decocción
	SERPOL	338	Tonificante y revitalizante	Baños calientes con su decocción
	MENTA	366	Tonificante	Infusión, esencia
	ALBAHACA	368	Tonificante, sube la tensión	Infusión, esencia
	AJEDREA	374	Tonifica el sistema nervioso	Infusión, esencia
	SERBAL SILVESTRE	535	Aporta vitamina C y ácidos orgánicos	Frutos (serbas) maduros
	APIO	562	Tonificante y remineralizante	Crudo, jugo fresco
	FRESAL	575	Abre el apetito, estimula el metabolismo	Cura de fresas
	CACAO	597	Tonificante y ligeramente estimulante	Decocción de semillas, cacao
	GINSENG	608	Aumenta el rendimiento físico	Preparados farmacéuticos
	SÉSAMO	611	Nutritivo, restaura la vitalidad	Semillas
	DAMIANA	613	Tonificante del sistema nervioso	Infusión, extractos
	ROMERO	674	Tonificante general	Infusión, baños, fricciones
	ALOE	694	Tonificante, estimula las defensas	Jugo
	ESPINO AMARILLO	758	Reconstituyente, aumenta el tono vital	Frutos (bayas)
	ESCARAMUJO	762	Tonificante y antiescorbútico	Frutos frescos o en decocción
	TOMILLO	769	Tonificante general. Estimula las funciones intelectuales	Infusión, esencia

DEPRESIÓN NERVIOSA

Estado psíquico de abatimiento y profunda tristeza, con o sin causa evidente, acompañado de pérdida del apetito, insomnio y tendencia a la inactividad.

Se recomiendan las plantas con acción ***tonificante y equilibradora*** sobre el sistema nervioso, así como las que aportan sustancias nutritivas como la vitamina B o la lecitina. Las plantas y sustancias **estimulantes o excitantes *no deben usarse*** en el tratamiento de la depresión.

Melisa

Enfermedad	Planta	Pág.	Acción	Uso
Depresión nerviosa	AVENA	150	Tonificante, nutritiva	Copos con leche o caldo
	MELISA	163	Equilibrante del sistema nervioso	Infusión, extractos
	VALERIANA	172	Sedante suave, disminuye la ansiedad	Infusión, maceración o polvo de raíz
	SERPOL	338	Tonificante y revitalizante	Baños calientes con su decocción
	ANGÉLICA	426	Tonificante y equilibradora del sistema nervioso	Infusión, decocción
	APIO	562	Tonificante general	Jugo fresco
	GINSENG	608	Antidepresivo y ansiolítico	Preparados farmacéuticos
	SÉSAMO	611	Nutritivo. Restaura la vitalidad	Semillas
	SALVIA	638	Estimula la función de las glándulas suprarrenales	Infusión, esencia
	HIPÉRICO	714	Tonificante y equilibrador nervioso	Infusión
	TOMILLO	769	Tonificante general. Estimula las funciones intelectuales	Infusión, esencia

Enfermedad	Planta	Pág.	Acción	Uso
NERVIOSISMO Y ANSIEDAD	AVENA	150	Sedante del sistema nervioso. Contiene vitaminas A y B	Infusión de salvado (paja) por vía oral y añadida al agua del baño
	NARANJO	153	Sedante y somnífero suave	Infusión de hojas y/o flores (azahar)
	LÚPULO	158	Sedante y somnífero	Infusión y extractos
	LECHUGA SILVESTRE	160	Sedante, calma la excitación nerviosa	Decocción de hojas, lactucario, jugo fresco
	LAVANDA	161	Sedante y equilibradora del sistema nervioso	Infusión, extractos, esencia
	MELISA	163	Sedante suave y equilibradora	Infusión, extractos
	PASIONARIA	167	Disminuye la ansiedad	Infusión
	TILO	169	Sedante y relajante	Infusión de flores, decocción de corteza, extractos
	VALERIANA	172	Sedante suave, disminuye la ansiedad	Infusión, maceración o polvo de raíz
	ESPINO BLANCO	219	Sedante del sistema nervioso vegetativo, ansiolítica	Infusión de flores, frutos frescos, extractos
	ONAGRA	237	Contribuye a la estabilidad del sistema nervioso y al equilibrio hormonal	Cápsulas o comprimidos del aceite de las semillas
	LIMONERO	265	Sedante y antiespasmódico	Infusión de hojas
	AMAPOLA	318	Sedante y somnífera	Infusión o jarabe de pétalos, decocción de frutos
	MEJORANA	369	Sedante, alivia la ansiedad	Infusión y esencia
	HIERBA LUISA	459	Alivia la ansiedad	Infusión
	SAUCE BLANCO	676	Sedante, somnífero suave	Infusión de flores
ESTRÉS	MELISA	163	Sedante suave y equilibradora	Infusión, extracto
	PASIONARIA	167	Disminuye la ansiedad	Infusión
	TILO	169	Tranquilizante y relajante	Infusión, baños calientes con infusión de flores
	ANGÉLICA	426	Tonificante	Infusión de raíz
	VID	544	Elimina toxinas y residuos metabólicos	Cura de uvas
	GINSENG	608	Tonificante	Extractos
	DAMIANA	613	Tonificante y revitalizante	Infusión
	ROSAL	635	Sedante del sistema neurovegetativo	Infusión de pétalos

NERVIOSISMO Y ANSIEDAD

El **nerviosismo** es un estado de excitación nerviosa, sea por una causa justificada o no.

La **ansiedad** es una emoción indeseable e injustificada, cuya intensidad no guarda proporción con la posible amenaza que la provoca. La ansiedad es diferente del miedo, pues este implica la presencia de un peligro real conocido. La ansiedad suele manifestarse externamente con un estado de hiperexcitación nerviosa.

Las plantas medicinales pueden hacer mucho por aliviar el nerviosismo y la ansiedad, aportando sedación y equilibrio al sistema nervioso.

Lúpulo

Tilo

ESTRÉS

Para el tratamiento fitoterápico del estrés se recomienda combinar dos tipos de plantas: las ***tonificantes***, para aumentar la energía vital con la que enfrentarse a las situaciones estresantes, y las ***equilibrantes o sedantes*** del sistema nervioso, con el fin de que la respuesta orgánica ante situaciones estresantes sea más suave.

Además de las plantas citadas, se recomiendan como tonificantes la ajedrea (pág. 374), la menta (pág. 366) o el romero, y como equilibrante el espino blanco (pág. 219).

Pasionaria

Enfermedad	Planta	Pág.	Acción	Uso
INSOMNIO Es la falta de sueño, ya sea por dificultad para conciliarlo o por despertar precozmente. Al contrario que muchos de los somníferos de síntesis química, las plantas medicinales que recomendamos son capaces de inducir un sueño natural y reparador, sin somnolencia residual a la mañana siguiente, y sin riesgo de adicción. *Valeriana*	NARANJO	153	Sedante y somnífero suave	Infusión de hojas y/o flores (azahar)
	LÚPULO	158	Sedante y somnífero	Infusión y extractos
	LECHUGA SILVESTRE	160	Sedante, calma la excitación nerviosa	Decocción de hojas, lactucario, jugo fresco
	LAVANDA	161	Sedante, calma la excitación	Inhalaciones de la esencia
	MELISA	163	Sedante suave y equilibradora	Infusión, extracto
	PASIONARIA	167	Sedante, induce un sueño natural	Infusión
	TILO	169	Induce un sueño natural, sin somnolencia a la mañana siguiente	Infusión de flores, decocción de corteza, extractos, baño caliente con flores
	VALERIANA	172	Sedante suave, disminuye la ansiedad, somnífera	Infusión, baños calientes con la decocción de raíz
	AMAPOLA	318	Sedante y somnífera	Infusión o jarabe de pétalos, decocción de frutos
	ASPÉRULA OLOROSA	351	Sedante y somnífera	Infusión
	CÁLAMO AROMÁTICO	424	Relajante muscular y sedante suave	Baño con decocción de rizoma
	SAUCE BLANCO	676	Sedante, somnífero suave	Infusión de flores
ENFERMEDADES PSICOSOMÁTICAS Son las enfermedades cuyo origen es psicológico, al menos parcialmente, pero que se manifiestan con alteraciones funcionales de diversos órganos. Algunas de las más frecuentes son: **úlcera gastroduodenal, colon irritable, angina de pecho,** y ciertos **eccemas** cutáneos. Estas plantas equilibran y modifican el sistema nervioso vegetativo, verdadero sustrato de la relación entre la mente y el cuerpo.	LAVANDA	161	Sedante y equilibradora del sistema nervioso central y vegetativo	Infusión, extracto o esencia
	VALERIANA	172	Sedante, disminuye la ansiedad	Infusión, maceración o polvo de raíz
	ROSAL	635	Sedante del sistema neurovegetativo	Infusión de pétalos
DOLOR Y NEURALGIA Estas plantas analgésicas actúan tanto por vía interna, cuando son ingeridas, como por vía externa, cuando se aplican localmente sobre la piel. En general, su acción no es tan intensa y rápida como la de los analgésicos de síntesis química o a base de sustancias puras. Sin embargo, los efectos de las plantas son más duraderos y en general, tienen menos efectos indeseables. La **neuralgia** es un tipo especial de dolor, caracterizado por ser intenso, intermitente y localizado en el trayecto de un nervio. El tratamiento fitoterápico aporta especialmente una ***acción preventiva***. *Naranjo*	NARANJO	153	Antiespasmódico y sedante. Útil contra las jaquecas	Infusión de hojas y/o flores
	CICUTA	155	Analgésica y anestésica local para dolores intratables	Polvo de frutos secos disueltos en agua, pomada
	LÚPULO	158	Calma el dolor de estómago y las neuralgias	Compresas calientes con la infusión de conos, cataplasmas calientes con los conos (inflorescencias)
	BELEÑO NEGRO	159	Analgésico en caso de gota, ciática y neuralgias	Cataplasmas de hojas machacadas, ungüento
	ADORMIDERA	164	Analgésica potente, narcótica	Decocción de cápsulas maduras
	PASIONARIA	167	Antiespasmódica, calma dolores cólicos y neuralgias	Infusión de flores y hojas
	VALERIANA	172	Analgésica en dolores de ciática y neuralgia	Infusión, maceración, compresas de decocción de raíz
	VERBENA	174	Analgésica en dolores reumáticos y neuralgias	Infusión o decocción, compresas y cataplasmas
	ULMARIA	667	Analgésica y antiinflamatoria en dolores osteomusculares y neuralgias	Infusión y compresas
	HIEDRA	712	Analgésica en neuralgias y dolores reumáticos	Compresas, baños y cataplasmas con las hojas

Enfermedades	Planta	Pág.	Acción	Uso
DOLOR DE CABEZA El dolor de cabeza, o **cefalea,** se debe a numerosas causas. Las más comunes son: • **Congestión**, es decir, acumulación excesiva de sangre en la cabeza. Por ello se usan las plantas ***revulsivas*** como la mostaza, que derivan la sangre hacia otro lugar. • **Falta de riego sanguíneo** en la cabeza, por lo que se usan las plantas ***vasodilatadoras.*** • **Mala digestión** o mal funcionamiento de la **vesícula** biliar. Por ello se usan las plantas ***digestivas y colagogas.***	**MELISA**	163	Antiespasmódica y sedante. Calma el dolor de cabeza causado por la tensión nerviosa	Infusión y extractos
	GINKGO	234	Vasodilatador, mejora la circulación cerebral	Infusión de hojas
	VINCAPERVINCA	244	Vasodilatadora, aumenta el riego sanguíneo del cerebro	Decocción, preparados farmacéuticos
	PRIMAVERA	328	Antiespasmódica y sedante	Infusión de flores
	MENTA	366	Tonificante y digestiva	Infusión y esencia
	BOLDO	390	Normaliza el funcionamiento de la vesícula biliar	Infusión y extractos
	POLEO	461	Calma los dolores de cabeza de origen digestivo	Infusión
	MOSTAZA NEGRA	663	Revulsiva, descongestiona la cabeza en caso de catarro nasal o gripe	Baños de pies calientes con harina de mostaza
JAQUECA (MIGRAÑA) Es un dolor de cabeza intenso, que generalmente afecta a medio lado, y que aparece con cierta periodicidad, asociado a molestias en los ojos. Durante la crisis de jaqueca se produce un espasmo de las arterias que riegan la cabeza, por lo que son útiles las plantas ***antiespasmódicas***. En muchas ocasiones, las crisis de jaqueca están desencadenadas por fermentaciones digestivas o ciertos alimentos. *Albahaca*	**NARANJO**	153	Antiespasmódico y sedante	Infusión de hojas y/o flores
	TILO	169	Previene la aparición de las crisis de jaqueca	Decocción de la corteza
	VERBENA	174	Antiespasmódica, analgésica, disminuye la intensidad de la jaqueca	Infusión y decocción
	LIMONERO	265	Sedante y antiespasmódico	Infusión de hojas
	VIOLETA	344	Antiinflamatoria, calma el dolor de cabeza	Infusión de hojas y/o flores, compresas sobre la frente
	ALBAHACA	368	Antiespasmódica, calma las jaquecas asociadas a mala digestión	Infusión, esencia
	CARDO MARIANO	395	Regula el tono de los vasos sanguíneos	Infusión o decocción de frutos
	ANGÉLICA	426	Digestiva, alivia las jaquecas de origen digestivo	Infusión o decocción
	VERÓNICA	475	Digestiva, tonificante, alivia las jaquecas de origen digestivo	Infusión, jugo fresco
RENDIMIENTO INTELECTUAL INSUFICIENTE Las plantas ricas en ácidos grasos esenciales como el linoleico, en lecitina, en vitaminas del grupo B, y en minerales como el fósforo, favorecen un buen rendimiento intelectual. También convienen, aunque no de forma continuada, los ***tonificantes*** no excitantes, como el ginseng o el tomillo. Los estudiantes y todos aquellos que estén sujetos a un gran esfuerzo intelectual, pueden beneficiarse de su uso.	**AVENA**	150	Tonifica y equilibra el sistema nervioso	Copos (semillas prensadas) con leche o caldo vegetal
	NOGAL	505	Aporta ácidos grasos esenciales, fósforo y vitaminas B	Semillas (nueces)
	GINSENG	608	Tonifica, aumenta la capacidad de concentración y de memoria	Preparados farmacéuticos
	SÉSAMO	611	Complemento nutritivo idóneo para el sistema nervioso	Semillas (en diversas preparaciones)
	TOMILLO	769	Estimula las facultades intelectuales y la actividad mental	Infusión, esencia

Enfermedad	Planta	Pág.	Acción	Uso
MEMORIA, PÉRDIDA DE LA Además de estas dos plantas con acción vasodilatadora sobre las arterias cerebrales (mejoran el riego sanguíneo del cerebro), convienen todas las recomendadas para el "***Rendimiento intelectual insuficiente***" (pág. 143).	GINKGO	234	Mejora el riego sanguíneo en el cerebro	Infusión de las hojas
	VINCAPERVINCA	244	Vasodilatadora cerebral, mejora la oxigenación de las neuronas	Decocción, preparados farmacéuticos
EPILEPSIA Aunque estas plantas ***no sustituyen*** al tratamiento médico de la epilepsia, sí que pueden contribuir a reducir la dosis de fármacos antiepilépticos y a estabilizar al paciente.	PASIONARIA	167	Sedante y antiespasmódica. Permite disminuir la frecuencia e intensidad de las crisis epilépticas	Infusión de flores y hojas
	VALERIANA	172	Sedante, antiespasmódica y anticonvulsivante, previene la aparición de los ataques epilépticos	Infusión, maceración, polvo de raíz
ENFERMEDADES ORGÁNICAS DEL SISTEMA NERVIOSO El aceite de onagra es muy rico en ácido linolénico, un factor esencial en el desarrollo y el buen funcionamiento de las neuronas. Su uso es un buen ***complemento*** del tratamiento específico de las enfermedades orgánicas del sistema nervioso, tales como la **esclerosis en placas** o la **enfermedad de Parkinson.**	ONAGRA	237	Contribuye a la estabilidad del sistema nervioso y al equilibrio hormonal	Cápsulas o comprimidos del aceite de sus semillas

Ginkgo

El ginkgo (pág. 234) es un árbol de origen asiático dotado de extraordinarias propiedades medicinales. Se trata de un vasodilatador cerebral, que aumenta el riego sanguíneo en el cerebro, con lo que las neuronas reciben mayor cantidad de oxígeno y de nutrientes.

Por ello conviene a todos aquellos que padezcan de pérdida de memoria, o que necesiten aumentar su rendimiento intelectual, como los estudiantes.

Se toma la infusión de sus hojas, aunque existen también diversos preparados farmacéuticos que contienen extractos de ginkgo.

Plantas sedantes

*Calman la excitación del sistema nervioso. Estas plantas tienen también una acción **equilibradora y reguladora** sobre el sistema nervioso central y vegetativo.*

El jugo fresco de apio (pág. 562) es un tonificante natural altamente recomendable en caso de agotamiento o depresión nerviosa. Tiene además acción diurética y depurativa. Puede mezclarse con jugo (zumo) de limón.

La dosis habitual es de medio vaso por la mañana e igual cantidad al mediodía, antes o después de la comida.

Un sistema nervioso equilibrado repercute favorablemente sobre la salud del resto del organismo.

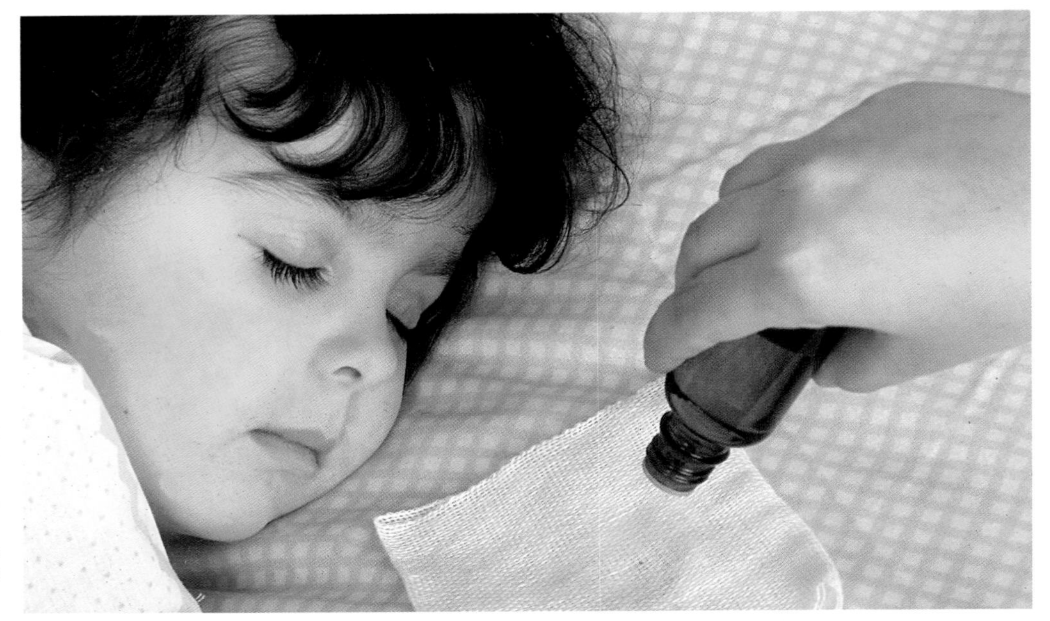

La aromatoterapia es una forma segura y efectiva de aplicar las plantas sedantes a los niños. Unas gotas de esencia de lavanda colocadas al lado de la almohada en el momento de acostarse, ejercen una suave acción sedante y somnífera, muy recomendable para niños nerviosos o que duermen mal.

La lechuga (pág. 160), especialmente la silvestre, posee una acción sedante similar a la del opio, aunque carente de sus efectos secundarios. Su uso es tan seguro que se administra a los niños como sedante y somnífero.

La dosis habitual es de un cuarto a medio vaso de jugo de hojas frescas verdes (no blancas) antes de acostarse. Puede endulzarse con miel.

También puede administrarse una decocción de hojas verdes o el lactucario (látex que mana de sus tallos).

Plantas sedantes para los niños

No todas las plantas sedante son recomendables para los niños. Estas presentan una acción suave y segura, por lo que pueden ser administradas con seguridad a los más pequeños.

Planta	Pág
Lechuga silvestre	160
Lavanda	161
Tilo	169

Plantas narcóticas

Son plantas que en dosis altas provocan un sueño pesado (narcosis), distinto del sueño natural. Las plantas narcóticas poseen también acción estupefaciente (alteran las facultades mentales) y afectan al sistema nervioso.

Planta	Pág
Beleño negro	159
Adormidera	164
Dulcamara	728
Hierba mora	729

Plantas antiespasmódicas

Impiden los espasmos de los órganos huecos. Estos órganos se hallan recubiertos de músculos llamados lisos o involuntarios, controlados por el sistema nervioso vegetativo. Cuando estos músculos se contraen violentamente, casi siempre para vencer un obstáculo, producen un dolor de tipo cólico.

Un espasmo en...	***Produce un...***
• *el estómago*	*dolor de estómago con náuseas*
• *el intestino*	*cólico intestinal*
• *los conductos biliares*	*cólico biliar (impropiamente llamado "hepático")*
• *los conductos urinarios*	*cólico nefrítico o renal*
• *el útero*	*dismenorrea, espasmo uterino*

Las plantas antiespasmódicas actúan por intermedio del sistema nervioso vegetativo, relajando el órgano o conducto contraído, con lo cual alivian el dolor cólico acompañante. En farmacología se conoce esta acción como ***anticolinérgica.***

Planta	**Pág.**	**Planta**	**Pág.**
Lechuga silvestre	160	Manzanilla	364
Lavanda	161	Menta	366
Melisa	163	Nébeda	367
Pasionaria	167	Albahaca	368
Tilo	169	Mejorana	369
Valeriana	172	Ajedrea	374
Verbena	174	Fumaria	391
Espino blanco	219	Angélica	426
Limonero	265	Comino	449
Culantrillo	292	Anís estrellado	455
Grindelia	310	Laurel	457
Sombrerera	320	Hierba luisa	459
Primavera	328	Poleo	461
Serpol	338	Orégano	464
Tusílago	341	Acacia falsa	469
Gordolobo	343	Verónica	475
Eneldo	349	Cincoenrama	520
Manzanilla romana	350	Pulsatila	623
Aspérula olorosa	351	Artemisa	624
Alcaravea	355	Ruda	637
Díctamo	358	Salvia	638
Asafétida	359	Sauce blanco	676
Hinojo	360	Milenrama	691
Abelmosco	362	Drosera	754

La acacia falsa o robinia (pág. 469) es otra planta antiespasmódica, que actúa relajando los espasmos nerviosos del estómago. Se toma una infusión de sus flores después de cada comida.

La fumaria (pág. 389) actúa sobre el sistema nervioso vegetativo, relajando los espasmos nerviosos de la vesícula y de los conductos biliares (acción antiespasmódica). Resulta muy útil en las afecciones hepatobiliares.

Además es colerética (aumenta la producción de bilis). De esta forma, facilita la función desintoxicadora de la sangre llevada a cabo por el hígado. Su uso da también excelentes resultados en caso de eccemas y erupciones de la piel, debidos en muchas ocasiones a la presencia de toxinas en el torrente sanguíneo, lo que vulgarmente se conoce como "sangre sucia".

Aconitum napellus L.

Acónito

Una planta que cura... y que mata

EL ACÓNITO es la planta con una ***mayor concentración de veneno,*** de todas las que se dan ***Europa.*** Solo la supera otra especie del mismo género, el *Aconitum ferox* Wall. del Nepal, que se considera el veneno vegetal más activo del mundo. Con tan solo 4 g de la raíz de esta última se puede matar a una persona adulta.

Precauciones

*El acónito **tierno** (cuando está brotando) es **poco tóxico**. En cambio una vez **desarrollada** la planta, es altamente **venenoso.** ¡Y en algunos jardines se cultiva como ornamento! El **contacto prolongado** con él, puede resultar **peligroso.** Se han dado casos de intoxicaciones en niños que habían llevado en la mano, durante un tiempo, un ramillete de acónito.*

*En las aplicaciones externas hay que tener presente que la aconitina también se absorbe por la piel, por lo que incluso **por vía externa** pueden producirse **intoxicaciones.** No se deben dar más de tres aplicaciones diarias.*

Preparación y empleo

USO INTERNO

El acónito se tiene que usar ***siempre bajo control facultativo,*** y empleando productos de laboratorio debidamente valorados químicamente, para saber exactamente su contenido en aconitina. Existen los siguientes preparados farmacéuticos:

❶ **Polvo de raíz:** en dosis máxima de 0,4 g diarios, repartidos en varias veces.

❷ **Tintura alcohólica** al 1/10: como máximo 6 gotas repartidas a lo largo del día.

❸ **Extracto** hidroalcohólico, que se presenta en **píldoras,** cuya dosis máxima no debe ser superior a los 0,10 g por día.

USO EXTERNO

❹ **Lociones** con la tintura alcohólica.

❺ **Pomada y ungüento** elaborados a base de extracto hidroalcohólico: Se aplican friccionando sobre la zona dolorida.

Sinonimia hispánica: *anapelo, raíz del diablo, casco de Júpiter, matalobos, hierba de lobo, capilla de mono, carro de Venus;* ***Cat.:*** *acònit, tora blava, escanyallops, matallops blau, herba verinosa;* ***Eusk.:*** *ira-belar;* ***Gal.:*** *acónito, anapelo, matalobos;* ***Fr.:*** *aconit [napel];* ***Ing.:*** *monkshood;* ***Al.:*** *Blauer Eisenhut.*

Hábitat: *Terrenos montañosos y húmedos de toda Europa y de América, especialmente del Norte. A pesar de su gran toxicidad, es cultivado como planta ornamental en todo el mundo.*

Descripción: *Planta herbácea, de la familia de las Ranunculáceas, que alcanza de 50 a 150 cm de altura. Las flores son muy bellas, con forma de casco, y pueden ser de color azul oscuro, amarillo o blanco. La raíz es un tubérculo con forma de nabo.*

Partes utilizadas: *la raíz.*

Conviene saber identificar bien el acónito, una de las plantas más venenosas que existen.

El acónito es una planta altamente tóxica, pero que, correctamente empleada, puede aliviar dolores rebeldes, como los de las neuralgias faciales.

Desde muy antiguo se ha usado el acónito para envenenar flechas y para ajusticiar a los reos. En el siglo XVIII, el médico austríaco Stoerk, lo empezó a utilizar en el tratamiento de los dolores neurálgicos.

PROPIEDADES E INDICACIONES: Toda la planta, y especialmente la raíz, contiene potentes alcaloides (aconitina y napelina), así como glucósidos flavónicos, resinas, almidón y manitol. El principio activo más importante es la aconitina, que es un potente anestésico de las terminaciones sensitivas; también es febrífugo y antitusígeno.

El acónito se usa con éxito tanto por vía interna {❶,❷,❸} como externa {❹,❺}, para calmar los dolores incurables de las **neuralgias**, en especial la del nervio trigémino, que afecta a la cara, y la del nervio ciático. También se ha empleado como sustitutivo de la morfina, para deshabituar a los adictos.

Los principios activos del acónito son unas sustancias muy potentes, que correctamente empleadas surten valiosos efectos medicinales. El acónito es una de esas plantas que pueden curar, pero que también pueden matar.

Intoxicación por acónito

Síntomas: *De 10 a 20 minutos después de la ingestión, se produce una sensación de irritación o cosquilleo en la boca, en las manos y en los pies, que a continuación se extiende por todo el cuerpo; sudoración abundante y escalofríos. Después aparecen náuseas, vómitos y diarreas. Si la intoxicación es grave, se producen alteraciones en el ritmo respiratorio y cardíaco, que acaban en parada cardiorrespiratoria y muerte.*

Primeros auxilios: *Provocar inmediatamente el vómito. Es conveniente un lavado de estómago; administrar carbón vegetal y laxantes enérgicos.*

Hay que ***trasladar con toda urgencia*** *al afectado a un* ***hospital,*** *con el fin de internarlo en una unidad de cuidados intensivos.*

Avena

Tonifica y equilibra los nervios

LOS COPOS de avena, que se preparan prensando los granos trillados, constituyen un alimento integral muy popular en los países del centro y norte de Europa. La avena, además, posee interesantes efectos sobre el sistema nervioso.

PROPIEDADES E INDICACIONES: Los ***GRANOS*** contienen un 60%-70% de almidón y otros glúcidos (hidratos de carbono); un 14% de proteínas; un 7% de lípidos (grasas), entre los que se cuenta una significativa proporción de lecitina; vitaminas del grupo B; ácido pantoténico; enzimas; minerales, sobre todo calcio y fósforo; oligoelementos diversos; y un alcaloide (avenina), de **efectos tonificantes y equilibradores** sobre el **sistema nervioso.**

La avena resulta muy conveniente en caso de **depresión, nerviosismo, insomnio y agotamiento físico o mental** **[❶]**. Los que padecen de **estrés** o de **impotencia** sexual, los **estudiantes** –sobre todo en época de exámenes–, los **deportistas** y las **madres lactantes,** tienen en la avena un alimento-medicina ideal. Por su excelente digestibilidad conviene también a los **convalecientes** y a los que padecen de gastritis, de colitis y de otras **afecciones digestivas.**

Los **extractos** de avena se usan ***externamente*** en forma de cremas o aceites, para el cuidado de las pieles secas, sensibles o irritadas.

Preparación y empleo

USO INTERNO

❶ Los **copos** (semillas prensadas) cocinados con leche o caldo vegetal.

❷ **Infusión:** Se prepara con una cucharada de paja de avena por taza. Se toman 2 o 3 diarias.

USO EXTERNO

❸ **Baño relajante:** La infusión sirve asimismo para añadirla al agua del baño en la proporción de un litro por bañera de tamaño medio, con lo cual se logra una grata relajación.

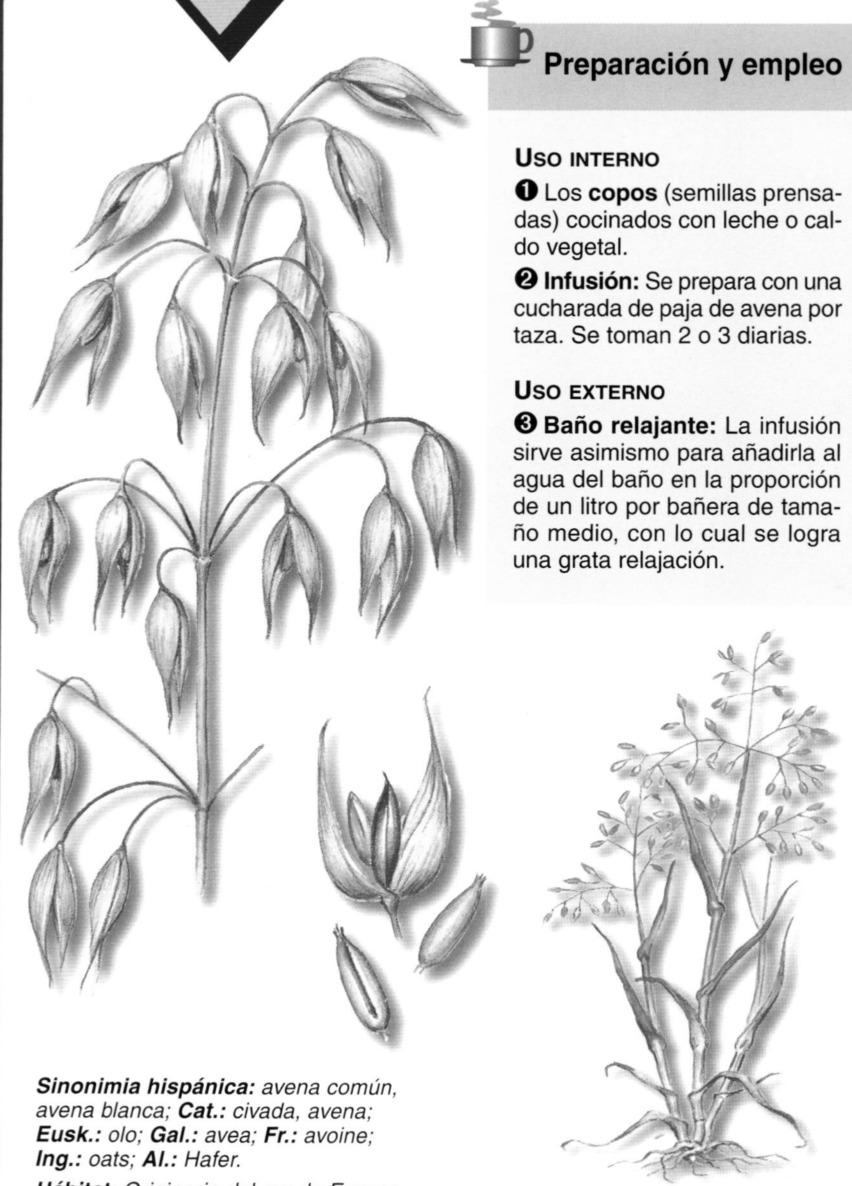

Sinonimia hispánica: *avena común, avena blanca;* ***Cat.:*** *civada, avena;* ***Eusk.:*** *olo;* ***Gal.:*** *avea;* ***Fr.:*** *avoine;* ***Ing.:*** *oats;* ***Al.:*** *Hafer.*

Hábitat: *Originaria del sur de Europa. Su cultivo se ha extendido a los cinco continentes.*

Descripción: *Planta anual de la familia de las Gramíneas que alcanza un metro de altura. Sus flores, al igual que los granos, se agrupan de dos en dos en espigas.*

Partes utilizadas: *la paja y los granos.*

La paja o salvado de avena es sedante, y hace que descienda el colesterol.

Los copos de avena son un alimento-medicina muy recomendable para deportistas, estudiantes, y todos aquellos que deseen fortalecer y equilibrar su sistema nervioso.

El ***SALVADO*** de avena es rico en silicio y en vitaminas A y B. Tiene efecto **sedante** sobre el sistema nervioso, tanto ingerido por vía oral en forma de infusión **[❷]**, como aplicado externamente en el agua de baño **[❸]**.

Investigaciones realizadas han demostrado que el salvado de la avena, tiene un efecto reductor sobre el nivel de **colesterol** sanguíneo. Esta disminución afecta solo al colesterol llamado "nocivo" (LDL), mientras que no influye sobre el colesterol protector o "bueno" (HDL), que, como se ha descubierto recientemente, actúa evitando la arteriosclerosis.

Este mecanismo de acción del salvado de avena sobre el nivel de colesterol, es común a todos los productos que contienen fibra vegetal, especialmente cuando es del tipo soluble, como la manzana, por ejemplo (pág. 513).

La avena y el colesterol

El doctor James Anderson, de la Universidad de Kentucky en Estados Unidos, estaba trabajando con pacientes diabéticos, tratando de determinar si había algún cereal que fuera eficaz para controlar los niveles de azúcar en sangre. El doctor Anderson descubrió que cuando los pacientes tomaban harina de avena, no solo mejoraban los niveles de azúcar en sangre, sino que también disminuían las cifras de colesterol.

Estudiando el asunto más detalladamente, se llegó a la conclusión de que el responsable de este efecto era la porción de salvado que tenían los copos de avena. La ***fibra*** *soluble que forma el salvado de la avena actúa absorbiendo los ácidos biliares que hay en el intestino, y arrastrándolos junto con las heces.*

Los ácidos biliares se forman en el hígado, a partir del colesterol de la sangre, y se vierten en el intestino junto con la bilis. Normalmente la mayor parte de ellos se reabsorbe en el íleon (tercera porción del intestino delgado), pasando de nuevo a la sangre, y sirviendo de elemento base para la producción de colesterol.

El ***salvado*** *de avena, al absorber los ácidos biliares y hacer que se eliminen con las heces, obliga al organismo a producir más ácidos biliares, necesarios para el proceso digestivo. Para ello, tiene que utilizar el colesterol que hay en la sangre, con lo que su nivel disminuye.*

Así pues, el consumo de ***copos de avena integrales*** *(con su salvado), es un buen método para reducir el colesterol.*

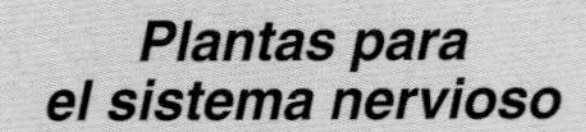

Cáñamo

Produce euforia... y trastornos mentales

EL CÁÑAMO se cultiva desde tiempo inmemorial por proporcionar una fibra textil con la que se fabrican cuerdas y tejidos. Son bien conocidas las borracheras y los trastornos mentales que sufrían los obreros que trabajaban con las fibras de cáñamo. En el siglo XIX se descubrieron los principios activos responsables de su efecto estupefaciente, los cuales se presentan en mayor porcentaje en la variedad *indica*.

PROPIEDADES E INDICACIONES: De las ***SUMIDADES FLORIDAS*** de las plantas femeninas del cáñamo, especialmente de la variedad *indica,* se obtiene una resina conocida como hachís, marihuana o grifa, rica en cannabinol.

El término árabe *hashashin,* que significa 'bebedores de *hashish*', es el origen de la palabra 'asesino'. Los *hashashin* eran los miembros de una secta que, al ingresar en ella, hacían voto de matar a quien su jefe ordenase. Sus crímenes solían perpetrarlos bajo los efectos narcóticos del hachís.

El hachís suele usarse en forma del llamado "porro": cigarrillo con tabaco y cáñamo o hachís, que produce euforia, y en dosis altas, pérdida del juicio, alucinaciones y locura. Su consumo habitual hace perder la memoria y la voluntad, además de atrofiar las glándulas sexuales produciendo esterilidad e impotencia.

El ***único empleo medicinal*** del hachís es el de calmar los **dolores neurálgicos y reumáticos,** aplicado ***externamente*** en forma de tintura alcohólica de sus hojas y flores, mediante fricciones o lociones. Debido a que el cannabinol puede absorberse incluso a través de la piel, y tener efectos estupefacientes, ***no se recomienda su uso,*** ya que existen otros remedios exentos de toxicidad e igualmente efectivos.

En cambio los frutos, o *CAÑAMONES*, muy apreciados por las aves y el ganado, no contienen cannabinol. En infusión, se usan para hacer descender el **colesterol** sanguíneo **[❶]**.

Preparación y empleo

USO INTERNO

❶ **Infusión** con una cucharada de cañamones, que se dejan infundir durante 10 minutos. Se ingieren 2 o 3 tazas al día.

Sinonimia hispánica: *cáñamo común, bangue [de la India], henequén europeo, linabera;* ***Cat.:*** *cànem [indi];* ***Eusk.:*** *kalamu;* ***Gal.:*** *cánamo, liño-cáñamo;* ***Fr.:*** *chanvre;* ***Ing.:*** *hemp;* ***Al.:*** *Hanf.*

Hábitat: *Originario de Asia central, su cultivo se ha extendido por regiones templadas y húmedas de todo el mundo.*

Descripción: *Planta dioica (ejemplares masculinos y femeninos diferenciados) de la familia de las Moráceas, que alcanza hasta 1,5 m de altura. Las hojas son palmeadas, divididas en 5 o 7 segmentos de borde dentado. Las flores son de color verdoso, y se agrupan en racimos terminales.*

Partes utilizadas: *las sumidades floridas y los frutos (cañamones).*

Los frutos o cañamones se usan contra el colesterol.

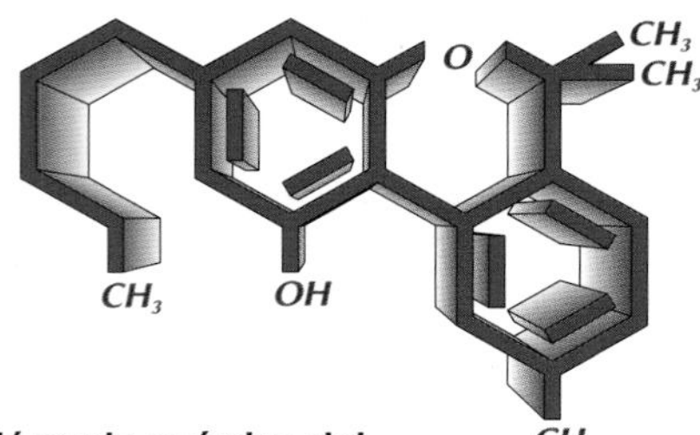

Fórmula química del cannabinol, principio activo de acción estupefaciente que se encuentra en las hojas y flores del cáñamo.

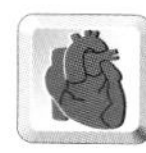

Naranjo

La flor es sedante y el fruto tonificante

DESDE QUE el naranjo llegó en la Edad Antigua a las costas mediterráneas del sur de Europa, procedente de Oriente Medio y de Asia, su éxito no ha cesado de ir en aumento. Su porte elegante, la rica fragancia de sus flores, y sobre todo, la excelencia de sus frutos, en el caso del naranjo dulce, le han permitido conquistar los campos y las mesas de buena parte del mundo.

Poco años después del Descubrimiento, los españoles llevaron el naranjo a América, en particular a México, Florida y California, donde actualmente se encuentran los mayores naranjales del mundo.

PROPIEDADES E INDICACIONES: Todo el árbol es rico en esencias aromáticas de efectos medicinales, aunque la mayor concentración se encuentra en las flores.

Especie afín: *Citrus aurantium* var. *sinensis* L. = *Citrus sinensis* (L.) Osbeck

Sinonimia hispánica: C. aurantium *naranjo agrio, naranjo agridulce, naranjo casero, naranjo borde, naranjero agrio, naranja de labor, naranja zapari, [naranja] cajel, apepú, chinoto, quinoto, acimboga, azambonga, zamboero, alambor;* C. sinensis: *naranjo [común], naranjo dulce, china [dulce], naranjo de la China.*

Cat.: *taronger;* ***Eusk.:*** *laranjondo;* ***Gal.:*** *laranxeira;* ***Fr.:*** *oranger;* ***Ing.:*** *orange tree;* ***Al.:*** *Bitterorange.*

Hábitat: *Originario de Asia Central. Su cultivo se ha extendido por toda la región mediterránea, y por las zonas cálidas del continente americano.*

Descripción: *Árbol de ramas espinosas de la familia de las Rutáceas, que alcanza de 2 a 5 m de altura. Sus hojas son perennes, tienen un peciolo alado en forma de pequeño corazón. Las flores son blancas, dispuestas en las axilas de las hojas. Sus frutos son las conocidas naranjas.*

Partes utilizadas: *las hojas, las flores y los frutos (especialmente los del naranjo dulce: ver recuadro de la página siguiente).*

Precauciones

Las personas que padezcan de la ***vesícula biliar,*** *deben evitar tomar naranjas por la mañana* ***en ayunas.*** *Por su acción colagoga, provocan un vaciamiento rápido de la vesícula biliar, que puede ocasionar ligeras molestias abdominales como pesadez de estómago o sensación de distensión.*

Preparación y empleo

USO INTERNO

❶ **Infusión** de hojas y/o flores, con 10-20 g por litro de agua (3 hojas o 6 flores resultan suficientes para preparar una infusión sedante). Ingerir 3 o 4 tazas diarias, especialmente antes de acostarse.

❷ **Decocción:** Hervir 30 g de corteza seca cortada a trocitos en medio litro de agua, durante 15 minutos. Se puede endulzar con miel. Se toma una tacita después de cada comida.

El naranjo dulce es el más conocido y cultivado; sin embargo, la variedad de naranjo que más se emplea en fitoterapia es el amargo, pues aunque ambos tipos de naranjo presentan las mismas propiedades, el amargo posee una mayor concentración de sustancias aromáticas y de principios activos.

Las ***HOJAS***, y sobre todo, las ***FLORES*** del naranjo, conocidas con el nombre de azahar (del árabe *al-zahar,* que significa 'flor blanca'), contienen una esencia compuesta por limoneno y linalol, entre otras sustancias aromáticas. A ellas se debe su acción **antiespasmódica, sedante** y ligeramente **somnífera** (inductora del sueño). Su uso está indicado en los siguientes casos:

- **Insomnio (❶):** Provocan una sedación suave, con lo cual se facilita la llegada del sueño.
- **Nerviosismo e irritabilidad (❶):** Dan buenos resultados en estos casos, sin presentar peligro de adicción ni de otros efectos secundarios nocivos. Se pueden administrar incluso a los niños, a los que tranquiliza facilitándoles un sueño tranquilo.
- **Jaquecas y migrañas,** causadas por espasmos arteriales (❶).
- **Trastornos digestivos:** espasmos del estómago y dolores gástricos de origen nervioso (nervios en el estómago), así como aerofagia y eructos (❶).
- **Palpitaciones cardíacas, desmayos y desfallecimientos.** El azahar forma parte, junto con la melisa, de la famosa "agua del Carmen" (pág. 163).
- **Dolores de la regla,** provocados por espasmos uterinos (❶).

De las flores se extrae la ***esencia de azahar*** o de ***nerolí,*** y de las hojas la esencia llamada de ***petitgrain.***

La ***CORTEZA*** de los frutos (❷), especialmente la de las naranjas amargas, es rica en glucósidos flavonoides (naringina, hesperidina y rutina), de acción similar a la de la vitamina P. Debido a ello se usa en los casos de **fragilidad capilar y vascular** (edemas, varices, trastornos de la coagulación). Es un buen **tónico digestivo**, que tiene efecto aperitivo y favorecedor de la digestión. Posee también un suave efecto **sedante**, al igual que las flores y las hojas.

Ambos naranjos, el dulce y el amargo o agrio, tienen las mismas propiedades. Sin embargo, en fitoterapia se prefieren las flores, hojas y corteza del fruto del naranjo amargo, por su mayor concentración de principios activos. Las confituras de naranja amarga son muy apreciadas.

Naranja

*La naranja dulce es una de las frutas más apreciadas, sobre todo en los países fríos, pues en invierno es una fuente muy valiosa de **vitamina C.** Se toma su pulpa directamente o exprimiéndola, con lo cual se obtiene uno de los jugos más apreciados. El **jugo** (zumo) de naranja tiene que tomarse **recién hecho** para poder aprovechar todas sus propiedades nutritivas y medicinales, pues la vitamina C se destruye rápidamente en contacto con el oxígeno, y otros componentes también sufren cambios desfavorables, que alteran notablemente su aspecto y sabor. Por eso al jugo (zumo) de naranja industrial se le suele agregar vitamina C, aunque con ello no se consigue que recupere todas sus primitivas propiedades.*

*Las naranjas, contienen vitaminas A, B, C y P, así como flavonoides, azúcares, ácidos orgánicos y sales minerales. Tienen propiedades **antiescorbúticas, tonificantes, aperitivas y colagogas** (provocan el vaciamiento de la vesícula biliar). Su consumo resulta muy recomendable en los siguientes casos:*

- ***Enfermedades infecciosas o febriles.***
- ***Agotamiento, astenia** (sensación de cansancio).*
- ***Desnutrición, anemia, raquitismo.***
- ***Trombosis, arteriosclerosis y trastornos circulatorios** en general. Las naranjas disminuyen la viscosidad de la sangre, y tienen un efecto protector sobre los vasos sanguíneos, debido entre otras cosas, a la vitamina P.*

*El fruto del **naranjo amargo** suele usarse tan solo para **confituras.***

Conium maculatum L.

Cicuta

Un potente tóxico que conviene saber distinguir

AH!, ¿PERO la cicuta se da en nuestros campos? Muchos se sorprenden cuando se enteran de que la misma planta con la que puso fin a su vida el gran Sócrates en el año 339 a.C., se encuentra todavía a nuestro alrededor.

La cicuta se halla muy extendida, y conviene saber distinguirla de otras plantas de su misma familia botánica –las Umbelíferas– a las que se asemeja: la angélica (pág. 426), el perejil (pág. 583), el apio (pág. 562), e incluso la zanahoria silvestre (pág 133).

Cicuta menor

La cicuta menor o acuática (*Cicuta virosa* L.)* crece en lugares húmedos al igual que la cicuta mayor, aunque es menos frecuente que esta. El aspecto de la cicuta menor es similar al de la mayor. Sus **efectos tóxicos** se caracterizan por violentas convulsiones y finalmente parada respiratoria. El tratamiento a seguir es el mismo que para la intoxicación por cicuta mayor.

* **Cat.**: *cicuta menor, givertassa, tora pudent;* **Eusk.:** *uretako astaperrexil;* **Gal.:** *canaveleira, canaveira, canifrecha, cicume, cicuta, pé de sapo, prixel bravo, prixel das bruxas, prixel dos cans, prixel dos sapos.*

Preparación y empleo

USO INTERNO

❶ **Polvo:** Los frutos secos de la cicuta se trituran en forma de polvo, que se disuelve en agua. La dosis máxima tolerable para adultos es de 1 g diario de frutos, repartido en 4 tomas de 0,25 g cada una.

USO EXTERNO

❷ **Pomada:** Se prepara con 1 g de frutos triturados por cada 9 de disolvente graso. Se usa como anestésico local en caso de neuralgias y dolores intensos. Téngase siempre bien presente que **la coniína se absorbe por la piel.**

Sinonimia científica: *Cicuta officinalis* Crantz., *Cicuta major* Lam.

Sinonimia hispánica: *cicuta mayor, barroco, zanahoria de monte, perejil lobuno, perejilón, julivertosa;* ***Cat.:*** *cicuta, ceguda [major], julivertassa, fonollassa, julivert de galàpet, fonoll de bou;* ***Eusk.:*** *astaperrexil[-andi];* ***Gal.:*** *ciguda, prixel de bruxas;* ***Fr.:*** *[grande] ciguë;* ***Ing.:*** *[poison] hemlock, poison parsley;* ***Al.:*** *Schierling.*

Hábitat: *Se cría espontáneamente en toda Europa y América. Abunda en lugares frescos y húmedos, en las orillas de los ríos y en los bordes de los caminos.*

Descripción: *Planta herbácea que alcanza de 30 a 150 cm de altura, de la familia de las Umbelíferas. Su tallo es hueco y finamente estriado.*

Partes utilizadas: *los frutos.*

Con la información que ofrecemos en el cuadro adjunto, y comparando las ilustraciones de cada una de esas plantas, que se encuentran en esta obra, resulta suficiente como para identificarla y evitar la confusión con otras plantas completamente inocuas.

PROPIEDADES E INDICACIONES: Todas las partes de la planta, y en especial los frutos, contienen varios alcaloides (coniína, coniceína, conhidrina y pseudoconhidrina), además de un aceite esencial y glucósidos flavónicos y cumarínicos. La coniína es el principio activo más importante de la cicuta, que se halla presente en una proporción del 2% en los frutos, y en un 0,5% en las hojas. Se absorbe tanto por vía oral como a través de la piel, por la que penetra con facilidad.

Los **alcaloides** son sustancias vegetales de reacción alcalina. Sus moléculas son complejas, y están formadas por carbono, hidrógeno, nitrógeno y oxígeno. Sus efectos farmacológicos son muy marcados, y con pequeñas dosis ya se producen efectos tóxicos.

Cómo identificar la planta de la cicuta

El aspecto de la venenosa cicuta es bastante similar al de otras plantas de su misma familia, como por ejemplo, el apio o el perejil. Los siguientes detalles botánicos ayudarán a identificarla:

- *El **tallo** de la cicuta se distingue del de otras umbelíferas por poseer en su parte inferior, unas manchas de color rojizo o púrpura.*
- *Las **hojas** son grandes y brillantes, y están muy divididas.*
- *Las **flores** son blancas, y están agrupadas en umbelas desiguales de 10 a 20 radios.*
- *El **fruto** es ovalado, de unos 3 mm, de color pardo verdoso, y se halla surcado por repliegues.*
- ***Toda la planta** despide un desagradable olor a orina.*

A dosis terapéuticas, la coniína y los restantes alcaloides de la cicuta proporcionan una marcada acción sedante, analgésica y anestésica local.

La cicuta ha sido utilizada con éxito para calmar:

- **dolores intratables,** como los producidos por el cáncer **[❶,❷]**, y
- **dolores persistentes,** como los producidos por las neuralgias **[❶,❷]**.

En nuestros días, aunque disponemos de otros analgésicos potentes y seguros, también puede emplearse, pero ***siempre bajo control facultativo,*** y respetando fielmente la dosificación, para evitar efectos tóxicos.

Intoxicación por cicuta

*La **coniína** es similar, en su estructura química y en sus efectos, a otro alcaloide: la nicotina, que se encuentra en el tabaco. Ambos alcaloides actúan sobre el sistema nervioso vegetativo, excitándolo primero y deprimiéndolo después. De media a dos horas después de haber ingerido una dosis tóxica de coniína, se produce ardor en la boca, dificultad para tragar, náuseas, dilatación de las pupilas y debilidad en las piernas. Si la dosis es mayor se produce parálisis muscular (como la producida por el curare) y muerte por parada respiratoria y asfixia. A pesar de todo, la conciencia no se pierde, y se mantiene la lucidez mental hasta el último momento. De ahí que los griegos eligieran este método para quitar la vida de los condenados a la pena capital.*

Tratamiento de la intoxicación:** En cuanto se sospeche la posibilidad de haber ingerido cicuta, se debe provocar el vómito, y a ser posible, proceder rápidamente a un lavado de estómago. Administrar purgantes y carbón vegetal. Practicar la respiración artificial boca a boca, si el intoxicado tiene dificultad para respirar. Es necesario proceder al **urgente traslado** del intoxicado a un **centro hospitalario.

Estramonio

Antiespasmódico, pero tóxico

EL ESTRAMONIO se desconocía en Europa durante la antigüedad y la Edad Media, hasta que a finales del siglo XVI fue traído a España procedente de México. Se distribuyó rápidamente por toda Europa, debido a sus singulares propiedades sobre el sistema nervioso.

PROPIEDADES E INDICACIONES: Toda la planta contiene alcaloides activos sobre el sistema nervioso vegetativo (hiosciamina, atropina y escopolamina), además de ácidos cítrico y málico, taninos y aceite esencial. Su acción es semejante a la del beleño (pág. 159) y la belladona (pág. 352), y consiste en inhibir el sistema nervioso parasimpático. Tiene las siguientes propiedades y aplicaciones:

- **Antiespasmódica:** Relaja la musculatura del tubo digestivo, de los bronquios, de los conductos biliares y urinarios [❶].
- **Analgésica, sedante y antitusígena [❶].**
- Se ha usado en todo tipo de **dolores cólicos [❶]:** intestinales, biliares y renales, y también como **antiasmático.**
- Aplicado ***externamente,*** calma los **dolores reumáticos [❷].**

Precauciones

*Planta estupefaciente **tóxica**; produce alucinaciones y trastornos mentales, como advierten algunos de sus nombres populares, especialmente los latinoamericanos, algunos tan expresivos como el de **vuélvete loco.***

Preparación y empleo

USO INTERNO

Por tratarse de una planta tóxica, **no debe usarse** internamente, salvo por indicación facultativa.

❶ **Polvo de hojas:** La dosis máxima es de 0,2 g, 3 veces al día.

USO EXTERNO

❷ **Cataplasma** de hojas machacadas: se aplica sobre la articulación afectada.

***Sinonimia hispánica:** chamico, floripondio, [hierba] hedionda, trongué, tapate, toloache, trompetero, vuélvete loco; **Cat.:** estramoni, [herba] talpera, herba pudent, herba de l'ofec, herba de l'asma; **Eusk.:** estramonio, asma-belar; **Gal.:** figuera do demo, fedores; **Fr.:** stramoine, pomme épineuse; **Ing.:** stramonium, Jimson weed, thorn-apple, Jamestown weed; **Al.:** Stechapfel.*

***Hábitat:** Originaria de Centro y Sudamérica, aunque está repartida por casi todo el mundo. Se cría al borde de los campos y de los caminos, siempre cerca de lugares habitados.*

***Descripción:** Planta anual robusta, de la familia de las Solanáceas, que alcanza de 30 a 90 cm de altura. Sus flores son grandes, de color blanco y con forma de trompeta. El fruto es espinoso, y toda la planta desprende un olor desagradable.*

***Partes utilizadas:** las hojas.*

Humulus lupulus L.

Lúpulo

Calma los nervios y tonifica el estómago

EL NATURALISTA romano Plinio bautizó a esta planta con el nombre de lúpulo, porque se adueña de los huertos en los que crece, como si fuera un lobo (*lupus* en latín). Desde la Edad Media la lupulina se viene utilizando para aromatizar y conservar la cerveza, y se han ido descubriendo sus numerosas propiedades.

PROPIEDADES E INDICACIONES: El ***LUPULINO***, polvo que se desprende al sacudir los conos, contiene una esencia rica en hidrocarburos terpénicos, que le confiere acción **sedante** y **somnífera** (inductora del sueño), así como una resina con principios amargos, que explican su acción tónica **digestiva y aperitiva.** En los ***CONOS*** hay además flavonoides, que son sustancias de acción **estrogénica y antiséptica.** Estas son sus aplicaciones:

- **Nerviosismo, insomnio, jaquecas** [❶,❷].
- **Hiperexcitación sexual** en los varones jóvenes (acción anafrodisíaca). En la Inglaterra victoriana, se rellenaban las almohadas con conos de lúpulo [❶,❷].
- **Digestiones difíciles e inapetencia** [❶].
- **Dolor de estómago** y dolores de tipo **neurálgico** [❸,❹], aplicado ***externamente*** en compresas o cataplasma.

Precauciones

No sobrepasar la dosis *indicadas para uso interno, ya que el lúpulo puede provocar* ***náuseas.***

Preparación y empleo

USO INTERNO

❶ **Infusión** con 10-20 g de conos por litro de agua, de la que se toman 3 o 4 tazas diarias.

❷ **Extracto seco:** Se ingieren hasta 2 g diarios repartidos en 2-3 tomas.

USO EXTERNO

❸ **Compresas** calientes con la misma infusión de conos de lúpulo que se describe para uso interno. Se aplican sobre la zona dolorida.

❹ **Cataplasmas:** Se preparan colocando un puñado de conos de lúpulo en un lienzo de algodón, de forma tal que los envuelva. Mojar con agua caliente el lienzo conteniendo los conos en su interior, y aplicarlo sobre la zona dolorida (generalmente se usa sobre el vientre).

Sinonimia hispánica: *lupulina, lupina, lupio, lupo, oblón, [hierba de la] cerveza, espárrago gordo, hombrecillo, betiguera, brucolera, piña fofa, piña pintada;* ***Cat.:*** *llúpol, [herba de la] cervesa, [herba] cervesera, espàrgol, espargolera, espàrrec bord;* ***Eusk.:*** *lupulu* ***Gal.:*** *engatadeira, lúpulo, carrizo;* ***Fr.:*** *houblon;* ***Ing.:*** *[common] hops, European hops;* ***Al.:*** *Hopfen.*

Hábitat: *Común en bosques húmedos y setos de Europa y América del Norte. Cultivado en muchas regiones.*

Descripción: *Planta trepadora vivaz, de la familia de las Cannabináceas, cuyo tallo alcanza hasta 6 m. Es una planta dioica, cuyos ejemplares femeninos producen unas inflorescencias globulosas, que toman forma de cono (piña) al madurar el fruto.*

Partes utilizadas: *los conos (inflorescencias de la planta del lúpulo) y el lupulino (polvo dorado que los recubre).*

Beleño negro

Narcótico y tóxico

EL BELEÑO ya se empleaba en Babilonia (siglo XV a.C.) contra el dolor de muelas, tal como lo atestigua el Papiro de Ébers. Dioscórides (siglo I d.C.), padre de la fitoterapia, ya menciona sus propiedades narcóticas.

Durante la Edad Media, el beleño entró a formar parte de las pócimas elaboradas por brujas y hechiceros. Se decía que los pícaros lo colocaban sobre las brasas que caldeaban los baños públicos, para adormecer a los bañistas con sus humos, y después saquearlos.

PROPIEDADES E INDICACIONES: Toda la planta contiene alcaloides muy activos sobre el sistema nervioso (atropina, hiosciamina y escopolamina). Es un potente **antiespasmódico, analgésico y narcótico [❶,❷].** En dosis altas resulta estupefaciente y alucinógeno. Sus humos se han empleado en las crisis de **asma** (acción broncodilatadora) y para calmar el **dolor de muelas.**

Aplicado ***localmente*** **[❸,❹]**, calma el dolor de la **gota,** el **reuma,** la **ciática** y otras **neuralgias.**

Precauciones

Sobrepasar las dosis *indicadas produce* ***náuseas y mareos.*** *Dado su mal olor, son difíciles las intoxicaciones accidentales. En* ***dosis elevadas*** *resulta* ***estupefaciente y alucinógeno.***

Preparación y empleo

USO INTERNO

❶ **Infusión:** 10 a 15 g de hojas por litro de agua; tomar 2 tazas diarias.

❷ **Polvo** de hojas secas: 1 g es la dosis máxima diaria tolerable.

USO EXTERNO

❸ **Cataplasmas** con hojas machacadas, que se aplican sobre la zona dolorida durante unos minutos.

❹ **Ungüento** preparado oficinalmente (en laboratorio farmacéutico).

El beleño negro está considerado como una planta tóxica.

Sinonimia hispánica: *beleño, jurcuario, tornalocos, hierba loca, dormidera;* ***Cat.:*** *jusquiam [negre], herba queixalera, gotets, herba de la mare de Déu, tabac de paret, queixals de vella, caramel·lera;* ***Eusk.:*** *erabelar [beltz];* ***Gal.:*** *meimendro, arangaños, beleño;* ***Fr.:*** *jusquiame noire;* ***Ing.:*** *[black] henbane;* ***Al.:*** *Bilsenkraut.*

Hábitat: *Planta poco frecuente, que se puede encontrar al borde de algunos caminos y en terrenos baldíos de la región mediterránea y de Europa central. Se ha extendido por el continente americano.*

Descripción: *Planta de la familia de las Solanáceas, recubierta de un fino vello, que alcanza hasta un metro de altura. Las flores son de color amarillo pálido, recubiertas de una red de venillas violáceas. Toda la planta desprende un olor nauseabundo.*

Partes utilizadas: *las hojas.*

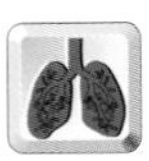

Lechuga silvestre

Sedante e inductora del sueño

LA LECHUGA hortense tierna y blanquecina, tal como se toma normalmente en ensaladas, carece prácticamente de propiedades medicinales. En cambio, la lechuga verde completamente desarrollada y madura, o mejor todavía, la lechuga silvestre, son un remedio muy apreciado desde antaño.

PROPIEDADES E INDICACIONES: Las hojas contienen clorofila, sales minerales, vitaminas y un principio amargo. Los principios activos sobre el sistema nervioso, sin embargo, se encuentran en el látex blanco que mana de los tallos cuando son cortados, del cual se obtiene por solidificación el ***lactucario.***

Las hojas de lechuga, y especialmente su látex, poseen las siguientes propiedades:

- **Sedantes [❶,❷,❸],** similares a las del opio, aunque a diferencia de este, la lechuga carece de efectos nocivos; de modo que puede usarse incluso para los niños, a los que calma la excitación y con ello facilita que concilien el sueño.
- **Antiafrodisíacas [❶,❷,❸]:** Ayuda a controlar la excitación sexual. Dioscórides decía que «ataja los sueños venéreos y reprime el desordenado apetito de fornicar».
- **Antitusígenas [❶,❷,❸]:** La lechuga se halla especialmente indicada en las toses irritativas y en la tos ferina.

Preparación y empleo

USO INTERNO

❶ **Decocción** durante 10 minutos con 100 g de lechuga por litro de agua; de la que se ingieren 3 tazas endulzadas con miel durante el transcurso del día y otra antes de acostarse. Utilizar preferentemente la lechuga silvestre, o la cultivada bien desarrollada y florida.

❷ **Lactucario:** Habitualmente se administran de 0,1 a 1 g al día.

❸ **Jugo fresco:** obtenido mediante licuadora. Se toma medio vaso 2-3 veces diarias, y especialmente antes de acostarse. Puede mezclarse con jugo (zumo) de limón.

Las hojas blancas de la lechuga cultivada, son pobres en principios activos sedantes del sistema nervioso. En las hojas verdes, y sobre todo en el látex de la lechuga silvestre, se hallan mucho más concentrados.

Sinonimia hispánica: *lechuga virosa, lechuga ponzoñosa, lechuga venenosa, lechugón, lechuguilla, lactucario, serrallón;* ***Cat.:*** *lletuga borda, enciam bord, enciam boscà, enciam de bosc;* ***Eusk.:*** *letxu, urraza;* ***Gal.:*** *leituga brava, cervoa, leitaruga;* ***Fr.:*** *laitue sauvage;* ***Ing.:*** *prickly lettuce, bitter lettuce;* ***Al.:*** *Giftlattich.*

Hábitat: *Diseminada por terrenos secos y laderas pedregosas de Europa central y meridional.*

Descripción: *Planta de la familia de las Compuestas, que alcanza desde 0,4 m hasta 1,5 m de altura cuando está espigada. Su tallo es vertical y robusto, de color verdoso o violáceo, y de él emergen grandes hojas con borde dentado.*

Partes utilizadas: *las hojas y el látex.*

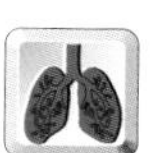

Lavanda

De fragancia exquisita, tonificante y muy medicinal

DESDE muy antiguo, se viene utilizando la lavanda como producto de belleza y de higiene. Durante el Imperio Romano, los patricios y los ciudadanos distinguidos, añadían lavanda al agua de sus suntuosos baños. Su nombre procede del latín *lavare* (lavar).

A las abejas también les gusta disfrutar del exquisito aroma de la lavanda, y con el néctar de sus flores fabrican una deliciosa miel.

PROPIEDADES E INDICACIONES: Las sumidades floridas y las hojas de la lavanda, son muy ricas (1%-5%) en un aceite esencial volátil de composición muy compleja, formada por diversos alcoholes terpénicos y sus ésteres. El más importante de ellos es el ***linalol.*** Esta esencia es la responsable de sus variadas propiedades, que son las siguientes:

• **Sedante y equilibradora** del sistema nervioso central y vegetativo **[❶,❷,❸]**: Se recomienda en casos de nerviosis-

Precauciones

*La **esencia** de lavanda en **uso interno** se debe usar con mucha precaución debido a que en **dosis altas** puede producir **nerviosismo** e incluso **convulsiones.***

Preparación y empleo

USO INTERNO

❶ **Infusión** con 30-40 g de sumidades floridas y hojas, por cada litro de agua. Tomar 3 tazas diarias, endulzadas con miel, después de las comidas.

❷ **Extracto fluido:** Se ingieren 30 gotas, 3 veces al día.

❸ **Esencia:** La dosis habitual es de 3-5 gotas, 2 o 3 veces diarias.

USO EXTERNO

❹ **Esencia de lavanda:** Resultan suficientes unas gotas aspiradas o frotadas sobre la piel, para lograr efecto.

❺ **Lavados y compresas:** Se emplea la misma infusión que para uso interno, aunque puede prepararse más concentrada. Lavar directamente con ella las úlceras y heridas, y empapar después una compresa que se coloca sobre la zona afectada durante 15 a 30 minutos.

❻ **Fomentos calientes,** que se preparan con infusión de lavanda o añadiendo unas gotas de esencia al agua. Se aplican sobre el cuello, espalda y rodillas.

❼ **Lociones y fricciones**: Se pueden realizar con unas gotas de esencia, con aceite o con agua de lavanda (ver la forma de preparación en la página siguiente).

Sinonimia científica: *Lavandula officinalis* Chaix, *Lavandula vera* D.C.

***Sinonimia hispánica:** lavándula hembra, espliego, espigolina, alhucema; **Cat.:** espígol [ver], espígol femella, lavanda, espic; **Eusk.:** izpiliku [fin]; **Gal.:** cantroso, alfacema; **Fr.:** lavande; **Ing.:** lavender; **Al.:** Lavendel.*

***Hábitat:** Terrenos calcáreos, secos y soleados del sur de Europa. Se cultiva en Europa y América por su esencia.*

***Descripción:** Subarbusto de base leñosa de la familia de las Labiadas, que alcanza de 15 a 60 cm de altura. Sus hojas son de color verde grisáceo, estrechas y alargadas. Sus flores son de color azul, pequeñas, y dispuestas en una espiga terminal.*

***Partes utilizadas:** sobre todo las sumidades floridas, y también las hojas.*

Obtención del aceite y del agua de lavanda

- ***Aceite de lavanda:*** *Se disuelven 10 g de esencia en 100 g de aceite de oliva, y se aplica como loción sobre la zona dolorida. También se puede preparar dejando 250 g de planta seca en maceración durante dos semanas en un litro de aceite, filtrándolo después.*
- ***Agua de lavanda:*** *Se disuelven 30 g de esencia en un litro de alcohol de 90º. Después de dejar reposar la mezcla durante 24 horas, se pasa por un filtro de papel y se guarda en frascos bien cerrados. Puede rebajarse con agua, si se considera que está demasiado concentrada.*

También se puede preparar dejando en maceración 250 g de sumidades floridas secas en un litro de alcohol, durante dos semanas. Transcurrido este tiempo, se pasa por un filtro de papel y se guarda en frascos bien cerrados.

Se usa como antirreumática, antiinflamatoria y relajante, aplicada externamente en baños y fricciones.

mo, neurastenia, mareos, tendencia a la lipotimia (desmayo), palpitaciones del corazón, y en general, en todos los casos de enfermedades psicosomáticas.

• **Digestiva {❶,❷,❸}:** Tiene una acción antiespasmódica y algo carminativa (antiflatulenta) sobre el conducto digestivo, a la vez es aperitiva y facilitadora de la digestión. Debido a que la esencia tiene también efecto **antiséptico,** da muy buenos resultados en caso de **colitis** (inflamación del intestino grueso), especialmente cuando hay fermentación pútrida con descomposición de las heces, y gases muy malolientes.

• **Antirreumática y antiinflamatoria {❹,❼}:** Aplicada ***externamente,*** el agua, el aceite, o la esencia de lavanda son muy efectivas para calmar los dolores reumáticos, ya sean de origen articular o muscular: dolores artrósicos de cuello o de espalda, artritis gotosa, tortícolis, lumbagos, ciáticas, etcétera. Resultan asimismo de gran utilidad después de luxaciones, esguinces, contusiones, y distensiones musculares (tirones y agujetas).

• **Antiséptica y cicatrizante {❺}:** La infusión de lavanda se emplea para lavar úlceras y heridas infectadas, que ayuda a que curen rápidamente. El aceite de lavanda alivia el dolor en las **quemaduras** leves (de primer grado) y desinflama las **picaduras** de insectos.

• **Relajante y defatigante:** Después de largas marchas, de realizar intenso ejercicio físico, o cuando se siente agotamiento, un baño caliente con agua o esencia de lavanda ayuda a activar la circulación y a eliminar la sensación de fatiga. Se obtiene un mayor efecto, si el baño va seguido por unas fricciones {❼} con un paño de lana empapado en agua, aceite o esencia de lavanda.

• **Sedante:** El simple hecho de aspirar el aroma de la lavanda {❹} ejerce una suave pero efectiva acción sedante sobre el sistema nervioso central. Es muy recomendable para los niños hiperactivos o que duermen mal. En este caso, resulta muy efectivo colocar unas gotas de esencia de lavanda en la almohada de la cama o en un pañuelo próximo a la cara.

• **Balsámica {❹}:** La esencia se emplea en inhalaciones o vahos para acelerar la curación de laringitis, traqueítis, bronquitis, catarros bronquiales y resfriados.

Otras especies de 'Lavanda'

Existen varias especies de plantas aromáticas pertenecientes al género *Lavandula.* Todas ellas resisten por igual el sol y la aridez del terreno, y todas regalan al caminante con una de las fragancias más apreciadas del mundo vegetal. La composición de estas especies es muy similar, y sus **propiedades medicinales las mismas.** Además de la *officinalis* o *angustifolia,* cabe destacar dos que, como ella, también se cultivan:

- *Lavandula latifolia* (L.f.) Medik. = *Lavandula spica* L. var. *latifolia* L. f.: Muy similar a la lavanda, planta con la que se hibrida y da lugar a numerosas formas intermedias. Se la conoce como: **espliego,** lavándula y alhucema, y en algunos lugares también con el nombre genérico de **lavanda***.
- *Lavandula stoechas* L.: Se caracteriza porque sus flores están agrupadas en un ramillete terminal de sección cuadrangular. Su nombre popular es **cantueso,** y también recibe la denominación de: cantuesca, azaya, estecados y tomillo borriquero**.

** **Cat.:** espígol comú, espígol de fulla ampla, espígol mascle, barballó; **Eusk.:** astaizpiliku; **Gal.:** arzaia, cantroxo, esprego.*

*****Cat.:** tomaní, romaní mascle, timó [mascle], caps d'ase, cabeçuda; **Eusk.:** izpiliku min; **Gal.:** arzaia, cantroxo, esprego.*

Melisa

Equilibra el sistema nervioso

YA DECÍA Avicena, el gran médico árabe del siglo XI, que la melisa «tiene la admirable propiedad de alegrar y confortar el corazón». Desde primeros del siglo XVII los carmelitas descalzos preparan, a partir de esta planta, la famosa "agua del Carmen", que ha sido remedio popular contra desfallecimientos, síncopes y crisis nerviosas.

PROPIEDADES E INDICACIONES: Las hojas y las flores de la melisa contienen un 0,25% de aceite esencial, rico en los aldehídos citral y citronelal, a los que debe su acción **antiespasmódica, sedante, carminativa, digestiva y antiséptica.** Es útil en los siguientes casos:

- **Problemas nerviosos [❶,❷]:** excitación, ansiedad, cefalea tensional (dolores de cabeza de origen nervioso).
- **Estrés y depresión [❶,❷]:** Está muy indicada en los casos de estrés y depresión nerviosa, por su efecto sedante suave y equilibrador del sistema nervioso.
- **Insomnio [❶,❷]:** Tomada por la noche, ayuda a vencerlo.
- **Dolores menstruales [❶,❷]:** Desde hace siglos, se recomienda para aliviarlos.
- Y también puede ser de utilidad en caso de **palpitaciones, espasmos y cólicos abdominales, flatulencia, mareos y vómitos [❶,❷].**
- *Externamente* es **antiséptica, antifúngica** (contra los hongos de la piel), y **antivírica [❸,❹,❺],** de acción demostrada contra los virus del herpes y los mixovirus del grupo 2.

Preparación y empleo

USO INTERNO

❶ **Infusión:** 20-30 g de planta por litro de agua. Se toman 3 o 4 tazas diarias.

❷ **Extracto seco:** Suele administrarse 0,5 g, 3 veces al día.

USO EXTERNO

❸ **Compresas:** Se aplican con una infusión preparada a razón de 30-50 g de planta por litro de agua.

❹ **Baños:** Esa misma infusión añadiéndola al agua del baño (2-3 litros por bañera).

❺ **Fricciones:** Se aplican con la esencia diluida en alcohol (alcohol de melisa).

Agua del Carmen

*El agua del Carmen resulta **poco recomendable** debido a su importante contenido alcohólico. Nosotros conocimos personalmente a una señora mayor que conseguía su ración etílica en las farmacias, donde se proveía a diario de varias botellitas de agua del Carmen, las cuales consumía con avidez hasta la ebriedad.*

Sinonimia hispánica: *toronjil, cedrón, abejera, hoja de limón, cidronela, citraria;* ***Cat.:*** *tarongina, tarongí, melissa, arangí, herba llimonera, herba abellera, herba cidrera, citronella, cidrac;* ***Eusk.:*** *garraiska, melisa, zidroinbelar;* ***Gal.:*** *trunxil, herba cidreira, avelleira;* ***Fr.:*** *mélisse, citronelle;* ***Ing.:*** *[sweet] balm, melissa;* ***Al.:*** *Melisse.*

Hábitat: *Originaria de los países mediterráneos, pero cultivada en toda Europa y regiones templadas de América.*

Descripción: *Planta vivaz de la familia de las Labiadas, que alcanza de 40 a 70 cm de altura. Sus hojas son dentadas y muy rugosas, y desprenden un fuerte olor a limón.*

Partes utilizadas: *las hojas y las flores.*

Papaver somniferum L.

Adormidera

Puede aliviar grandes dolores... o causar enormes sufrimientos

LOS EFECTOS psicológicos de esta planta ya eran conocidos por los antiguos sumerios, hace 5.000 años. Pero es de Teofrasto, filósofo, botánico y médico griego del siglo III a.C., discípulo de Aristóteles, de quien se conoce la primera descripción del jugo de la adormidera, al que dio el nombre de *opion* (jugo, en griego). Dioscórides ya lo recomendaba en el siglo primero de nuestra era para mitigar el dolor y provocar el sueño.

Los médicos árabes, que durante la Edad Media extendieron su uso por Asia y Europa, lo recetaban a menudo como antidiarreico. En el siglo XVIII aumentó mucho su consumo como medicamento, y también como droga, por sus efectos euforizantes. Esta situación se agravó a finales del siglo XIX y principios del XX, con el invento de la aguja hipodérmica.

En 1803 un joven farmacéutico alemán aisló un alcaloide del opio, al que llamó morfina, en recuerdo de Morfeo, el dios griego del sueño.

Después se obtuvieron otros alcaloides y derivados semisintéticos como la diacetilmorfina o heroína. La generalización del uso de estos derivados del opio con fines no médicos, ha dado lugar a una auténtica plaga social: la drogadicción por opiáceos. En todo el mundo, cientos de miles de adictos a la heroína sufren los gra-

Preparación y empleo

USO INTERNO

❶ **Decocción** con 2 a 4 cápsulas maduras de adormidera por litro de agua, durante 5 minutos. Se administran hasta 3 tazas diarias; una antes de ir a dormir.

❷ **Aceite de semillas:** Se toman 1-2 cucharadas (15-30 ml) en crudo, 1-2 veces diarias, aliñando la ensalada u otro plato de verdura.

USO EXTERNO

❸ Para **enjuagues bucales,** se pueden añadir hasta 6 u 8 cápsulas por litro en la misma decocción que para uso interno.

Precauciones

No sobrepasar las dosis *indicadas.*

No consumirla junto con ningún tipo de ***bebida alcohólica,*** *pues se potencian sus efectos* ***tóxicos.***

Sinonimia hispánica: *dormidera [común], amapola [real], amapola blanca;* ***Cat.:*** *cascall, herba dormidora;* ***Eusk.:*** *lo-belar, opio-belar;* ***Gal.:*** *adormideira, mapoula de India;* ***Fr.:*** *pavot;* ***Ing.:*** *opium poppy;* ***Al.:*** *Schlafmohn.*

Hábitat: *Originaria de los países del Oriente Medio; se cultiva como planta medicinal en Turquía, Irán, China, en el sudeste asiático y por el sur de Europa. Se ha empleado como ornamental en algunos jardines de países cálidos de Europa y América. Se puede encontrar asilvestrada cerca de los campos de cultivo.*

Descripción: *Planta anual de la familia de las Papaveráceas, de aspecto variable, con tallo rígido y hueco de hasta un metro de altura. Las hojas son grandes, dentadas, sin peciolo, abrazando al tallo por su base. Sus flores son también grandes, con cuatro pétalos de color blanco, púrpura o lila, con una mancha oscura en su base. El fruto es una cápsula algo aplanada que contiene numerosas semillitas.*

Partes utilizadas: *el látex, las cápsulas y las semillas.*

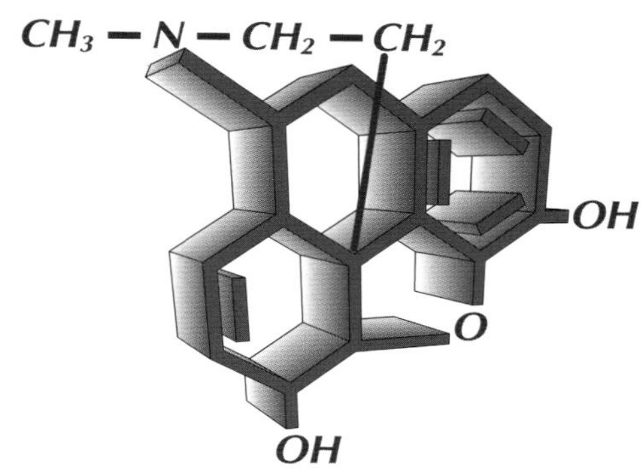

Fórmula química de la morfina, el más abundante e importante de los 24 alcaloides que se encuentran en el opio. Tiene una potente acción analgésica, estupefaciente y narcótica. Su gran inconveniente es la gran capacidad que tiene de generar adicción (dependencia física).

ves efectos tóxicos de estas sustancias, tras haber buscado en ellas lo que creían que iba a ser un placer. Ya lo había dicho Andrés de Laguna, médico español del siglo XVI: «El opio es un veneno sabroso.»

Todo eso no quita que, el opio y sus derivados, utilizados como medicamento bajo control facultativo, puedan prestar un inigualable servicio a la humanidad: Calman dolores incurables, y hacen soportable la vida de muchos enfermos de cáncer, aquejados de dolores lancinantes. Además, son fármacos ***insustituibles en la anestesia general,*** sin los que muchas intervenciones quirúrgicas serían imposibles de realizar.

El opio es el látex que mana de las cápsulas o frutos de esta bella flor, la adormidera. La morfina y otros alcaloides que se obtienen del opio pueden aliviar el dolor, o causar enorme sufrimiento (drogodependencia), según como se usen.

PROPIEDADES E INDICACIONES: Cuando se practica un fino corte en la cápsula inmadura de una adormidera, brota un jugo lechoso: el ***LÁTEX***. Dejándolo secar al aire se convierte en una masa gomosa de color pardo: el opio. Un 25% en peso del opio está formado por alcaloides (unos 24 diferentes), que se dividen en dos tipos según su estructura química:

✓ **Derivados del fenantreno:** morfina (el más abundante), de marcada acción analgésica; codeína, de acción antitusígena; tebaína, de acción relajante; y otros.

✓ **Derivados de la isoquinoleína:** papaverina y noscapina, de acción antiespasmódica, entre otros.

Los efectos del ***OPIO*** son la suma de los propios de cada uno de los alcaloides que lo componen; aunque predominan los de la morfina, ya que es el más abundante. Estos son los más importantes:

• **Analgesia:** En el paciente aquejado de dolor, malestar o preocupación, produce un alivio completo del dolor, seguido de somnolencia u obnubilación mental (narcosis). Sydenham, famoso médico inglés del siglo XVII, dijo: «Entre los remedios más valiosos que plugo a Dios todopoderoso dar al hombre para aliviar sus sufrimientos,

Dormidera silvestre

En la península ibérica se cría como especie autóctona la dormidera silvestre* (*Papaver setigerum* D.C.). Sus **propiedades** son **similares** a las de la *Papaver somniferum* L., aunque presenta un menor porcentaje de principios activos que esta. Ocasionalmente también ha sido cultivada, tanto en España como en Francia, para aprovechar sus propiedades medicinales.

* ***Cat.:*** *cascall bord, pintacoques;* ***Gal.:*** *ababa, mapoula, papoula.*

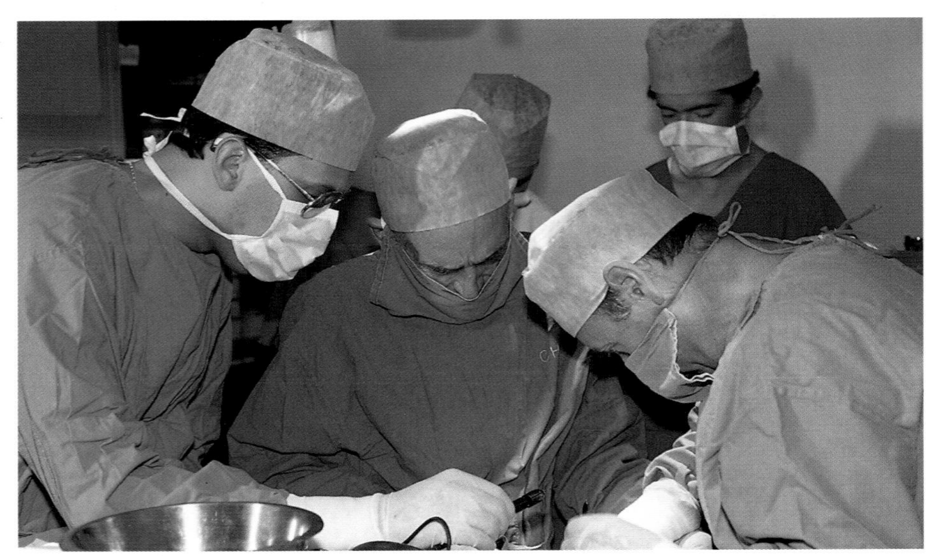

Los derivados de la morfina, obtenida del opio que se extrae de la adormidera, desempeñan un papel fundamental en la práctica quirúrgica. Gracias a dichos derivados se logra la anestesia general, que permite llevar a cabo numerosas intervenciones.

ninguno es tan universal ni tan eficaz como el opio.» En la actualidad, sin embargo, la potencia analgésica del opio se ha visto superada por la de sus derivados semisintéticos.

El gran inconveniente del opio y de sus alcaloides, radica en su ***gran capacidad*** para provocar ***adicción*** (dependencia física). Después de algunas dosis, el paciente lo precisa de forma imperiosa, y no encuentra ninguna otra sustancia o calmante que lo sustituya. De ahí que se tenga que usar con ***prudencia,*** y siempre por ***cortos periodos*** de tiempo, excepto en caso de enfermos terminales.

Cuando se administra opio a una persona sana, le produce una sensación de euforia exagerada, que puede verse seguida por otra de disforia (ansiedad, tristeza y temor), de náuseas o de vómitos. Pronto se manifiestan también los síntomas de dependencia física. Confesaba un ex-drogadicto: «Primero se toma para estar mejor. Después se tiene que tomar para no estar mal.»

- **Depresión respiratoria:** El opio produce, debido especialmente a la morfina que contiene, una respiración lenta y superficial, por acción sobre los centros respiratorios del tronco cerebral. Dosis altas producen la muerte por parada respiratoria.
- **Efecto antidiarreico:** El opio disminuye las secreciones digestivas y enlentece los movimientos peristálticos del intestino. Por eso se ha usado ampliamente contra diarreas y disenterías. En la actualidad se dispone de otros tratamientos menos tóxicos.

Las ***CÁPSULAS*** maduras de la adormidera (las verdes presentan una mayor proporción de alcaloides tóxicos), pueden emplearse:

- Como **analgésicas** en **dolores rebeldes [❶]**.
- Como **calmantes** de los **dolores de muelas [❸]**, mediante enjuagues bucales con una decocción de cápsulas de adormidera.
- Como **sedantes** en casos de **insomnio rebelde [❶]**.

Hay que recordar que la adormidera ***no cura*** la causa del dolor ni del insomnio, que deberá buscarse y tratarse.

La toxicidad y el peligro de adicción de la adormidera aumentan a medida que se purifica:

✓ El **opio** es más peligroso que las cápsulas de la planta.

✓ Los **alcaloides** extraídos del opio (la morfina, por ejemplo) son más tóxicos que el opio completo.

✓ Los **alcaloides semisintéticos (heroína o diacetilmorfina,** por ejemplo), obtenidos, por procesos químicos, a partir de los alcaloides naturales del opio, presentan una mayor toxicidad y capacidad de crear adicción.

De ahí que el opio, y por supuesto sus alcaloides, puedan ser usados ***únicamente por prescripción facultativa,*** y, según la legislación de la mayoría de los países, con una receta especial.

De las ***SEMILLAS*** de la adormidera se obtiene un **aceite [❷]** que contiene un buen porcentaje de **lecitina,** sustancia muy rica en fósforo que conviene para reducir el nivel de colesterol en sangre y fortalecer el sistema nervioso. El aceite de adormidera se halla completamente **exento de alcaloides** estupefacientes, y por lo tanto se puede emplear como aceite culinario de gran valor dietético. Las semillas también se usan en repostería y en la elaboración de pan.

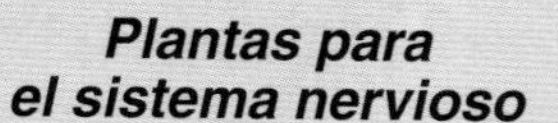

Pasionaria

Una planta americana contra el estrés

ESTA PLANTA llamó la atención de los europeos que viajaron al Nuevo Mundo, quienes creyeron ver, en los diversos órganos de sus lindas flores, los instrumentos utilizados en la pasión de Cristo: el látigo, los clavos y el martillo. La planta fue introducida en Europa y cultivada como ornamental, hasta que a finales del siglo XIX se descubrió que tenía un marcado efecto sedante sobre el sistema nervioso.

Propiedades e indicaciones: Las ***FLORES*** y las ***HOJAS*** de la pasionaria contienen pequeñas cantidades de alcaloides indólicos, flavonoides, diversos esteroles y pectina. No se sabe bien a cual de estas sustancias se debe su acción **sedante, antiespasmódica y somnífera** (inductora del sueño), aunque lo más probable es que se deba a la combinación de todas ellas. Sus principales indicaciones son:

- **Ansiedad, nerviosismo, estrés [❶]**: La pasionaria actúa como un ansiolítico suave, sin riesgo de dependencia o adicción. Es la ***planta ideal*** para los que se encuentran sometidos a ***tensión*** nerviosa. El *Diccionario de las plantas que curan,* de Larousse, dice: «Regalo que nos viene del antiguo imperio de los aztecas, la pasionaria parece ser la planta de la cual nuestra civilización está más necesitada.»

Sinonimia hispánica: *pasiflora, granadilla [blanca], granadilla roja, parcha, maracuyá;* ***Cat.:*** *passionera;* ***Eusk.:*** *pasio-lore;* ***Gal.:*** *pasionaria;* ***Fr.:*** *passiflore, fleur de la passion;* ***Ing.:*** *passion flower, maypop;* ***Al.:*** *Passionsblume.*

Hábitat: *Originaria del sur de los Estados Unidos y México. Se halla ampliamente difundida por las regiones tropicales de Centro y Sudamérica, sobre todo por las Antillas y Brasil. Se cría en terrenos secos, y abrigados. Naturalizada en los países mediterráneos del sur de Europa.*

Descripción: *Planta trepadora de tallos leñosos, de la familia de las Pasifloráceas, cuyas flores blancas o rojizas destacan por su gran belleza. Sus hojas se hallan divididas en tres lóbulos. El fruto es ovoide, carnoso, de color anaranjado y con semillas negras.*

Partes utilizadas: *las flores, las hojas y los frutos.*

Preparación y empleo

Uso interno

❶ **Infusión:** La forma más conveniente de tomar la pasionaria, es la infusión de flores y hojas. Se prepara con 20-30 g por litro de agua, y se deja infundir durante 2 o 3 minutos. Conviene ingerir 2 o 3 tazas diarias, endulzadas con miel si se desea, y una más antes de ir a dormir, en caso de insomnio.

❷ En las **curas de deshabituación** del alcohol o de las drogas, se administran infusiones más concentradas (hasta 100 g por litro), endulzadas con miel. La dosis se regula según las necesidades del paciente.

• **Insomnio ❶:** Induce un sueño natural, sin que se produzca depresión o somnolencia al despertarse. Debido a su falta de toxicidad, se puede administrar a los niños.

• **Dolores y espasmos diversos ❶:** La pasionaria relaja los órganos abdominales huecos, cuya contractura causa dolor de tipo espasmódico o cólico: estómago, intestino (cólico intestinal), vesícula y conductos biliares (cólico biliar), vías urinarias (cólico renal) y útero (dismenorrea). En la práctica, su uso se halla indicado en cualquier tipo de dolor, incluso en las neuralgias.

• **Epilepsia ❶:** Como ***tratamiento complementario,*** la pasionaria permite disminuir la frecuencia y la intensidad de las crisis epilépticas.

• **Alcoholismo y drogadicción ❷:** Se han realizado interesantes experiencias, administrando pasionaria durante los primeros días de la cura de deshabituación del alcohol, de la heroína y de otras drogas. Esta planta permite que el síndrome de abstinencia, vulgarmente llamado "mono", sea mejor tolerado y con menor repercusión física sobre el organismo. Su acción sedante hace que, el alcohólico o el toxicómano, soporten mejor el deseo de consumir la droga, y puedan superar la ansiedad que ello conlleva. En estos casos es necesario aplicarla ***bajo control facultativo.***

Los ***FRUTOS*** de la pasionaria (granadilla o maracuyá) son ricos en provitamina A, vitamina C y ácidos orgánicos. Son **refrescantes y tonificantes.** Se recomiendan en caso de agotamiento físico y en la convalecencia de enfermedades febriles o infecciosas.

Granadilla

En las Antillas y Brasil se da una especie de *Passiflora, la granadilla* (*Passiflora edulis* Sims. = *Passiflora laurifolia* F. Vill.), de flores rojizas, que se conoce también como maracuyá, pasionaria, parcha, parchita morada, además de granadilla con diversos calificativos, como hawaiana, de China o morada. Esta es precisamente la especie del género *Passiflora* más conocida en las Américas.

La granadilla produce un fruto dulce y algo ácido, de sabor auténticamente "tropical", con cuya pulpa gelatinosa se elaboran deliciosos refrescos. El aceite de sus semillas es comestible. En cambio **no se la considera** propiamente una **planta medicinal.**

Las pirámides mayas de Palenque, en el estado mexicano de Chiapas, son uno de los restos mejor conservados de esa civilización. Tanto los mayas como los aztecas, conocían y utilizaban las bellas flores de la pasionaria, cuyos efectos sedantes sobre el sistema nervioso no fueron descubiertos en Europa hasta el siglo XIX.

Tilo

Seda los nervios, protege al corazón... y mucho más

LOS TILOS son árboles majestuosos que viven varios siglos, y que parecen invitarnos a una vida sosegada y serena como la que ellos mismos llevan. En los países del centro y norte de Europa, el tilo simboliza la unidad familiar y la paz hogareña. El empleo de la popular tila (infusión de flores de tilo) como sedante se remonta al Renacimiento, y en la actualidad es ***uno de los remedios vegetales más empleados.***

PROPIEDADES E INDICACIONES: Las ***FLORES*** del tilo contienen una esencia aromática rica en magnesio, con propiedades **sedantes, antiespasmódicas y vasodilatadoras;** mucílagos y pequeñas cantidades de tanino, que las hacen **emolientes y antiinflamatorias;** y glucósidos flavonoides, que las hacen suavemente **diuréticas y sudoríficas.**

La *CORTEZA* contiene polifenoles y cumarinas, que le confieren propiedades **coleréticas** (aumentan la secreción de bilis), **antiespasmódicas** (especialmente activa sobre la vesícula biliar) **hipotensoras y dilatadoras** de las arterias coronarias.

Sus aplicaciones son muy variadas, pero todas ellas giran en torno a sus efectos sedantes y relajantes:

- **Afecciones del sistema nervioso [❶,❷,❸]:** Por la esencia que contiene, la flor de tilo es muy útil en los casos de excitación nerviosa, angustia e inquietud.

Sinonimia hispánica: *tila, tilia, tillera, tejo,* ***Cat.:*** *tell [d'Holanda], tília, til·ler, til·lera, tillol;* ***Eusk.:*** *ezki[-lore];* ***Gal.:*** *tilleira, tileiro;* ***Fr.:*** *tilleul;* ***Ing.:*** *linden;* ***Al.:*** *Linde.*

Hábitat: *Difundido, tanto en estado silvestre como cultivado, por zonas montañosas de Europa continental, Córcega y la región del Cáucaso. En España se encuentra en la mitad norte peninsular. En América también se crían diversas especies de tilos.*

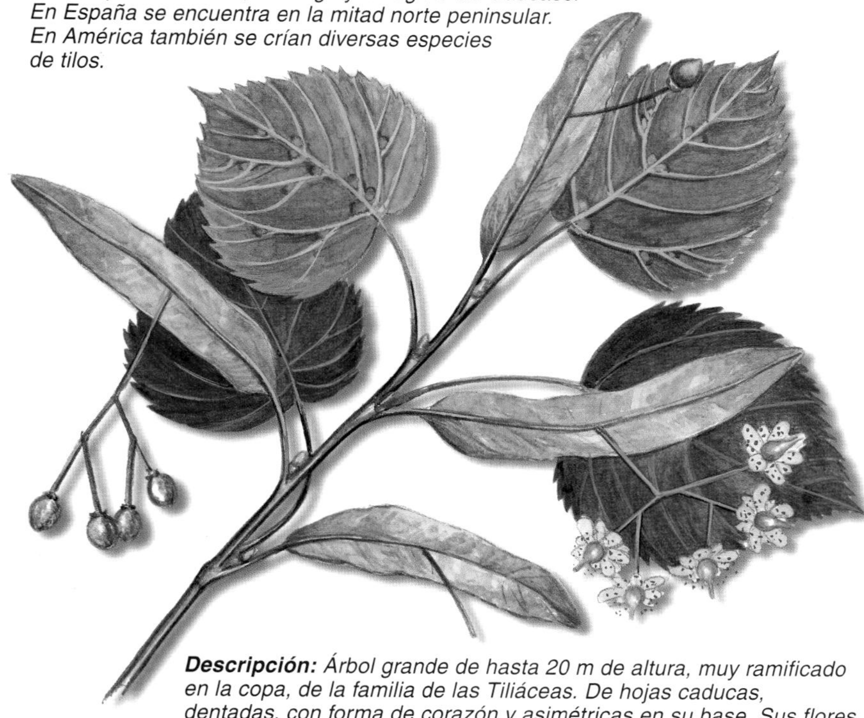

Descripción: *Árbol grande de hasta 20 m de altura, muy ramificado en la copa, de la familia de las Tiliáceas. De hojas caducas, dentadas, con forma de corazón y asimétricas en su base. Sus flores son blanquecinas o amarillentas, y desprenden un aroma agradable.*

Partes utilizadas: *las inflorescencias jóvenes y la corteza.*

Preparación y empleo

USO INTERNO

❶ **Infusión de flores**: 20-40 g por litro de agua. Se ingieren cada día 3-4 tazas calientes; una de ellas siempre antes de ir a dormir. La tila se puede endulzar con miel.

❷ **Decocción de corteza:** 30 g por litro de agua durante 10 o 15 minutos. Se puede mezclar con la infusión de flores, para obtener un efecto más completo.

❸ **Extracto fluido:** La dosis suele ser de unas 20-40 gotas, 3 veces al día, con una cuarta toma por la noche antes de acostarse.

USO EXTERNO

❹ **Baño de flores de tilo:** Se prepara con 300-500 g de flores puestas en infusión con 1-2 litros de agua, que se añaden al agua de baño caliente, inmediatamente antes de introducirse en la bañera.

❺ **Compresas:** Ya sea para afecciones de la piel o para belleza, se empapan compresas en una infusión de 100 g de flores de tilo por litro de agua, que se cambian cada 5 minutos. Aplicarlas diariamente 2 o 3 veces.

Baños de vapor

Los baños de vapor (foto de la derecha) se recomiendan como tratamiento de ***belleza facial.*** *Para ello se hace hervir una olla de agua, y al sacarla del fuego se le añade un puñado de flores de tilo. El vapor que sale se aplica directamente sobre la cara. Realizar dos baños diarios.*

• **Insomnio [❶,❷,❸]:** La tila resulta muy efectiva en los casos de insomnio, pues provoca un sueño natural. A diferencia de la mayor parte de los somníferos y sedantes sintéticos, la infusión de tila no produce somnolencia o pesadez a la mañana siguiente, y no crea adicción. Sin embargo, hay que tener presente que como tratamiento suave y nada agresivo que es, el tilo actúa lentamente, y sus efectos pueden tardar varios días en manifestarse.

Los baños con agua caliente a la que se añade infusión de flores de tilo [❹], tienen una notable acción tranquilizante y relajante, a la vez que potencian la acción de las tisanas de tila que se toman por vía oral. Dan resultados espectaculares en caso de insomnio rebelde.

• **Niños nerviosos o insomnes [❶, ❷,❸]:** Se recomienda también el uso de la tila en pediatría, por carecer de efectos secundarios o indeseables. Conviene a los niños hiperactivos o irritables. Hay que administrarlo durante varios días o semanas para que desarrolle su acción.

• **Afecciones respiratorias [❶]:** Por su contenido en mucílagos de acción emoliente, y por su efecto antiespasmódico, la flor de tilo está indicada en los catarros bronquiales, bronquitis, asma, gripe y tos rebelde de los niños. Se puede añadir algo de corteza para un efecto más intenso.

Los baños de vapor con flores de tilo suavizan y embellecen la piel. Para obtener un efecto relajante, se añade esa misma infusión al agua de baño, y se toma un baño completo antes de ir a dormir. El baño de flores de tilo resulta muy efectivo en caso de insomnio o nerviosismo.

Diversos tilos

Se conocen varias especies de tilos alrededor del mundo. Todas, excepto la última que mencionamos, tienen **las mismas propiedades** medicinales:

- **Tilo común** (*Tilia platyphyllos* Scopoli), llamado asimismo tilo blanco, tejo blanco, tilo de hoja grande y tilo de Holanda*.
- **Tilo de hoja pequeña** (*Tilia cordata* Miller), conocido también como teja, tejo blanco, tillera y esquiya**, y que florece de dos a tres semanas antes que el común.
- **Tilo o tillera** (*Tilia europaea* L.), que es el resultado de una hibridación entre las dos especies citadas anteriormente, y es la más usada en fitoterapia.
- **Tilo americano** (*Tilia americana* L.).
- **Tilo plateado***** (*Tilia tomentosa* Moench. = *Tilia argentea* D.C.). Árbol ornamental que tiene las hojas blancas por el envés, y que **no se utiliza en fitoterapia.**

* ***Cat.:*** *tell de fulla gran, til·ler de fulla gran, tell de llei;* ***Eusk.:*** *ezki hostozabal;* ***Gal.:*** *tilleira de folla grande, tileiro.*

*****Cat.:*** *farot, tell de fulla petita, til·ler de fulla petita;* ***Eusk.:*** *ezki hostotxiki;* ***Gal.:*** *tilleira, tileiro.*

******Cat.:*** *tell argentat;* ***Eusk.:*** *ezki [ilauntsu], zilarkara;* ***Gal.:*** *tilleira prateada.*

Las flores del tilo se agrupan en inflorescencias, que son conjuntos de flores con un pedúnculo común. Junto con la corteza, son la parte medicinal más apreciada del tilo. La acción medicinal del tilo abarca al sistema nervioso, los aparatos respiratorio, cardiovascular y digestivo, así como la piel.

• **Afecciones cardíacas y circulatorias [❶,❷,❸]:** Tanto la flor como la corteza del tilo tienen un efecto vasodilatador y suavemente hipotensor. Actúan especialmente sobre las arterias coronarias. Están muy indicadas en caso de angina de pecho y de arritmias, que suelen afectar a personas con temperamento nervioso o estresadas, con lo que obtendrán un doble beneficio.

Últimamente se ha puesto de manifiesto que el tilo (flor y corteza) disminuye la viscosidad de la sangre, con lo que esta circula con mayor fluidez. De esta forma, actúa favorablemente en la ***prevención*** del **infarto** de miocardio y de la **trombosis.**

Los pletóricos, los cardíacos, los que padecen de hipertensión arterial, los que tienen predisposición a la arteriosclerosis, al infarto y en general a las afecciones circulatorias, se benefician especialmente del consumo de flor y corteza de tilo.

• **Jaquecas [❷]:** El tilo (especialmente su corteza) se ha revelado muy útil en el tratamiento de la jaqueca (dolor de cabeza lancinante debido a espasmos arteriales), tan difícil de tratar por medios químicos. Su acción es más bien ***preventiva,*** por lo que se debe tomar de forma sistemática, y no solamente cuando se presenta el ataque.

• **Afecciones digestivas [❶]:** Por su acción colerética y antiespasmódica sobre la vesícula biliar, el tilo, especialmente la flor, conviene a los que padecen de **cálculos biliares** o de trastornos en el funcionamiento de la vesícula biliar (disquinesias). Facilita la expulsión de los pequeños cálculos de la vesícula biliar y del llamado barro biliar (arenilla en la bilis). Ayuda a una mejor digestión en caso de dispepsia biliar, intolerancia a las grasas, flatulencia o distensión abdominal después de las comidas.

• **Afecciones de la piel [❺]:** Aplicada ***externamente,*** la tila presenta una notable acción emoliente (antiinflamatoria y suavizante) sobre la piel. Está indicada en caso de quemaduras, eccemas, furúnculos e irritaciones de origen diverso.

• **Belleza y cosmética:** Resulta de gran utilidad para combatir los efectos del viento, del frío o del sol sobre la piel (piel seca, quemaduras solares). Se usa en cosmética para darle suavidad y belleza a la piel. El baño de vapor al tilo abre los poros y limpia la piel.

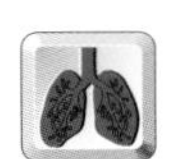

Valeriana

Calma los nervios y baja la tensión arterial

LA VALERIANA surte unos efectos bastante diferentes, según actúe sobre los seres humanos o sobre los animales. A los primeros les proporciona un notable efecto sedante, mientras a los segundos los estimula fuertemente. Así, por ejemplo, los gatos se ponen eufóricos cuando huelen la planta, y se frotan contra ella con gran deleite. En cambio, el aroma de la valeriana, que se intensifica con el secado de la planta, no tiene para los humanos ningún atractivo especial, pues recuerda al del sudor de los pies. Cuestión de gustos...

La valeriana se usa en terapéutica desde el Renacimiento, cuando se descubrió su propiedad de evitar los ataques epilépticos.

PROPIEDADES E INDICACIONES: Las raíces de la valeriana contienen alrededor del 1% de un aceite esencial de acción antiespasmódica con numerosos componentes (terpenos, ésteres de bornilo, etc.) y del 1% al 5% de valepotriatos, sustancias a las que tradicionalmente se ha atribuido el efecto sedante de la valeriana. Sin embargo, hoy se sabe que el princio activo más importante de la valeriana es el baldrinal, que es el metabolito del valepotriato llamado valtrato.

La valeriana posee efectos **tranquilizantes, sedantes, somníferos** (favorece el sueño), **analgésicos** (calma el dolor), **antiespasmódicos y anticonvulsivantes.** Produce una sedación de todo el sistema nervioso central y vegetati-

Preparación y empleo

USO INTERNO

❶ **Infusión:** 15-20 g de raíz triturada por litro de agua, de la que se toman hasta 5 tazas diarias, endulzadas con miel si se desea. En caso de insomnio, tomar una taza de media a una hora antes de ir a dormir.

❷ **Maceración:** 100 g de raíz en un litro de agua caliente. Dejar reposar durante 12 horas. Se ingieren 3-4 tazas al día.

❸ **Polvo de raíz:** Se administra 1g, 3-4 veces al día.

USO EXTERNO

❹ **Compresas** de una decocción de 50-100 g de raíz seca, hervida en un litro de agua durante 10 minutos. Se aplican calientes sobre la zona dolorida.

❺ **Baños** de agua caliente, de acción sedante, añadiendo 1-2 litros de una decocción de valeriana igual que la preparada para las compresas.

Sinonimia hispánica: *valeriana oficinal, valeriana de las boticas, valeriana medicinal, valeriana menor, raíz de catacata, hierba de los gatos, alfeñique;* ***Cat.:*** *valeriana [vera], valeriana oficinal, herba gatera;* ***Eusk.:*** *belar bedeinkatu, ardimihi;* ***Gal.:*** *birpiriana, verliana, herba bendita;* ***Fr.:*** *valériane, herbe aux chats;* ***Ing.:*** *[fragrant] valerian, English valerian;* ***Al.:*** *Echter Baldrian.*

Hábitat: *Se cría en los linderos de los bosques, prados húmedos y orillas de los ríos de Europa, para desaparecer en la región mediterránea. En España se encuentra en los Pirineos, cordillera Cantábrica y Asturias. Naturalizada en Norteamérica y cono sur del continente americano.*

Descripción: *Planta herbácea de la familia de las Valerianáceas con tallos erguidos y estriados que alcanzan de 0,5 a 2 m de altura. Las flores son pequeñas, de color rosado, y se agrupan en ramilletes terminales.*

Partes utilizadas: *la raíz y el rizoma.*

La valeriana tiene un notable efecto equilibrador sobre el sistema nervioso vegetativo, ya sea ingerida en tisana o en baños medicinales. Resulta sumamente útil en caso de enfermedades psicosomáticas, nerviosismo o estrés.

vo, disminuyendo la ansiedad. También disminuye la presión arterial. Su acción es similar a la de los fármacos tranquilizantes mayores o neurolépticos (fenotiazinas y derivados), pero se halla libre de sus efectos tóxicos. Sus indicaciones son las siguientes:

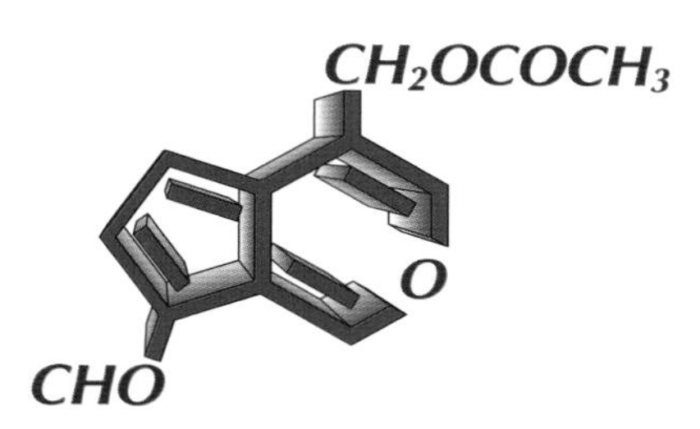

Fórmula química del baldrinal, el principio activo más importante de la valeriana.

• **Distonías neurovegetativas (❶,❷,❸):** ansiedad, neurosis de angustia, neurastenia o irritabilidad, dolores de cabeza, palpitaciones, arritmias, hipertensión arterial esencial (que no tiene causa orgánica), temblores, neurosis gástrica (nervios en el estómago), colon irritable, y otras enfermedades psicosomáticas.

• **Depresión** nerviosa y **agotamiento (❶,❷,❸).**

• **Insomnio (❶,❷,❸):** Por su acción somnífera da muy buenos resultados si la infusión se combina con un baño (❺) de la misma planta antes de ir a dormir.

• **Epilepsia (❶,❷,❸):** Tomada regularmente, ***previene*** la aparición de los ataques epilépticos. ***No sustituye a la medicación*** antiepiléptica, aunque puede contribuir a reducir su dosis.

• **Asma (❶,❷,❸):** Al igual que en el caso de la epilepsia, es más efectiva en la ***prevención*** que en el tratamiento del ataque agudo. Su acción antiespasmódica y sedante evita el espasmo de los bronquios, que junto con el edema de la mucosa, es uno de los factores causantes del asma.

• **Dolores (❶,❷,❸):** Por su efecto analgésico resulta útil para aliviar los dolores ciáticos y reumáticos. Además, también actúa ***externamente*** **(❹).** De ahí que se aplique sobre la zona afectada para aliviar el dolor en caso de contusiones, lumbalgias, ciática, distensiones musculares y dolores reumáticos.

Verbena

Alivia las jaquecas y las neuralgias

EL TEMPLO de Júpiter en el Olimpo se purificaba con agua de verbena, pues a esta planta se la tenía por panacea, capaz de librar de todos los males. Durante la Edad Media la usaron los encantadores y adivinos, como hierba mágica. Antiguamente se recomendaba como afrodisíaca («enciende los amores apagados»), y es posible que hasta cierto punto lo sea. En la actualidad hemos llegado a conocer sus propiedades y sus verdaderas aplicaciones.

PROPIEDADES E INDICACIONES: Contiene verbenalina, un glucósido que actúa sobre el sistema nervioso vegetativo, especialmente sobre el parasimpático, produciendo una acción **sedante, antiespasmódica, analgésica, digestiva y antiinflamatoria.** Contiene además tanino y mucílago, que la ha-

Verbena azul

En el continente americano se cría una especie similar a la verbena oficinal o común, la conocida como verbena azul o americana (*Verbena hastata* L.). La **composición y propiedades** de ambas especies son **similares.** Tradicionalmente la verbena azul se emplea como **sedante,** como **antigripal** y como **anticatarral,** especialmente cuando hay afectación de las vías respiratorias.

Preparación y empleo

Usar la planta **fresca,** siempre que resulte factible, pues su principio activo, la verbenalina, se va degradando paulatinamente con la desecación.

USO INTERNO

❶ **Infusión:** 15-20 g por litro de agua. Se ingieren 3 o 4 tazas diarias.

❷ **Decocción:** 20 g por litro, durante 10 minutos. Igual dosis que de infusión.

USO EXTERNO

❸ **Gargarismos:** La misma infusión o decocción recomendadas para uso interno, pero más concentradas (40-50 g por litro).

❹ **Inhalaciones:** Se llevan a cabo respirando directamente los vapores de una decocción de verbena caliente.

❺ **Compresas calientes:** Se realizan con la infusión o decocción concentrada y se aplican sobre las correspondientes zonas doloridas.

❻ **Cataplasmas:** La planta hervida, o pasada por la sartén (rehogada), y envuelta en un lienzo de algodón.

Sinonimia hispánica: *verbena macho, verbena mayor, verbena oficinal, verbena común, verbena fina, curalotodo, hierba de todos los males, hierba sagrada, hierba santa; hierba de Santa Ana, hierba de Santa María;* ***Cat.:*** *berbena, [herba] berbera;* ***Eusk.:*** *berbena-belar, izusta, aistrika;* ***Gal.:*** *crusados, orxabán, [herba dos] ensalmos;* ***Fr.:*** *verveine, herbe sacrée;* ***Ing.:*** *[European] vervain, holy herb;* ***Al.:*** *Eisenkraut.*

Hábitat: *Común en bordes de caminos, terrenos incultos y ribazos de toda Europa. Naturalizada en el continente americano.*

Descripción: *Planta vivaz de la familia de las Verbenáceas, de hasta un metro de altura, con tallos cuadrangulares erguidos y flores pequeñas de color malva que crecen en espigas terminales. Sabor amargo.*

Partes utilizadas: *la planta florida, cuanto más fresca mejor.*

Las inhalaciones con los vapores de una decocción caliente de verbena son muy útiles en caso de sinusitis.

cen **astringente y emoliente.** Por lo tanto sus aplicaciones son:

• **Jaquecas y migrañas [❶,❷]:** Por su acción antiespasmódica sobre el sistema arterial, evita que se produzcan las crisis de dolor de cabeza, o por lo menos disminuye su intensidad. El tratamiento de estas afecciones es muy difícil, y se obtienen mejores resultados ***combinándola*** con otras plantas. La verbena se halla libre de los importantes efectos secundarios de los fármacos derivados de la ergotamina, que habitualmente se emplean para tratar las crisis de jaqueca.

• **Dolores reumáticos, neuralgias, ciática:** Se aplica tanto en uso interno (infusión [❶] o decocción [❷]), como externo (compresas [❺] o cataplasmas [❻]).

• **Trastornos digestivos:** Su acción eupéptica favorece la digestión. Se puede usar contra las diarreas y cólicos intestinales por sus propiedades astringentes.

• **Descongestiona el hígado [❶,❷]:** Favorece la secreción de la bilis (acción **colerética**), por lo que conviene en las hepatopatías (afecciones del hígado). Su acción antiespasmódica resulta asimismo útil en caso de **cálculos** biliares.

• **Diurética [❶,❷]:** Debido a que es ligeramente diurética, se administra en caso de **cólico renal** para calmar el dolor y ayudar a eliminar las piedras. Por la misma razón se prescribe para el tratamiento de la **obesidad** y de la **celulitis.**

• **Afecciones de la garganta [❸]:** Muy recomendable en diversas afecciones de las vías respiratorias altas, como faringitis, amigdalitis y laringitis, e inflamaciones de garganta en general. Se aplica en gárgaras y en cataplasmas [❻], y también en infusión [❶].

• **Sinusitis:** Se emplea para el tratamiento de esta molesta afección, por su acción antiinflamatoria y astringente. Se aplica tanto por vía oral [❶] como en inhalaciones [❹] y compresas calientes [❺] sobre la cara.

La verbena es muy efectiva en todo tipo de dolores de cabeza, tanto ingerida por vía oral, como en sus diversas aplicaciones externas.

PLANTAS EXCITANTES

La nicotina del tabaco produce una estimulación o excitación transitoria, seguida de una depresión, sobre las funciones del sistema nervioso central y vegetativo. El resultado de su uso se traduce en un desequilibrio irritativo del sistema nervioso.

SUMARIO DEL CAPÍTULO

PLANTAS

ES POSIBLE que a algunos les pueda sorprender el hecho de que se incluyan plantas de acción excitante sobre el sistema nervioso, comúnmente calificadas como drogas, en una obra sobre plantas medicinales.

En primer lugar, creemos que por tratarse de plantas cuyo uso y abuso está bastante extendido –desgraciadamente, por cierto– en la moderna cultura competitiva, conviene conocer bien su composición, sus propiedades y sus efectos sobre el organismo.

Además, desde un punto de vista estrictamente farmacológico, no se puede negar que algunas de estas plantas excitantes, o sus principios activos, puedan proporcionar cierta acción terapéutica. Este es el caso del té y el mate, por ejemplo, y en menor medida también del café y de las hojas de coca en su estado natural, que pueden aliviar determinadas afecciones, ante la falta de otros remedios más seguros y efectivos. Por el contrario, en el caso del tabaco, las muchas investigaciones realizadas en torno a él, tratando de encontrarle alguna virtud positiva de aplicación medicinal, no han dado resultado.

Conviene pues, al amante de la fitoterapia, conocer los efectos de estas plantas, ya que a pesar de que en su mayor parte sean nocivos, en determinados casos muy concretos pueden contribuir a aliviar o resolver provisionalmente una dolencia; teniendo presente que su uso no resulta indispensable en ningún caso, y que siempre será posible encontrar otro remedio alternativo con menos efectos indeseables.

Los problemas del uso continuado

El uso continuado o regular de cualesquiera de estas plantas excitantes trae con-

	Planta	Pág.	Acción	Uso
ALTERNATIVAS AL CAFÉ Las infusiones de estas plantas se hallan exentas de cafeína, y poseen un grato aroma, además de propiedades medicinales.	ROBLE	208	Astringente, nutritivo	Infusión de bellotas tostadas y molidas
	DIENTE DE LEÓN	397	Aperitivo. Mejora las funciones de la vesícula biliar y del hígado	Infusión de raíces tostadas
	ACHICORIA	440	Digestiva, mejora la digestión, descongestiona el hígado	Infusión de las raíces secas, tostadas y trituradas
	BRUSCA	630	Sucedáneo del café. Desinflama la próstata	Infusión de semillas tostadas y molidas
ALTERNATIVAS AL TÉ Estas plantas sustituyen con ventaja al té clásico, pues además de ser aromáticas y medicinales, se hallan exentas de cafeína o teína. Otras muchas infusiones de plantas pueden reemplazar al té: por ejemplo, las de **menta con orégano**, o la de **melisa con manzanilla**.	TÉ DE NUEVA JERSEY	191	Útil en catarros bronquiales	Decocción de corteza y/o hojas
	VIOLETA	344	Fluidifica las secreciones bronquiales y calma la tos, aromática	Infusión de flores
	DRÍADA	451	Aperitiva y digestiva	Infusión de hojas
	TÉ DE ROCA	456	Digestivo y tonificante	Infusión
	TOMILLO	769	Tonificante, estimula las facultades intelectuales	Infusión concentrada

sigo numerosos problemas para la salud, perfectamente identificados y demostrados. En el caso de las plantas que contienen cafeína, como el café, el té y el mate, se produce el llamado síndrome de la cafeína, o también **cafeísmo o teísmo,** caracterizado por los siguientes síntomas:

- **alteraciones en el ritmo** normal vigilia-sueño,
- **irritabilidad** nerviosa,
- aumento de la frecuencia del **pulso y arritmias** (trastornos en el ritmo normal del corazón),
- **gastritis y colitis** crónicas.

En el caso de las plantas que contienen los alcaloides nicotina o cocaína, como el tabaco o la coca, las consecuencias de su uso habitual son más graves y evidentes, especialmente en el caso de la coca. El deterioro de ciertas funciones orgánicas como las del sistema nervioso y cardiovascular es progresivo, inevitable, y, en la mayor parte de los casos, irreversible. La atrofia cerebral de los adictos a la cocaína, o la bronquitis crónica de los fumadores habituales, son un ejemplo de ello.

Buscando alternativas saludables

Las plantas excitantes que describimos en las páginas siguientes tienen todas ellas la capacidad de producir **adicción,** es decir, necesidad de continuar tomándolas.

Con las raíces tostadas del diente de león, mezcladas con las de la achicoria si se desea, se puede elaborar un sustitutivo del café de agradable aroma y muy saludable.

Como ocurre con otras drogas, al principio se toman para estar mejor, y después se tienen que tomar para no sentirse mal. Por ello, creemos que es preferible sustituir su consumo por el de otras plantas que no generen adicción, que proporcionen un estímulo suave y fisiológico, sin riesgos tóxicos, y cuyo consumo resulte igualmente agradable. Además de las alternativas al café y al té que se dan en esta página, conviene tener en cuenta las **plantas tonificantes** que se recomiendan para el agotamiento y astenia (pág. 140).

Coffea arabica L.

Cafeto

Excita, pero no nutre

EN EL SIGLO XVI los árabes difundieron la infusión del café. Actualmente se consumen, solo en Estados Unidos, más de un millón de toneladas anuales de granos de café.

El café verde, tal como lo produce el cafeto, se somete a un proceso de fermentación y torrefacción antes de su uso.

El consumo habitual de café produce dependencia física y psíquica (necesidad de seguir consumiéndolo) y efectos tóxicos, por lo que **está considerado como una droga.**

Al igual que ocurre con otras drogas, como por ejemplo el opio, su principio activo (la cafeína) puede ser útil para el tratamiento de ciertas afecciones en un momento dado. Ahora bien, el consumo habitual provoca adicción y en muchos casos diversos trastornos.

PROPIEDADES E INDICACIONES: El componente activo más importante del café es el alcaloide trimetilxantina, o cafeína, que constituye el 1%-2% del grano. Contiene también un aceite esencial, que le comunica su aroma típico, de acción irritante sobre el conducto digestivo; ácidos cafeico y clorogénico, de efecto diurético; y diversas sustancias grasas y nitrogenadas, que se oxidan y desnaturalizan durante el proceso de fermentación y torrefacción del grano.

La cafeína es un alcaloide del grupo de las xantinas, muy similar químicamente a la purina y al ácido úrico, y responsable de la mayor parte de los efectos del café, que son los siguientes:

Preparación y empleo

USO INTERNO

❶ **Infusión** de los granos verdes o tostados.

Sinonimia hispánica: *café, café común [de Colombia], café de Arabia, café de Moka, café enano, café San Lorenzo, café San Ramón, cafeto borbón;* ***Cat.:*** *cafè;* ***Eusk.:*** *kafe;* ***Gal.:*** *cafeeiro;* ***Fr.:*** *caféier;* ***Ing.:*** *[common] coffee tree;* ***Al.:*** *Kaffeestrauch.*

Hábitat: *Originario de Etiopía y Sudán, donde todavía se da espontáneamente. Ampliamente cultivado en regiones tropicales y subtropicales de América y África, donde se crían múltiples especies del género* Coffea.

Descripción: *Arbusto o árbol de la familia de las Rubiáceas, que puede alcanzar hasta 5 m de altura. Sus flores son blancas. Los frutos son unas drupas rojas con dos semillas: los granos de café.*

Partes utilizadas: *las semillas.*

Precauciones

El café ***no debe usarse de forma continuada,*** *ni siquiera como medicamento, pues por su contenido en cafeína crea* ***dependencia*** *(necesidad de seguir tomándolo) y* ***tolerancia*** *(necesidad de aumentar la dosis), como ocurre con cualquier otra droga adictiva. Usado como medicamento, no se deberían tomar más de dos o tres tazas diarias.*

El uso del café está formalmente ***contraindicado*** *en los siguientes casos: úlcera gastroduodenal, gastritis, pirosis (acidez estomacal), colitis, nerviosismo, hipertensión, cardiopatías, arritmias, gota, embarazo (disminuye el crecimiento del feto) y lactancia (la cafeína pasa a la leche materna).*

Fórmula química de la cafeína o trimetilxantina, alcaloide principal del grano de café.

$$\begin{array}{ccccccc} H_3C & - & N & - & C & = & O \\ & & | & & | & & \\ O & = & C & & C & - & N\;H \\ & & | & & \| & & \rangle CH \\ H_3C & - & N & - & C & - & N \end{array}$$

Fórmula química de la teofilina, otra metilxantina similar a la cafeína.

Durante el proceso de torrefacción, las semillas del cafeto (izquierda) sufren un proceso de oxidación en el que se produce, entre otras sustancias, una esencia de acción irritante sobre el conducto digestivo.

• **Estimulante del sistema nervioso:** Después de ingerir cafeína, se pueden realizar mayores esfuerzos intelectuales; sin embargo, disminuye la capacidad para retener y asimilar lo aprendido. Los mecanógrafos, si han ingerido café, trabajan con mayor rapidez, pero cometen más errores. La agilidad mental y el dinamismo que se logra, van seguidos de una mayor sensación de fatiga y abatimiento unas horas después, que inducen a consumir otra dosis. Esto se debe a que el estímulo de la cafeína sobre el sistema nervioso es excitante y superfluo. Una taza de café no contiene ninguna de las sustancias nutritivas que el cerebro necesita para su adecuado funcionamiento, como pueden ser la glucosa, las vitaminas del grupo B, la lecitina o las sales minerales (fósforo, calcio, etc.). El café excita, pero no nutre; y en dosis elevadas irrita y agota el sistema nervioso.

• **Sobre el aparato circulatorio,** el café produce un aumento en la fuerza contráctil del corazón y un ligero aumento de la presión arterial. Ahora bien, hay que tener en cuenta que dosis repetidas producen irritabilidad en el músculo cardíaco, lo cual se manifiesta por taquicardia y arritmias (alteraciones del ritmo). La cafeína, al aumentar el nivel de adrenalina en sangre, es un factor predisponente de los ataques cardíacos.

• **Sobre el aparato digestivo,** el café produce un aumento en la secreción de jugos gástricos, lo cual puede facilitar la digestión en un momento dado; pero su uso continuado provoca acidez excesiva, gastritis y favorece la aparición de úlcera gastroduodenal, así como colitis, debido además a la acción irritante del aceite esencial contenido en el café. El hígado sufre asimismo una sobrecarga cuando se ingiere habitualmente café.

• **El uso habitual** del café se ha relacionado con el cáncer de vejiga urinaria, con el cáncer de páncreas y con el de colon, así como con el aumento del colesterol en sangre.

El **empleo terapéutico** del café puede estar justificado de forma ***excepcional*** en los siguientes casos, siempre y cuando no dispongamos de otros tratamientos con menos efectos secundarios:

• **Intoxicación alcohólica aguda** (borrachera): El café puede neutralizar, aunque únicamente de modo incompleto, los efectos depresivos del alcohol sobre el sistema nervioso. Se puede usar como remedio casero para "despertar" parcialmente a quien se haya intoxicado con bebidas alcohólicas. La intoxicación etílica, para su adecuado tratamiento, requiere, entre otras cosas, grandes dosis de vitaminas del complejo B, de las que carece el café.

• **Lipotimia** (desmayo), **desfallecimiento** por agotamiento físico y **fatiga {❶}:** El café puede proporcionar un estímulo provisional, aunque no curativo en ningún caso. Lo que procede es aplicar el tratamiento adecuado para estos casos.

• **Cefalea** (dolor de cabeza), **jaqueca, congestión** cerebral por gripe o **afecciones catarrales, fiebre {❶}:** El café "despeja" la cabeza y produce un alivio subjetivo de las molestias de la gripe. En estos casos, el verdadero tratamiento consiste en aplicar los agentes naturales, que estimulan las defensas orgánicas y tienen una acción preventiva.

Erythroxylon coca Lam.

Coca

Droga excitante... y fármaco insustituible en la anestesia

SEGÚN una antigua leyenda incaica, fue Manco Capac, el Hijo del Sol y fundador del Imperio de los Incas, quien dio las hojas de coca a los humanos como un remedio divino para consolar a los afligidos, dar fuerzas al cansado y saciar a los hambrientos. Cuando Francisco Pizarro llegó a lo que hoy es el Perú, a principios del siglo XVI, encontró establecida entre los incas la costumbre de masticar hojas de coca.

Los colonizadores europeos descubrieron pronto que resultaba rentable suministrar hojas de coca a los indígenas del Nuevo Mundo, pues les quitaba la sensación de fatiga y además hacía desaparecer el hambre. Curiosamente, en la actualidad, la coca sigue siendo objeto de enriquecimiento económico para unos pocos, los narcotraficantes, a cambio de la salud de otros, los adictos a la cocaína.

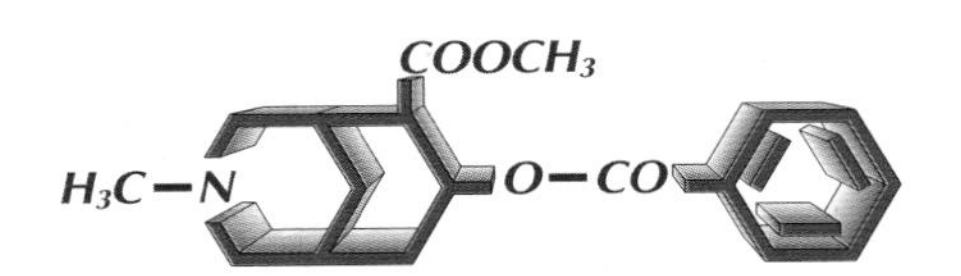

Fórmula química de la cocaína, alcaloide psicoactivo de notables efectos tóxicos sobre todo el organismo. Sus derivados de acción anestésica local carecen de estos efectos.

Preparación y empleo

USO EXTERNO

Los derivados de la cocaína, que se usan para **anestesia local** en la práctica quirúrgica y odontológica habitual, se infiltran bajo la piel con la ayuda de una aguja hipodérmica. Estos derivados semisintéticos están exentos, a las dosis utilizadas, de los efectos excitantes de la cocaína.

Sinonimia hispánica: *coca del Perú, cuca, chuichicoca, hayuelo, ipadá;* ***Cat.:*** *coca, eritròxil;* ***Eusk.:*** *koka-[landare];* ***Gal.:*** *coca;* ***Fr.:*** *coca;* ***Ing.:*** *coca;* ***Al.:*** *Kokastrauch.*

Hábitat: *Se da espontáneamente en las montañas andinas de Perú y Bolivia, entre los 500 y los 1.800 m de altura. Cultivada en Sudamérica y en el sudeste asiático.*

Descripción: *Arbusto de la familia de las Lináceas de hasta 2 m de altura. Sus hojas son perennes, lanceoladas u ovaladas, con peciolo corto, lampiñas. Las flores, pequeñas, nacen en las axilas de las hojas, y son de color blanco o amarillento. El fruto es una drupa roja con una semilla.*

Partes utilizadas: *las hojas.*

Pero la coca tiene dos caras: La cocaína es un ***fármaco insustituible*** en la práctica médica. De ella derivan los **anestésicos locales**, gracias a los cuales millones de personas en todo el mundo reciben diariamente tratamiento odontólogico, o se someten a intervenciones quirúrgicas, sin dolor. ¡Cuánto bien pueden hacer las plantas como la coca, cuando se usan correctamente!

PROPIEDADES E INDICACIONES: En la hoja de coca se encuentran diversos alcaloides, entre los que predomina la cocaína; una esencia aromática; taninos; heterósidos; y diversas sustancias inactivas como el oxalato cálcico.

La ***COCAÍNA*** es el principio activo al que se deben sus efectos, entre los que cabe destacar:

- **Sobre el sistema nervioso:** Produce una marcada excitación, con aumento de la actividad intelectual, facilidad de palabra, euforia y aumento de la fuerza muscular. Si la dosis aumenta, se producen temblores, nerviosismo e incluso convulsiones.

Después de la fase de excitación, cuando desaparece el efecto, sobreviene otra fase de depresión con agotamiento y abatimiento, que induce a ingerir otra dosis. Se ha podido comprobar como tras el consumo de cocaína aumenta la eliminación de urea, debido al consumo y la degradación de las propias proteínas del organismo. La estimulación que produce es a costa de un empobrecimiento y agotamiento corporal, al no recibir los nutrientes necesarios para compensar el esfuerzo realizado.

- **Sobre el aparato circulatorio** se produce, a dosis medias, taquicardia e hipertensión; a dosis altas, arritmias, síncope, e incluso se puede llegar a la parada cardíaca.

- **Sobre la esfera sexual** produce alteraciones en la libido e impotencia (acción anafrodisíaca).

Las hojas de coca se emplean como remedio popular en las regiones andinas de América del Sur, para combatir el mal de altura o "sorroche" y la fatiga que se produce al viajar por la alta montaña. También se emplean para calmar los dolores de garganta y de estómago, debido a su efecto anestésico local. Pueden ser útiles en un momento dado, aunque ***es mejor prescindir de ellas*** y usar otros remedios menos tóxicos.

Como ocurre con otras drogas, los efectos tóxicos son menores en la sustancia natural, y se van intensificando a medida que se la refina o procesa químicamente. A pesar de todo, los masticadores de hojas de coca también sufren de agotamiento físico, alteraciones nerviosas y vejez prematura; aunque no resultan tan afectados como los adictos a la cocaína.

La verdadera y gran aplicación de la cocaína es como anestésico local; aunque hoy se usan más sus derivados, como, por ejemplo, la ***procaína.***

Inyectada debajo de la piel o de las mucosas, las insensibiliza, permitiendo la cirugía sin dolor. También se usa para infiltrar articulaciones, tejidos y nervios afectados de procesos dolorosos.

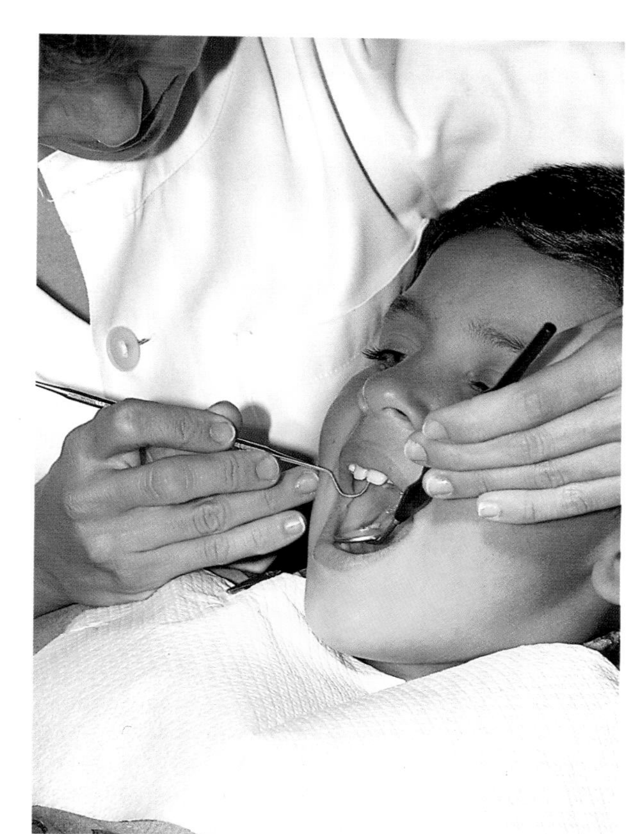

Los anestésicos locales derivados de la cocaína, se hallan exentos, a las dosis terapéuticas, de los efectos tóxicos de la misma. La odontología y la cirugía no serían posibles, tal como las conocemos actualmente, sin el concurso de estos fármacos. La cocaína, por el contrario, no posee ninguna aplicación terapéutica, y junto con el alcohol, el tabaco y la heroína, constituye el grupo de sustancias usuales más nocivas para la salud de la humanidad.

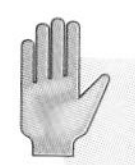

Precauciones

*La **cocaína,** el principio activo de las hojas de la coca, es una de las drogas con **mayor capacidad** de crear **adicción** (dependencia) que se conocen. Además, su **uso continuado** causa un **rápido deterioro** del organismo, y especialmente del **sistema nervioso**, con **lesiones permanentes e irreversibles.***

El uso habitual de las hojas de coca produce los mismos efectos, aunque quizá no con tanta rapidez, por lo que son igualmente desaconsejables.

Ilex paraguayensis St. Hill.

Mate

Excitante similar al café

EL MATE es una bebida muy popular en América del Sur, especialmente en las regiones en las que la dieta es a base de carne. Su aroma recuerda al del té, lo mismo que su composición química y sus efectos.

Los sudamericanos toman el mate tostando ligeramente sus hojas, colocándolas en una cáscara de calabaza o de coco, y vertiendo sobre ellas agua caliente. Se le añade bastante azúcar. Tradicionalmente se sorbe mediante una cánula que termina en una esfera con agujeritos que hacen de colador, y que recibe el nombre de "bombilla".

PROPIEDADES E INDICACIONES: Las hojas contienen cafeína (1%-1,5%; el café contiene hasta el 2%), teobromina (otra xantina excitante que también se encuentra en el cacao (pág. 597), taninos y ácido clorogénico.

Es un excitante nervioso y muscular, aunque de efectos no tan marcados como el café (pág. 178). Su consumo habitual produce **dependencia** (necesidad de seguir consumiéndolo), así como **efectos tóxicos** sobre el sistema nervioso (irritación), el corazón (palpitaciones, taquicardias) y el aparato digestivo (gastritis y predisposición a la úlcera gastroduodenal).

Como planta medicinal se puede administrar, ***a falta de otros remedios*** menos tóxicos, en casos de **cefalea** (dolor de cabeza), **congestión** cerebral por el calor (insolación), y **lipotimia** o desfallecimiento **(❶)**. Se debe tener siempre en cuenta que el alivio que ofrece el mate es ***sintomático*** (no cura la causa), y que el consumo habitual produce efectos tóxicos.

En ***uso externo,*** el mate se aplica en compresas **(❷)** por su acción **antiséptica y cicatrizante.**

Preparación y empleo

USO INTERNO

❶ **Infusión** con 20-40 g de hojas por litro de agua. No se deben ingerir más de 3 tazas al día.

USO EXTERNO

❷ **Compresas:** En la medicina popular, empapadas en la infusión, se usan para para lavar **heridas infectadas** y en el tratamiento de **quemaduras**.

Precauciones

El mate ***no debe usarse de forma continuada****, ni siquiera como medicamento, pues por su contenido en* ***cafeína*** *crea* ***dependencia*** *(necesidad de seguir tomándolo) y* ***tolerancia*** *(necesidad de aumentar la dosis), como ocurre con cualquier otra droga adictiva.*

El uso del mate está ***contraindicado*** *en los siguientes casos: úlcera gastroduodenal, gastritis, pirosis (acidez estomacal), nerviosismo, hipertensión, cardiopatías, arritmias, nerviosismo, gota, embarazo (disminuye el crecimiento del feto) y lactancia (la cafeína pasa a la leche).*

Sinonimia científica: *Ilex paraguensis* D. Don.

Sinonimia hispánica: *yerba mate, mate de tierra fría, hierba de palo, hierba señorita, hierba del Paraguay, té del Paraguay, té de los jesuitas, té del Brasil, té argentino, caminí, caá;* ***Cat.:*** *[herba] mate;* ***Eusk.:*** *mate;* ***Gal.:*** *herba mate;* ***Fr.:*** *maté;* ***Ing.:*** *[yerba] mate, Paraguayan tea;* ***Al.:*** *Matebaum.*

Hábitat: *Crece silvestre en Argentina, Chile, Perú y Brasil, y se cultiva sobre todo en Paraguay. Poco conocido fuera de Sudamérica.*

Descripción: *Pequeño árbol o arbusto de la familia de las Aquifoliáceas, que puede alcanzar hasta 5 m de altura. Sus hojas son ovaladas, perennes, coriáceas y de color verde pardusco.*

Partes utilizadas: *las hojas.*

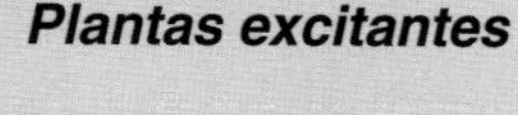

Nicotiana tabacum L.

Tabaco

Una planta tan atractiva... como tóxica

POR ENCARGO del rey Felipe II, fue Gonzalo Hernández de Toledo, el español que al regresar de América en 1559, trajo consigo las primeras plantas del tabaco. Pronto se establecieron en la península ibérica los primeros cultivos de Europa. El embajador de Francia en Lisboa, Jean Nicot, creyendo que el tabaco poseía un gran valor medicinal, difundió sus semillas por Francia y después por toda Europa.

–¿Que el tabaco perjudica? ¡Si un famoso médico me lo ha recetado contra el asma!

La infundada fama de medicinal hizo que el hábito de fumar y de aspirar el tabaco se arraigara aún más como costumbre social. A mediados del siglo XIX todavía era prescrito por algunos médicos como tratamiento contra las afecciones pulmonares.

Precauciones

*La **nicotina** (que recibe su nombre en honor de Jean Nicot) se usa como **herbicida, plaguicida e insecticida** muy efectivo. Dado que se absorbe muy bien por la piel, los **productos que la contienen** han de ser manejados con sumo cuidado, pues se han producido **intoxicaciones mortales.***

Sinonimia hispánica: *tabaco de olor, tabaquera, nicociana, hierba del diablo, hierba santa, peti, sayri;*
Cat.: *tabaquera, tabac;* ***Eusk.:*** *tabako[-belar];*
Gal.: *tabaco;* ***Fr.:*** *tabac;* ***Ing.:*** *tobacco;* ***Al.:*** *Tabakpflanze.*

Hábitat: *Originario de Centroamérica donde todavía se da espontáneamente. Se cultiva ampliamente en todo el mundo.*

Descripción: *Planta herbácea anual de la familia de las Solanáceas cuyo tallo erguido alcanza hasta 1,7 m de altura. Sus hojas son grandes, con los nervios muy marcados por el envés y el peciolo muy corto. Las flores tienen forma de trompeta y son de color rosa o salmón.*

Partes utilizadas: *las hojas.*

Lobelia

La lobelia (*Lobelia inflata* L.), conocida también como tabaco indio y hierba del asma, es una planta norteamericana de la familia de las Lobeliáceas que contiene ***lobelina,*** un alcaloide de efectos similares a la nicotina aunque menos intensos.

Antiguamente se usaba como emética (vomitiva), antiasmática y expectorante. En la actualidad ya no se usa, debido a que se dispone de otras muchas plantas no tóxicas, con estas mismas propiedades.

Recientemente la lobelia ha cobrado de nuevo interés en el tratamiento del tabaquismo. Al fumador empedernido que no consigue dejar de fumar, se le cambia el tabaco por la lobelia (en pastillas), y de esta forma desaparece el deseo imperativo de fumar. En realidad lo que se consigue es cambiar la adicción a la nicotina por la adicción a la lobelina, cuyos **efectos tóxicos** son más suaves y con menor capacidad de "enganche". Progresivamente se debe abandonar el consumo de lobelina.

Dosis altas de lobelia producen dificultad respiratoria, taquicardia e hipotensión.

El tratamiento sustitutivo con lobelina no es el ideal, aunque puede ser útil en los casos rebeldes de tabaquismo en los que han fracasado todos los demás tratamientos.

En Europa existe una especie similar, conocida como **matacaballos** (*Lobelia urens* L.), **igualmente tóxica.**

Muy pocos se daban cuenta en aquella época de la toxicidad del tabaco. Una de las primeras voces que se alzó para llamar la atención sobre los peligros del tabaco fue Ellen G. White, destacada autora y educadora, que escribía en 1875: «El tabaco es un veneno lento e insidioso, y sus efectos son más difíciles de eliminar del organismo que los del alcohol.» Hoy sabemos lo difícil que resulta dejar de fumar, tanto por la dependencia física que produce el tabaco, como por la psicológica.

Hasta mediados del siglo XX, los científicos no demostraron plenamente los efectos cancerígenos del tabaco. Pero a partir de la segunda mitad del siglo XX se han multiplicado las investigaciones sobre los efectos nocivos del tabaco. Cada año se publican cientos de nuevos estudios mostrando su nocividad sobre el aparato respiratorio, el corazón, las arterias, el esófago, el páncreas y otros órganos.

El tabaco se ha convertido en la ***droga*** que ***más gastos, más enfermedades y más muertes*** produce en todo el mundo; mucho más incluso, que las ilegales como la heroína o la cocaína.

La Unión Europea ha creado el programa preventivo "Europa contra el cáncer", cuyo primer punto es: «No fume». Se calcula que si en Europa sus habitantes dejasen de fumar, se reduciría a la ***mitad*** el número de ***muertes por cáncer.***

El tabaco no posee ***ninguna*** virtud medicinal. Lo citamos aquí por su importancia social y sanitaria como droga tóxica.

La composición de las hojas de tabaco es muy compleja: lípidos, hidrocarburos, gomas, azúcares, dos heterósidos (tabacina y tabaciclina), quercitina, ácidos nicotínicos y clorogénicos, una esencia y varios alcaloides, entre los que destaca la nicotina (1%-3%), cuya fórmula química es $C_{10}H_{14}N_2$.

La nicotina produce una estimulación transitoria, y después una depresión, sobre el sistema nervioso central y sobre todos los ganglios del sistema nervioso vegetativo. Estimula la descarga de adrenalina por la médula de las glándulas suprarrenales, lo que se traduce por vasoconstricción, taquicardia, hipertensión y excitación.

El tabaco es una planta muy atractiva, pero venenosa. Su uso, según la OMS, es la principal causa evitable de mala salud en todo el mundo.

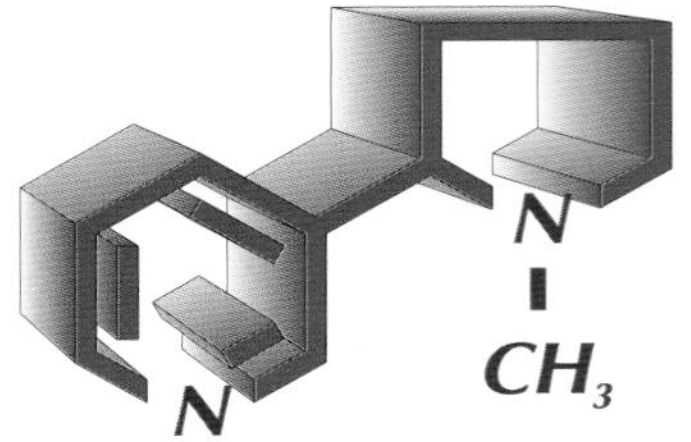

Fórmula química de la nicotina, alcaloide responsable de los efectos del tabaco sobre los sistemas nervioso y cardiovascular. La mayor parte de los efectos irritantes del tabaco sobre el aparato respiratorio se deben a los alquitranes del humo que se inhala al fumar.

Dosis altas producen sudor frío, temblor, vómitos, palpitaciones y trastornos cardíacos.

La nicotina es un veneno muy potente. Los indios americanos usaban el jugo de las hojas de tabaco para envenenar la punta de sus flechas.

Una gota de nicotina, colocada en la lengua de un perro grande, le causa la muerte en breves instantes. La dosis mortal para el ser humano es de 50-60 mg, que es la cantidad contenida en dos puros medianos. Afortunadamente, al fumar únicamente se absorbe el 10% de la nicotina, y el organismo "aprende" a eliminarla; aunque a costa de sufrir sus efectos tóxicos.

El humo del tabaco contiene, además de nicotina, alquitranes de acción irritante y cancerígena, así como aldehídos, monóxido de carbono, y hasta 30 sustancias tóxicas más; ninguna sustancia medicinal, ninguna vitamina, ningún nutriente.

La intoxicación crónica por el tabaco produce estomatitis (inflamación de la boca), bronquitis crónica, palpitaciones, angina de pecho, hipertensión, falta de apetito e impotencia sexual, entre otros muchos trastornos. Como cualquier otra droga, causa fundamentalmente:

- **Dependencia** física y psíquica: Necesidad de seguir consumiéndolo para no sentirse peor.
- **Tolerancia**: Necesidad de aumentar la dosis progresivamente, para obtener los mismos efectos.

La deshabituación del tabaco requiere un tratamiento amplio, médico y psicológico, como el propugnado en el conocido Plan de Cinco Días, que Editorial Safeliz publica en varios de sus libros y revistas.

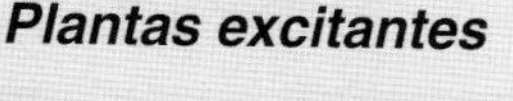

Té

Excita y estriñe

LOS CHINOS ya usaban el té hace 4.000 años, aunque su difusión en Europa se produjo a partir del siglo XVII.

PROPIEDADES E INDICACIONES: Las hojas del té contienen del 1% al 4% de cafeína (llamada teína para diferenciar su origen); taninos (15%-20%) y una esencia.

Sus efectos son muy similares a los del café (pág. 178), aunque menos intensos debido a que las infusiones de té se preparan más diluidas. Una taza de té contiene de 40 a 60 mg de cafeína, y una de café de 100 a 200 mg. El té provoca excitación del sistema nervioso, del corazón y del sistema circulatorio, y aumenta la secreción de jugos ácidos en el estómago.

Su uso como estimulante, en caso de fatiga o de agotamiento, es un ***remedio de emergencia,*** que no debería convertirse en habitual. El té, al igual que el café, estimula pero no aporta ninguna sustancia nutritiva. De ahí que su consumo regular provoque precisamente agotamiento.

El consumo habitual produce el llamado "teísmo" en los países británicos: estreñimiento, acidez de estómago, insomnio y excitación nerviosa. El consumo frecuente de té desarrolla ***adicción,*** como sucede con cualquier otra droga.

Por su contenido en taninos se usa en **diarreas y colitis,** y como tónico digestivo en caso de **empacho o indigestión [❶].** En los capítulos 19 y 20 se pueden encontrar diversas plantas para estas afecciones, exentas de los inconvenientes del té.

Exteriormente se usa como colirio para lavados oculares en caso de **conjuntivitis [❷].**

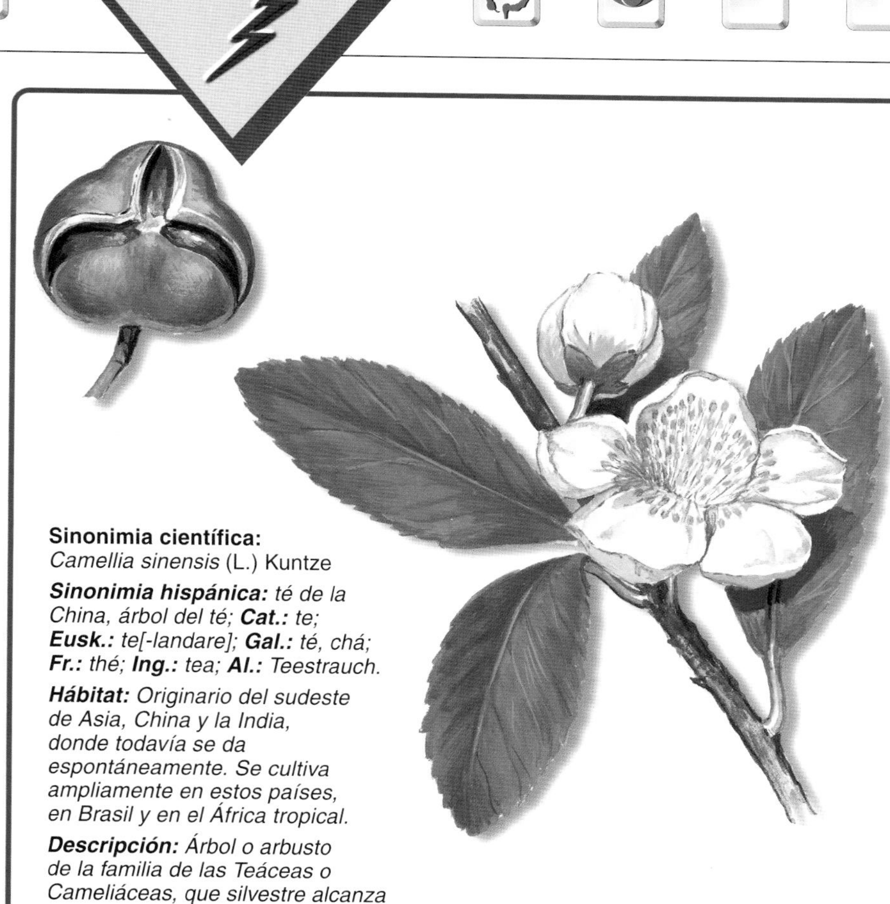

Sinonimia científica: *Camellia sinensis* (L.) Kuntze

Sinonimia hispánica: *té de la China, árbol del té;* ***Cat.:*** *te;* ***Eusk.:*** *te[-landare];* ***Gal.:*** *té, chá;* ***Fr.:*** *thé;* ***Ing.:*** *tea;* ***Al.:*** *Teestrauch.*

Hábitat: *Originario del sudeste de Asia, China y la India, donde todavía se da espontáneamente. Se cultiva ampliamente en estos países, en Brasil y en el África tropical.*

Descripción: *Árbol o arbusto de la familia de las Teáceas o Cameliáceas, que silvestre alcanza hasta 10 m de altura y cultivado 1-2 m. Las hojas son perennes, de color verde oscuro. Las flores son grandes, blancas y olorosas.*

Partes utilizadas*: las hojas.*

Preparación y empleo

USO INTERNO

❶ **Infusión** con 20-40 g por litro de agua, de la que se pueden tomar como máximo hasta 5 tazas diarias.

USO EXTERNO

❷ **Lavados oculares:** En caso de conjuntivitis se usa una decocción con 30-50 g de la planta por litro de agua. Se deja hervir durante 5 minutos, de forma que se vuelva estéril antes de aplicarla sobre los ojos.

Precauciones

El té ***no debe usarse de forma continuada,*** *ni siquiera como medicamento, pues por su contenido en* ***cafeína*** *crea* ***dependencia*** *(necesidad de seguir tomándolo) y* ***tolerancia*** *(necesidad de aumentar la dosis). Ver lo dicho en la pág. 178 a propósito del café.*

Se ***desaconseja*** *el uso del té en caso de úlcera gastroduodenal, gastritis, acidez de estómago, nerviosismo, hipertensión arterial o afecciones del corazón. Las mujeres embarazadas y que lactan deben abstenerse también del uso del té, por lo efectos tóxicos de la cafeína sobre el feto o sobre el lactante (pasa a la leche).*

10 PLANTAS PARA LA BOCA

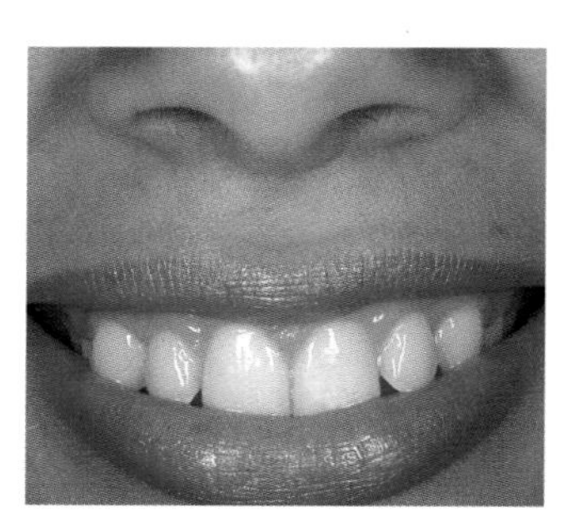

Las plantas medicinales pueden contribuir de modo muy positivo a la higiene bucal.

SUMARIO DEL CAPÍTULO

ENFERMEDADES Y APLICACIONES

PLANTAS

LA IMPORTANCIA de la boca para la salud deriva de dos hechos fundamentales relacionados con su anatomía y fisiología:

1. En la boca se realiza la **masticación,** primera fase del proceso digestivo. La función de las piezas dentarias es decisiva para una buena masticación y digestión.
2. La cavidad bucal contiene una **gran cantidad y variedad de gérmenes,** hasta el punto de ser una de las partes del cuerpo en la que más microbios existen. Estos microorganismos pueden causar infecciones graves y estados tóxicos que repercuten sobre todo el organismo.

La cavidad bucal, al igual que el resto del conducto digestivo, está tapizada en todo su interior por una capa de células llamada **mucosa.** La inflamación de la boca, y específicamente de esa mucosa que la recubre, recibe el nombre de **estomatitis.** Etimológicamente este término procede del griego *stoma,* que quiere decir 'boca' (y no 'estómago'). Se manifiesta mediante un enrojecimiento de la mucosa bucal, acompañado en ocasiones de ulceraciones o llagas (aftas). Afecta sobre todo a las encías, la punta de la lengua y la cara interna de los carrillos.

Las causas más frecuentes de la estomatitis son: irritantes químicos como el tabaco y las bebidas alcohólicas, ingesta de alimentos demasiado calientes, ciertos medicamentos (especialmente los antibióticos), prótesis dentales mal ajustadas, y una higiene bucal deficiente.

Los enjuagues bucales con plantas medicinales pueden contribuir significativamente al ***tratamiento,*** y sobre todo a la ***prevención,*** de la **estomatitis,** la **gingivitis,** la **piorrea** y otras afecciones bucales.

Enfermedad	Planta	Pág.	Acción	Uso
LLAGAS DE LA BOCA Son unas pequeñas ulceraciones, muy dolorosas, que tienden a curar espontáneamente después de unos días. Sus causas pueden ser muy variadas, aunque no es fácil determinarlas: infecciones víricas, alergias alimentarias, carencias de vitaminas del grupo B o de hierro, entre otras. Los enjuagues bucales con plantas ***astringentes*** (secan las mucosas), ***antisépticas y cicatrizantes,*** pueden ser de utilidad. *Té de Nueva Jersey*	**TÉ DE NUEVA JERSEY**	191	Suaviza la mucosa bucal	Enjuagues bucales con la decocción
	AGRIMONIA	205	Astringente y antiinflamatoria	Enjuagues bucales con la decocción
	SERPOL	338	Antiséptico (desinfectante)	Enjuagues bucales con la infusión concentrada
	DRÍADA	451	Desinflama la mucosa oral	Gargarismos o enjuagues con la infusión
	CINCOENRAMA	520	Astringente, antiséptica y cicatrizante	Enjuagues bucales con la decocción
	ZARZA	541	Astringente y hemostática	Enjuagues bucales con la decocción de hojas y brotes
	SALVIA	638	Astringente y antiséptica	Enjuagues bucales con la decocción
	ACHIOTE	700	Cicatrizante y suavizante	Gargarismos o enjuagues con la infusión de hojas
	SANÍCULA	725	Cicatrizante	Enjuagues bucales con la decocción
	TOMILLO	769	Antiséptico	Enjuagues bucales con la decocción
GRIETAS DEL LABIO Las grietas labiales suelen estar causadas por la sequedad o el frío, y provocan dolor al abrir o mover la boca. Cuando aparecen en la comisura labial (**boqueras**) suelen estar relacionadas con la falta de ciertos minerales, especialmente de hierro. El tratamiento local con compresas o cataplasmas de plantas ***emolientes*** (suavizantes) y ***cicatrizantes,*** puede acelerar la curación.	**ALHOLVA**	474	Antiinflamatoria y cicatrizante	Cataplasmas con la decocción de semillas trituradas
	PARIETARIA	582	Antiinflamatoria y emoliente	Cataplasmas con la planta fresca machacada
	CACAO	597	Poderoso emoliente y cicatrizante	Aplicaciones de la manteca o grasa extraída de las semillas
	CINOGLOSA	703	Emoliente y cicatrizante	Cataplasmas de hojas machacadas o compresas con el jugo fresco
MAL SABOR DE BOCA Puede asociarse o no al mal aliento (**halitosis**). Suele estar en relación con el mal funcionamiento de la vesícula biliar o con fermentaciones intestinales. Convienen las plantas ***colagogas y digestivas,*** especialmente estas cuatro que se citan.	**FUMARIA**	389	Combate la autointoxicación por putrefacción intestinal	Infusión, jugo o extractos
	BOLDO	390	Facilita el vaciamiento de la vesícula y la digestión	Infusión de hojas o extractos
	ANGÉLICA	426	Facilita la digestión, elimina los gases y fermentaciones intestinales	Infusión o decocción de la raíz
	MILENRAMA	691	Digestiva, disminuye las fermentaciones intestinales	Infusión de sumidades floridas
ERUPCIÓN DENTARIA Cuando salen los dientes a los lactantes, las encías sufren un leve proceso inflamatorio, cuyas molestias pueden aliviarse con estas plantas.	**MALVAVISCO**	190	Ablanda las encías y facilita la salida de los dientes	La raíz limpia dada a masticar a los lactantes
	AZAFRÁN	448	Alivia las molestias de la dentición	Frotar las encías con la infusión concentrada de briznas de azafrán

Enfermedad	Planta	Pág.	Acción	Uso
DOLOR DE MUELAS Las plantas medicinales pueden aportar un efecto ***analgésico local,*** aplicadas en enjuagues bucales. De esta forma se evitan los efectos indeseables de los analgésicos de uso interno (ingeridos, inyectados, etc.). En ningún caso hay que relegar el ***tratamiento de fondo*** de la infección dentaria, causante del dolor.	**ADORMIDERA**	164	Analgésica estupefaciente	Enjuagues bucales con la infusión de cápsulas
	CLAVERO	192	Antiséptico bucal y analgésico	Aplicar un fragmento de clavo o una gota de esencia en la muela dolorida
	CARIOFILADA	194	Desinflama y desinfecta la mucosa bucal, calma el dolor de muelas	Enjuagues bucales con la infusión
	AMAPOLA	318	Sedante y analgésica	Enjuagues bucales con la infusión de pétalos
FLEMÓN DENTARIO Además del ***tratamiento antibiótico,*** se pueden aplicar cataplasmas de higos o de otras plantas (ver "Abscesos", cap. 27) para acelerar la maduración del flemón o absceso.	**HIGUERA**	708	Favorece la maduración de los abscesos y la cicatrización de las heridas	Cataplasmas de higos frescos o secos puestos a remojo
PIORREA, GINGIVITIS Y PARODONTOSIS Desde el punto de vista etimológico, **piorrea** quiere decir 'derrame de pus', aunque se aplica específicamente a la salida de pus por las encías. Los dientes pierden su sujeción y se caen. La **gingivitis** es la inflamación de las encías, frecuentemente causada por la piorrea. La **parodontosis** es un término más amplio, que incluye a todas las afecciones capaces de alterar la sujeción de los dientes al hueso, la más frecuente de las cuales es la piorrea. Estas afecciones requieren un ***tratamiento odontológico especializado.*** Los enjuagues bucales con estas plantas, sirven como ***complemento*** higiénico de este tratamiento.	**CARIOFILADA**	194	Antiséptica y analgésica bucal	Enjuagues bucales con la infusión
	RATANIA	196	Astringente (seca las mucosas) y antiinflamatoria	Enjuagues bucales con la decocción de corteza
	LENTISCO	197	Antiséptico y antiinflamatorio. Perfuma el aliento	Almáciga (resina) masticada o en dentífricos, enjuagues bucales con la decocción de hojas y tallos tiernos
	BISTORTA	198	Astringente, fortalece las encías débiles y sangrantes	Enjuagues bucales con la decocción de rizoma triturado
	ROBLE	208	Astringente y antiinflamatorio. Limpia las encías	Enjuagues bucales con la decocción
	HAYA	502	Poderoso adsorbente (retiene partículas en disolución), limpia las encías	Carbón de la madera aplicado sobre las encías a modo de dentífrico
	CINCOENRAMA	520	Astringente, antiséptica y cicatrizante	Enjuagues con la decocción de rizoma y raíz
	GRANADO	523	Astringente, afianza los dientes	Enjuagues bucales con la infusión de flores y corteza
	QUINO	752	Cicatrizante y antiséptico	Enjuagues bucales con la decocción
	ÁLAMO NEGRO	760	Adsorbente, arrastra el sarro y restos alimentarios en putrefacción de las encías. Blanquea los dientes	Carbón de la madera aplicado sobre las encías a modo de dentífrico

Flor del lentisco

Flor de la cincoenrama

Plantas para la estomatitis

*La estomatitis es la inflamación de la mucosa que recubre el interior de la cavidad de la boca. Los enjuagues bucales con cualesquiera de estas plantas, pueden contribuir al mejoramiento de la estomatitis. Para que se produzca la completa curación es preciso **eliminar** previamente sus **causas**.*
*En **aplicación local,** todas estas plantas tienen acción astringente (secan las mucosas), antiinflamatoria y antiséptica.*

Clavero

Planta	Página
Hierba de San Roberto	137
Té de Nueva Jersey	191
Clavero	192
Cariofilada	194
Ratania	196
Bistorta	198
Hidrastis	207
Roble	208
Regaliz	308
Arrayán	317
Llantén	325
Violeta	344
Dríada	451
Aliso	487
Castaño	495
Epilobio	501
Nogal	505
Tormentilla	519
Guayabo	522
Zarza	541
Fresal	575
Rosal	635
Consuelda mayor	732
Quino	752
Frambueso	765
Saúco	767

Los enjuagues con infusiones o decocciones de plantas ricas en tanino, resultan muy útiles para la higiene bucal, como por ejemplo, la infusión de hojas y flores de frambueso (foto inferior)**, o la decocción de hojas y corteza de raíz de guayabo** (foto del centro).

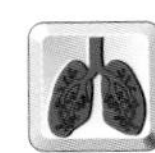

Malvavisco

Un gran emoliente

AL IGUAL que su pariente la malva, el malvavisco es todo dulzura y suavidad. Hasta sus hojas están delicadamente aterciopeladas con una fina pelusilla. Dioscórides ya lo recomendaba en el siglo I d.C., y desde entonces se ha venido empleando en todas las épocas.

PROPIEDADES E INDICACIONES: Todas las partes de la planta, especialmente la raíz, contienen mucílago, pectina, sales minerales y vitamina C. Sus propiedades son las mismas que las de la malva (pág. 511), pero más intensas por su mayor contenido en mucílago. Es pues ***una de las plantas más emolientes*** que se conocen. El mucílago se deposita sobre la **piel** o las **mucosas,** formando una capa **protectora y antiinflamatoria.**

Sus indicaciones son muy similares a las de la malva: **laxante,** en caso de estreñimiento, y **antiinflamatoria,** en caso de gastritis, gastroenteritis o colitis; para combatir las afecciones respiratorias, así como las irritaciones de la boca y de otras mucosas digestivas **[❶]**.

La ***RAÍZ*** limpia puede darse a mascar los niños durante la época de la dentición, pues ablanda las encías y facilita la salida de los dientes.

El malvavisco ejerce su acción suavizante sobre todo el conducto digestivo, desde la boca hasta el ano.

Preparación y empleo

USO INTERNO

❶ **Infusión** de 30 g de hojas o flores, o **decocción** de 20-30 g de raíz por litro de agua; de la que se toman diariamente 3 o 4 tazas endulzadas con miel.

Sinonimia hispánica: *malvavisco común, malvavisco verdadero, altea [común], acalia, bismalva, matilla cañamera, samaramuja;* ***Cat.:*** *malví, malvina, malva blanca, fregador;* ***Eusk.:*** *malba [zuri];* ***Gal.:*** *malvadisco, altea;* ***Fr.:*** *guimauve;* ***Ing.:*** *marshmallow, althea;* ***Al.:*** *Eibisch.*

Hábitat: *Se encuentra en lugares húmedos, terrenos pantanosos y márgenes de riachuelos del centro y sur de Europa. Cultivado como planta medicinal en Europa y América.*

Descripción: *Planta vivaz, vellosa, de la familia de las Malváceas, que puede alcanzar hasta 2 m de altura. Sus hojas son grandes y aterciopeladas, y sus flores blancas con 5 pétalos.*

Partes utilizadas: *la raíz, las flores y las hojas.*

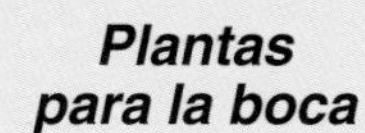

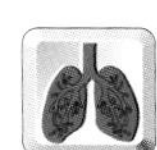

Té de Nueva Jersey

Excelente para enjuagues bucales

EL LLAMADO té de Nueva Jersey, o ceanoto, es uno de los remedios vegetales usados por los indios de Norteamérica desde tiempos inmemoriales. Perfectamente integrados en su medio ambiente, aquellos primitivos pobladores ya habían descubierto sus virtudes, que hoy han sido confirmadas por la moderna investigación científica. Sus hojas se utilizaron como sustitutivo del té durante la guerra de independencia norteamericana.

PROPIEDADES E INDICACIONES: La corteza de la raíz contiene un alcaloide (ceanotina), tanino, resina e indicios de un aceite esencial. Se utiliza con éxito en los siguientes casos:

- **Afecciones bucales y de la garganta [❷]:** faringitis, amigdalitis (anginas), aftas bucales (llagas) y otras irritaciones, aplicado localmente en forma de gárgaras y enjuagues bucales.
- **Afecciones broncopulmonares [❶]:** catarros bronquiales, tos, bronquitis asmática.

Preparación y empleo

USO INTERNO

❶ **Decocción** con una cucharada de corteza de raíz triturada, por taza de agua. Se ingieren 2-3 tazas diarias.

USO EXTERNO

❷ **Enjuagues y gargarismos:** Se realizan con la misma decocción que se emplea internamente, aunque algo más concentrada.

Sinonimia hispánica: *ceanoto;* ***Cat.:*** *ceanot;* ***Fr.:*** *thé de New Jersey;* ***Gal.:*** *té de Nova Jersey;* ***Ing.:*** *New Jersey tea, red root;* ***Al.:*** *Säckelblume.*

Hábitat: *Común en bosques y campos de Norteamérica. En Europa se cultiva como ornamental.*

Descripción: *Arbusto de la familia de las Ramnáceas, de 1-1,5 m. de altura. Sus hojas son ovales, terminadas en punta y finamente dentadas. Las flores pequeñas, blancas o azuladas, nacen de las axilas de las hojas.*

Partes utilizadas: *la corteza de la raíz.*

Los enjuagues y gargarismos con la decocción de corteza de raíz del té de Nueva Jersey resultan muy efectivos en caso de aftas bucales (llagas) y de faringitis.

Eugenia caryophyllata Thunb.

Clavero

Estimulante, desinfectante y analgésico

ME PUEDES dar un clavo para que me lo ponga en la boca? –dice un mensajero venido de la isla de Java, a uno de los guardianes del palacio del emperador Chino, en el siglo III a.C.

–¿Es que te duele alguna muela, mensajero?

–Nada de eso. Es que el nuevo emperador quiere que mantengamos un clavo en la boca, para tener el aliento perfumado cuando nos dirigimos a él.

Los venerables médicos chinos de la dinastía Han (206 a.C. - 220 d.C.), ya mencionan en sus escritos las propiedades del clavo, y especialmente su capacidad para perfumar el aliento. Pero hasta la época de los grandes viajes del siglo XVI, el clavo, como otras muchas especias, llegaba a Europa procedente de la India en cantidades muy reducidas. Esto convertía a las especias en más preciadas todavía. Así

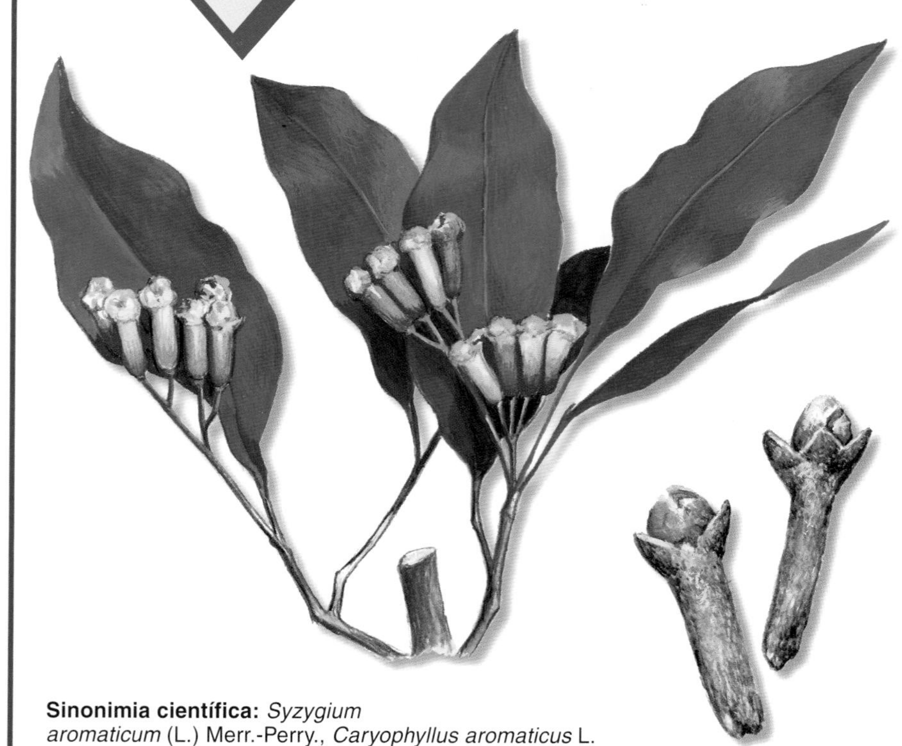

Sinonimia científica: *Syzygium aromaticum* (L.) Merr.-Perry., *Caryophyllus aromaticus* L.

Sinonimia hispánica: *árbol del clavo, clavo de especia, clavo de olor, palo de clavo, clavillo, giroflé;* **Cat.:** *claveller [d'espècia], clau d'espècia;* **Eusk.:** *iltze-belar;* **Gal.:** *craveiro da India;* **Fr.:** *giroflier, bois à clous;* **Ing.:** *clove tree;* **Al.:** *Gewürznelke.*

Hábitat: *Originario de las islas Molucas y Filipinas, aunque actualmente se cultiva en otras zonas del trópico de Asia y América.*

Descripción: *Árbol de la familia de las Mirtáceas que alcanza de 10 a 20 m de altura. Los clavos son las yemas (botones florales), que se recolectan en el momento en que se ponen rojas. Al secarlas al sol, adquieren un color pardo.*

Partes utilizadas: *los botones florales secos.*

Precauciones

Quienes sufren de ***úlcera gastroduodenal y gastritis,*** *deberán* ***abstenerse*** *del clavo, como planta medicinal y como condimento. En* ***dosis elevadas,*** *tiene efectos* ***irritantes*** *sobre el* ***aparato digestivo,*** *que se manifiestan por náuseas, vómitos y dolor de estómago.*

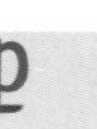

Preparación y empleo

USO INTERNO

❶ **Infusión:** 2 o 3 clavos por taza de agua, para tomar una en cada comida.

❷ **Esencia:** 1-3 gotas antes de cada comida.

❸ **Condimento:** Emplearlo con moderación; un solo clavo puede ser suficiente para condimentar toda una comida.

USO EXTERNO

❹ **Elixir bucal:** Realizar enjuagues con un vaso de agua a la que se han añadido unas gotas de esencia de clavo. Refresca y desinfecta la cavidad oral.

❺ **Dolor de muelas:** Para calmarlo aplicar un **fragmento** de clavo o una gota de **esencia** en la muela dolorida.

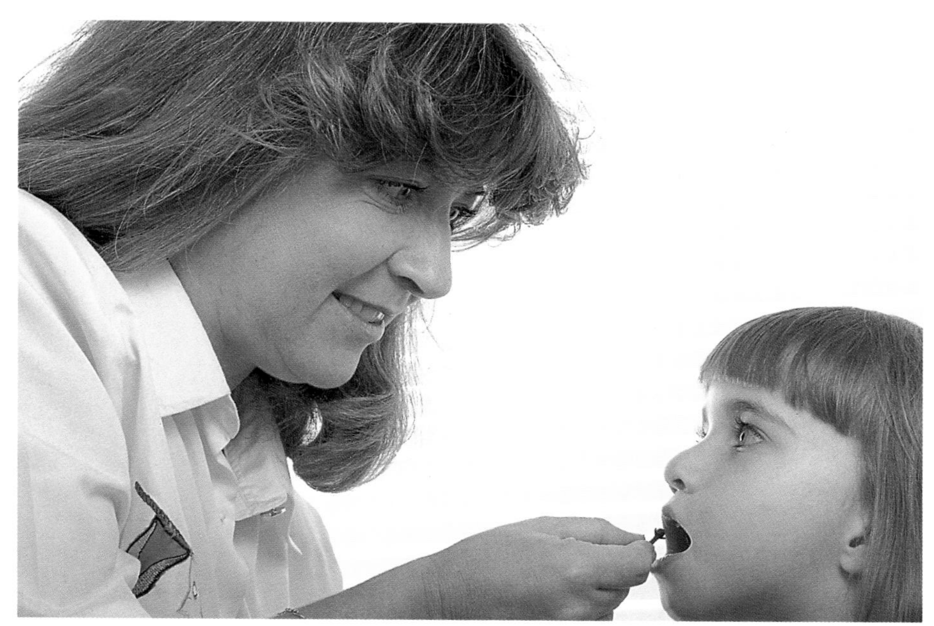

Un fragmento de clavo, o una gota de su esencia, puede calmar rápidamente el dolor de muelas. En aplicación local, la esencia de clavo es un excelente antiséptico. Ingerido por vía oral, en infusión, el clavo es estimulante, aperitivo y carminativo.

que uno de los principales motivos que impulsó a Cristóbal Colón a realizar su viaje por mar fue la búsqueda de la ruta más corta para ir a los países productores de especias, entre ellas, el clavo.

Las especias tropicales eran muy apreciadas en Europa; pero quizá el clavo destacaba entre todas debido a que, según la teoría de los signos (ver pág. 118), se lo consideraba un potente afrodisíaco. Los herboristas y boticarios de la baja Edad Media y del Renacimiento, veían en el clavo la representación de un pene en erección con los testículos en su base. Por lo tanto, se suponía que actuaba sobre los órganos genitales.

¿Sabía esto Colón antes enfilar a poniente con sus carabelas? Es muy probable que sí. De todas formas, el Descubridor no llegó a encontrar la tierra en la que se producían los clavos. Fue la expedición de Fernando de Magallanes, navegante portugués, y del guipuzcoano Juan Sebastián Elcano, primera en dar la vuelta al mundo, que en 1520 arribó a las islas Molucas, cerca de la China. Allí embarcaron clavos, y los trajeron a España como un preciado tesoro. A partir de entonces, el cultivo del clavo se fue extendiendo por todas las regiones tropicales conocidas.

PROPIEDADES E INDICACIONES: Los clavos del clavero contienen un 15%-20% de esencia, constituida en su mayor parte por eugenol, junto con pequeñas cantidades de acetileugenol, cariofileno y metilamilcetona. A esta esencia se debe su aroma, así como sus propiedades:

- **Antiséptico y analgésico bucal:** La esencia de clavo, que se usa en forma de aceite, entra en la composición de ***pastas dentífricas, elixires*** de uso oral y ***perfumes.*** Su poder **antiséptico** es tres veces superior al del fenol. Muy recomendable en caso de estomatitis (inflamación de las mucosas bucales) o gingivitis (inflamación de las encías) **[❹]**. ***En aplicación local,*** puede calmar temporalmente el **dolor de una muela** cariada **[❺]**.
- **Estimulante [❶,❷,❸]** general del organismo, aunque mucho más suave que el café.
- **Aperitivo [❶,❷,❸]** (aumenta el apetito) y **carminativo** (elimina los gases intestinales).

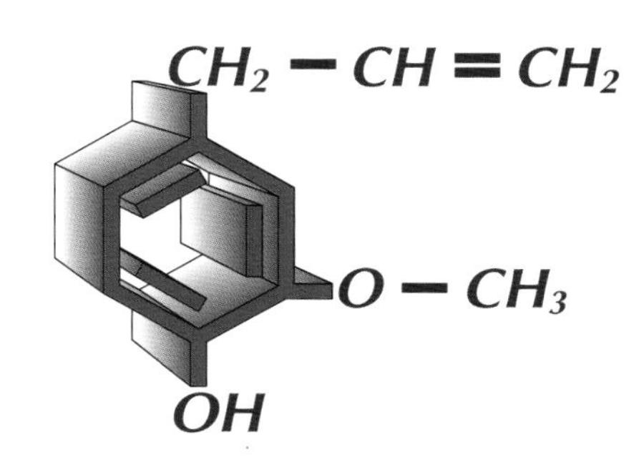

Fórmula química del eugenol, principal constituyente de la esencia de clavo.

Cariofilada

Sana las encías y tonifica la digestión

LA CARIOFILADA, llamada también hierba de San Benito, es una humilde planta, con apariencia de fragilidad, que adorna los bordes de los caminos y los linderos de los campos. Toda la planta, y en especial su rizoma (tallo subterráneo), despide un aroma especial, que recuerda al de la esencia de clavo.

Fue utilizada por Dioscórides, el gran médico y botánico griego del primer siglo de nuestra era. Santa Hildegarda, en el siglo XII, la llamaba *benedicta* a causa de sus grandes virtudes. En el siglo XVII se utilizó como febrífugo, aunque no sea esta su propiedad más destacada, y se pretendió sustituir con ella a la quina. Hoy sigue siendo apreciada en fitoterapia, aunque su uso no se halla muy extendido.

PROPIEDADES E INDICACIONES: El rizoma sobre todo, y en menor proporción la raíz y las hojas, contienen abundantes materias tánicas (hasta el 3%). Los taninos le confieren propiedades **astringentes** (seca las mucosas), **antiinflamatorias y vulnerarias** (facilita la curación de las heridas).

Pero su principio activo más importante es un glucósido llamado geósido, que por acción de la geasa, una enzima contenida en la misma planta, se descompone liberando eugenol. Este aceite esencial, el eugenol, es el responsable de su peculiar aroma y de sus propiedades **antisépticas, analgésicas bucales y digestivas.** Por todo ello, la cariofilada está indicada en los siguientes casos:

Sinonimia hispánica: hierba de San Benito, benedicta; **Cat.:** flor de Sant Benet, herba de Sant Benet; **Eusk.:** San Benito belar; **Gal.:** herba caravelleira; **Fr.:** benoîte; **Ing.:** [herb] bennet, blessed herb; **Al.:** Echte Nelkenwurz.

Hábitat: *Frecuente en bosques, setos, muros, y, en general, lugares umbríos y húmedos de Europa y Norteamérica.*

Descripción: *Planta herbácea de la familia de las Rosáceas, que alcanza de 30 a 60 cm de altura. De tallo erguido y recubierto por un suave vello. Las hojas, dentadas, se hallan divididas en varios lóbulos desiguales. Da unas flores pequeñas, solitarias, y de color amarillo.*

Partes utilizadas: *el rizoma y la raíz, y también las hojas.*

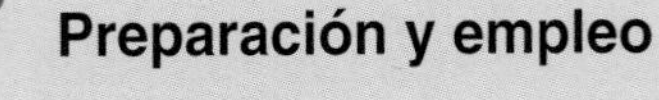

Preparación y empleo

USO INTERNO

❶ **Infusión** con 40-60 g de rizoma, raíz u hojas secas trituradas por cada litro de agua. Tómense hasta 4 tazas diarias. No conviene endulzar, para así aumentar su efecto.

USO EXTERNO

La misma **infusión** que se usa internamente se aplica en:

❷ **Enjuagues bucales y gargarismos.**

❸ **Compresas o lociones** para el tratamiento de heridas o llagas de la piel.

❹ **Lavados oculares.**

❺ **Colirio:** 3-5 gotas cada 6 horas.

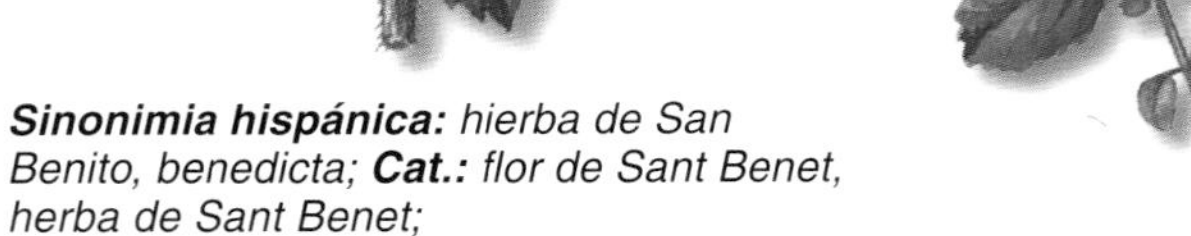

Precauciones

*Se recomienda **no sobrepasar la dosis** indicada, ya que puede provocar intolerancia gástrica debido a su elevado contenido en taninos.*

Los enjuagues bucales y los gargarismos con infusión de cariofilada constituyen un buen dentífrico natural. No solo pueden curar, sino también prevenir la piorrea, las llagas bucales y el mal aliento de boca.

Otra cariofilada

En Europa y en Norteamérica se cría una especie similar a la *Geum urbanum* L., la *Geum rivale* L. Sus componentes son muy **similares,** y, en consecuencia, también sus **propiedades.** Se caracteriza por tener las hojas más grandes y las flores de color púrpura o rosado. Ambas especies se hibridan mutuamente, y es frecuente encontrar formas intermedias.

• **Diarreas veraniegas, gastroenteritis y descomposición** intestinal **[❶]**. Actúa como un poderoso astringente y a la vez como antiinflamatorio y antiséptico de las mucosas del aparato digestivo.

• Cuando resulte necesario tonificar las funciones digestivas **[❶].** Su uso se recomienda especialmente durante la convalecencia de **enfermedades febriles o debilitantes.** Como todas las plantas que contienen sustancias amargas, activa la digestión en casos de **falta de apetito** o de **dispepsia** (digestión pesada, flatulencia). También resulta de utilidad en el tratamiento de la **gastritis** crónica.

• **Afecciones bucales: parodontosis y gingivitis** (inflamación de las encías), **piorrea y llagas bucales [❷].** Aplicada *localmente* en forma de gárgaras o enjuagues bucales, contribuye a desinflamar las encías y a desinfectar y curar la mucosa bucal. Hace desaparecer la **halitosis** (mal aliento), cuando se debe a inflamación de las encías. También calma el **dolor de muelas.**

• **Heridas tórpidas y úlceras de la piel [❸].**

• **Conjuntivitis y blefaritis [❹,❺]:** Se aplica en forma de lavados oculares o de colirio. Desinflama y desinfecta las delicadas mucosas oculares.

Krameria triandra Ruiz-Pav.

Ratania

Poderoso astringente y antiinflamatorio

LA RAÍZ de la ratania se viene usando en Perú desde tiempos inmemoriales, para la limpieza de dientes y encías. Las damas de Lima, su capital, la usaban en el siglo XIX para blanquearse los dientes con ocasión de fiestas y celebraciones.

PROPIEDADES E INDICACIONES: La raíz contiene taninos catéquicos, flobafeno, ácido kramérico (un alcaloide), almidón, mucílago, azúcares, goma y cera. Su principio activo más importante son los taninos, que tienen la particularidad de no amargar, como ocurre por ejemplo con los del roble (pág. 208). Su fuerte acción **astringente y antiinflamatoria** la hace muy recomendable en caso de **gastroenteritis y colitis [❶,❷,❸],** inclusive en los niños.

Externamente, da buenos resultados en los siguientes casos:

- **Afecciones bucofaríngeas [❹]:** estomatitis (inflamación de la boca), piorrea y gingivitis, faringitis, amigdalitis, aplicada en gargarismos y enjuagues.
- **Hemorroides y fisura anal [❹],** en baño de asiento.
- **Leucorrea** (flujo vaginal) y **vaginitis [❹],** en irrigaciones vaginales.
- **Sabañones [❹],** en compresas empapadas en una decocción de corteza.

Preparación y empleo

USO INTERNO

❶ **Polvo de raíz:** una cucharadita de las de café 3 veces al día.

❷ **Decocción** de 20 g de corteza por litro de agua. Se ingieren diariamente 3 tazas.

❸ **Extracto fluido:** Se administran de 10 a 20 gotas, 3 veces diarias.

USO EXTERNO

❹ **Decocción** con 30-40 g de corteza por litro de agua, con la que se realizan **gargarismos, baños de asiento, irrigaciones vaginales y compresas.**

Sinonimia hispánica: *krameria, ratania del Perú;* ***Cat.:*** *ratània;* ***Gal.:*** *ratañia;* ***Fr.:*** *ratanhia;* ***Ing.:*** *rhatany;* ***Al.:*** *Ratanhia.*

Hábitat: *Terrenos secos y descubiertos de las montañas andinas de Perú, Bolivia y Chile.*

Descripción: *Arbusto de hasta 50 cm de altura, de la familia de las Leguminosas, cuyas ramas jóvenes se hallan recubiertas de un suave vello.*

Sus flores son de color rojo, y su raíz, tortuosa y de 1 a 3 cm de diámetro, es de color pardo o rojizo.

Partes utilizadas: *la raíz, especialmente su corteza.*

Raíz de la ratania, arbusto propio de las zonas andinas del continente sudamericano.

Lentisco

Fija los dientes y perfuma el aliento

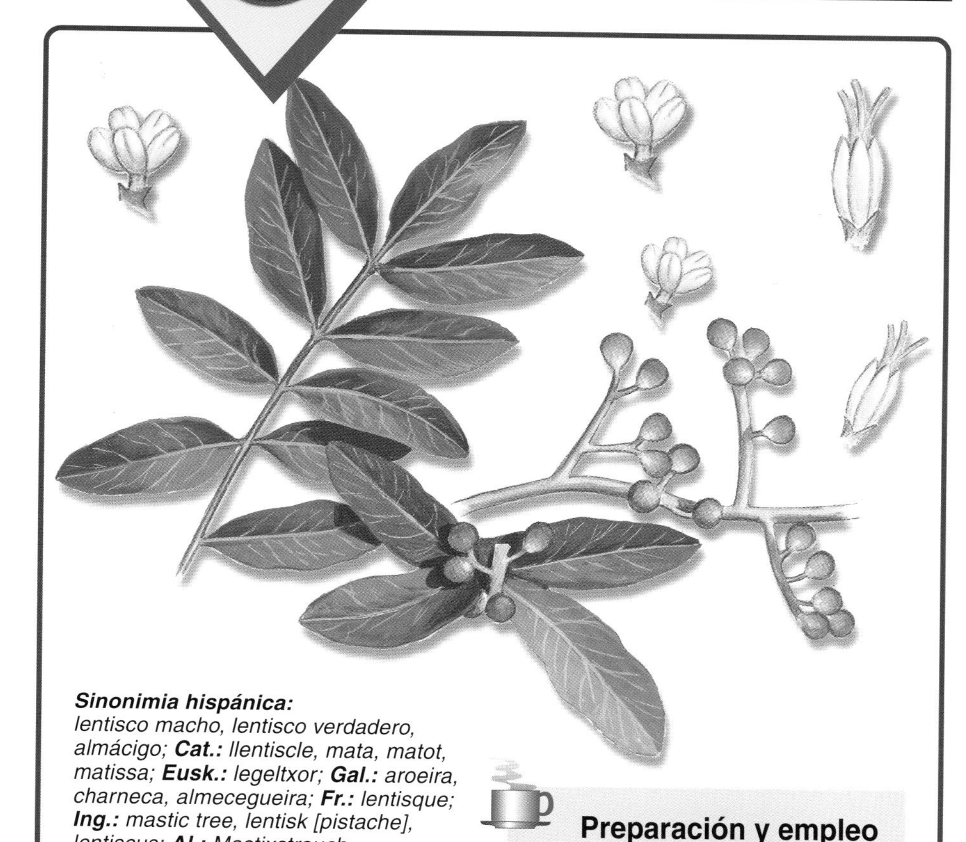

LA ALMÁCIGA o mástic es la resina que exudan los tallos del lentisco cuando se incide superficialmente en ellos. Dioscórides ya la recomendaba en el siglo primero de nuestra era con el fin de «apretar las relajadas encías» y para combatir el mal aliento. En la actualidad forma parte de numerosos ***dentífricos y preparados farmacéuticos.***

PROPIEDADES E INDICACIONES: La *ALMÁCIGA* contiene ácido mastíctico, masticina y esencia rica en pineno. Al masticarla forma una masa blanda como la cera, que se adhiere a los dientes. Por su acción **antiinflamatoria y antiséptica,** combate la **piorrea** y la **gingivitis** (inflamación de las encías) [❶]. Resulta útil en el tratamiento de la **parodontosis** (inflamación y degeneración de los tejidos de sujeción del diente) [❶], que es la primera causa de pérdida de piezas dentarias en el mundo. Perfuma el aliento, produciendo sensación de frescor y limpieza.

Las *HOJAS* y *TALLOS* tiernos contienen menor cantidad de principios activos, pero a cambio poseen más tanino. Se usan igual que la almáciga, en enjuagues bucales hechos con su decocción [❷], para **desinflamar las encías y fortalecer la dentadura.**

Sinonimia hispánica: *lentisco macho, lentisco verdadero, almácigo;* ***Cat.:*** *llentiscle, mata, matot, matissa;* ***Eusk.:*** *legeltxor;* ***Gal.:*** *aroeira, charneca, almecegueira;* ***Fr.:*** *lentisque;* ***Ing.:*** *mastic tree, lentisk [pistache], lentiscus;* ***Al.:*** *Mastixstrauch.*

Hábitat: *Originario de las islas griegas, y extendido por toda la región mediterránea. Se cría en terrenos secos, entre algarrobos o encinas.*

Descripción: *Arbusto de la familia de las Anacardiáceas que alcanza hasta un metro de altura. Sus hojas, que se conservan verdes todo el año, son coriáceas y lampiñas. El fruto es una baya, roja o negra, del tamaño de un guisante.*

Partes utilizadas: *la resina y las hojas.*

Preparación y empleo

USO EXTERNO

❶ La **almáciga,** masticada o en pastas dentífricas.

❷ **Enjuagues bucales** con una decocción de hojas y tallos tiernos (100 g por litro de agua), hasta 5 veces al día.

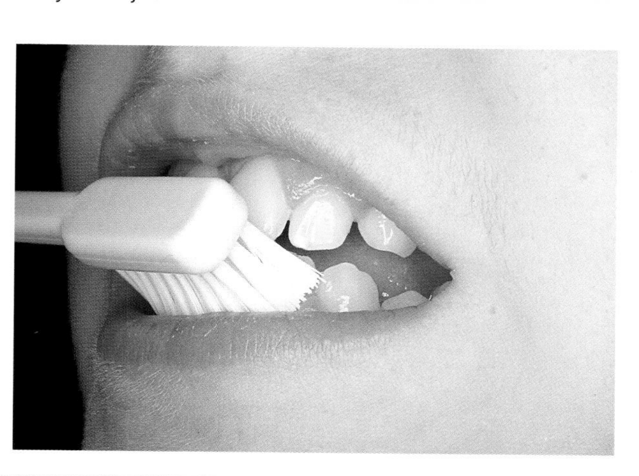

Tanto la resina del lentisco (almáciga), como la decocción de sus hojas y tallos, constituyen un dentífrico natural muy útil contra la piorrea y la inflamación de las encías.

Bistorta

Un potente astringente

EL RIZOMA de esta planta, difícil de arrancar, forma dos ángulos, tal como indica su nombre: bistorta, es decir, 'dos veces torcida'. Es de color rojizo, y presenta un elevado porcentaje de fécula, por lo que ha sido usado como alimento en épocas de escasez.

PROPIEDADES E INDICACIONES: El rizoma de la bistorta contiene abundantes taninos gálicos y catéquicos, que le confieren una acción fuertemente astringente. Posiblemente se trate de ***una de las plantas más astringentes*** que se conocen. Actúa ***localmente,*** secando, cicatrizando y "curtiendo" la piel y las mucosas del organismo. Además presenta acción **antiséptica** (combate la infección) y **hemostática** (detiene las pequeñas hemorragias). Por todo ello, está indicada en los siguientes casos:

- **Gingivitis y parondontosis [❷]** (encías débiles y sangrantes), aplicada en enjuagues bucales con la maceración del rizoma.
- **Estomatitis [❷]** (inflamación de la mucosa bucal), en enjuagues bucales, y **faringitis,** aplicada en gargarismos con la maceración del rizoma.
- **Diarreas y gastroenteritis [❶],** en especial cuando cursan con infección y hemorragia (disentería, salmonelosis, cólera).
- **Vaginitis [❸]** (inflamaciones vaginales) que cursan con **leucorrea** (flujo blanquecino y abundante).

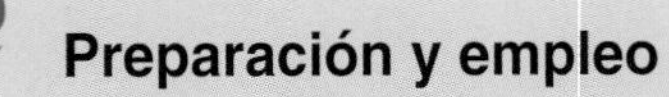

Preparación y empleo

USO INTERNO

❶ **Decocción** con 20-30 g de rizoma triturado por litro de agua, de la que se ingieren 3 o 4 tazas al día.

USO EXTERNO

❷ **Enjuagues bucales:** Se realizan con el líquido resultante de la maceración de 60-100 g de rizoma triturado en un litro de agua, durante 4 horas.

❸ **Irrigaciones vaginales:** Se realizan con una decocción de 40-50 g de rizoma por litro de agua.

Sinonimia hispánica: *serpentaria, hierba sanguinaria, romaza retorcida, suelda colorada;* ***Cat.:*** *bistorta;* ***Eusk.:*** *basapiper;* ***Gal.:*** *bistorta;* ***Fr.:*** *bistorte;* ***Ing.:*** *bistort;* ***Al.:*** *Shlangenknöterich.*

Hábitat: *Propia de terrenos montañosos y húmedos. Se encuentra en Europa y por todo el continente americano.*

Descripción: *Planta que alcanza hasta un metro de altura, de la familia de las Poligonáceas. Su tallo posee abundantes nudos, lo cual es típico de las plantas de esta familia botánica. Las hojas son grandes y ovaladas, y las flores, de color rosa, forman una espiga terminal.*

Partes utilizadas: *el rizoma (tallo subterráneo).*

El rizoma (tallo subterráneo) de la bistorta es muy rico en taninos de acción astringente, que secan y cicatrizan la mucosa bucal e intestinal.

Lantana

Desinflama las encías

ESTE BELLO arbusto europeo llama la atención por el hecho curioso de que sus bayas no maduran todas a la vez. Es frecuente encontrar en un mismo ramillete, bayas de color rojo (inmaduras) y azulado o negro (maduras). Tienen un sabor dulzón y áspero, y aunque en algunas regiones montañosas de Italia se consumen fermentadas, resultan bastante irritantes para el aparato digestivo.

PROPIEDADES E INDICACIONES: Las bayas contienen un glucósido no bien identificado y abundante tanino. Son **astringentes y antisépticas.** Desinflaman la mucosa bucal y limpian la cavidad oral.

Se usan en enjuagues bucales, en casos de **gingivitis** (inflamación de las encías), **amigdalitis** (anginas) y **faringitis** [❶].

Precauciones

*La lantana se emplea **únicamente en uso externo.***

*Las **bayas** no deben ser ingeridas, pues producen **vómitos y diarreas.***

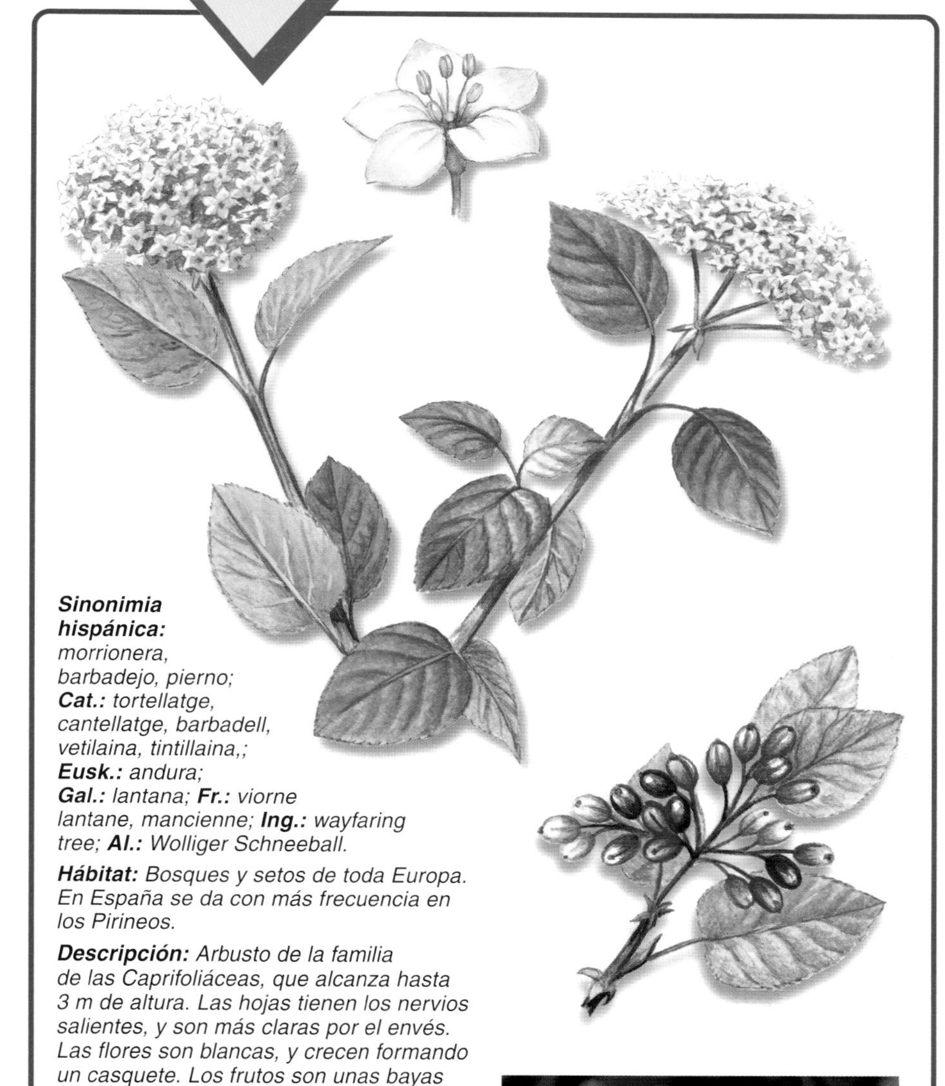

Sinonimia hispánica: *morrionera, barbadejo, pierno;* ***Cat.:*** *tortellatge, cantellatge, barbadell, vetilaina, tintillaina,;* ***Eusk.:*** *andura;* ***Gal.:*** *lantana;* ***Fr.:*** *viorne lantane, mancienne;* ***Ing.:*** *wayfaring tree;* ***Al.:*** *Wolliger Schneeball.*

Hábitat: *Bosques y setos de toda Europa. En España se da con más frecuencia en los Pirineos.*

Descripción: *Arbusto de la familia de las Caprifoliáceas, que alcanza hasta 3 m de altura. Las hojas tienen los nervios salientes, y son más claras por el envés. Las flores son blancas, y crecen formando un casquete. Los frutos son unas bayas negras cuando están maduros.*

Partes utilizadas: *las hojas y los frutos (bayas).*

Preparación y empleo

USO EXTERNO

❶ **Enjuagues bucales y gargarismos** con una decocción de 20 g de bayas bien maduras (negras) y 2 o 3 hojas de lantana por litro de agua, 3-4 veces al día.

11 PLANTAS PARA LA GARGANTA, NARIZ Y OIDOS

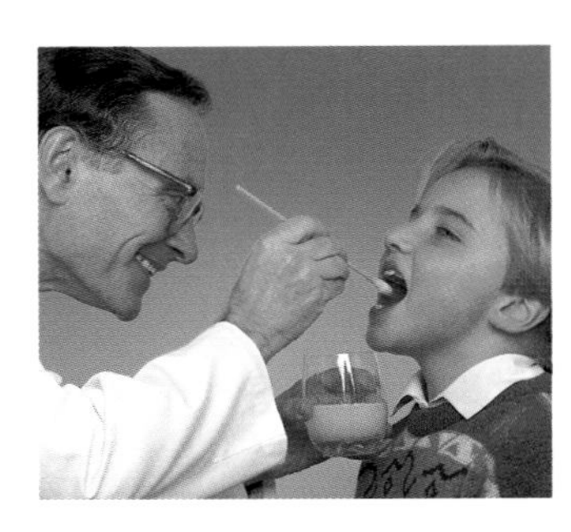

SUMARIO DEL CAPÍTULO

ENFERMEDADES Y APLICACIONES

PLANTAS

LA GARGANTA, la nariz y los oídos constituyen una unidad anatómica y fisiológica, pues todos estos órganos se hallan comunicados entre sí, y la capa mucosa que recubre su interior se continúa sin transición entre unos y otros. Cada oído se comunica con la faringe a través de un fino conducto llamado trompa de Eustaquio.

Bajo el término **garganta,** incluimos tanto la faringe y las amígdalas (anginas), como la laringe, en el interior de la cual se produce la voz.

Formando una unidad funcional con las fosas nasales están los senos paranasales, cavidades excavadas en el espesor de los huesos de la cara y comunicadas con ellas. La inflamación de estas cavidades, se conoce como sinusitis.

Las amígdalas y los senos paranasales son lugares especialmente propicios para ser colonizados por gérmenes patógenos, que quedan acantonados en ellos, constituyendo así focos de infección desde los que se vierten toxinas a la sangre y también a otros órganos. No pocas bronquitis crónicas o repetitivas, por ejemplo, se deben a la presencia de un foco infeccioso permanente en los senos paranasales o en las amígdalas.

Las plantas medicinales, ya sean aplicadas localmente en forma de gargarismos, irrigaciones nasales o inhalaciones, así como ingeridas por vía oral, tienen una acción antiinflamatoria, suavizante, antibiótica, y facilitadora de la expulsión de la mucosidad, que contribuye decisivamente a la curación, y sobre todo, a la prevención de las afecciones de esta importante región anatómica.

Enfermedad	Planta	Pág.	Acción	Uso
AMIGDALITIS Y FARINGITIS La **amigdalitis** es la inflamación de las amígdalas, comúnmente llamada **anginas**. Por lo general está producida por una infección, o bien bacteriana o vírica. Cuando esta inflamación afecta al conjunto de la mucosa de la faringe (garganta), y no solamente a las amígdalas, se habla de **faringitis**. El tratamiento fitoterápico de ambas afecciones se basa en las aplicaciones locales, principalmente gargarismos, con la plantas aquí indicadas. También pueden realizarse con cualesquiera de las plantas que se indican en la tabla "***Plantas para gargarismos***" (pág. 204). Las infecciones faríngeas repetitivas de los niños requieren la administración de plantas de acción ***antibiótica y estimulante*** de las defensas, tales como el tomillo, la capuchina y la equinácea.	VERBENA	174	Antiinflamatoria y emoliente	Gargarismos con la infusión o decocción, cataplasmas con la planta hervida, infusión
	AGRIMONIA	205	Alivia la inflamación y la irritación de garganta	Gargarismos con la decocción
	HIDRASTIS	207	Antiséptica, regenera las células de las mucosas	Gargarismos con la infusión
	ROBLE	208	Antiséptico y cicatrizante, alivia el picor y el escozor	Enjuagues bucales y gargarismos
	LIMONERO	265	Antiséptico y cicatrizante	Gargarismos con el jugo y toques en las amígdalas con una torunda empapada en el jugo (zumo)
	NOGAL	505	Antiséptico, cicatrizante, astringente	Gargarismos con la decocción
	ACHIOTE	700	Astringente y cicatrizante	Gargarismos con la infusión de hojas
	EQUINÁCEA	755	Aumenta las defensas contra las infecciones	Tomar la decocción de raíz o preparados farmacéuticos
	TOMILLO	769	Antiséptico, estimula las defensas	Gargarismos con la infusión, vahos e inhalaciones con la esencia
	CAPUCHINA	772	Antibiótica natural, limpia las mucosas	Infusión o decocción
GARGANTA, IRRITACIÓN Puede estar originada por diversas causas, entre ellas: infecciosas (faringitis crónica), irritativas (humo del tabaco, inhalación de sustancias químicas), atróficas (debilidad de las células mucosas que tapizan la garganta), y hasta tumorales. Se manifiesta por picor o escozor de garganta, tos seca, molestia al tragar y mucosidad. Todas estas plantas tienen ***acción béquica,*** es decir, que calman la tos debida a picor o irritación de la garganta. Se usan tanto por vía interna, como localmente en gargarismos. *Erísimo* *Agrimonia*	AGRIMONIA	205	Suaviza la garganta y aclara la voz	Gargarismos con la decocción
	ROBLE	208	Antiséptico y cicatrizante, alivia el picor de garganta	Gargarismos con la decocción
	ERÍSIMO	211	Calma la tos e irritación de garganta	Infusión, gargarismos
	CULANTRILLO	292	Alivia la sequedad e irritación de la garganta	Infusión, jarabe, gargarismos con la infusión
	PIE DE GATO	297	Expectorante, antiinflamatorio, ablanda la mucosidad	Infusión, gargarismos con la infusión
	LLANTÉN	325	Suaviza y seca a la vez, alivia la irritación de garganta	Gargarismos con la decocción
	PULMONARIA	331	Astringente, expectorante y antiinflamatoria	Decocción, gargarismos con la decocción
	TUSÍLAGO	341	Calma la tos, desinflama las mucosas respiratorias	Infusión, gargarismos con la infusión
	VIOLETA	344	Suaviza la garganta y calma la tos	Gargarismos con la infusión
	ANANÁS	425	Calma la tos, facilita la expectoración	Jugo del fruto
	ORÉGANO	464	Expectorante, sedante, antitusígeno	Infusión, esencia, inhalaciones de vahos
	ACACIA FALSA	469	Emoliente, protege las mucosas	Gargarismos con la infusión
	CASTAÑO	495	Calma la tos rebelde por irritación de las vías superiores	Decocción con corteza y/u hojas, gargarismos con esta decocción
	PIE DE LEÓN	622	Antiinflamatorio, sedante suave, alivia la irritación	Decocción, gargarismos con la decocción
	DROSERA	754	Antitusígena, antibiótica	Infusión, tintura

Enfermedad	Planta	Pág.	Acción	Uso
LARINGITIS Inflamación de la mucosa que recubre la laringe, que es el órgano en el que se produce la voz. Se acompaña de aumento de la producción de mucosidad en la garganta, tos, afonía o ronquera, y en los casos graves, dificultad para respirar por espasmo de las cuerdas vocales, que cierran el paso del aire.	VERBENA	174	Antiinflamatoria y emoliente	Gargarismos con la infusión o decocción, cataplasmas con la planta hervida, infusión
	AGRIMONIA	205	Alivia la inflamación y la irritación de garganta	Gargarismos con la decocción
	ERÍSIMO	211	Calma la tos e irritación de garganta, expectorante	Infusión, gargarismos con la infusión
	CULANTRILLO	292	Alivia la sequedad e irritación de la garganta, calma la tos	Infusión, jarabe, gargarismos con la infusión
	PIE DE GATO	297	Expectorante, antiinflamatorio, ablanda la mucosidad	Infusión, gargarismos con la infusión
	LIQUEN DE ISLANDIA	300	Pectoral, expectorante y antitusígeno	Decocción
	REGALIZ	308	Favorece la expectoración y desinflama las vías respiratorias	Infusión o maceración de la raíz
	MARRUBIO	316	Fluidifica y desinfecta las secreciones mucosas	Infusión
	SOMBRERERA	320	Expectorante y emoliente	Infusión de rizoma y hojas
	LLANTÉN	325	Suaviza y seca a la vez, alivia la irritación de garganta	Gargarismos con la decocción
	TUSÍLAGO	341	Calma la tos, desinflama las mucosas respiratorias	Infusión, gargarismos con la infusión
	GORDOLOBO	343	Alivia la tos y facilita la expectoración	Infusión de flores
	ASAFÉTIDA	359	Alivia los espasmos de la laringe	Lágrimas (granos de goma)
	RÁBANO	395	Ablanda la mucosidad, antibiótico	Crudo, jugo fresco
	ORÉGANO	464	Expectorante, sedante, antitusígeno	Infusión, esencia, inhalaciones de vahos
	DROSERA	754	Combate la tos, antibiótica, antiespasmódica	Infusión, tintura
SINUSITIS Es la inflamación de los senos paranasales, que son pequeñas cavidades excavadas en el espesor de los huesos de la cara, y comunicadas con las fosas nasales a través de pequeños orificios. El interior de estas cavidades o senos está recubierto por una capa mucosa, cuya inflamación, de lenta curación, produce dolor de cabeza y otras molestias. Además de irrigaciones nasales, se recomiendan compresas sobre la cara, inhalaciones de vapores o esencias, y la ingestión de plantas con acción ***antibiótica*** como el rábano o la capuchina.	ZANAHORIA	133	Por su contenido en caroteno (provitamina A) fortalece las mucosas y aumenta las defensas	Cruda o en jugo
	VERBENA	174	Antiinflamatoria y astringente	Inhalaciones de los vapores de la decocción, compresas calientes con la infusión o decocción sobre la cara
	ABETO BLANCO	290	Balsámico y antiséptico, regenera las mucosas	Inhalación e ingestión de la esencia de trementina
	PINO	323	Balsámico y antiséptico	Inhalación e ingestión de la esencia de trementina
	RÁBANO	393	Ablanda la mucosidad, antibiótico	Crudo o en jugo fresco
	ROSAL	635	Astringente, antiinflamatorio, antiséptico	Lavados nasales con la infusión de pétalos
	EQUINÁCEA	755	Aumenta las defensas contra las infecciones	Decocción de raíz o preparados farmacéuticos
	CAPUCHINA	772	Antibiótico natural, limpia las mucosas	Infusión o decocción

Culantrillo

Pie de gato

Verbena

Afonía

Es la pérdida o disminución de la voz. Generalmente es consecuencia de una inflamación o infección de la laringe o cuerdas vocales (laringitis), aunque puede ser también debida a causas tumorales, nerviosas u otras.

La **ronquera** es el cambio del timbre de la voz, que se vuelve bronco y poco sonoro. En general, obedece a las mismas causas que la afonía.

Estas plantas, usadas por vía interna o en aplicación local, desinflaman las cuerdas vocales y contribuyen a eliminar la mucosidad, que con frecuencia causa la afonía o ronquera.

Planta	Pág.	Acción	Uso
Erísimo	211	Calma la tos e irritación de garganta, expectorante	Infusión y gargarismos con la infusión
Regaliz	308	Favorece la expectoración y desinflama las vías respiratorias	Infusión o maceración de la raíz
Sombrerera	320	Expectorante y emoliente	Infusión de rizoma y hojas
Pulmonaria	331	Expectorante, antiinflamatoria	Decocción, gargarismos con la decocción
Violeta	344	Suaviza la garganta y calma la tos	Gargarismos con la infusión
Rosal	635	Antiinflamatorio, antiséptico	Infusión de pétalos, gargarismos con la infusión

Nariz, hemorragia (Epistaxis)

Es una hemorragia que se produce por las fosas nasales. En muchos casos se debe a la rotura de alguna pequeña vena en la fosa nasal, aunque también puede estar en relación con la hipertensión. Las plantas medicinales de acción ***hemostática o astringente*** se aplican en taponamientos nasales, preparados con una torunda de gasa, o en irrigaciones nasales. Conviene combinar el tratamiento local con la *ingestión de tisanas* de algunas plantas de acción ***hemostática o protectora capilar.***

Roble

Planta	Pág.	Acción	Uso
Roble	208	Astringente, antiinflamatorio y hemostático	Taponamientos nasales o irrigaciones con la decocción
Avellano	253	Tónico venoso, vasoconstrictor, hemostático	Decocción de hojas y corteza
Ortiga mayor	278	Vasoconstrictora y hemostática	Taponamientos nasales con el jugo
Endrino	372	Astringente	Taponamientos nasales con la decocción de frutos
Vellosilla	504	Astringente	Taponamientos nasales con la infusión
Tormentilla	519	Astringente y hemostática	Irrigaciones y taponamientos nasales con la decocción
Vid	544	Astringente, protectora capilar, hemostática	Aspiración del polvo de las hojas secas, infusión de hojas
Bolsa de pastor	628	Aumenta la resistencia de los capilares, hemostática	Taponamientos nasales con la infusión
Milenrama	691	Cicatrizante y hemostática	Taponamientos nasales con la infusión
Cola de caballo	704	Hemostática	Decocción, taponamientos nasales con la decocción concentrada

Rinitis

Es la inflamación de la mucosa que recubre el interior de la nariz. Se usan plantas ***astringentes y antisépticas*** para lavados e irrigaciones nasales, ***antibióticas*** como la capuchina y ***estornutatorias*** como el ásaro.

Planta	Pág.	Acción	Uso
Eufrasia	136	Antiséptica, antiinflamatoria y astringente	Infusión. Irrigaciones nasales con la infusión
Hidrastis	207	Antiséptica, regenera las células mucosas	Infusión, irrigaciones nasales con la infusión
Pino	323	Balsámico y antiséptico	Inhalación e ingestión de la esencia de trementina
Ásaro	432	Provoca el estornudo y descongestiona la nariz	Aspiración del polvo de hojas o de raíz secas
Capuchina	772	Antibiótico natural, limpia las mucosas	Infusión o decocción

Plantas para gargarismos

Aplicadas localmente en gargarismos (gárgaras), todas estas plantas ejercen una o varias de las siguientes acciones: ***antiséptica*** *(desinfectante),* ***emoliente*** *(suavizante),* ***cicatrizante y astringente*** *(seca las mucosas). Por ello se recomienda su uso en las afecciones infecciosas o inflamatorias de la garganta, tales como la faringitis y la amigdalitis. Ver en la página 71 la forma de realizar los gargarismos.*

Planta	Pág.	Planta	Pág.
Hierba de San Roberto	137	Verónica	475
Verbena	174	Aliso	487
Té de Nueva Jersey	191	Epilobio	501
Ratania	196	Nogal	505
Bistorta	198	Malva	511
Lantana	199	Tormentilla	519
Agrimonia	205	Cincoenrama	520
Hidrastis	207	Guayabo	522
Roble	208	Granado	523
Erísimo	211	Pimpinela mayor	534
Limonero	265	Zarza	541
Culantrillo	292	Fresal	575
Pie de gato	297	Rosal	635
Regaliz	308	Salvia	638
Arrayán	317	Achiote	700
Llantén	325	Higuera	708
Serpol	338	Sanícula	725
Tusílago	341	Consuelda mayor	732
Gordolobo	343	Quino	752
Violeta	344	Drosera	754
Endrino	372	Frambueso	765
Dríada	451	Saúco	767
Orégano	464	Tomillo	769

Las delicadas flores de la violeta (pág. 344) suavizan la garganta y alivian la tos, tanto tomadas en infusión como en jarabe.

El jugo o zumo de limón es un gran antiséptico. Aplicado sobre las amígdalas mediante toques con una torunda de algodón, puede destruir diversos tipos de gérmenes patógenos que se localizan en esa zona de la garganta (pág. 267).

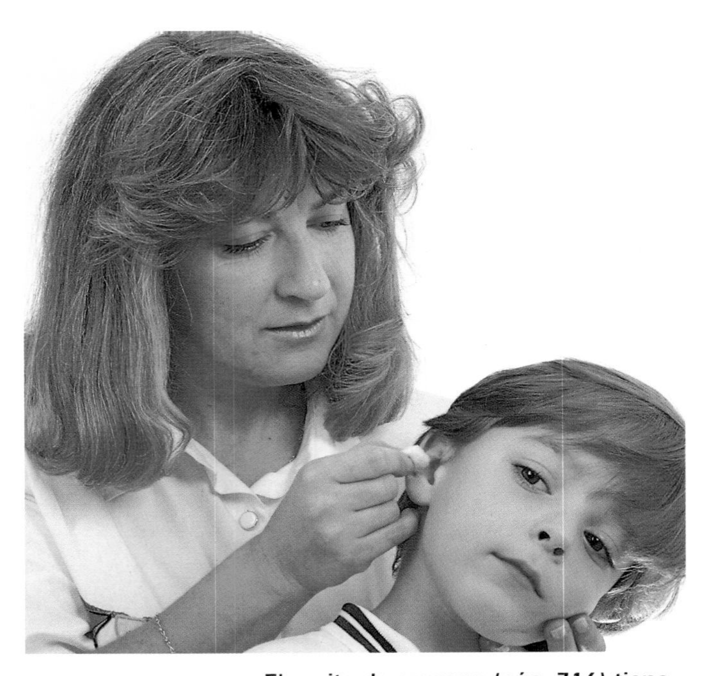

El aceite de azucena (pág. 716) tiene acción emoliente (suavizante), y antiséptica. La aplicación de unas gotas en el conducto auditivo da buenos resultados en caso de otitis o de dolor de oído.

Agrimonia

Aclara la voz y suaviza la garganta

LA AGRIMONIA pertenece a la familia de las Rosáceas, constituida por más de 2.000 especies, entre las que seguramente se encuentran las plantas de mayor belleza. Sin embargo, a diferencia de otras Rosáceas, la agrimonia es una planta de aspecto bastante anodino, que no destaca precisamente por su atractivo. Claro que, como ocurre con muchas otras cosas, belleza y eficacia no siempre van unidas.

La agrimonia se conoce y emplea desde la antigüedad clásica.

Mitrídates Eupator, médico y rey del Ponto (132-63 a.C.), la utilizó ampliamente y le dio su apellido: *eupatoria*.

Dioscórides y otros médicos y botánicos griegos, la aplicaban en compresas sobre las heridas de guerra. Avicena, el famoso médico árabe medieval también la recomendaba.

PROPIEDADES E INDICACIONES: La planta contiene flavonoides, aceites esenciales, y sobre todo taninos, a los que debe la mayor parte de sus efectos medicinales. Los taninos actúan como **astringentes** sobre la piel y las mucosas, formando sobre ellas una capa de proteínas coaguladas, sobre la que ya no pueden actuar los micro-

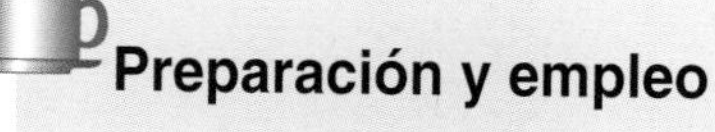

Preparación y empleo

USO INTERNO

❶ **Infusión o decocción** con 20 o 30 g de flores y hojas por litro de agua. Se pueden tomar 3 o 4 tazas al día, endulzadas con miel si se desea.

USO EXTERNO

❷ **Enjuagues bucales y gargarismos** con una decocción concentrada (100 g por litro). Se deja hervir hasta que se reduzca a un tercio el volumen de agua. Se le puede añadir salvia y tila. Endulzar con 50 g de miel.

❸ **Compresas** para aplicar sobre las heridas. Se empapan en esta decocción concentrada sin endulzar.

Sinonimia hispánica: *agrimonia común, eupatorio [griego], hierba de San Guillermo, cientoenrama, mermasangre;* ***Cat.:*** *serverola, agrimònia, herba de Sant Guillem, herba de la sang;* ***Eusk.:*** *usu-belar;* ***Gal.:*** *amoricos, amores pequenos;* ***Fr.:*** *aigremoine, herbe de Saint Guillaume;* ***Ing.:*** *sticklewort, agrimony;* ***Al.:*** *Kleiner Odermennig.*

Hábitat: *Propia de setos, linderos de bosques y ribazos, en climas templados. Se cría en toda Europa y en el sur del continente americano.*

Descripción: *Planta herbácea de la familia de las Rosáceas, de 40 a 60 cm de alta, con tallos erguidos, al final de los cuales se disponen en ramillete sus flores amarillas. Las semillas de los frutos están llenas de ganchitos que se adhieren a la ropa de los paseantes y al pelo de los animales.*

Partes utilizadas: *las flores y las hojas.*

Los gargarismos que se realizan con el líquido de una decocción de agrimonia aclaran la voz y suavizan la garganta.

bios. En este hecho se basa precisamente el curtido de las pieles.

La agrimonia en infusión ejerce un interesante efecto **antidiarreico.** También es **vermífuga** (expulsa los gusanos intestinales) y ligeramente **diurética [❶]**.

Ahora bien, la ***mayor utilidad*** terapéutica de esta planta es en ***aplicación externa.***

Por su efecto astringente y antiinflamatorio sobre las mucosas, resulta de gran utilidad en los siguientes trastornos:

- **Llagas bucales [❷]** (aftas), aplicada en forma de enjuagues.
- **Afecciones de la garganta [❷]:** faringitis agudas y crónicas, amigdalitis y laringitis (afonía). Los gargarismos ofrecen resultados espectaculares en algunos casos, haciendo desaparecer en pocos días la inflamación e irritación de las mucosas de la garganta.

Los cantantes, locutores y conferenciantes pueden beneficiarse ampliamente de esta planta medicinal, que es capaz de aclarar la voz y suaviza la garganta.

- **Como cicatrizante [❸]** en heridas tórpidas o que no cicatrizan, llagas, úlceras varicosas de las piernas. Se aplica colocando sobre la zona afectada compresas empapadas en una decocción de agrimonia. Las llagas se secan, y se favorece así su cicatrización.

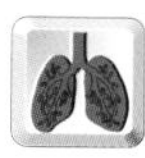

Hidrastis

Eficaz contra los catarros

LA HIDRASTIS es un remedio popular en Estados Unidos y Canadá, que cominenza a emplearse también en el resto del continente americano y en Europa debido a sus interesantes propiedades.

PROPIEDADES E INDICACIONES: El rizoma contiene diversos alcaloides (hidrastina y berberina entre otros), aceite esencial, resinas y glúcidos, así como vitaminas A, B y C, y sales minerales, en especial, fósforo. Todo ello le confiere propiedades **antisépticas, astringentes hemostáticas y antiinflamatorias.** Se utiliza con éxito en los siguientes casos:

- **Catarros** nasales, faríngeos y bronquiales. La hidrastis actúa eficazmente regenerando las células de las membranas mucosas, por lo que disminuye la secreción de moco y la congestión e inflamación que acompaña a los estados catarrales. Se aplica tanto por vía interna **[❶]**, como externa (gargarismos) **[❷]**.
- **Menstruación excesiva y metrorragias** (hemorragias uterinas) **[❶]**, debido a su efecto constrictor sobre el útero. En estos casos ***su empleo exige*** someterse a ***control facultativo.***
- **Vaginitis y leucorrea [❷],** aplicada en forma de irrigaciones y lavados.
- **Piorrea y gingivitis** (inflamación de las encías).
- **Conjuntivitis** (irritaciones oculares) **[❷]**, mediante lavados.

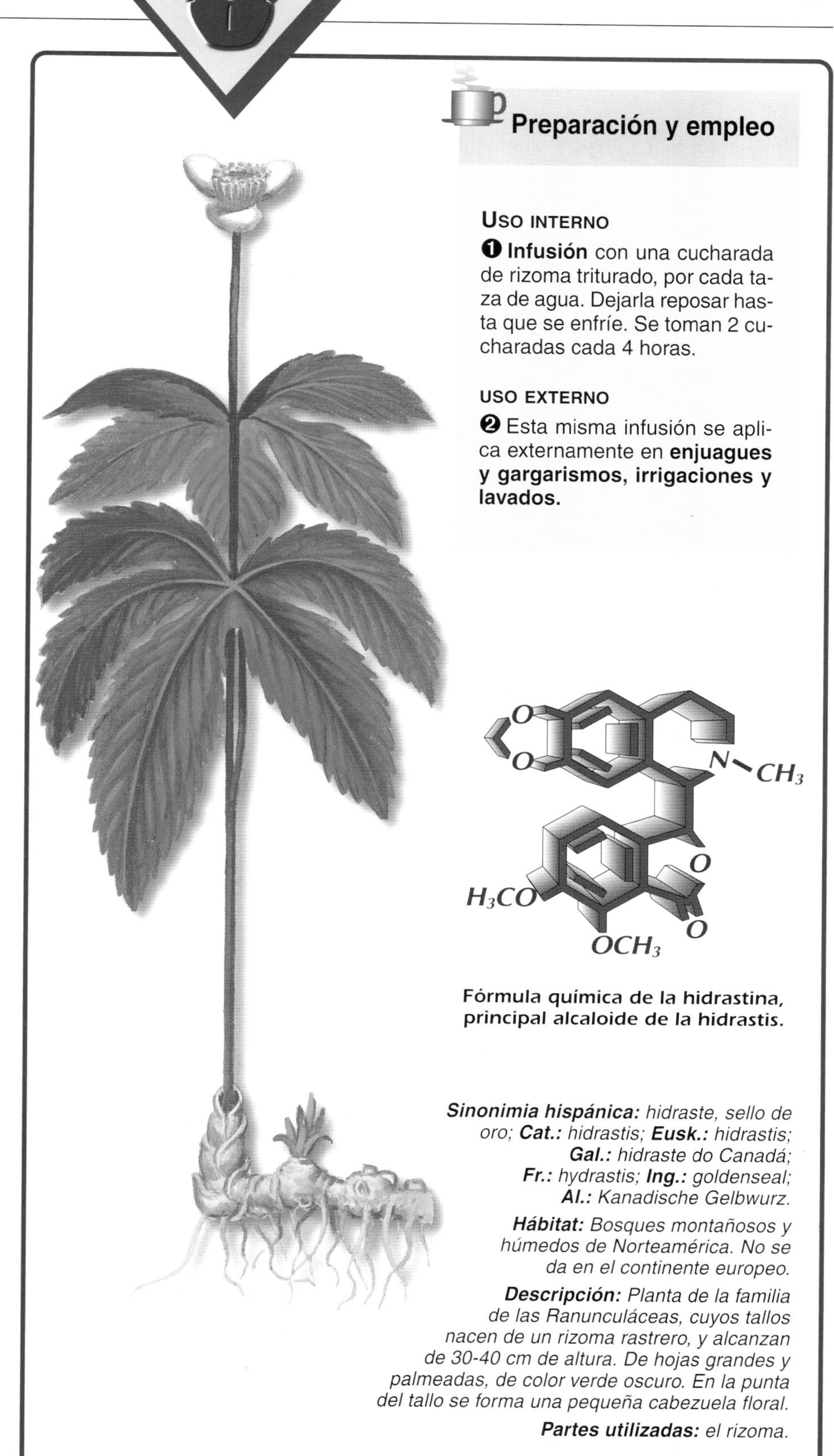

Preparación y empleo

USO INTERNO

❶ **Infusión** con una cucharada de rizoma triturado, por cada taza de agua. Dejarla reposar hasta que se enfríe. Se toman 2 cucharadas cada 4 horas.

USO EXTERNO

❷ Esta misma infusión se aplica externamente en **enjuagues y gargarismos, irrigaciones y lavados.**

Fórmula química de la hidrastina, principal alcaloide de la hidrastis.

Sinonimia hispánica: *hidraste, sello de oro;* ***Cat.:*** *hidrastis;* ***Eusk.:*** *hidrastis;* ***Gal.:*** *hidraste do Canadá;* ***Fr.:*** *hydrastis;* ***Ing.:*** *goldenseal;* ***Al.:*** *Kanadische Gelbwurz.*

Hábitat: *Bosques montañosos y húmedos de Norteamérica. No se da en el continente europeo.*

Descripción: *Planta de la familia de las Ranunculáceas, cuyos tallos nacen de un rizoma rastrero, y alcanzan de 30-40 cm de altura. De hojas grandes y palmeadas, de color verde oscuro. En la punta del tallo se forma una pequeña cabezuela floral.*

Partes utilizadas: *el rizoma.*

Quercus robur L.

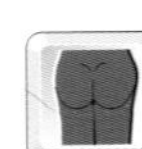

Roble

Antiinflamatorio y astringente

ME GUSTARÍA probar una bellota –ruega el muchacho a sus padres, con los que va de paseo por el campo.

–¡Pero qué dices, niño! Las bellotas son para los cerdos. Tú cómete este bocadillo de jamón que te ha preparado mamá.

–Entonces, papá, si son buenas para el cerdo, que después nos lo comemos nosotros, ¿por qué no nos comemos directamente las bellotas, sin que tengan que pasar por el cerdo?

–¡Qué cosas más raras se te ocurren, hijo! –concluye la mamá.

Y la pregunta queda en el aire...

La elemental lógica del muchacho contrasta con los hábitos alimentarios de muchos de los que se autodenominan *Homo sapiens* (hombre sabio).

Si los habitantes de los países "desarrollados" siguieran una dieta alimentaria más rica en vegetales, y no tan abundante en productos de origen animal, como es la habitual, disminuirían drásticamente muchas de las enfermedades más comunes, como la arteriosclerosis, el infarto de miocardio y la trombosis.

Eliminar el tinte amarillo

El tinte amarillo que queda en la piel después de aplicar el roble, es debido a la acción de los taninos que contiene. Para eliminarlo, se frota la piel con jugo (zumo) de limón.

Sinonimia hispánica: *carballo, roble albar, roble común, roble europeo, roble de Eslavonia, albero, jaro, tocorno;* ***Cat.:*** *roure [pènol], pènol;* ***Eusk.:*** *haritz [kandudun];* ***Gal.:*** *carballo, alvariño;* ***Fr.:*** *chêne pédonculé;* ***Ing.:*** *oak tree;* ***Al.:*** *Stieleiche.*

Hábitat: *Árbol muy conocido, que forma extensos bosques en Europa y América.*

Descripción: *Gran árbol de la familia de las Fagáceas, de copa ancha y tronco grueso y macizo, que alcanza hasta 20 m de altura. Sus hojas son lobuladas, de color verde oscuro por encima y más claro por el envés. Las bellotas, sus frutos, nacen de largos peciolos (rabillos) colgantes de las ramas.*

Partes utilizadas: *la corteza y las bellotas.*

Preparación y empleo

USO EXTERNO

❶ **Decocción** con 60-80 g (unas 4 cucharadas) de corteza de roble o encina triturada en un litro de agua. Dejar hervir durante 10 minutos a fuego lento. Después se filtra y se aplica localmente sobre la zona afectada, en alguna de las siguientes formas:

– ***Enjuagues y gargarismos*** (para afecciones de la boca y de la garganta).

– ***Irrigaciones*** vaginales.

– ***Baños de asiento*** y lavativas (para afecciones del ano o recto).

– ***Baños de brazos*** (para los sabañones).

– ***Fomentos o compresas*** calientes (sobre músculos o articulaciones doloridas).

– ***Compresas,*** empapando un paño de algodón o una gasa que se renueva cada 4 horas (para afecciones de la piel).

– ***Lavados oculares o taponamientos nasales.***

Los baños de manos (manilu-vios) y de brazos, así como los de pies y piernas (pediluvios), mejoran los trastornos circulatorios de las extremidades, como por ejemplo, los sabañones.

La humilde bellota resulta un alimento exquisito para los que aún no tienen el paladar deformado por los artificiales y sofisticados sabores de la cocina moderna. Durante siglos, las bellotas fueron alimento básico de pueblos de gran fortaleza física, como el vasco. En Extremadura, al sudoeste de España, se crían unas bellotas dulces, más sabrosas incluso que las castañas (pág. 495), y que, como estas, también se pueden comer asadas.

PROPIEDADES E INDICACIONES: La ***CORTEZA*** de todos los árboles del género *Quercus* es ***muy rica en taninos*** (hasta el 20%), entre los que destaca el ácido cuercitánico. Los taninos son astringentes, es decir, que secan las mucosas inflamadas y precipitan o coagulan las proteínas de los tejidos animales. En esto precisamente se basa su empleo como agentes curtidores: secan la piel de los animales y la transforman en cuero.

Los **taninos** son los ***astringentes más enérgicos*** que se conocen. Al actuar sobre los tejidos inflamados, los secan y endurecen transitoriamente, mientras van siendo sustituidos poco a poco por tejido sano. Tienen, asimismo, un efecto **antiinflamatorio y analgésico.** Y además, detienen las pequeñas hemorragias superficiales (acción **hemostática**).

Las ***BELLOTAS*** también contienen tanino, además de glúcidos (hidratos de carbono) y lípidos (grasas) de alto valor biológico. Son **astringentes,** y constituyen un alimento idóneo en las **diarreas** por gastroenteritis, especialmente en los niños.

La ***CORTEZA*** de los robles y encinas se aplica por ***vía externa*** en forma de decocción **[❶]** (por vía interna, aunque no es tóxica, puede producir náuseas), y tiene numerosas indicaciones debido a sus grandes propiedades curativas:

- **Estomatitis y faringitis:** En las inflamaciones de la mucosa bucal y de la garganta se aplica en enjuagues o en gárgaras, varias veces diarias, con lo que se consigue aliviar la sensación de picor o de escozor, a la vez que se obtiene un efecto antiséptico y cicatrizante.
- **Gingivitis, parodontosis, piorrea:** En todo tipo de **inflamación de las encías** ayuda a limpiar la suciedad

acumulada en el fondo de ellas. En los casos incipientes, puede afirmar los dientes que empiezan a moverse como consecuencia de la inflamación de las encías y de los tejidos que sujetan el diente al hueso alveolar.

• **Conjuntivitis y blefaritis** (inflamación de los párpados): Se realizan baños oculares, o bien se aplica una compresa empapada en el líquido de la decocción, cada 4 horas. Se obtienen muy buenos resultados en caso de conjuntivitis irritativas o alérgicas, así como en los orzuelos.

• **Hemorragias nasales:** Se aplica en forma de irrigación, o bien empapando una gasa que sirve de taponamiento. Se recomienda combinar con la tormentilla (pág. 519).

• **Sabañones:** Baño de brazos o de pies, tres veces al día durante 15 minutos, con una decocción de corteza de roble o encina caliente. Hace desaparecer el enrojecimiento y el picor de la piel.

• **Hemorroides y fisuras de ano:** Reduce la inflamación anal, detiene la pequeña hemorragia que suele acompañar a estas dolencias, y favorece la cicatrización de las dolorosas fisuras anales. Se aplica en forma de baño de asiento caliente, de 15 minutos de duración, una o dos veces diarias, y también en forma de enema (lavativa).

• **Eccemas y grietas de la piel:** se aplica en forma de compresas, empapando un pañuelo de algodón. Seca, desinflama y cicatriza la piel.

• **Úlceras y llagas** de difícil cicatrización, incluidas las de origen vascular debidas a mala circulación en los miembros inferiores (úlceras varicosas). Aplicar una compresa empapada en el líquido de la decocción, renovándola cada 4 horas.

• **Dolores reumáticos:** Los fomentos o compresas calientes con una decocción de corteza de roble tienen también efecto antiinflamatorio y antirreumático. Se usan para calmar dolores osteomusculares o articulares en la región cervical, dorsal o lumbar, así como en los muslos y piernas. Los reumáticos y los artrósicos se beneficiarán de los fomentos de roble.

Encina, alcornoque, roble americano

Además del *Quercus robur* L., son varios los árboles del género *Quercus,* todos ellos productores de bellotas y de **propiedades medicinales** bastante **similares,** entre los que cabe destacar:

• El *Quercus ilex* L., de tamaño más pequeño, llamado **encina,** carrasca, coscolla negra o chaparro.*

• El *Quercus suber* L. , o **alcornoque,** de cuya corteza se obtiene el corcho. Por eso en algunos lugares de Hispanoamérica lo llaman palo de corcho. También recibe los nombres de: roble, chaparreta, moheda, sobrero y tornadizo.**

• El *Quercus alba* L., o **roble blanco,** que forma grandes bosques en México, Estados Unidos y Canadá.

* ***Cat.:*** *alzina, carrasca [vera], aglaner;* ***Eusk.:*** *arte;* ***Gal.:*** *aciñeira. enciño, carrasca, xardón.*
** ***Cat.:*** *alzina surera;* ***Eusk.:*** *artelatz;* ***Gal.:*** *sobreiro, cortizo, cortiza, xofreira.*

Las bellotas son ricas en hidratos de carbono y grasas de gran valor nutritivo. Por su acción astringente constituyen un alimento idóneo en caso de diarrea.

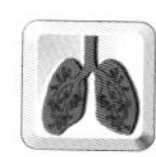

Erísimo

Desinflama la garganta y aclara la voz

ME VOY A TENER que retirar –se lamenta uno de los componentes del coro de Notre-Dame de París ante su médico–. Llevo dos meses afónico a consecuencia de un catarro, y sin poder cantar.

–No te desesperes. Toma esta hierba y haz enjuagues con ella. Verás como te vuelve la voz –le contesta Morin, famoso médico parisiense del siglo XVII.

Y el erísimo hizo su efecto. En la época en la que no existían los micrófonos, cantores, oradores y actores de toda Europa, encontraron en esta planta el secreto para mantener su voz clara y potente.

PROPIEDADES E INDICACIONES: El erísimo es similar a la mostaza (pág. 663) en su aspecto, sabor y composición. Contiene un aceite esencial sulfurado, que, al entrar en contacto con la mucosa de la boca y de la faringe, provoca, por un mecanismo reflejo, un mayor aporte de sangre a la laringe y bronquios, lo cual favorece la secreción mucosa y la expectoración.

Tiene propiedades **béquicas** (calma la tos y la irritación de la garganta), **antiinflamatorias y expectorantes.** Resulta muy útil en casos de **faringitis, ronquera o afonía** por laringitis (inflamación de las cuerdas vocales), y **bronquitis [❶,❷].**

Los mejores resultados se obtienen cuando se combina el uso interno (infusión) con el externo (enjuagues bucales y gargarismos).

Preparación y empleo

USO INTERNO

❶ **Infusión** con 50 g de sumidades floridas por litro de agua. Se endulza con miel. Tomar hasta 5 o 6 tazas calientes al día.

USO EXTERNO

❷ **Enjuagues y gargarismos** con la misma infusión que para uso interno. Se puede endulzar si se desea. Recuerde que no se debe tragar el líquido usado para los enjuagues y gárgaras.

Sinonimia hispánica: *sisimbrio, hierba de los cantores, jaramago;* ***Cat.:*** *erisimó, erísim, sisimbri;* ***Eusk.:*** *mendaski;* ***Gal.:*** *xebra, cecimbre, xaramago;* ***Fr.:*** *érysimum, herbe aux chantres;* ***Ing.:*** *erysimum, hedge mustard;* ***Al.:*** *Gelbes Eisenkraut.*

Hábitat: *Común en terrenos baldíos y cerca de los lugares habitados de toda Europa. Conocida en el continente americano.*

Descripción: *Planta de la familia de las Crucíferas, de 40 a 100 cm de altura, de tallo rígido y tieso. Sus hojas son grandes y profundamente divididas en varios lóbulos. Las flores son pequeñas, de color amarillo pálido.*

Partes utilizadas: *las sumidades floridas y las hojas.*

12 PLANTAS PARA EL CORAZON

SUMARIO DEL CAPÍTULO

ENFERMEDADES Y APLICACIONES

PLANTAS

Las plantas cardiotónicas se clasifican en dos grupos:

De tipo digitálico: Son aquellas cuyos principios activos son glucósidos similares a los de la digital. Tienen una acción cardiotónica intensa, y se deben administrar con gran precaución, pues la dosis tóxica se halla muy cercana a la dosis terapéutica.

No digitálicas: Son plantas que fortalecen el funcionamiento del corazón, pero que no contienen glucósidos digitálicos. Se pueden administrar sin las precauciones de los remedios digitálicos.

Las plantas cardiotónicas, junto con las diuréticas (cap. 22), constituyen la base del tratamiento fitoterápico de la **insuficiencia cardíaca** (incapacidad del corazón para cumplir con su función de impulsar la sangre).

Plantas cardiotónicas

Son aquellas que aumenta la fuerza de contracción del corazón y mejoran su rendimiento. El prototipo de las plantas cardiotónicas es la digital.

Planta	Pág.
Melisa	163
Adonis vernal	215
Convalaria	218
Espino blanco	219
Digital	221
Graciola	223
Agripalma	224
Retama negra	225
Judía	584
Ulmaria	667
Acebo	672
Romero	674
Evónimo	707
Adelfa	717
Espino amarillo	758

LAS PLANTAS medicinales ejercen notables acciones sobre el corazón. Son especialmente apreciadas las plantas que aumentan la fuerza de las contracciones cardíacas (llamadas cardiotónicas), cuyo prototipo es la digital.

Además de fortalecer el corazón, las plantas medicinales contribuyen de forma decisiva a la prevención de enfermedades graves del corazón, como la angina de pecho y el infarto de miocardio.

Enfermedad	Planta	Pág.	Acción	Uso
AFECCIONES DEL CORAZÓN Estas plantas convienen a todos aquellos que padecen de alguna afección cardíaca, por su suave efecto ***tonificante*** del corazón, su escaso contenido en sodio (aumenta la tensión arterial), y su efecto ***diurético*** exento de riesgos. *Espino blanco*	**TILO**	169	Vasodilatador y suavemente hipotensor, fluidifica la sangre	Infusión de flores, decocción de corteza, extractos
	ESPINO BLANCO	219	Aumenta el riego sanguíneo en las coronarias y combate su espasmo	Infusión de flores, frutos frescos, extractos
	ARÁNDANO	260	Aumenta la resistencia del músculo cardíaco	Jugo fresco, decocción de frutos, cura de arándanos
	GUANÁBANO	489	Rico en fósforo y potasio. Diurético. Cardiosaludable.	Frutos frescos o en jugo
	CASTAÑO	495	Bajo contenido en sodio y elevado en potasio. Hipotensoras.	Castañas crudas o asadas
	MANZANO	513	Diurético, bajo contenido en sodio	Manzanas crudas, en jugo o en decocción
	JUDÍA	584	Mejora el rendimiento del corazón	Decocción de vainas, verdura
	MAÍZ	599	Diurético bien tolerado, no altera el equilibrio electrolítico de la sangre	Infusión de estilos
	ESPINO AMARILLO	758	Cardiotónico suave, activa la función cardiocirculatoria	Bayas maduras, jarabe de bayas
TAQUICARDIA Es un aumento de la frecuencia del ritmo cardíaco. Cuando se produce en reposo, sin una causa fisiológica que la explique, puede necesitar ser tratada. En general todas las plantas cardiotónicas, que aumentan la fuerza de las contracciones cardíacas, y por lo tanto su eficacia, reducen también su frecuencia. Las plantas ***sedantes y equilibradoras*** del sistema nervioso vegetativo (pág. 145) también pueden frenar la taquicardia.	**ESPINO BLANCO**	219	Aumenta la fuerza contráctil del corazón y regulariza su ritmo	Infusión de flores, frutos frescos, extractos
	AGRIPALMA	224	Calma la taquicardia y las palpitaciones de origen nervioso	Infusión, extractos
	RETAMA NEGRA	225	Aumenta la fuerza contráctil del corazón y enlentece su ritmo	Infusión, extractos
	GRINDELIA	310	Bradicardizante (enlentece el ritmo cardíaco)	Infusión, jarabe
PALPITACIONES Las palpitaciones se definen como la percepción desagradable del propio latido cardíaco, debido a un cambio brusco en el ritmo o en la frecuencia del corazón. Pueden estar causadas por estados de ansiedad, uso de ciertos fármacos, consumo de tóxicos como el café, tabaco o alcohol, y más raramente, por ciertas enfermedades del corazón. En el electrocardiograma se muestran como extrasístoles. Además de las plantas ***antiespasmódicas, sedantes y tonificantes*** del corazón que se indican, se requiere un ***tratamiento de fondo*** de la ansiedad subyacente (ver pág. 141), y eliminar el consumo de café, tabaco, alcohol u otros tóxicos.	**NARANJO**	153	Antiespasmódico, sedante	Infusión de hojas y/o flores
	LAVANDA	161	Sedante y equilibradora del sistema nervioso	Infusión, extractos, esencia
	MELISA	163	Antiespasmódica, sedante	Infusión, extractos
	VALERIANA	172	Antiespasmódica, seda el sistema nervioso central y vegetativo	Infusión, maceración, polvo de raíz
	CONVALARIA	218	Tonificante del corazón, antiespasmódica	Infusión
	ESPINO BLANCO	219	Aumenta la fuerza contráctil del corazón y regulariza su ritmo	Infusión de flores, frutos frescos, extractos
	MUÉRDAGO	246	Antiespasmódico, sedante	Infusión, maceración de hojas
	LIMONERO	265	Antiespasmódico, sedante	Infusión de hojas
	ASAFÉTIDA	359	Antiespasmódica, sedante	Lágrimas (granos de goma)

Enfermedad	Planta	Pág.	Acción	Uso
ARRITMIA Es la alteración en el ritmo de los latidos cardíacos, ya sea por ser este irregular, demasiado lento (**bradicardia**), o demasiado rápido (**taquicardia**). La arritmia puede ser secundaria a un estado de ansiedad, al uso de tóxicos (especialmente el café o el té), o a ciertos medicamentos. En estos casos no suele revestir gravedad y cede al corregir la causa. Pero en otros casos la arritmia puede ser la manifestación de afecciones cardíacas que requieren un ***diagnóstico preciso*** por parte del facultativo.	TILO	169	Vasodilatador, suavemente hipotensor	Infusión de flores, decocción de corteza, extractos
	VALERIANA	172	Antiespasmódica, seda el sistema nervioso central y vegetativo	Infusión, maceración, polvo de raíz
	ADONIS VERNAL	215	Cardiotónico, sedante	Infusión
	ESPINO BLANCO	219	Aumenta la fuerza contráctil del corazón y regulariza su ritmo	Infusión de flores, frutos frescos, extractos
	DIGITAL	221	Cardiotónica, normaliza el ritmo cardíaco	Extractos farmacéuticos, infusión de polvo de hojas
	RETAMA NEGRA	225	Tonifica el corazón y enlentece su ritmo	Infusión, extractos
	RAUWOLFIA	242	Hipotensora, sedante, normaliza el ritmo	Preparados farmacéuticos, polvo de raíz
	GRINDELIA	310	Antiespasmódica y enlentecedora del ritmo cardíaco	Infusión, jarabe
ANGINA DE PECHO Es una afección caracterizada por un dolor de aparición súbita en el pecho, irradiado en ocasiones hacia el brazo izquierdo, con sensación de muerte inminente. Está causada por un espasmo o estrechez en las arterias coronarias, que son las que irrigan el propio músculo del corazón. El tratamiento fitoterápico se basa en plantas ***antiespasmódicas*** (alivian el espasmo de las arterias coronarias), ***vasodilatadoras*** coronarias (dilatan estas arterias) y ***sedantes.*** Cuando el espasmo arterial se debe a **arteriosclerosis** (endurecimiento y estrechamiento) de las arterias coronarias, convienen también las plantas recomendadas contra esta afección arterial (pág. 228).	TILO	169	Vasodilatador y suavemente hipotensor, sedante, fluidifica la sangre	Infusión de flores, decocción de corteza, extractos
	ADONIS VERNAL	215	Vasodilatador de la arterias coronarias, cardiotónico	Infusión
	ESPINO BLANCO	219	Aumenta el riego sanguíneo en las coronarias y combate su espasmo	Infusión de flores, frutos frescos, extractos
	AGRIPALMA	224	Cardiotónica, sedante	Infusión, extractos
	AJO	230	Vasodilatador, fluidificante de la sangre	Crudo, extractos, decocción de dientes de ajo
	MUÉRDAGO	246	Vasodilatador, mejora el riego sanguíneo del miocardio	Infusión o maceración de hojas
	SEN	492	Evita los peligrosos esfuerzos para defecar en caso de estreñimiento	Infusión, extractos
	BIZNAGA	561	Antiespasmódico, vasodilatador	Infusión
INFARTO DE MIOCARDIO Es la obstrucción completa de las arterias coronarias, lo que trae como consecuencia la necrosis de una parte del músculo cardíaco. Además de las plantas recomendadas para la angina de pecho, la fitoterapia aporta plantas para la ***prevención y rehabilitación*** del infarto y de la arteriosclerosis (pág. 228), causante de la obstrucción de las arterias coronarias. Las plantas ***fluidificantes*** de la sangre (pág. 263) también ejercen una función preventiva.	ONAGRA	237	Dilata las arterias e impide la formación de coágulos	Aceite de semillas en cápsulas o comprimidos
	ESPIRULINA	276	Combate la arteriosclerosis coronaria por su riqueza en ácidos grasos insaturados	Preparados farmacéuticos
	SÉSAMO	611	Previene la arteriosclerosis y el infarto	Semillas en diferentes preparaciones

Adonis vernal

Potente cardiotónico

EL ADONIS vernal es un prototipo de las plantas medicinales cuya dosis terapéutica se halla muy próxima a la dosis tóxica. Ello quiere decir que se debe manejar con precaución.

PROPIEDADES E INDICACIONES: Todas las partes de la planta contienen dos tipos de glucósidos cardiotónicos, similares a los de la digital (pág. 221): el adonidósido y el adonivernósido. Posee propiedades **cardiotónicas** (aumenta la fuerza de las contracciones cardíacas), **dilatadoras** de las arterias coronarias (combate la angina de pecho), **diuréticas** y ligeramente **sedantes.** Por todo ello, bajo ***control facultativo,*** resulta un remedio altamente apreciado en diversas afecciones del corazón [❶].

A diferencia de los glucósidos de la digital, tan ampliamente utilizados como cardiotónicos, los del adonis vernal no se acumulan en el organismo (se eliminan rápidamente con la orina). Por ello, resulta útil para sustituir temporalmente a la digital, especialmente en los tratamientos prolongados.

Precauciones

*En **dosis elevadas** produce náuseas, vómitos y diarreas. Por su **toxicidad y dificultad de dosificación** correcta, **únicamente el médico** está capacitado para prescribirlo y controlar sus efectos.*

Preparación y empleo

USO INTERNO

❶ **Infusión** con 8 g de sumidades floridas en 200 ml de agua a 60°C, en la que se deja hasta que se enfríe. La dosis habitual es de 4 a 6 cucharadas soperas diarias.

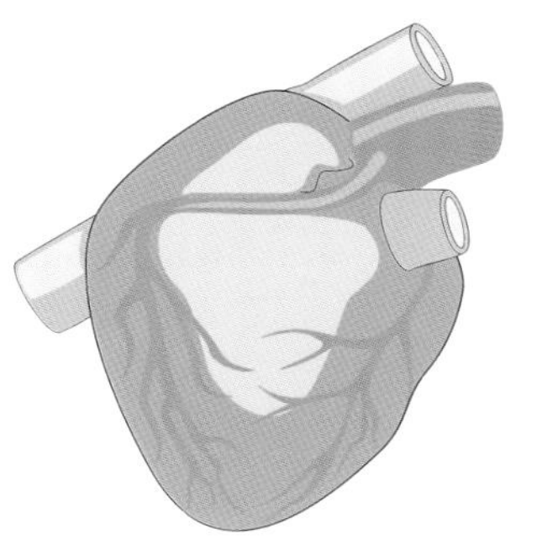

El adonis vernal puede sustituir a la digital como cardiotónico, pero debe ser usado bajo control facultativo.

Sinonimia hispánica: *adonis [de primavera], flor de adonis, ojo de perdiz;* ***Cat.:*** *adonis;* ***Gal.:*** *adonis;* ***Eusk.:*** *udaberriko adoni;* ***Fr.:*** *adonis [du printemps];* ***Ing.:*** *[yellow] adonis;* ***Al.:*** *Adonisröschen.*

Hábitat: *Europa central y meridional. Es poco frecuente. Prefiere los terrenos rocosos y calcáreos orientados hacia el sur.*

Descripción: *Planta de la familia de las Ranunculáceas, de 10 a 40 cm de altura. Las hojas se subdividen en segmentos muy estrechos. Las flores son grandes (3-6 cm), de color amarillo, y se abren cuando sale el sol.*

Partes utilizadas: *las sumidades floridas.*

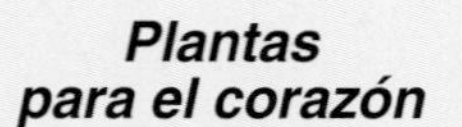

Cacto

Un gran amigo del corazón

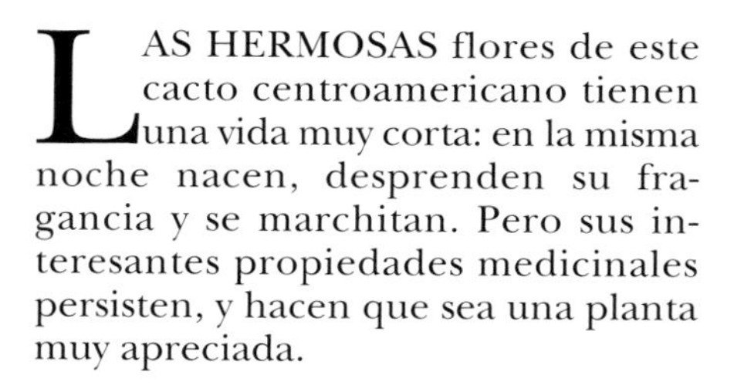

LAS HERMOSAS flores de este cacto centroamericano tienen una vida muy corta: en la misma noche nacen, desprenden su fragancia y se marchitan. Pero sus interesantes propiedades medicinales persisten, y hacen que sea una planta muy apreciada.

PROPIEDADES E INDICACIONES: Las ***FLORES*** contienen glucósidos cardíacos, flavonoides y captina, un alcaloide muy activo sobre el corazón. Tienen propiedades **cardiotónicas, antiarrítmicas** (regularizan el pulso) y **vasodilatadoras** de las arterias coronarias **[❶]**. Pueden complementar e incluso sustituir a la digital (pág. 221). Están indicadas en caso de insuficiencia cardíaca, valvulopatías (alteración en las válvulas del corazón), trastornos del ritmo (palpitaciones) y angina de pecho (hacen desaparecer la sensación de opresión en el pecho).

La ***PULPA*** de los frutos contiene mucílagos de suave acción **laxante [❷]**, y las ***SEMILLAS,*** un aceite **purgante [❸]**.

Sinonimia científica: *Cactus grandiflorus* L.

Sinonimia hispánica: *cactus, reina de la noche;* ***Cat.:*** *cactus;* ***Eusk.:*** *kaktus;* ***Gal.:*** *cereo;* ***Fr.:*** *cactus;* ***Ing.:*** *cactus;* ***Al.:*** *Königin der Nacht.*

Hábitat: *Originario de las Antillas y extendido por toda Centroamérica. No se da en Europa.*

Descripción: *Planta trepadora de la familia de las Cactáceas, que se caracteriza por sus tallos carnosos recubiertos de espinas, de los que salen raíces aéreas con las que se aferra a rocas y árboles. Las flores son muy grandes (hasta 30 cm), blanquecinas y muy aromáticas. Los frutos son unas bayas ovoides de unos 8 cm de largo cada una.*

Partes utilizadas: *las flores y los frutos.*

Preparación y empleo

❶ **Flores:** Lo más seguro es tomarlas en forma de **preparados farmacéuticos** elaborados con ellas.

❷ **Pulpa de los frutos:** Pueden ingerirse de 2 a 10 diarios.

❸ **Aceite de las semillas:** De media a una cucharada es suficiente para obtener el efecto purgante.

Pitahaya

La pitahaya (*Selenicerus grandiflorus* Britt.-Rose), llamada en algunos países cactus espinal, cardón, gigante, organillo, yaureros, y sobre todo reina de las flores o reina de la noche, es una de las diversas especies de la familia botánica de las Cactáceas, muy similar a la *Cereus grandiflorus* Miller. Sus **propiedades** son asimismo **muy semejantes**. La pitahaya además es una planta cultivada, pues sus **frutos** son apreciados en muchos lugares, en particular en México y las Antillas.

Los géneros *Cereus* y *Selenicerus* de cactos tienen en común el formar tallos erectos y cilíndricos. Sus diversas especies no son fácilmente distinguibles, por lo que a menudo reciben los mismos nombres vulgares.

Alcanforero

Tonifica el corazón y la respiración

EL ALCANFORERO es un árbol milenario, que empieza a producir alcanfor a partir de los 30 años. En la China se conocen ejemplares de hasta 2.000 años de edad.

PROPIEDADES E INDICACIONES: El ***ALCANFOR*** es una sustancia blanca cristalina, que se obtiene por condensación del aceite esencial que destila la madera del alcanforero. Desde el punto de vista químico se trata de una cetona del hidrocarburo aromático borneol. Desprende un fuerte y típico aroma, su sabor es fresco y picante. Sus propiedades son:

- **Estimulante cardiorrespiratorio (❶):** Estimula los centros nerviosos de la respiración y de la actividad cardíaca, aumentando la frecuencia y la profundidad de la respiración, y tonificando el corazón (acción analéptica). Se usa en casos de congestión pulmonar (bronquitis, neumonía, asma), desfallecimientos, lipotimias, hipotensión y arritmias.
- **Antiséptico y febrífugo (❶):** Muy útil en gripes y resfriados.
- **Anafrodisíaco (❶):** Disminuye la excitación sexual.
- **Antirreumático y analgésico (❷):** El aceite o alcohol de alcanfor se usan en ***aplicación externa*** mediante fricciones para aliviar los dolores reumáticos y las neuralgias.

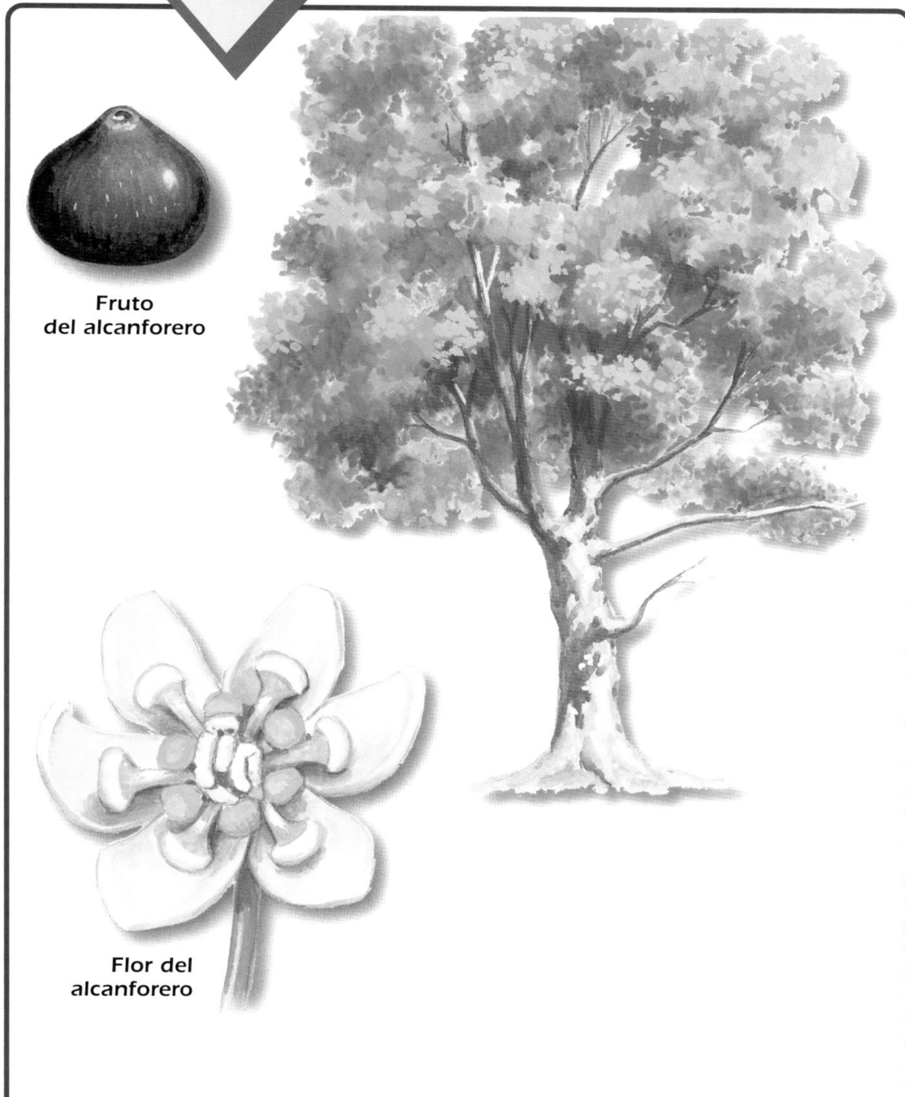

Fruto del alcanforero

Flor del alcanforero

Preparación y empleo

USO INTERNO

❶ **Polvo de alcanfor:** hasta 0,5 g al día, repartido en 3 o 4 dosis.

USO EXTERNO

❷ **Lociones y fricciones** con **aceite o alcohol alcanforados,** que se preparan disolviendo el alcanfor al 10% en aceite o bien en alcohol.

Sinonimia científica: *Laurus camphora* L.

Sinonimia hispánica: *[árbol del] alcanfor, alcanfor del Japón.* ***Cat.:*** *camforer, arbre de la càmfora;* ***Eusk.:*** *kanforrondo;* ***Gal.:*** *camforeira;* ***Fr.:*** *camphrier;* ***Ing.:*** *camphor tree;* ***Al.:*** *Kampferbaum.*

Hábitat: *Originario de la costa oriental de Asia (Japón, China), donde se cultiva ampliamente, así como en los Estados Unidos.*

Descripción: *Árbol de la familia de las Lauráceas que puede alcanzar hasta los 50 m de altura. Sus hojas son perennes y de consistencia coriácea; sus flores pequeñas y blancas.*

Partes utilizadas: *la esencia de su madera.*

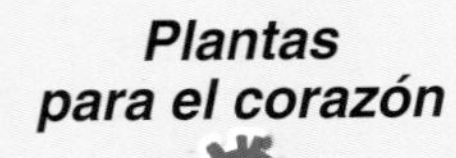

Convalaria

Tónico cardíaco

LAS HOJAS y las sumidades floridas de la convalaria, también llamada lirio de los valles, son utilizadas por la industria farmacéutica para la producción de medicamentos tonificantes del corazón. Sin embargo, también pueden usarse en su estado natural, si se tienen en cuenta las precauciones que aquí se indican.

PROPIEDADES E INDICACIONES: Toda la planta contiene glucósidos cardiotónicos, similares a los de la digital, y saponinas. A diferencia de estos, los glucósidos de la convalaria no se acumulan en el organismo, lo cual representa una ventaja; pero en cambio se toleran peor (producen vómitos).

Además de su propiedad **tonificante del corazón,** es **antiespasmódica y diurética [❶].** Se emplea, siempre bajo ***control facultativo,*** en casos de insuficiencia cardíaca, hipotensión, lipotimia, palpitaciones, hiperuricemia (exceso de ácido úrico) y litiasis urinaria (cálculos renales).

Precauciones

No consumir las bayas, *que son tóxicas,* ***ni sobrepasar la dosis.***

La intoxicación se manifiesta por vómitos y violentas diarreas.

Las bayas de la convalaria son tóxicas

Sinonimia hispánica: *lirio de los valles, muguete;* ***Cat.:*** *conval·lària, muguet, lliri de maig, lliri conval·ler, lliri de la Mare de Déu, llàgrimes de Salomó;* ***Eusk.:*** *mugetatze;* ***Gal.:*** *convalaria;* ***Fr.:*** *muguet;* ***Ing.:*** *lily of the valley;* ***Al.:*** *Maiglöckchen.*

Hábitat: *Bosques frescos de toda Europa. En España se encuentra en la mitad norte. Naturalizada en América.*

Descripción: *Planta vivaz de la familia de las Liliáceas, que alcanza de 10 a 30 cm. Tiene 2 grandes hojas elípticas y alargadas, y un ramillete de flores blancas muy olorosas. El fruto es una baya roja.*

Partes utilizadas: *las hojas y las sumidades floridas.*

Preparación y empleo

USO INTERNO

❶ **Infusión:** La dosis habitual es de 3 a 5 g de hojas y/o sumidades floridas, por taza de agua. Se administran 1-2 tazas diarias.

Las hojas y las flores de la convalaria tienen un potente efecto cardiotónico

Espino blanco

Fortalece el corazón y calma los nervios

CÓMO te las arreglas para tener unas cabras tan fuertes y ágiles? –pregunta un campesino griego del siglo primero de nuestra era a su vecino.

Ya está acabando el verano, y los campos secos y pedregosos del Mediterráneo parecen no ofrecer mucho alimento a esos rudos mamíferos.

–Pues mira, te diré el secreto. ¿Has visto esos arbustos llenos de espinas, con unos frutillos rojos? Busca uno de ellos y haz que tus cabras se los coman. A los pocos días notarás los resultados.

Efectivamente, las cabras del vecino adquirieron una vitalidad como nunca antes habían tenido. Parecían infatigables, trepando por los riscos

Sinonimia hispánica: *espino [albar], oxiacanto, níspero silvestre, níspero espinoso, majuelo, bizcota. bizcoteño, guilorri, jurlitero, picodas,cornijudo, escuero, espinallo;* ***Cat.:*** *arç [blanc], espí [blanc], espinalb, garguller, cirerer del bon pastor, pometes de la Mare de Déu, ram de Sant Pere;* ***Eusk.:*** *[iparraldeko] elorri zuri;* ***Gal.:*** *estripeiro, priliteiro, marzoa;* ***Fr.:*** *aubépine [à un style], epinière;* ***Ing.:*** *[common] hawthorn, May bush;* ***Al.:*** *Eingriffliger Weißdorn.*

Hábitat: *Común en los bosques de toda Europa. Naturalizado en América.*

Descripción: *Arbusto espinoso de la familia de las Rosáceas, que alcanza de 2 a 4 m de altura. Sus hojas son caducas, y están divididas en 3 o 5 lóbulos. Las flores son blancas, aromáticas. Da fruto en bayas de color rojo.*

Partes utilizadas: *las flores y los frutos.*

Precauciones

*En **dosis muy altas** (12 o 15 veces mayores que las recomendadas), puede presentarse **bradicardia** (enlentecimiento del pulso) y **depresión respiratoria.** Con las dosis recomendadas no se produce ningún efecto secundario indeseable.*

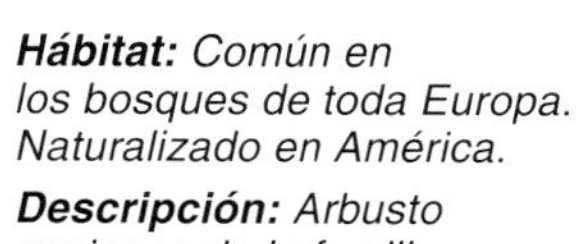

Preparación y empleo

USO INTERNO

❶ **Infusión** con 60 g de flores (unas 4 cucharadas soperas) por litro de agua. Las flores frescas son más efectivas que las secas. Se administran 3 o 4 tazas diarias.

❷ **Frutos frescos:** Aunque presentan una menor concentración de principios activos, también son efectivos, y puede tomarse un puñado de ellos 3 veces diarias.

❸ **Extracto seco:** Se recomienda de 0,5 a 1 g, 3 veces diarias.

Otras especies de espino blanco

El *Crataegus oxyacantha* L. es una especie de espino blanco que coexiste con el *Crataegus monogyna* L., siendo las **propiedades** de ambos **prácticamente idénticas.** Se diferencian en que las bayas de la especie *oxyacantha* tienen dos o tres huesos, mientras que las de la *monogyna* solo poseen uno.

Las flores y los frutos del espino blanco, constituyen uno de los remedios vegetales más efectivos para el tratamiento de la taquicardia, la hipertensión y otros trastornos cardiocirculatorios de origen nervioso.

bajo el aplastante sol del verano griego. Bien pudo ocurrir que la experiencia de aquellos cabreros hubiera llegado a conocimiento de Dioscórides, agudo observador, brillante botánico y destacado médico, quien recomendaba esta planta para fortalecer el organismo y para curar diversas afecciones. Quizá le viene de entonces su nombre de *Crataegus*, que en griego quiere decir 'cabras fuertes'.

El espino blanco ha sido siempre muy apreciado como remedio. Pero el conocimiento empírico que de él se tenía, basado en sus efectos sobre las cabras, no pudo ser comprobado científicamente hasta el siglo XIX. Jennings y otros médicos estadounidenses de esa época, estudiaron las propiedades cardiotónicas del espino blanco.

En nuestros días, el espino blanco goza de un gran prestigio como planta medicinal, y forma parte de numerosos ***preparados fitoterapéuticos.***

PROPIEDADES E INDICACIONES: Las flores sobre todo, y también los frutos del espino blanco, contienen diversos glucósidos flavónicos, que químicamente son polifenoles, a los cuales se atribuye su acción sobre el corazón y el aparato circulatorio. Se encuentran además derivados triterpénicos y diversas aminas biógenas (trimetilamina, colina, tiramina, etc.), que potencian su efecto cardiotónico. Toda la planta, gracias a las propiedades del conjunto de estas sustancias que contiene, es:

- **Cardiotónica [❶,❷,❸]**: Propiedad atribuida sobre todo a los flavonoides, que inhiben (impiden la acción) de la adenosín-trifosfatasa (ATPasa). Esta enzima es la que descompone el ATP, sustancia que sirve de fuente de energía para las células, incluidas las del músculo cardíaco. Al impedirse la destrucción del ATP, las células disponen de mayor energía, y se produce un aumento de la fuerza contráctil del corazón, y una regularización de su ritmo. Por esta razón, el espino blanco tiene las siguientes indicaciones:

  – ***Insuficiencia cardíaca*** (debilidad del corazón), acompañada o no de dilatación de sus cavidades, debida a miocarditis o miocardiopatías (inflamación o degeneración del músculo cardíaco), lesiones valvulares o infarto de miocardio reciente.

  – ***Arritmias*** (trastornos del ritmo del corazón): extrasístoles (palpitaciones), taquicardia, fibrilación auricular o bloqueos.

  – ***Angina de pecho:*** el espino blanco aumenta el riego sanguíneo en las arterias coronarias, y combate su espasmo, causante de la angina de pecho. Es un buen vasodilatador de las arterias coronarias.

  El efecto cardiotónico y antiarrítmico del espino blanco es similar al que se obtiene con la digital, planta a la que puede sustituir con ventajas (no en casos agudos). El espino blanco carece de la toxicidad y de los peligros de acumulación propios de la digital.

- **Normotensora [❶,❷,❸]**: El espino blanco tiene un efecto regulador sobre la tensión arterial, pues la hace descender en quienes la tienen alta, y provoca su ascenso en los que padecen de hipotensión. Su acción normalizadora sobre la hipertensión es rápida y evidente, consiguiéndose efectos más duraderos que con otros antihipertensivos sintéticos.

- **Sedante** del sistema nervioso simpático (efecto simpaticolítico) [❶,❷,❸] : Resulta útil en aquellas personas que padecen de nerviosismo, manifestado por sensación de opresión en el corazón, taquicardia, dificultad para respirar, angustia o insomnio. Es ***una de las plantas ansiolíticas*** (que eliminan la ansiedad) ***más efectivas*** que se conocen.

Digital

Tónico cardíaco muy potente, que puede resultar tóxico

LA DIGITAL es un ejemplo típico de como una misma planta puede curar o matar. En el siglo XVII, en Inglaterra, se administró por primera vez una infusión de hojas de digital a un enfermo que padecía de hidropesía de origen cardíaco (hinchazón de todo el cuerpo por fallo del corazón). Pocos años más tarde, la digital se incluyó en la Farmacopea de Edimburgo.

Desde entonces, han sido muchas las investigaciones bioquímicas y biológicas que se han llevado a cabo con esta planta, cuyos principios activos no han podido aún ser sustituidos por ningún producto químico.

Excelente cicatrizante

*En uso externo, las hojas de esta planta son un excelente cicatrizante de **úlceras y llagas cutáneas,** incluidas las **varicosas** [❸]. Esta venía siendo la principal aplicación de la digital hasta que se descubrieron sus efectos sobre el corazón.*

Preparación y empleo

Uso interno

❶ **Preparados farmacéuticos:** La ***forma más segura y mejor tolerada*** de aplicar la digital, es utilizar su extracto en forma de preparado farmacéutico. Sin embargo, la planta completa es más efectiva, aunque también requiere mayor precaución para administrar la dosis precisa. ***Únicamente farmacéuticos y médicos*** con experiencia en fitoterapia, pueden obtener el máximo provecho de esta poderosa planta, que correctamente aplicada puede solucionar graves problemas cardíacos, e incluso salvar la vida.

❷ **Infusión:** Se realiza con 1 g de polvo obtenido por trituración de sus hojas secas en 100 ml de agua caliente, sin que llegue a hervir. Dejar reposar durante 15 minutos. Tomarla a lo largo del día, a cucharadas. ***No sobrepasar esta dosis.*** No se debe tomar de forma continuada durante más de **10 días** seguidos, pues los glucósidos se acumulan en el organismo; lo habitual es tomarla 5 días seguidos y descansar 2.

Uso externo

❸ **Compresas:** Se prepara una infusión con 1 o 2 hojas por litro de agua, que se aplica sobre la zona de piel afectada, empapando compresas de algodón.

Sinonimia hispánica: *digital purpúrea, dedal colorado, dedalera [común], dedalera encarnada, dediles, brotónica real, gualdraperas, guante de la Virgen, guantera, viluria, villoria;* ***Cat.:*** *digital [purpúria], didalera, didals [de la Mare de Déu], guants de Maria;* ***Eusk.:*** *kukubelar, kukuprakak;* ***Gal.:*** *estralotes, sanxoás, dedaleiras;* ***Fr.:*** *digitale [pourprée], gant de Notre Dame;* ***Ing.:*** *[purple] foxglove, common foxglove;* ***Al.:*** *Roter Fingerhut.*

Hábitat: *Común en montañas de terrenos silíceos de Europa occidental. Naturalizada en el continente americano.*

Descripción: *Planta bienal de la familia de las Escrofulariáceas, que alcanza hasta 1,5 m de altura. Sus hojas son grandes, aterciopeladas y de forma lanceolada, y salen en la parte inferior de la planta. Las flores tienen forma de dedo, de color púrpura o rosado, y crecen todas juntas en el extremo del tallo.*

Partes utilizadas: *las hojas.*

Fórmula química de la digoxina, glucósido cardiotónico obtenido especialmente a partir de la digital lanosa. El radical $(Dx)_3$ representa al componente glucídico del glucósido, que en el caso de la digoxina está formado por tres moléculas del azúcar digitoxosa.

Actualmente, los **glucósidos de la digital** son ***ampliamente utilizados*** en medicina, y ***han salvado la vida*** a multitud de enfermos del corazón.

Pero, a la vez, la digital es una planta muy tóxica y la infusión de una pequeña parte de una sola hoja (unos 10 g) puede producir la muerte de un adulto. Es un problema de dosificación: el margen terapéutico es muy estrecho, y la dosis tóxica se halla muy próxima a la curativa.

Otras digitales

Existen diversas especies similares del género *Digitalis*. Hay tres bastante conocidas:

- **digital amarilla** (*Digitalis lutea* L.)*,
- **digital de flores grandes** (*Digitalis grandiflora* Miller),
- **digital lanosa** (*Digitalis lanata* L.).

Estas tres especies se diferencian de la digital purpúrea sobre todo por el color de sus bellas flores. Las **propiedades** cardiotónicas y cicatrizantes de todas ellas son **muy similares**.

* ***Cat.:** digital groga, didalera groga, didalera de Sant Jeroni.*

Precauciones

*Aunque la digital es una planta **tóxica** las intoxicaciones accidentales son raras debido a su desagradable sabor. Después de comer sus hojas o sus flores, se produce irritación en la boca, náuseas, vómitos, alteraciones de la visión, braquicardia, y finalmente parada cardíaca. Unas pocas flores pueden causar la muerte de un niño (¡se utiliza como ornamental!).*

*Los **primeros auxilios** consisten en lavado de estómago, purgantes, carbón activado, y traslado urgente a un centro hospitalario.*

Debido a que existen grandes variaciones en la concentración de principios activos, según el lugar donde se críe la planta, la época de recolección, la rapidez con que se hayan secado las hojas, etcétera, la industria farmacéutica ha recurrido a aislar esos principios activos químicamente puros. De este modo es más fácil dosificarlos y aplicarlos correctamente. Por contra, la eficacia de estos extractos es menor, pues se prescinde de otras sustancias presentes en la planta, y que complementan su acción.

PROPIEDADES E INDICACIONES: Podemos distinguir dos tipos de sustancias en la digital:

✓ **No glucósidas:** digitoflavina (colorante amarillo), ciclohexanol, ácidos málico y succínico, tanino y una diastasa oxidante. Estas sustancias no tienen una acción directa sobre el corazón, pero complementan y potencian los efectos de los glucósidos.

✓ **Glucósidos:** Son los responsables de los efectos cardiotónicos que la digital tiene sobre el músculo cardíaco. Los más importantes son la ***digitoxina,*** la ***gitoxina*** y la ***digoxina.*** Poseen las siguientes propiedades:

- Aumentan la ***fuerza de las contracciones del corazón***, mejorando su rendimiento mecánico.
- Normalizan el ***ritmo cardíaco*** cuando este es irregular o demasiado rápido (taquicardia).

Por todo ello, los **glucósidos** de la digital son un ***remedio insustituible*** en casos de **insuficiencia cardíaca** [1,2] (incapacidad del corazón para bombear la sangre que el cuerpo necesita), que en los casos agudos se manifiesta clínicamente como edema (encharcamiento) pulmonar, o como hidropesía (acumulación de líquido en las cavidades y tejidos del organismo). Además, normalizan el ritmo del corazón, y tienen cierta acción diurética, lo cual contribuye a mejorar el funcionamiento del aparato circulatorio.

Graciola

Fortalece el corazón

LA GRACIOLA fue muy utilizada en la Edad Media y en la Moderna, puesto que se le atribuían multitud de virtudes medicinales que no han podido ser demostradas. Actualmente sigue teniendo utilidad como sustitutivo de la digital (pág. 221), aunque bajo ***control facultativo.*** De ahí que en francés se la llame 'pequeña digital'.

PROPIEDADES E INDICACIONES: Toda la planta contiene glucósidos cardiotónicos; los más importantes son la graciolina y la graciosolina. Posee propiedades **tonificantes del corazón, diuréticas y purgantes [❶,❷].**

Su uso actual queda reservado a los casos en los que existe intolerancia a los principios activos de la digital. La graciola tiene la ventaja de que sus glucósidos cardiotónicos no se acumulan en el organismo, como ocurre con los de la digital.

Precauciones

*Es necesario **respetar las dosis** indicadas, por tratarse de una planta **potencialmente tóxica.** Las dosis superiores a las recomendadas, provocan vómitos, cólicos intestinales con hemorragia.*

En intoxicaciones masivas se puede producir incluso parada cardíaca.

Preparación y empleo

USO INTERNO

❶ **Infusión:** Se prepara con la planta seca triturada. La dosis máxima por toma es de 2 g de planta seca, y de 10 g la máxima diaria.

❷ **Extracto fluido:** La dosis admisible es de 20 gotas, 1-3 veces diarias.

La graciola tonifica el corazón y su uso constituye una alternativa a los tratamientos con digital.

Sinonimia hispánica: *hierba del pobre, hierba de la fiebre, hierba de las calenturas, hierba de las tercianas;* ***Cat.:*** *graciola, herba del pobre [home], herba de la febre, herba de les tercianes;* ***Eusk.:*** *alarda;* ***Gal.:*** *herba das tercianas, graciola;* ***Fr.:*** *gratiole, petite digitale, herbe à pauvre homme;* ***Ing.:*** *gratiole, hedge hyssop;* ***Al.:*** *Gnadenkraut.*

Hábitat: *Difundida por pantanos y lugares húmedos de Europa y América del Norte.*

Descripción: *Planta vivaz de 15 a 30 cm de altura, de la familia de las Escrofulariáceas, cuyo tallo es hueco, redondo en su base y cuadrangular en el ápice. Hojas opuestas y finamente dentadas. Las flores son de color rosa claro o blanquecino. Su olor es desagradable.*

Partes utilizadas: *la planta florida seca.*

Agripalma

Calma las palpitaciones

LA AGRIPALMA se cultivaba en los huertos de los monasterios desde el siglo XV, y era muy apreciada en toda Europa, hasta el punto de considerarla capaz de aliviar todos los males. De ahí que más tarde cayera en descrédito. En la actualidad, aunque ocupa un modesto lugar en la fitoterapia, sigue siendo una planta útil.

PROPIEDADES E INDICACIONES: Toda la planta contiene un aceite esencial, un principio amargo (la leonurina), un alcaloide (la leonurinina), glucósidos y taninos. Posee las siguientes propiedades:

- **Cardiotónica y sedante [❶,❷]:** Tonifica el músculo cardíaco. Calma la taquicardia de origen nervioso y las palpitaciones. Se recomienda a los hipertensos y a los que padecen de angina de pecho.
- **Emenagoga [❶,❷]:** El alcaloide que contiene estimula las contracciones uterinas y favorece el flujo menstrual. Se usa en las dismenorreas (trastornos de la menstruación).
- **Astringente [❶,❷]** por su contenido en tanino, y carminativa (elimina los gases y flatulencias intestinales).
- **Cicatrizante [❸]:** La infusión de la agripalma se utiliza para limpiar y curar las heridas.

Preparación y empleo

USO INTERNO

❶ **Infusión** con 30-50 g de sumidades floridas y hojas por litro de agua, de la cual se ingieren 3 o 4 tazas diarias.

❷ **Extracto fluido:** 10 gotas, 3 veces al día.

USO EXTERNO

❸ **Lavado** de las heridas con la misma infusión que se usa internamente.

Precauciones

***No sobrepasar las dosis** indicadas, pues su acción sobre el corazón podría resultar demasiado intensa debido a los glucósidos cardiotónicos que posee esta planta.*

***Sinonimia hispánica:** cardíaca, cola de león, mano de Santa María; **Cat.:** herba de mal de cor, mà de Santa Maria; **Eusk.:** bihotz-belar; **Gal.:** leonoro; **Fr.:** agripaume; **Ing.:** [common] motherwort; **Al.:** Herzgespann.*

***Hábitat:** Poco frecuente en Europa y América del Norte. En España únicamente se encuentra en los Pirineos.*

***Descripción:** Planta vivaz de 60 a 120 cm de altura, de la familia de las Labiadas. Sus hojas son grandes, pecioladas y palmeadas, y las flores de color rosa o púrpura.*

***Partes utilizadas:** las sumidades floridas y las hojas frescas.*

Retama negra

Tónico cardíaco y diurético

LOS LARGOS tallos de este arbusto se utilizan desde la antigüedad para fabricar escobas. En cambio, únicamente desde el siglo XIX se emplea en fitoterapia, al haberse descubierto que contiene sustancias muy activas sobre el sistema circulatorio.

PROPIEDADES E INDICACIONES: Toda la planta, y especialmente las ***RAMAS,*** contienen varios alcaloides, representados por la esparteína, que aumentan la fuerza contráctil del **corazón** y enlentecen su ritmo. Sobre el útero ejercen una acción **oxitócica** (aumentan la fuerza de sus contracciones). Las ramas contienen también aminas **estimulantes** del sistema nervioso vegetativo (tiramina y dopamina), que poseen efecto **vasoconstrictor e hipertensor {❶,❷}.**

Las ***FLORES*** contienen además flavonoides (escoparina), que las hacen **diuréticas,** y están especialmente recomendadas en caso de edemas por insuficiencia cardíaca, así como de gota, nefrosis (albuminuria), nefritis y cálculos renales {❶,❷}.

La retama se usa ***bajo control facultativo*** en los trastornos cardiocirculatorios: insuficiencia cardíaca (efecto similar a la digital, pág. 221), hipotensión, arritmias, taquicardias. Se ha usado también como estimulante del parto.

Preparación y empleo

USO INTERNO

❶ **Infusión** con 20-30 g de flores y/o ramas por litro de agua, de la que se ingieren de 2 a 4 tazas al día.

❷ **Extracto seco:** Se toman 0,3-0,4 g, 3 veces al día.

Precauciones

No sobrepasar las dosis *recomendadas, ya que puede producir subidas de la presión arterial. Los* ***hipertensos*** *deben evitar su uso.*

Sinonimia científica: *Cytisus scoparius* Lam., *Spartium scoparium* L.

Sinonimia hispánica: *escobón, hiniesta [blanca], hiniesta de escobas, enhiesta, retama [de escobas], escoba negra, alama, iriasta, irasta, piorno;* ***Cat.:*** *gòdua, ginestell, ginesta d'escombres, ginesta borda, bàlec;* ***Eusk.:*** *isats arrunt;* ***Gal.:*** *xesta [negra], xesta moura;* ***Fr.:*** *genêt à balai, genettier;* ***Ing.:*** *[Scotch] broom;* ***Al.:*** *Besenginster.*

Hábitat: *Bordes de caminos y linderos en terrenos silíceos (no calcáreos) del centro y sur de Europa. En España se encuentra en su mitad norte. Se halla aclimatada en el continente americano.*

Descripción: *Arbusto de la familia de las Leguminosas, que alcanza 1,5-2 m de altura. Sus flores son amarillas y su fruto es una legumbre recubierta de vello.*

Partes utilizadas: *las ramas jóvenes. y las flores en capullo.*

13 PLANTAS PARA LAS ARTERIAS

El ajo es un gran amigo del sistema cardiocirculatorio. Hace que descienda la presión arterial y fluidifica la sangre.

De la onagra se extrae un aceite muy rico en ácidos grasos poliinsaturados que reduce el nivel de colesterol en la sangre.

SUMARIO DEL CAPÍTULO

ENFERMEDADES Y APLICACIONES

PLANTAS

LA SALUD de las arterias depende en gran parte de la calidad de la sangre que circula por su interior. Entre los centenares de sustancias que transporta la sangre, posiblemente sea el colesterol la más perjudicial para las arterias.

El colesterol es un lípido que nuestro organismo produce y utiliza para diversas funciones bioquímicas. Cuando existe un exceso, tiene la particularidad de depositarse en la capa que recubre el interior de las arterias, llamada íntima, donde provoca una irritación, y posteriormente una lesión degenerativa. El resultado es un endurecimiento de la pared arterial y un estrechamiento de su luz, conocido como **arteriosclerosis.** Varios los factores que la favorecen, especialmente:

- el **aumento de colesterol** en la sangre, generalmente debido a una alimentación rica en productos de origen animal, como por ejemplo la carne y sus derivados, la mantequilla, la nata, el queso y los huevos;
- la **hipertensión** arterial;
- el hábito de **fumar.**

Las plantas medicinales contribuyen a la salud de las arterias reduciendo la **tensión arterial**; y también, haciendo que descienda el nivel de **colesterol** en la sangre, mediante uno de estos dos mecanismos:

- **Disminución de la absorción** intestinal de colesterol: La fibra del salvado de avena o de la pulpa de manzana retienen el colesterol en el interior del intestino, impidiendo que pase a la sangre.
- **Disminución de la producción** de colesterol por el organismo: Así actúan los aceites vegetales, ricos en ácidos grasos insaturados como el linoleico y el linolénico.

HIPERTENSIÓN ARTERIAL

El aumento de la tensión arterial, sea de la tensión sistólica o máxima, como de la diastólica o mínima, puede obedecer a causas patológicas, como enfermedades del riñón, arteriosclerosis o trastornos hormonales. Sin embargo, en una buena parte de los casos se desconoce el origen del trastorno, y se la califica de **hipertensión esencial.**

La fitoterapia aporta plantas ***sedantes y equilibradoras*** del tono nervioso (pág. 145), plantas ***diuréticas*** (ver cap. 22) y plantas ***vasodilatadoras*** (pág. 229), de probada eficacia ***hipotensora,*** especialmente en caso de hipertensión esencial.

Olivo *Cebolla*

Enfermedad	Planta	Pág.	Acción	Uso
Hipertensión arterial	Tilo	169	Vasodilatador y suavemente hipotensor, sedante, fluidifica la sangre	Infusión de flores, decocción de corteza, extractos
	Valeriana	172	Sedante, disminuye la ansiedad y la tensión arterial	Infusión, maceración o polvo de raíz
	Espino blanco	219	Normaliza la presión arterial	Infusión de flores, frutos frescos, extractos
	Ajo	230	Vasodilatador, disminuye tanto la tensión máxima como la mínima	Crudo, extractos, decocción de dientes de ajo
	Olivo	239	Hace descender la tensión arterial	Decocción de hojas
	Muérdago	246	Hipotensor, vasodilatador, regulador del sistema cardiocirculatorio	Infusión o maceración de hojas secas
	Cebolla	294	Hipotensora, diurética, depura la sangre de residuos tóxicos	Cruda, jugo fresco, hervida o asada
	Lengua de ciervo	321	Normaliza las cifras tensionales	Decocción de frondes
	Mejorana	369	Hipotensora, disminuye el tono del sistema nervioso simpático	Infusión, esencia
	Fumaria	389	Diurética, antiespasmódica, fluidificante de la sangre	Infusión, jugo de la planta fresca, extractos
	Manzano	513	Diurético, bajo contenido en sodio	Cura de manzanas y arroz contra la hipertensión, infusión de hojas y flores
	Maíz	599	Diurético bien tolerado, no altera el equilibrio electrolítico de la sangre	Infusión de estilos
	Ginseng	608	Normaliza la tensión arterial, tanto si está alta como baja	Preparados farmacéuticos
	Cola de caballo	704	Diurética, remineralizante	Decocción, jugo fresco

HIPOTENSIÓN ARTERIAL

La tensión arterial baja se manifiesta por abatimiento, falta de tono muscular y sensación de fatiga. Las plantas que se recomiendan, tonifican los sistemas cardiocirculatorio y nervioso y son preferibles al uso habitual de excitantes como el café, el mate o el té.

Ginseng

Enfermedad	Planta	Pág.	Acción	Uso
Hipotensión arterial	Alcanforero	217	Estimula los centros nerviosos de la respiración y de la actividad cardíaca	Polvo de alcanfor
	Convalaria	218	Tonificante del corazón	Infusión
	Espino blanco	219	Normaliza la presión arterial	Infusión de flores, frutos frescos, extractos
	Retama negra	225	Estimulante del sistema nervioso vegetativo, vasoconstrictora, hipertensora	Infusión de flores y/o ramas, extractos
	Albahaca	368	Tonifica los sistemas nervioso y cardiovascular	Infusión, esencia
	Ajedrea	374	Tonificante del sistema nervioso	Infusión, esencia
	Ginseng	608	Normaliza la tensión arterial, tanto si está alta como baja	Preparados farmacéuticos
	Salvia	638	Tonificante, estimulante de las glándulas suprarrenales	Infusión, esencia
	Romero	674	Tonificante general	Infusión, baños, fricciones
	Tomillo	769	Tonificante general, recupera del agotamiento físico	Infusión, esencia

Enfermedad	Planta	Pág.	Acción	Uso
DESMAYO Pérdida súbita del conocimiento, con caída al suelo. Suele ir acompañado de hipotensión. Además de las plantas recomendadas para la hipotensión, que pueden prevenir los desmayos, se pueden usar estas tres, que aportan equilibrio al sistema nervioso y circulatorio.	**NARANJO**	153	Antiespasmódico, sedante	Infusión de hojas y/o flores
	LAVANDA	161	Sedante y equilibradora del sistema nervioso	Infusión, extractos, esencias
	MELISA	163	Antiespasmódica, sedante	Infusión, extractos
ARTERIOSCLEROSIS Es un endurecimiento y estrechamiento de las paredes de las arterias causado por depósitos de colesterol, que ocasiona un menor riego sanguíneo en los tejidos irrigados por ese vaso. El tratamiento fitoterápico consiste en plantas ***vasodilatadoras*** (pág. 229), ***fluidificantes*** de la sangre (pág. 263) y plantas ricas en ***oligoelementos*** como el silicio, que favorecen la regeneración de los tejidos que forman la pared arterial. Todas las plantas que hacen descender el nivel de **colesterol** (pág. 229) previenen y evitan la aparición de la arteriosclerosis, ya que esta sustancia grasa es la que origina la degeneración y estrechamiento de las paredes arteriales. *Vincapervinca*	**TILO**	169	Vasodilatador y suavemente hipotensor, sedante, fluidifica la sangre	Infusión de flores, decocción de corteza, extractos
	AJO	230	Vasodilatador, fluidificante de la sangre	Crudo, extractos, decocción de dientes de ajo
	GINKGO	234	Vasodilatador, mejora el riego sanguíneo	Infusión, compresas, cataplasmas, baños
	VINCAPERVINCA	244	Vasodilatadora, aumenta la irrigación de los tejidos	Decocción, preparados farmacéuticos
	MUÉRDAGO	246	Mejora el riego sanguíneo del corazón y del cerebro	Infusión o maceración de hojas
	GALEOPSIS	306	Por su contenido en silicio, evita la degeneración del tejido conjuntivo de las paredes arteriales	Infusión
	HARPAGOFITO	670	Regenera las fibras elásticas de las paredes arteriales, hace descender el colesterol	Infusión de polvo de raíz, cápsulas
	MILENRAMA	691	Fluidifica al sangre, mejora la circulación	Infusión
	COLA DE CABALLO	704	Por su contenido en silicio, estimula la regeneración de las fibras elásticas de la paredes arteriales	Infusión
FALTA DE RIEGO SANGUÍNEO Se denomina también **insuficiencia circulatoria,** y se caracteriza por una desproporción entre la sangre que necesita un órgano y la que realmente le llega a través de las arterias que lo irrigan. Afecta especialmente al cerebro, produciendo mareos, pérdida de memoria y deterioro intelectual, entre otros síntomas.	**GINKGO**	234	Vasodilatador, mejora el riego sanguíneo	Infusión, compresas, cataplasmas, baños
	VINCAPERVINCA	244	Vasodilatadora, aumenta la irrigación de los tejidos	Decocción, preparados farmacéuticos

Enfermedad	Planta	Pág.	Acción	Uso
SABAÑONES También llamados **eritema pernio**. Son un trastorno de la circulación local causado por el frío, caracterizado por la aparición de una tumoración rojiza en los brazos o piernas, que pica o duele. Además de estas plantas, aplicadas en baños o compresas, están indicadas también las ***protectoras capilares*** (pág. 248).	RATANIA	196	Astringente y antiinflamatoria	Compresas con la decocción de corteza
	ROBLE	208	Astringente, alivia el enrojecimiento y el picor de la piel	Baño de pies o brazos con decocción de la corteza
	GINKGO	234	Vasodilatador y protector capilar	Infusión, compresas, baños de pies o manos
	PULMONARIA	331	Astringente, antiinflamatoria, emoliente	Lavados y compresas con la decocción
	CINCOENRAMA	520	Astringente, hemostática, cicatrizante	Compresas con la decocción de la raíz, baños
	VID	544	Astringente, protectora de los capilares, hemostática	Decocción de hojas, baños con la decocción
	MILENRAMA	691	Vulneraria, cicatrizante, antiséptica	Lavados, baños y compresas con la infusión

Plantas vasoconstrictoras

Provocan una contracción en el calibre de los vasos sanguíneos.

Planta	Pág.
Retama negra	225
Avellano	253
Ciprés	255
Rusco	259
Ortiga mayor	278

Las plantas vasoconstrictoras se aplican generalmente por vía externa para cerrar los vasos sanguíneos y cortar las hemorragias (acción hemostática).

Plantas vasodilatadoras

Son aquellas que dilatan los vasos sanguíneos, especialmente las arterias, permitiendo así un mayor paso de sangre.

Planta	Pág.
Tilo	169
Adonis vernal	215
Ginkgo	234
Onagra	237
Vincapervinca	244
Muérdago	246
Biznaga	561
Perejil	583

Las plantas vasodilatadoras se usan en las afecciones circulatorias causadas por falta de riego sanguíneo, ya sea en el cerebro, en el corazón (angina de pecho o infarto), o en las piernas. Todos estos trastornos están causados generalmente por la arteriosclerosis.

El ajo es también un eficaz hipolipemiante (reductor del nivel de colesterol).

Plantas contra el colesterol

*Las plantas que disminuyen el nivel de colesterol son llamadas también **hipolipemiantes,** pues hacen descender la cantidad de lípidos o grasas en la sangre. El colesterol es uno de los lípidos o grasas más importantes que circulan por la sangre, además de los triglicéridos y otros.*

Planta	Pág.	Uso
Avena	150	Infusión del salvado
Adormidera	164	Aceite de las semillas
Girasol	236	Aceite de las semillas
Onagra	237	Aceite de las semillas
Olivo	239	Aceite de los frutos
Alcachofera	387	Hojas, tallos, flores
Manzano	513	Frutos
Vid	544	Aceite de las semillas
Zarzaparrilla	592	Raíz, rizoma
Maíz	599	Aceite del germen
Sésamo	611	Semillas, aceite
Ortosifón	653	Infusión de hojas y flores
Harpagofito	670	Infusión de raíz, comprimidos
Algodonero	710	Aceite de las semillas
Aguacate	719	Frutos
Borraja	746	Aceite de las semillas
Cártamo	751	Aceite de los frutos

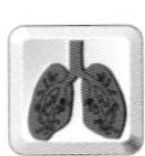

Ajo

Cura y previene con eficacia multitud de males

En este libro encontrará todas las maravillosas virtudes del ajo, y la forma de consumirlo para evitar su olor –decía cierto vendedor a su cliente, con no poco entusiasmo.

Este, tras recibir en su cara una llamarada de aliento con denso olor a ajo, le formuló esta pregunta:

–¿Y usted practica los consejos de su libro?

–Pues claro que sí. Después de haber tomado ajos, me como una manzana y mastico unas hojitas de perejil... –respondió el vendedor muy convencido de la eficacia de su método.

Lo cierto es que quien ha comido ajo no lo puede ocultar. Todas las secreciones del cuerpo lo delatan. Además del aliento, huelen a ajo los eructos, las ventosidades, el sudor, la orina, e incluso la leche de las madres que lactan. Algunos tratan de comerlo por la noche, con el fin de sufrir en solitario su molesto olor. Otros confían en la manzana y en el perejil. Y aun hay quienes aceptan su fetidez, como aquel apuesto capitán de caballería francés, quien, según relata Mességué, a pesar de que apestaba a ajo en diez metros a la redonda, se había labrado una inigualable reputación entre las damas de su comarca...

No es casualidad que el ajo sea originario del Asia central, región en la que se encuentran los hombres más longevos del planeta, y donde la incidencia de cáncer es la más baja de to-

Sinonimia hispánica: *ajo común, ajo blanco, ajo colorado;* ***Cat.:*** *all;* ***Eusk.:*** *baratxuri, berakatz;* ***Gal.:*** *allo;* ***Fr.:*** *ail;* ***Ing.:*** *garlic;* ***Al.:*** *Knoblauch.*

Hábitat: *Originario de Asia central, su cultivo se ha extendido por el mundo entero.*

Descripción: *Planta bulbosa vivaz, de la familia de las Liliáceas, que alcanza de 30 a 80 cm de altura. Sus flores son blanquecinas o rojizas. Su raíz tiene un bulbo compuesto de varios gajos, que se conocen como dientes.*

Partes utilizadas: *el bulbo.*

Preparación y empleo

Uso interno

El ajo puede tomarse de muchas maneras formando parte de infinidad de recetas culinarias, aunque aquí destacaremos solo las que más convienen desde el punto de vista medicinal.

❶ **Crudo:** Masticar 1-3 dientes de ajo, preferiblemente por la mañana.

❷ **Extracto de ajo:** En cápsulas o perlas tiene la ventaja de no provocar mal olor corporal de ningún tipo, aunque hay que tomar dosis altas para conseguir efectos terapéuticos. La dosis habitual suele ser de 6 a 12 cápsulas o perlas (600-1.200 mg) diarios.

❸ **Decocción de dientes de ajo:** Hervir una cabeza de ajos en un litro de agua durante 5 minutos. Tomar 3 tazas diarias. De esta forma se pierden parte de sus propiedades, pero se evita el mal aliento.

❹ **Ajoaceite** (ajiaceite, *allioli*): Es quizá la mejor forma de administrar el ajo. Se obtiene por emulsión de varios dientes de ajo machacados en aceite de oliva, hasta lograr una masa pastosa y homogénea similar a la mayonesa.

Uso externo

❺ **Enemas:** Muy útiles contra los parásitos intestinales. Se preparan mezclando 2 o 3 cucharadas de ajoaceite en un litro de agua tibia. También se puede introducir un diente de ajo crudo untado en aceite por el ano, como si fuera un supositorio. De esta forma se alivia el picor anal de los niños, y se produce un marcado efecto vermífugo.

Precauciones

*El uso del ajo en dosis elevadas, especialmente crudo o en extractos, está **desaconsejado** en casos de **hemorragia,** ya sea de causa traumática (heridas, accidentes, etc.) o menstrual (**reglas abundantes**).*

Debido a su acción fluidificante de la sangre (ver el apartado correspondiente), las dosis altas de ajo pueden prolongar las hemorragias y dificultar los procesos de coagulación.

No se recomienda** el empleo continuado de **grandes dosis** de ajo **durante el embarazo.

El ajo es un gran amigo del sistema cardiocirculatorio. Ingerido de forma regular produce un descenso de la tensión arterial, tanto de la máxima como de la mínima. Para que el efecto sea notable, las dosis deben ser altas (hasta 3 dientes, o de 6 a 12 cápsulas o perlas diariamente).

das las conocidas. Los antiguos egipcios incluían el ajo en la dieta de los forzudos esclavos constructores de pirámides, tal como lo atestiguan los grabados encontrados cerca de la pirámide de Gizeh.

Los griegos lo consideraban fuente de fortaleza física, y hacían comer un diente de ajo crudo a los atletas, antes de cada competición en los Juegos Olímpicos, quizá para que así corrieran con más furia. Dioscórides y Galeno lo consideraban una panacea. Sin embargo, en los templos de las deidades griegas, se prohibía la entrada a los fieles que olieran a ajo.

En la Edad Media, los médicos utilizaban una mascarilla impregnada en ajo para asistir a los enfermos, especialmente a los apestados. Más tarde, su fama llegó al continente americano, siendo muy apreciado en México, en Perú y en los restantes territorios de la Nueva España. Gerónimo Pompa así lo confirma en su obra, *Colección de medicamentos indígenas,* escrita a mediados del siglo XIX.

Son muchas las propiedades que se han atribuido al ajo a lo largo de la historia. Y la mayor parte de ellas han sido confirmadas por recientes investigaciones científicas. Quizá sea el ajo, el ***remedio vegetal con mayor número de propiedades demostradas experimentalmente.***

PROPIEDADES E INDICACIONES: Toda la planta, pero especialmente el bulbo, contiene aliína (glucósido sulfurado), un enzima (aliinasa), vitaminas A, B_1, B_2, C y niacina (vitamina del complejo B). La aliína es inodora, pero por la acción de la aliinasa, que se libera y actúa cuando el ajo es machacado, se convierte primero en alicína, y después en disulfuro de alilo (la genina del glucósido), que son los principios activos más importantes, que comunican el típico olor a ajo.

La aliína y el disulfuro de alilo son sustancias altamente volátiles, que se disuelven con gran facilidad en los líquidos y los gases. Transportadas por la sangre, impregnan todos los órganos y tejidos del organismo. De esta forma actúan por todo el cuerpo, aunque con mayor intensidad sobre los órganos a través de los cuales se eliminan: los pulmones y bronquios, los riñones, y la piel.

Podemos sintetizar las múltiples propiedades del ajo, de esta forma:

• **Hipotensor [❶,❷,❸,❹]:** En dosis altas el ajo provoca un descenso de la tensión arterial, tanto de la máxima como de la mínima. Tiene efecto vasodilatador, por lo que conviene de manera especial a los hipertensos, a los arterioscleróticos, y a quienes padecen del corazón (angina de pecho o infarto). El ajo es un gran amigo del sistema circulatorio.

• **Fluidificante de la sangre [❶,❷,❸,❹]:** El ajo actúa como antiagregante plaquetario (impide la tendencia excesiva de las plaquetas sanguíneas a agruparse formando coágulos) y como fibrinolítico (deshace la fibrina, proteína que forma los coágulos sanguíneos). Todo ello contribuye a aumentar la fluidez de la sangre, y lo hace muy recomendable a los que han padecido de trombosis, embolias o accidentes vasculares por falta de riego sanguíneo.

• **Hipolipemiante [❶,❷,❸,❹]:** Disminuye el nivel de colesterol LDL (colesterol nocivo) en la sangre, posiblemente debido a que dificulta su absorción en el intestino. Se ha podido comprobar que en las horas siguientes a un desayuno a base de tostadas con man-

Acción del ajo sobre el sistema cardiocirculatorio

Colesterol LDL (nocivo)	descenso
Colesterol HDL (bueno)	ligero aumento
Colesterol total	descenso
Triglicéridos	descenso
Actividad fibrinolítica	aumento
Agregación plaquetaria	reducción
Tensión arterial	descenso

Estos resultados se obtienen tras tomar diariamente de 600 a 900 mg de polvo de ajo desodorizado durante 4 meses. Los extractos de ajo sin olor son tan activos como el ajo crudo. Diversos estudios muestran un descenso del 11%-12% en el nivel de colesterol y hasta un 17% en el de triglicéridos.

La acción antibiótica del ajo es más notable cuando se toma crudo. A diferencia de los antibióticos habituales, que deprimen las defensas contra las infecciones, el ajo las estimula.

tequilla, el colesterol se eleva en un 20%; pero si se frota el pan con abundante ajo, aun tomando mantequilla, no se produce tal aumento. Esta observación científica ha sido publicada en el *Indian Journal of Nutrition* (vol. 13, nº 1).

• **Hipoglucemiante [❶,❷,❸,❹]:** Puesto que normaliza el nivel de glucosa en la sangre, conviene que lo usen los diabéticos (como ***complemento*** de otras medidas terapéuticas) y los obesos, así como aquellos que tienen antecedentes familiares de diabetes, como preventivo.

• **Antibiótico y antiséptico general [❶,❷,❸,❹]:** Desde mediados del siglo XX se viene investigando sobre las propiedades antiinfecciosas del ajo. Se ha podido comprobar su acción antibiótica, tanto *in vivo* como *in vitro,* frente a los siguientes microorganismos:

- **'Escherichia coli',** causante de disbacteriosis intestinal y de infecciones urinarias.
- **'Salmonella typhi',** causante de la fiebre tifoidea, y otros géneros de *Salmonella* causantes de graves infecciones intestinales.
- **'Shigella dysenteriae',** causante de la disentería bacilar.
- **Estafilococos y estreptococos,** causantes de furúnculos (granos infectados) y otras infecciones de la piel.
- **Hongos** de diversos tipos, **levaduras** y algunos **virus,** como el del herpes. Se cree que los principios activos del ajo interaccionan con los ácidos nucleicos del virus, limitando así su proliferación.

El poder bactericida del ajo en el conducto intestinal es selectivo frente a las bacterias patógenas, respetando la flora saprofita normal, para la cual resulta beneficioso. En esto aventaja a la mayor parte de los antibióticos conocidos, pues regula la flora intestinal en lugar de destruirla.

Su uso está muy indicado:

- en todos los tipos de **diarreas, gastroenteritis y colitis;**
- en las **salmonelosis** (infecciones intestinales generalmente causadas por alimentos en mal estado);
- en la **disbacteriosis intestinal** (alteración en el equilibrio microbiano del intestino), provocada a menudo por el uso de otros antibióticos.
- en las **dispepsias fermentativas,** causantes de flatulencias en el colon.
- en las **infecciones urinarias** (cistitis y pielonefritis), muy a menudo causadas por el *Escherichia coli.*
- en diversas **infecciones bronquiales** (bronquitis agudas y crónicas), pues al eliminarse el disulfuro de alilo por vía respiratoria, actúa directamente sobre la mucosa bronquial. Además es **expectorante y antiasmático.**

• **Estimulante de las defensas [❶,❷, ❸,❹]:** El ajo aumenta la actividad de las células defensivas del organismo, los linfocitos y los macrófagos. Estas células, que circulan por la sangre, nos protegen de los microorganismos, y además son capaces de destruir también las células cancerosas, al menos en las fases iniciales de la formación tumoral.

El consumo de ajo tiene un efecto beneficioso en cualquier enfermedad infecciosa, aumentando la capacidad defensiva de nuestro organismo, además de destruir directamente ciertos microorganismos. El ajo se está usando con relativo éxito como complemento en el tratamiento del sida.

• **Vermífugo potente ❶,❸,❺** contra los tipos más frecuentes de parásitos intestinales: Especialmente activo contra los áscaris y los oxiuros (pequeños gusanos blancos que provocan picor anal en los niños).

• **Tonificante** general del organismo y **depurativo ❶,❷,❸,❹:** El ajo activa las reacciones químicas del metabolismo, y favorece los procesos de excreción de sustancias de desecho (catabolismo). Por ello está indicado en los estados de debilidad o agotamiento, para los inapetentes, y para quienes padecen de exceso de residuos ácidos (gota, artritis, ciertos reumatismos).

• **Desintoxicante ❶,❷,❸,❹,** especialmente recomendado en los tratamientos para dejar de fumar. Normaliza la tensión arterial generalmente elevada del fumador, favorece la eliminación de la mucosidad retenida en los bronquios y la regeneración de su mucosa, a la vez que ayuda a vencer el deseo de fumar, quizá por el peculiar olor que otorga al aliento.

Ajo de oso

El ajo de oso (*Allium ursinum* L.)* es un ajo silvestre que posee **propiedades muy semejantes** a las del cultivado, aunque su **tolerancia** digestiva sea **menor.**

Este ajo silvestre no se cultiva porque, además de su extensa difusión, no se puede conservar tanto tiempo como el ajo común, de propiedades muy semejantes y mucho mejor estudiadas.

El ajo de oso tiene que **usarse fresco,** pues al secarse pierde buena parte de sus efectos.

* ***Cat.:*** *all bord, all de bruixa, all de colobra, all de moro;* ***Eusk.:*** *hertz-baratxuri;* ***Gal.:*** *allo do raposo.*

El ajo es un tonificante general del organismo, que aporta salud y bienestar.

• **Preventivo de los tumores malignos ❶,❷,❸,❹,** especialmente de los cánceres digestivos. Posiblemente esto se deba a su acción reguladora sobre la flora intestinal y normalizadora del funcionamiento digestivo, aunque podría también estar en relación con sus efectos sobre el conjunto de reacciones químicas del organismo (metabolismo).

Algunos han pretendido curar tumores cancerosos con el ajo, lo cual, a nuestro entender, carece del suficiente rigor científico y despierta falsas esperanzas en los enfermos. Así que, de momento, solo podemos recomendarlo como preventivo.

• **Callicida:** Se aplica un trozo de ajo machacado sobre el callo, sujetándolo con un apósito autoadhesivo ("tirita") o una venda. En dos o tres días el callo se ablanda y se desinflama, de modo que puede ser extirpado con mayor facilidad.

Ginkgo

Mejora los trastornos circulatorios

ES EL 6 de agosto de 1945: Todo son ruinas calcinadas en Hiroshima. La ciudad japonesa acaba de ser destruida por el lanzamiento de la primera bomba atómica. En lo que era un parque público, un majestuoso ginkgo ha ardido como si fuera estopa.

Para sorpresa de los supervivientes, en la primavera siguiente a la catástrofe, cuando todavía la ciudad sigue siendo poco más que un montón de escombros, brota una yema de los restos de tocón carbonizado. El viejo ginkgo retoña, hasta volver a convertirse en el hermoso árbol que podemos encontrar hoy en el centro de la Hiroshima reconstruida.

La longevidad y resistencia de este árbol asiático parece estar de acuerdo con su virtud de ayudar a los humanos a afrontar los trastornos de la vejez.

La medicina china viene usando desde hace más de 4.000 años cataplasmas de hojas de ginkgo para combatir los molestos sabañones. Sus notables propiedades han sido objeto de numerosas investigaciones científicas, y actualmente forma parte de varios ***preparados farmacéuticos***.

PROPIEDADES E INDICACIONES: Las hojas contienen glucósidos flavonoides, quercitina, luteolina, catequinas, resina, aceite esencial, lípidos y unas sustancias, del grupo de los terpenos, específicas del ginkgo: bilobálido y ginkgólidos A, B y C.

Preparación y empleo

USO INTERNO

❶ **Infusión:** 40-60 g de hojas por litro de agua. Se toman 3 tazas diarias.

USO EXTERNO

❷ **Compresas** con la misma infusión, aunque más concentrada (hasta 100 g por litro). Se aplican sobre las manos o pies con problemas circulatorios.

❸ **Cataplasmas** de hojas machacadas sobre la zona afectada.

❹ **Maniluvios** (baños de manos) y **pediluvios** (baños de pies) con una infusión de hasta 100 g de hojas de ginkgo por cada litro de agua. Se aplican tibios o calientes, 1-2 veces diarias.

Los mejores resultados se obtienen combinando el uso interno por vía oral, con la aplicación externa.

Sinonimia hispánica: *árbol de oro, árbol de las pagodas, árbol de los cuarenta escudos.* ***Cat.:*** *ginkgo;* ***Eusk.:*** *ginkgo;* ***Gal.:*** *ginkgo;* ***Fr.:*** *ginkgo, noyer du Japon;* ***Ing.:*** *ginkgo, maindenhair tree;* ***Al.:*** *Ginkgo.*

Hábitat: *Originario de China, Japón y Corea, se halla extendido como árbol ornamental en parques y vías públicas de algunas regiones templadas de Europa y América.*

Descripción: *Árbol de la familia de las Ginkgoáceas que puede alcanzar hasta 30 m de altura. Es dioico (pies masculinos y femeninos diferentes), de hojas caducas, gruesas, elásticas, que de jóvenes se hallan divididas en 2 lóbulos. Sus frutos son unas drupas amarillas, comestibles cuando están frescas, pero malolientes cuando maduran demasiado.*

Partes utilizadas: *las hojas.*

Los baños con infusión de hojas de ginkgo activan la circulación sanguínea en brazos y piernas. Los maniluvios (baños de manos) resultan muy efectivos en caso de sabañones.

Como es común en fitoterapia, las propiedades medicinales de la planta se deben a la acción conjunta de todos sus componentes, no habiéndose podido atribuir sus efectos a ninguno de ellos en concreto.

El ginkgo actúa sobre todo el sistema circulatorio, mejorando tanto la circulación arterial como la capilar y la venosa:

• **Acción vasodilatadora:** Aumenta la perfusión (riego sanguíneo) disminuyendo las resistencias periféricas en las pequeñas arterias. Compensa en parte los trastornos producidos por la arteriosclerosis.

• **Acción protectora capilar:** Disminuye la permeabilidad de los capilares, reduciendo el edema (acúmulo de líquidos en los tejidos).

• **Acción venotónica:** Tonifica las paredes de las venas, disminuyendo el acúmulo de sangre en ellas, y facilitando el retorno sanguíneo.

Estas son sus indicaciones:

• **Insuficiencia circulatoria [❶] cerebral** (falta de riego sanguíneo en el cerebro), que se manifiesta por vértigo, cefalea, acúfenos (zumbidos en los oídos), pérdida del equilibrio, trastornos de la memoria y somnolencia, entre otros síntomas. «Despeja la cabeza», afirman quienes usan el ginkgo.

• **Secuelas de accidentes [❶] vasculares cerebrales** (trombosis, embolias, etc.): Acelera la recuperación y mejora la motilidad de estos pacientes.

• **Arteriopatías de los miembros inferiores** (falta de riego en las piernas) **[❶,❷,❸,❹]**: Permite andar más distancia sin tener que pararse por dolor.

• **Angiopatías** (enfermedades de los vasos sanguíneos) y **trastornos vasomotores [❶,❷,❸,❹]**: enfermedad de Reynaud, fragilidad vascular, acroparestesias (pies o manos "dormidos"), sabañones.

• **Varices, flebitis, piernas cansadas, edemas maleolares** (tobillos hinchados) **[❶,❷,❸,❹]**.

En estas afecciones circulatorias de las extremidades, se recomienda combinar el uso por vía oral con las aplicaciones externas (compresas, cataplasmas, maniluvios y pediluvios).

El ginkgo se tolera muy bien, no sube la presión arterial, y no presenta efectos secundarios indeseables.

Girasol

Combate el exceso de colesterol

CUANDO esta hermosa planta llegó a Europa procedente de América Central, a comienzos del siglo XVI, durante largo tiempo fue empleada únicamente como planta ornamental en jardines y parques, por la creencia popular de que sigue el movimiento aparente del astro rey.

Hasta el siglo XIX la ciencia no empezó a descubrir sus excelentes propiedades nutritivas y medicinales. Sin embargo, los pobladores del México precolombino ya empleaban las pipas de girasol tostadas como alimento.

PROPIEDADES E INDICACIONES: Las flores del girasol contienen un glucósido flavonoide (quercimetrina), además de histidina y otras sustancias en menor cantidad. En México se usan las ***FLORES*** y los ***TALLOS*** tiernos como **balsámicos y expectorantes [❶],** para catarros bronquiales y afecciones respiratorias.

De las ***PIPAS*** de girasol se extrae un aceite de gran valor nutritivo, rico en ácidos grasos insaturados (especialmente el linoleico), así como vitaminas E, A y B [❷]. El uso del aceite de girasol se halla especialmente indicado en la arteriosclerosis, para hacer descender el nivel de **colesterol** en sangre, así como en la **diabetes,** en las enfermedades del **hígado** y en ciertas afecciones de la **piel** (eccemas y furunculosis).

Preparación y empleo

USO INTERNO

❶ **Infusión:** 100 g de flores y tallos tiernos por litro de agua. Tomar 3-4 tazas diarias.

❷ **Aceite** de semillas, como complemento dietético.

Sinonimia hispánica: *flor de sol, mirasol, tornasol, hierba del sol, sol de las Indias, acahual, chimalte, gigantón, maíz meco, maíz de Texas, trompeta de amor, corona real, copa de Júpiter, maravilla, mirabel;* ***Cat.:*** *gira-sol, mira-sol, corona de rei, corona de reina, sol coronat;* ***Eusk.:*** *ekilore, eguzki-lore;* ***Gal.:*** *catasol, virasol, tornasol;* ***Fr.:*** *tournesol;* ***Ing.:*** *[common] sunflower;* ***Al.:*** *Sonnenblume.*

Hábitat: *Oriundo de las regiones subtropicales de América, pero repartido y cultivado por todo el mundo.*

Descripción: *Planta anual, de la familia de las Compuestas, que puede alcanzar hasta 2 m de altura. Su gran disco floral es en realidad un capítulo formado por numerosas pequeñas flores.*

Partes utilizadas: *las flores, los tallos tiernos y las semillas (pipas).*

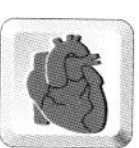

Onagra

Un gran descubrimiento de la fitoterapia

ESTA ORIGINAL planta, cuyas flores se abren por la noche, fue introducida en Europa a principios del siglo XVII, y era utilizada como planta ornamental. Pronto se descubrió que su carnosa raíz tenía un sabor agradable, y que la planta servía para algo más que para decorar. En Europa central, su raíz sirvió a los campesinos para mitigar el hambre de las guerras en los siglos XVIII y XIX.

Pero aun así, hasta no hace mucho, esta planta era poco apreciada. Todavía se la conoce, un tanto despectivamente, con el nombre de hierba del asno, porque estos humildes animales la consumen con agrado.

Sin embargo, las investigaciones científicas llevadas a cabo a principios de los años ochenta, pusieron de manifiesto que el aceite de onagra posee unas interesantísimas propiedades medicinales. En Alemania y Estados Unidos, especialmente, se han realizado diversos ensayos clínicos en pacientes que sufrían trastornos circulatorios, nerviosos, genitales y reumáticos, obteniéndose excelentes resultados.

Todavía se siguen investigando las aplicaciones de esta planta, que goza de un ***prestigio y popularidad crecientes*** en el mundo de la fitoterapia

PROPIEDADES E INDICACIONES: El aceite extraído de las semillas de la onagra es muy rico en ácidos grasos esenciales poliinsaturados, entre los que destacan el ácido linoleico

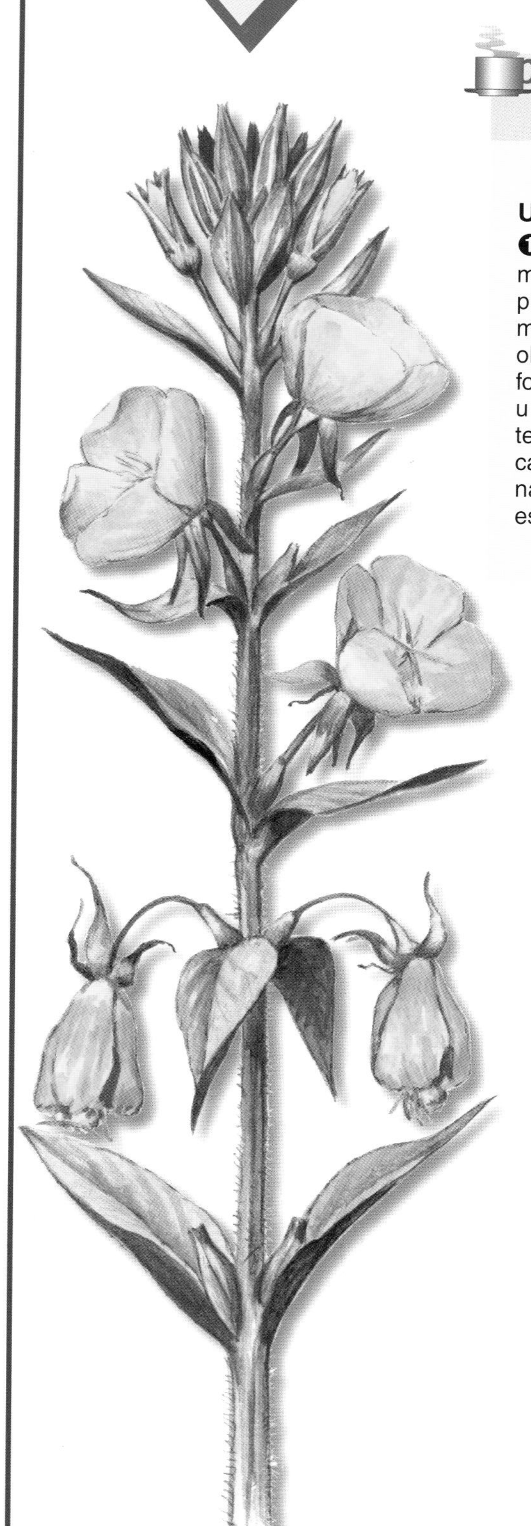

Preparación y empleo

USO INTERNO

❶ **Cápsulas o comprimidos:** La mejor forma de aprovechar las propiedades de la onagra, es tomando el aceite de sus semillas obtenido por presión en frío en forma de cápsulas, comprimidos u otros preparados similares. Este es quizá el aceite vegetal más caro que se conoce. Pero afortunadamente, la dosis terapéutica es de solo 2-4 g diarios.

Sinonimia hispánica: *hierba del asno, enotera, prímula;* ***Cat.:*** *onagra;* ***Eusk.:*** *asto-belar;* ***Gal.:*** *herba do asno;* ***Fr.:*** *onagre, raiponce rouge, herbe aux ânes;* ***Ing.:*** *(common) evening primrose, fever plant;* ***Al.:*** *.Gemaine Nachtkerze.*

Hábitat: *Originaria de Norteamérica, naturalizada en Europa. Se cría en las orillas de los caminos y vías de ferrocarril, y en las tierras arenosas y húmedas.*

Descripción: *Planta bienal de la familia de las Enoteráceas, que el segundo año alcanza una altura de un metro. Su tallo es erguido, y de él salen grandes hojas vellosas. Las flores son amarillas con 4 pétalos, y desprenden un aroma agradable.*

Partes utilizadas: *las semillas.*

Por su riqueza en ácidos grasos esenciales, el aceite de onagra hace descender el nivel de colesterol, mejora la circulación sanguínea y tonifica el sistema nervioso. Constituye un remedio muy útil para los trastornos de la tercera edad.

(71,5%) y el linolénico (7%-10%), cuya denominación química más exacta es cis-linoleico y gamma-linolénico, respectivamente. Este último desempeña un papel muy importante en el organismo, como precursor químico de las prostaglandinas, sustancias recientemente descubiertas y que cumplen numerosas funciones metabólicas. Hay que destacar que la onagra es el ***único vegetal*** conocido que contiene proporciones notables del ***ácido linolénico***, el cual también se halla presente en la leche materna, y que resulta imprescindible para el organismo (es un ácido graso esencial).

El ácido linolénico y su derivado inmediato, la prostaglandina E_1, son indispensables para la estabilidad de las membranas de las células de todo el organismo, para el desarrollo del sistema nervioso, para el equilibrio del sistema hormonal, y para la regulación de los procesos de la coagulación sanguínea, entre otras funciones. Debido a ello, la lista de las enfermedades en las que se ha aplicado con éxito el ***ACEITE DE ONAGRA*** resulta bastante amplia **[❶]**:

- **Aumento de colesterol** en la sangre, y en general, todas las hiperlipemias (aumento del contenido graso de la sangre).
- **Trastornos circulatorios:** hipertensión arterial y tendencia a trombosis por aumento de la agregación plaquetaria. Puede actuar como preventivo de los accidentes vasculares cerebrales (trombosis y hemorragia cerebral) y del infarto de miocardio, pues dilata las arterias e impide la agregación plaquetaria y la formación de coágulos.
- **Trastornos genitales:** dismenorrea, ciclos irregulares, síndrome premenstrual, esterilidad por insuficiencia ovárica.
- **Afecciones del sistema nervioso:** enfermedad de Parkinson, esclerosis en placas, y, en general, todas las afecciones causadas por degeneración neuronal.
- **Trastornos de la conducta:** niños irritables, nerviosismo, neurastenia, esquizofrenia.
- **Trastornos de la respuesta inmunitaria:** alergia, asma, eccema, dermatitis atópica.
- **Reumatismo:** artritis reumatoide y procesos reumáticos en general.
- **Problemas dermatológicos:** exceso de secreción sebácea (acné), arrugas o sequedad de la piel, así como fragilidad de las uñas y del cabello. Sabemos que desde hace más de cinco siglos, los indios algonquinos de Norteamérica, con el fin de combatir las erupciones, se frotaban la piel con semillas de onagra machacadas.

Olivo

Alimento antiguo y medicamento de actualidad

QUÉ LE APETECE para comer? –pregunta el médico a un enfermo, enflaquecido, que se recupera en el hospital tras una complicada intervención.

–Pues... una rebanadita de pan con aceite –sugiere tímidamente el debilitado paciente.

E insiste:

–¿Podré comer pan con aceite...?

El paciente, un campesino de la Europa meridional de piel tostada por el sol, no olvida, ni siquiera postrado en la cama del hospital, el entrañable sabor del pan casero con aceite de oliva.

El olivo forma parte esencial de la cultura mediterránea. Desde que la paloma enviada por Noé para comprobar el descenso de las aguas del Diluvio, regresó con una rama de olivo en el pico, este árbol se ha convertido en símbolo de la paz. Entre los judíos, el aceite se usaba para ungir a las personas que debían consagrarse a una misión especial. Y en la época cristiana se convirtió en símbolo del Espíritu Santo.

Los fenicios y los romanos lo difundieron por toda la cuenca mediterránea. El aceite sigue siendo la grasa comestible más importante en la dieta popular del sur de Europa, compañero indispensable del pan, de las ensaladas y de tantos sabrosos platos.

Según el investigador español Grande Covián, el consumo de aceite en vez de mantequilla, explica que la frecuencia de infarto de miocardio y trombosis sea significativamente menor en los países mediterráneos, que en los del centro y norte de Europa y que en Norteamérica.

Preparación y empleo

USO INTERNO

❶ **Decocción:** Se prepara con 40-50 g de hojas por litro de agua. Se hacen hervir hasta que se reduzca el agua a la mitad. Se ingieren 3 tazas diarias.

❷ Las **aceitunas u olivas,** se toman como aperitivo, en la ensalada, o durante la comida.

❸ El **aceite,** cuando se toma **con fines medicinales**, se ingiere en ayunas o antes de las comidas, en cantidad de 1-2 cucharadas soperas. Conviene que sea virgen y si es posible, extraído por presión en frío o decantación.

USO EXTERNO

❹ El aceite también se aplica en forma de **loción o pomada** (ungüento).

❺ **Enemas:** Se bate aceite de oliva con agua caliente a partes iguales. Se puede añadir otra parte de decocción de malva o malvavisco.

Sinonimia hispánica: *aceituno, aceituna, olivera, oliva; el silvestre: acebuche, azambujo, zambullo, bordizo, oleastro;* ***Cat.:*** *olivera, oliver, oliu; el silvestre: ullastre, olivera borda;* ***Eusk.:*** *olibondo;* ***Gal.:*** *oliveira, el silvestre: zambullo, acebucha;* ***Fr.:*** *olivier;* ***Ing.:*** *olive [tree];* ***Al.:*** *Ölbaum.*

Hábitat: *Originario del Oriente Próximo, crece, tanto cultivado como silvestre, por todos los países mediterráneos. Fue introducido en el continente americano en el siglo XVI.*

Descripción: *Árbol de porte medio, de la familia de las Oleáceas. Su tronco es grueso y retorcido, y sus hojas elípticas, de borde liso y color verde grisáceo. Sus flores son pequeñas, de color blanquecino. Su fruto es una drupa: la conocida oliva o aceituna. El olivo silvestre es más pequeño y sus hojas son redondeadas; sus aceitunas son más pequeñas que los del cultivado, pero igualmente sustanciosas.*

Partes utilizadas: *las hojas y los frutos.*

El aceite de oliva, merecidamente llamado el rey de los aceites, es quizá el mejor ejemplo que se puede encontrar de un producto alimenticio y medicinal a la vez.

España es el primer país productor de aceite de oliva de todo el mundo, con sus 180 millones de olivos repartidos desde Andalucía hasta Cataluña. Hay que distinguir entre:

✓ **Aceite de oliva virgen:** Obtenido de la aceituna por molturación (trituración), presión en frío o decantación, y posterior filtrado; o bien por centrifugación. No sufre ningún tratamiento con sustancias químicas.

✓ **Aceite puro de oliva:** Mezcla de aceite virgen y de aceite refinado, que ha sido sometido a procesos fisicoquímicos para reducir su grado de acidez.

El aceite virgen es más natural y de sabor más fuerte, mientras que el denominado "puro" o el refinado tienen un sabor más neutro.

Ambos, pero especialmente el virgen, son superiores a los aceites de semillas (girasol, maíz, etc.) en cuanto a valor nutritivo, propiedades medicinales y estabilidad al freír.

PROPIEDADES E INDICACIONES: Las ***HOJAS*** del olivo contienen oleuropeína (hasta el 1%), un glucósido; además de tanino, azúcares y otras sustancias. Son **febrífugas** (bajan la fiebre) e hipotensoras, siendo ***uno de los remedios vegetales más eficaces*** contra la **hipertensión [❶]**. Su uso resulta también muy recomendable en caso de **arteriosclerosis.**

Las ***ACEITUNAS*** contienen lípidos (grasas) y prótidos, además de sales minerales (especialmente calcio), enzimas y vitaminas A, B_1, B_2 y P. Son **aperitivas, tónicas** de la digestión y ligeramente **laxantes [❷]**.

El ***ACEITE*** de oliva se halla constituido por una mezcla de diversos lípidos, formados químicamente por la unión de la glicerina con los llamados ácidos grasos, de los cuales el oleico (hasta el 80%) es el más importante, seguido del linoleico, palmítico y esteárico, entre otros. Tiene las siguientes propiedades:

• **Emoliente,** es decir, que ejerce un efecto suavizante y antiinflamatorio sobre la piel y las mucosas. Cura quemaduras, heridas, úlceras e irritaciones de la piel. Forma parte de ***numerosos ungüentos y pomadas*** **[❹]**. En uso interno, tiene una acción antiinflamatoria y protectora sobre la mucosa del estómago, por lo que es un excelente remedio en caso de gastritis agu-

El aceite de oliva y la piel

Antiguamente, cuando no existía la gran variedad de productos de belleza de que disponemos en la actualidad, el aceite de oliva era uno de los cosméticos más apreciados. En el antiguo pueblo de Israel, al igual que en otras culturas del área mediterránea, era costumbre ungir la cabeza con aceite de oliva para hermosear la tez y el cabello.

Todos los aceites, pero especialmente el de oliva, tienen acción emoliente (suavizante) y protectora sobre la piel que los absorbe. Una buena forma de aplicar el aceite de oliva sobre la piel es la siguiente:

*1. Darse una **loción** con aceite de oliva acompañada de un suave masaje sobre todo el cuerpo.*

*2. Ponerse una **bata o albornoz** y esperar **15-20 minutos**.*

*3. Pasado ese tiempo, se toma una **ducha caliente** enjabonando la piel con el producto empleado habitualmente. Después de secarse, se nota como la piel ha quedado más suave y tersa.*

El venerable olivo es todo él medicinal: las aceitunas son aperitivas y tonificantes; el aceite es suavizante, colagogo (facilita el vaciamiento de la bilis) y reductor del colesterol; y las hojas bajan la tensión arterial y la fiebre.

da (irritación del estómago) **(❸)**, producida muchas veces por medicamentos como la aspirina, bebidas alcohólicas, café, especias o encurtidos.

• **Laxante suave (❸),** ya sea tomado en ayunas o aplicado en enema (lavativa) **(❺)**. Además, facilita la expulsión de los parásitos intestinales.

• **Colagogo,** es decir, que facilita el vaciamiento de la vesícula biliar, con lo cual se favorece el alivio de las molestias abdominales debidas al mal funcionamiento de la vesícula **(❸)**. Además, la bilis vertida al intestino facilita la digestión. Sin embargo, se debe usar con ***prudencia en caso de colelitiasis*** (cálculos o piedras en la vesícula), pues podría desencadenar un cólico biliar.

• **Efecto sobre el colesterol (❸):** El aceite de oliva no ofrece un marcado efecto reductor del nivel de colesterol en sangre, como el que poseen los aceite de germen de trigo o de maíz, por ejemplo. Sin embargo, usándolo de forma continuada, tiene la facultad de mantener el colesterol sanguíneo en unos niveles bajos. Se ha comprobado experimentalmente que el aceite de oliva aumenta las lipoproteínas de alta densidad (HDL, *High Density Lipoprotein* en inglés), que son las encargadas de transportar en la sangre un tipo de colesterol llamado colesterol HDL. Este tipo especial de colesterol, tiene la propiedad de evitar la arteriosclerosis (endurecimiento de las arterias por depósito de colesterol y calcio en sus paredes); al contrario que el colesterol unido a las lipoproteínas de baja densidad (LDL, *Low Density Lipoprotein)* o colesterol nocivo. Esto puede explicar el hecho de que el consumo habitual de aceite de oliva como grasa alimentaria se relacione directamente con un menor riesgo de infarto de miocardio.

• **Antitóxico,** excepto en las intoxicaciones provocadas por el fósforo o sus derivados **(❸)**. Se da a beber a la víctima un vaso de aceite mezclado con agua caliente, para provocarle el vómito, y, después de haber vomitado, se le administran nuevamente varias cucharadas de aceite, para que desarrolle su acción de antídoto en el conducto digestivo.

Rauwolfia

Acreditado hipotensor y sedante enérgico

LA MEDICINA tradicional de la India, utiliza la raíz de esta planta desde tiempos remotos como antídoto contra las picaduras de serpientes y arañas, y para calmar los nervios. La moderna investigación farmacéutica ha descubierto en ella valiosos principios activos contra la hipertensión arterial, y en la actualidad forma parte de la composición de ***diversas especialidades farmacéuticas.***

PROPIEDADES E INDICACIONES: La raíz de esta planta contiene unos veinte tipos diferentes de alcaloides, de los que la reserpina es el más importante. Tiene propiedades **hipotensoras** (producir un descenso en la presión arterial) y **sedantes** del sistema nervioso, todo ello como resultado de su acción depresora sobre los centros subcorticales y talámicos del cerebro.

La rauwolfia resulta ***altamente efectiva*** en el tratamiento de la **hipertensión arterial,** tan frecuente en el mundo desarrollado. También da buenos resultados en caso de insomnio rebelde, de psicosis y de otras enfermedades mentales **[❶,❷]**.

Otro alcaloide de la rauwolfia es la ajmalina, de propiedades **antiarrítmicas.**

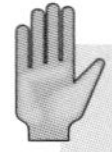

Precauciones

*La **reserpina** de la rauwolfia es un alcaloide muy activo, por lo que la planta y sus extractos deben usarse bajo control facultativo.*

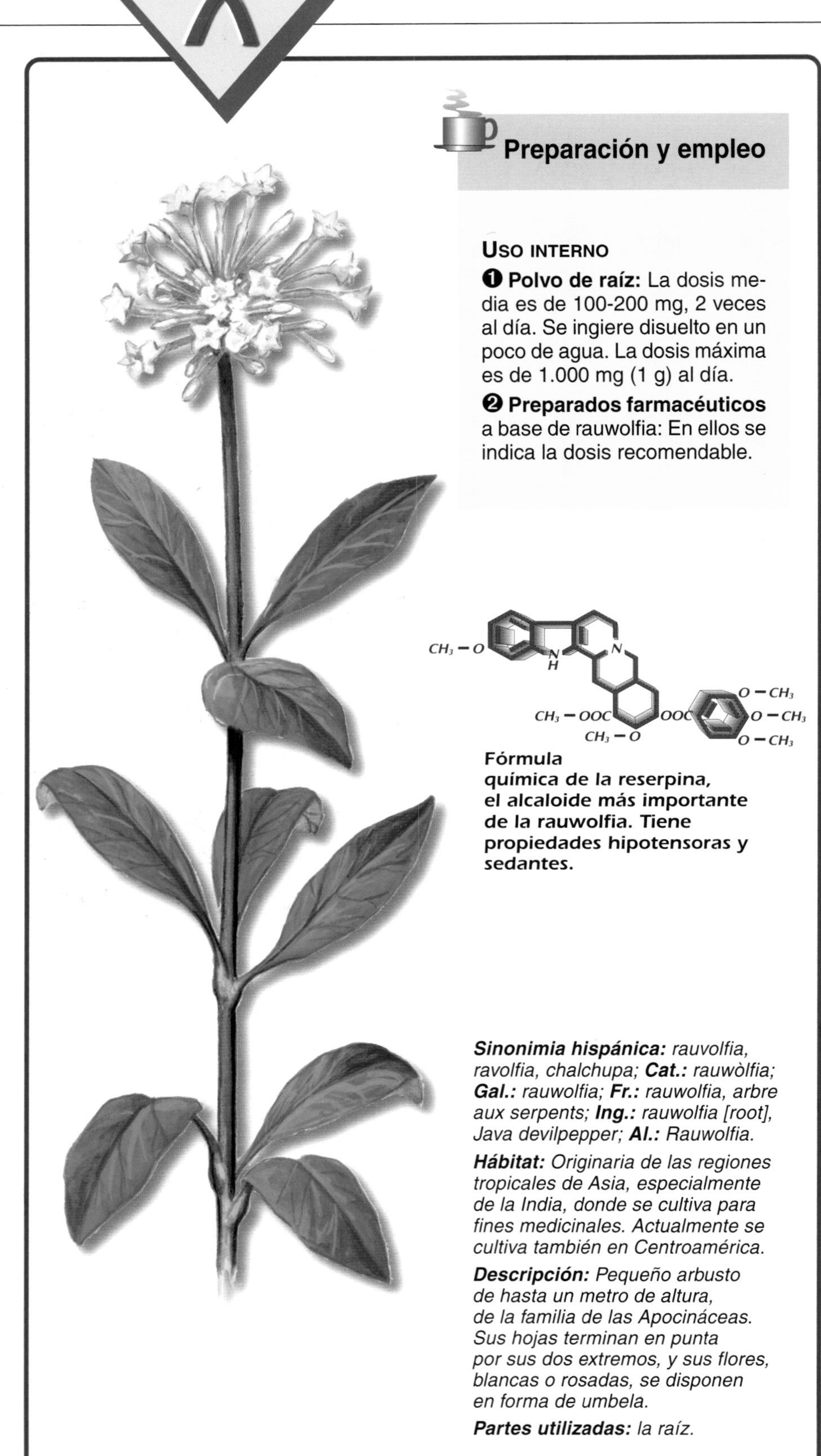

Preparación y empleo

USO INTERNO

❶ **Polvo de raíz:** La dosis media es de 100-200 mg, 2 veces al día. Se ingiere disuelto en un poco de agua. La dosis máxima es de 1.000 mg (1 g) al día.

❷ **Preparados farmacéuticos** a base de rauwolfia: En ellos se indica la dosis recomendable.

Fórmula química de la reserpina, el alcaloide más importante de la rauwolfia. Tiene propiedades hipotensoras y sedantes.

Sinonimia hispánica: *rauvolfia, ravolfia, chalchupa;* ***Cat.:*** *rauwòlfia;* ***Gal.:*** *rauwolfia;* ***Fr.:*** *rauwolfia, arbre aux serpents;* ***Ing.:*** *rauwolfia [root], Java devilpepper;* ***Al.:*** *Rauwolfia.*

Hábitat: *Originaria de las regiones tropicales de Asia, especialmente de la India, donde se cultiva para fines medicinales. Actualmente se cultiva también en Centroamérica.*

Descripción: *Pequeño arbusto de hasta un metro de altura, de la familia de las Apocináceas. Sus hojas terminan en punta por sus dos extremos, y sus flores, blancas o rosadas, se disponen en forma de umbela.*

Partes utilizadas: *la raíz.*

Tragopogon pratensis L.

Salsifí

Depurativo de la sangre y aperitivo

LA RAÍZ del salsifí ya se consumía en la antigua Grecia. Aparece en unos frescos encontrados en Pompeya, lo cual indica que también formaba parte de la dieta romana.

Durante toda la Edad Media fue cultivado y consumido, aunque cayó en desuso en la era industrial. Ahora vuelve a apreciarse como alimento y remedio natural.

PROPIEDADES E INDICACIONES: La raíz de salsifí es de sabor dulzón y algo mucilaginoso. Contiene diversos glúcidos (hidratos de carbono), como el inositol y el manitol, y también pequeñas cantidades de prótidos y de lípidos (grasa).

Es un buen **aperitivo,** y además **diurético, sudorífico** (aumenta la sudoración) y **depurativo.**

Su uso conviene especialmente a los que padecen **arteriosclerosis, reumatismo, gota e hipertensión arterial [❶,❷]**. Favorece la eliminación de residuos tóxicos del metabolismo. Los **diabéticos** pueden tomarlo sin restricción, debido a que sus hidratos de carbono no aumentan el nivel de glucosa en sangre.

Preparación y empleo

USO INTERNO

❶ **Raíz:** La mejor forma de aprovechar sus virtudes es tomarla cruda, cortada a rodajas en ensalada. También puede cocinarse.

❷ **Hojas tiernas:** Se toman en ensalada. Su sabor recuerda al de la escarola y la achicoria.

Precauciones

*No consumir sus **semillas y frutos,** que son **tóxicos.** El resto de la planta no presenta ningún problema.*

Sinonimia hispánica: *barba de cabra, barba cabruna, barbón, brochones;* ***Cat.:*** *barbeta, barba de cabra, barba de frare, herba de cabra, herba barbuda, escurçonera blanca;* ***Eusk.:*** *terebuza;* ***Gal.:*** *barbacabreira, cersefí;* ***Fr.:*** *salsifis des prés, barbe de bouc;* ***Ing.:*** *[yellow] goatsbeard;* ***Al.:*** *Wiesenbocksbart.*

Hábitat: *Praderas húmedas y bordes de caminos de toda Europa. Naturalizado en regiones templadas y frías del continente americano.*

Descripción: *Planta de la familia de las Compuestas, de 30 a 80 cm de altura. Su tallo es erguido y se halla abrazado por una hojas alargadas terminadas en punta. La raíz es carnosa, de color marrón claro.*

Partes utilizadas: *la raíz y las hojas.*

Vincapervinca

Ideal para combatir el envejecimiento

DIOSCÓRIDES y Galeno ya hablaron de la utilidad de esta planta, a la que la investigación farmacológica ha dedicado un gran interés en los últimos años. Hoy se elaboran con ella ***diversos preparados famacológicos.***

PROPIEDADES E INDICACIONES: Su principio activo más importante es la vincamina (0,1%-0,2%), un alcaloide indólico con notables propiedades vasodilatadoras. Contiene además taninos de acción astringente y otros alcaloides (hasta 35) recientemente identificados.

Sus aplicaciones son:

• **Insuficiencia circulatoria cerebral:** La vincamina es un potente vasodilatador de las arterias cerebrales, que aumenta la irrigación sanguínea del

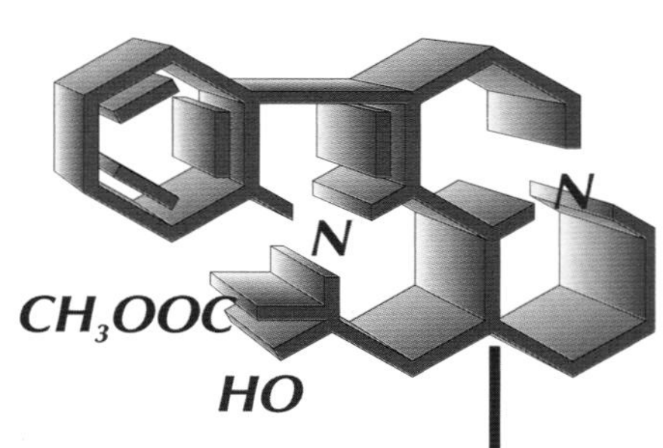

Fórmula química de la vincamina, el alcaloide más importante de la vincapervinca. Su potente acción vasodilatadora ha hecho que entrara a formar parte de numerosos preparados farmacéuticos.

Sinonimia hispánica: *brusela, hierba doncella;* ***Cat.:*** *vinca [petita];* ***Eusk.:*** *inkonte-belar txiki;* ***Gal.:*** *congosa, semprenoiva, herba doncela;* ***Fr.:*** *pervenche, violette des morts;* ***Ing.:*** *[early flowering] periwinkle, lesser periwinkle;* ***Al.:*** *Kleines Immergrün.*

Hábitat: *Difundida por toda Europa central y del sur. Se cría en bosques húmedos, especialmente de robles y de hayas. Cultivada en Norteamérica con fines medicinales.*

Descripción: *Planta vivaz de la familia de las Apocináceas, con tallo rastreros de hasta 2 m de longitud. Sus hojas son perennes, coriáceas y de bordes lisos. Las flores son pedunculadas y de color azul violeta. De sabor muy amargo.*

Partes utilizadas: *las hojas.*

Preparación y empleo

USO INTERNO

❶ **Decocción** durante 2 minutos, de 30-50 g de hojas por litro de agua. Se ingieren de 3 a 5 tazas diarias, endulzadas con miel si se desea (es muy amarga).

❷ **Preparados farmacéuticos** (cápsulas, jarabes, etc.): Seguir las dosis e indicaciones recomendadas en cada caso.

USO EXTERNO

❸ **Compresas** sobre la piel o sobre las mamas (para detener la lactación). Se realizan con la misma decocción descrita para uso interno. Se aplican durante 10-15 minutos, 2 o 3 veces al día. En caso de hemorragias o hematomas, se aplican frías; sobre las mamas inflamadas, se aplican calientes.

Vicaria

La vicaria (*Vinca rosea* L.) llamada también brusela, flor del príncipe, hierba doncella, nomedejes y nomeolvides*, es una planta de una especie similar a la vincapervinca. La vicaria es originaria de Madagascar, pero se cultiva en América, donde también recibe los nombres de blanca pobre, buenas tardes, clavellina, cortejo, chatilla, chipe, chula, dominica, flor de todo el año, jazmín del mar, maravilla de España, mosqueta, mulata, San Pedro y viuditas. La vicaria se está empezando a emplear como antimitótico (**impide la reproducción de las células cancerosas**) en el tratamiento de ciertas leucemias, linfomas (enfermedad de Hodgkin y otros) y sarcomas. Su uso se halla todavía ***en fase de experimentación.***

* ***Cat.:*** *proenga de jardí, dominica.*

La vincapervinca aumenta el riego sanguíneo del cerebro, por lo que es una planta ideal para combatir los trastornos seniles debidos a la arteriosclerosis.

tejido cerebral y mejora el funcionamiento del sistema nervioso central (❶,❷). Es también **hipotensora.** Se aplica con éxito en caso de cefalea, vértigo, acúfenos (zumbidos en los oídos), y en otras manifestaciones de insuficiencia circulatoria cerebral (falta de riego) debidas a arteriosclerosis, a hipertensión arterial u otras causas. Es una ***planta ideal*** para combatir los **trastornos de la senilidad.**

Recientemente se ha podido demostrar además, que la vincamina atraviesa la barrera hematoencefálica y actúa en la intimidad del tejido cerebral mejorando la oxigenación de las neuronas. Debido a todo ello, la **vincamina** que se extrae de esta prodigiosa planta es ***uno de los fármacos más usados*** actualmente en el tratamiento del **riego sanguíneo cerebral insuficiente**. La planta completa posee los mismos efectos que la vincamina, potenciados y enriquecidos además por la presencia de otros alcaloides y principios activos.

- **Jaquecas:** Por todo ello también se usa en las jaquecas para calmar la crisis de dolor y evitar su reaparición (❶,❷).

- **Hemorragias:** El efecto astringente y hemostático de sus taninos explica el que antiguamente se utilizara la vincapervinca para detener las hemoptisis (hemorragias bronquiales) que se presentan en la tuberculosis (❶). Su uso actual solo se justifica como complemento del tratamiento específico antituberculoso. ***Externamente*** (❸) se aplica en caso de **heridas** sangrantes, **hematomas y contusiones**, para reducir la hemorragia.

- **Colitis y gastroenteritis:** Se puede emplear para cortar la diarrea (❶,❷).

- **Diabetes:** Los alcaloides de la vincapervinca presentan un discreto efecto hipoglucemiante: hacen descender el nivel de glucosa en sangre, reducen la glucosuria (eliminación de glucosa con la orina) (❶,❷). En caso de diabetes, se usa ***en combinación*** con el régimen dietético y otros tratamientos.

- **Galactófuga:** Detiene la producción de leche en las mujeres lactantes. Se ingiere por vía oral (❶,❷) y se aplica en compresas sobre los pechos (❸), en caso de inflamación (mastitis) o cuando interese suspender la lactación.

- **Tonificante general y del aparato digestivo** (❶,❷).

Muérdago

Efectivo contra la hipertensión y la arteriosclerosis

Sinonimia hispánica: *almuérdago, arfueyo, visco, visque, vosco, guizque, liga, liria, tiña;* ***Cat.:*** *[herba del] vesc, visc, vescarsí, viscari, [herba] joca;* ***Eusk.:*** *mihura (fruto: grimu);* ***Gal.:*** *visgo, visco;* ***Fr.:*** *gui;* ***Ing.:*** *[European] mistletoe;* ***Al.:*** *Mistel.*

Hábitat: *Difundido por regiones boscosas de todo el continente europeo así como del americano.*

Descripción: *Planta parásita de la familia de las Lorantáceas, que hunde sus raíces en los troncos de diversos árboles, y se alimenta de su savia. Sus hojas son perennes (siempre verdes) y sus frutos son unas bayas gelatinosas semejantes a perlas.*

Partes utilizadas: *las hojas, recolectadas antes de que se formen los frutos.*

LOS TORDOS, las palomas y otras aves del bosque, son los encargados de diseminar las semillas del muérdago. Después de ingerir sus blancas bayas, las vomitan sobre las ramas de otros árboles, a las que quedan adheridas gracias a su envoltura gelatinosa. Allí germinan las semillas, generalmente sobre abetos, álamos o manzanos, haciendo que surja una nueva planta.

El muérdago es una planta muy original: Sus raíces se hunden en las ramas y los troncos de otros árboles, en vez de hacerlo en la tierra. Su semilla necesita luz solar para germinar, al contrario de la mayoría, que necesita

Precauciones

No sobrepasar las dosis *de hojas cuando se usa internamente. Desechar las* ***bayas,*** *que son* ***tóxicas:*** *Con unas diez de ellas se producen vómitos, hipotensión y trastornos nerviosos. Con más cantidad puede sobrevenir la muerte por parada cardiorrespiratoria.*

Preparación y empleo

USO INTERNO

❶ **Infusión** con 10-15 g de hojas secas por litro de agua, de la que se toman 2 tazas diarias.

❷ **Maceración,** dejando reposar durante una noche 20 g de hojas secas en medio litro de agua fresca. Después de filtrada se consume al día siguiente en 3 o 4 veces.

USO EXTERNO

❸ **Compresas;** Se empapan de una infusión con 30 g de hojas secas por litro de agua. Se aplican sobre el pecho (en caso de palpitaciones o de sensación de opresión), sobre la espalda o los riñones (en caso de lumbago o de ciática), o sobre las articulaciones afectadas por el reuma.

Muérdago americano

En Norteamérica se da una variedad, conocida como muérdago americano *(Phoradendron flavescens)*, de **similares propiedades** al muérdago común, que para distinguirlo, en Estados Unidos es denominado 'European mistletoe' (muérdago europeo).

El muérdago es una planta parásita, muy apreciada por su acción hipotensora y dilatadora de las arterias, especialmente las cerebrales y las coronarias. Sin embargo, se debe usar con prudencia, debido a sus posibles efectos tóxicos. Las bayas son venenosas y deben desecharse siempre.

oscuridad. En cambio, la planta adulta es capaz de producir clorofila incluso en la oscuridad, al revés de las demás plantas que amarillean ante la falta de luz.

Sus propiedades medicamentosas, ya conocidas desde tiempos de Hipócrates y Plinio, son también muy interesantes. Recientemente, se ha puesto de manifiesto que el muérdago presenta actividad antitumoral, hecho que todavía está siendo investigado.

PROPIEDADES E INDICACIONES: Sus hojas contienen colina y acetilcolina, sustancias que actúan sobre el sistema nervioso vegetativo, además de saponinas. Las bayas contienen también alcaloides y otras sustancias tóxicas, por lo que no se recomienda el uso medicinal de ellas.

Estas son las propiedades del muérdago:

• **Hipotensor y vasodilatador:** Posee un notable efecto regularizador sobre el sistema circulatorio [❶,❷]. El muérdago es ***una de las plantas más eficaces*** que se conocen contra la **hipertensión** arterial. Mejora el riego sanguíneo del cerebro y del corazón, cuando se halla entorpecido a causa de estrechez (arteriosclerosis) de las arterias cerebrales o coronarias. Su uso se recomienda en caso de arteriosclerosis cerebral (mareos, vértigos, zumbidos en los oídos) o coronaria (angina de pecho). Se puede administrar como preventivo de nuevos ataques, a los que han sufrido trombosis o embolias cerebrales.

• **Antiespasmódico y sedante:** Calma la sensación de opresión en el pecho, las palpitaciones, el nerviosismo y las jaquecas [❶,❷]. Antiguamente se empleaba para calmar los ataques epilépticos y las crisis de histeria.

• **Diurético y depurativo:** Aumenta la producción de orina y la eliminación de los residuos tóxicos del metabolismo, como la urea y el ácido úrico [❶,❷]. Indicado en caso de nefritis, gota, artritismo, y siempre que se desee depurar la sangre.

• **Antiinflamatorio:** Aplicado ***localmente,*** alivia los dolores reumáticos [❸]. Muy efectivo en los ataques agudos de lumbago o ciática.

• **Regulador de la menstruación:** Se emplea en caso de trastornos del ciclo, de reglas excesivas y de hemorragias uterinas, debido a su efecto hemostático [❶,❷].

• **Anticanceroso** [❶,❷]: Recientemente se han aislado unas proteínas del muérdago, conocidas como ***lactinas,*** que tienen un marcado efecto destructor sobre las células tumorales (efecto citolítico). A la vez, estas proteínas estimulan el timo y las defensas celulares del organismo. Se han llevado a cabo experimentos satisfactorios con animales de laboratorio, en los que el muérdago ha sido capaz de curar tumores superficiales. Esperamos que se produzcan nuevos descubrimientos en los próximos años, que permitan su aplicación clínica.

14 PLANTAS PARA LAS VENAS

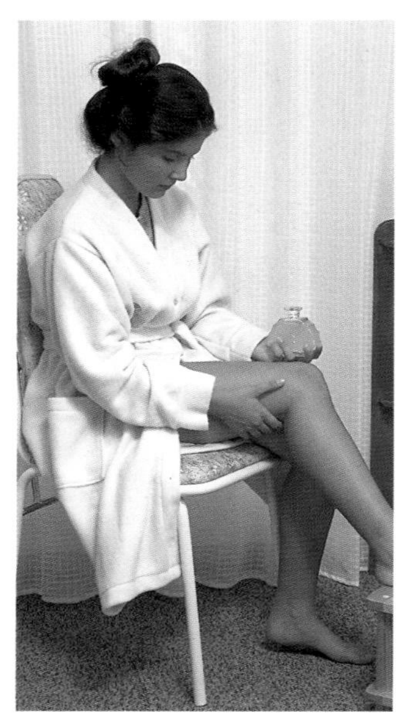

Las plantas venotónicas, así como los masajes ascendentes en las extremidades inferiores, favorecen la circulación venosa, y embellecen las piernas.

SUMARIO DEL CAPÍTULO

ENFERMEDADES Y APLICACIONES

PLANTAS

Plantas con acción protectora capilar

Fortalecen y regeneran las células que forman los finos conductos o vasos capilares, por los que circula la sangre en el seno de los tejidos. Los principios activos más importantes, responsables de su acción, son la rutina o vitamina P y las antocianinas. Se aplican en caso de ***hemorragias por fragilidad vascular, edemas, varices y flebitis.*** *Al fortalecer las células que forman los conductos capilares, disminuye la excesiva salida de líquidos desde los capilares hacia los tejidos. De esta forma se reduce el edema e hinchazón de los tejidos, y mejora la circulación sanguínea.*

Planta	Pág.
Ginkgo	234
Castaño de Indias	251
Hamamelis	257
Rusco	259
Arándano	260
Centinodia	272
Vid	544
Ruda	637

LAS VENAS transportan la sangre de vuelta hacia el corazón, después de haber pasado por los capilares e irrigado los tejidos. La sangre circula por las venas sin apenas presión, lo cual dificulta de modo particular el retorno de la sangre de las piernas, que tiene que ascender venciendo la fuerza de la gravedad.

Las plantas medicinales aportan sustancias **venotónicas,** que favorecen la circulación sanguínea en las venas, evitando que se dilaten y se formen varices. Las plantas venotónicas también son útiles en caso de **hemorroides,** pues estas no son más que venas dilatadas en la región del ano.

Las compresas empapadas en la decocción de ciertas plantas venotónicas y cicatrizantes (pág. 250), constituyen una interesante aportación al tratamiento de las **úlceras varicosas** de las piernas.

Enfermedad	Planta	Pág.	Acción	Uso
VARICES Son dilataciones permanentes de las venas. Todas estas plantas tienen acción venotónica, es decir, que tonifican la pared de las venas, evitando así su dilatación excesiva. Las plantas venotónicas actúan también favoreciendo la circulación de retorno de la sangre en el interior de las venas. Algunas de estas plantas tienen además acción ***protectora capilar*** (tabla pág. 248), por lo que fortalecen y regeneran las células que forman los finos conductos o vasos capilares por los que circula la sangre. De esta forma disminuye el edema e hinchazón de los tejidos, y mejora la circulación venosa. *Rusco*	**NARANJO**	153	Rico en flavonoides de acción protectora capilar	Decocción de corteza de naranja
	GINKGO	234	Tonifica las paredes venosas, protector capilar	Infusión, compresas, cataplasmas, baños
	CASTAÑO DE INDIAS	251	Tonifica las paredes venosas, protector capilar	Decocción, compresas
	AVELLANO	253	Tonifica la circulación venosa	Decocción de hojas y ramas, compresas
	CIPRÉS	255	Tónico venoso	Decocción de nueces de ciprés (frutos), esencia
	HAMAMELIS	257	Activa la circulación sanguínea en las venas	Extracto, infusión de hojas y/o corteza
	MELILOTO	258	Activa la circulación venosa, fluidifica la sangre	Infusión
	RUSCO	259	Mejora la circulación venosa y fortalece las paredes capilares	Decocción, compresas con la decocción
	ARÁNDANO	260	Refuerza la pared de los vasos capilares y venosos	Jugo fresco o decocción de frutos
	LIMONERO	265	Protector capilar, venotónico	Jugo de limón, esencia
	VID	544	Mejora la permeabilidad capilar y la circulación venosa	Decocción de hojas, baños de pies con la decocción de hojas
	BOLA DE NIEVE	642	Activa la circulación venosa	Decocción de corteza
FLEBITIS Es la inflamación de las venas. Normalmente ocurre en venas varicosas, es decir, previamente dilatadas. Además de las plantas recomendadas para las varices, el tratamiento fitoterápico de la flebitis requiere la aplicación local de compresas o cataplasmas de estas plantas, sobre la zona afectada por la flebitis.	**GINKGO**	234	Tonifica las paredes venosas, protector capilar	Compresas con la infusión, cataplasma de hojas machacadas, baños de pies con la infusión
	CASTAÑO DE INDIAS	251	Tonifica las paredes venosas, protector capilar	Compresas con la decocción de corteza y/o semillas
	AVELLANO	253	Tonifica la circulación venosa	Compresas con la decocción de hojas y corteza
	RUSCO	259	Mejora la circulación venosa y fortalece las paredes capilares	Compresas con la decocción
	SOMBRERERA	320	Antiinflamatoria de acción local	Cataplasmas de hojas frescas machacadas

Los frutos del arándano (pág. 260) son muy ricos en antocianinas, sustancias que tiñen la piel de un típico color azulado. Ingeridas por vía oral, las antocianinas (pág. 128) refuerzan la pared de los vasos capilares y venosos, y mejoran la circulación sanguínea en la retina, así como la de los miembros inferiores.

El jugo de arándanos es un buen remedio a tener en cuenta en caso de varices.

Enfermedad	Planta	Pág.	Acción	Uso
ÚLCERA VARICOSA Es una pérdida de sustancia en la piel de escasa o nula tendencia a la cicatrización, causada por una alteración de la circulación venosa. Generalmente se asocia a **varices** y/o **flebitis** y se localiza en la parte inferior de la pierna, próxima a los tobillos. El tratamiento fitoterápico de la úlcera varicosa consiste en la ingestión de plantas ***venotónicas*** (ver ***"Varices"***, pág. 249) y ***protectoras capilares*** (ver pág. 248), combinadas con la aplicación de cataplasmas y compresas sobre la zona ulcerada con plantas ***cicatrizantes*** (ver cap. 27, pág. 682), ***antisépticas y astringentes.*** *Llantén*	Agrimonia	205	Cicatrizante	Compresas con la decocción
	Roble	208	Astringente, cicatrizante	Compresas con la decocción
	Digital	221	Cicatrizante	Compresas con la infusión
	Castaño de Indias	251	Tónico venoso, astringente, antiinflamatorio	Compresas con la decocción de corteza
	Avellano	253	Cicatrizante, tónico venoso	Compresas con la decocción de hojas y corteza
	Ciprés	255	Tónico venoso	Compresas con la decocción de nueces de ciprés (frutos)
	Llantén	325	Emoliente, astringente	Compresas con la decocción, apósitos o cataplasmas de hojas
	Cuscuta	386	Cicatrizante y antiséptica	Cataplasmas con la planta hervida
	Col	433	Cicatrizante y vulneraria	Cataplasmas con las hojas crudas machacadas, o hervidas y mezcladas con salvado
	Aliso	487	Astringente	Compresas con la decocción
	Salicaria	510	Cicatrizante y regenerador de la epidermis	Compresas con la decocción
	Zaragatona	515	Cicatrizante, protege y desinflama la piel	Cataplasmas de semillas
	Cola de caballo	704	Cicatrizante, favorece la regeneración de los tejidos	Compresas con la decocción
	Sanícula	725	Limpia los tejidos necrosados y estimula la cicatrización	Cataplasmas de hojas frescas machacadas
	Betónica	730	Vulneraria, cicatrizante	Compresas con la decocción
	Consuelda mayor	732	Cicatrizante	Compresas con la infusión, cataplasmas con la raíz machacada

El castaño de Indias (pág. 251) es un bello árbol cuya corteza y semillas contienen el glucósido esculina, sustancia de potente acción venotónica y protectora capilar.

La decocción de la corteza y/o de las semillas se toma por vía oral (respetando las dosis), y se aplica en compresas sobre las piernas. Se logran notables efectos en caso de piernas cansadas o hinchadas debidas a varices o a insuficiencia venosa de los miembros inferiores. También se aplica en baños de asiento en caso de hemorroides.

La esculina del castaño de Indias forma parte de diversos preparados farmacéuticos con acción venotónica y antiedematosa.

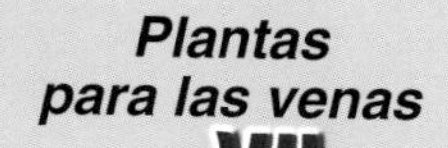

Aesculus hippocastanum L.

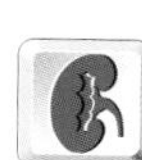

Castaño de Indias

El remedio de las venas por excelencia

ESTE HERMOSO árbol fue llevado desde Constantinopla a Austria, y de allí a otros países de Europa occidental, por el jardinero del emperador Maximiliano, a principios del siglo XVII. Como por aquel entonces eran muchas las nuevas plantas que llegaban a Europa procedentes de "las Indias" (América), se pensó que este árbol era una más, y por su semejanza con el castaño, se lo llamó castaño de Indias. Se comprobó después que realmente es oriundo de Grecia y Turquía.

Su nombre *hippocastanum* ('castaño de caballo' en latín) le viene de que los turcos lo daban a comer a sus caballos viejos para calmarles la tos y aliviarles el asma que padecen con cierta frecuencia.

Las castañas de Indias tienen un gusto muy amargo, que debería advertir, a quienes las prueban, de que no son comestibles. Se han producido casos de intoxicaciones, sobre todo de niños, por haberlas comido en cantidad.

Precauciones

*Las **semillas**, es decir las **castañas de Indias**, no deben ser ingeridas, ya que resultan **tóxicas**. Sobre todo ha de advertirse a los niños, que pueden confundirlas con las castañas comestibles.*

Preparación y empleo

USO INTERNO

❶ **Decocción:** 50 g de corteza de ramas jóvenes y/o semillas por litro de agua. Se toman 2 o 3 tazas diarias.

❷ **Extracto seco:** 250 mg, 3 veces diarias.

USO EXTERNO

❸ **Compresas** con la decocción de corteza: Se aplican sobre las hemorroides o las úlceras varicosas, manteniéndolas durante 5-10 minutos, 3 o 4 veces al día.

❹ **Baño de asiento** con la decocción, en caso de hemorroides y de afecciones prostáticas.

❺ **Baño completo:** Se prepara una decocción con medio kilo de semillas machacadas por litro de agua; que se hierven durante 5 minutos. Se prepara un baño caliente añadiendo la decocción al agua. La piel queda muy suave y limpia, mejor que con ningún jabón o gel sintético.

***Sinonimia hispánica:** castaño de Europa (en México), castaño caballuno, castaño falso, castaño loco; **Cat.:** castanyer d'Índia, castanyer bord, castanyer de cavall; **Eusk.:** Indigaztainondo [arrunt]; **Gal.:** castiñeiro de Indias; **Fr.:** marronier d'Inde, châtaignier de cheval; **Ing.:** [common] horse chestnut; **Al.:** Roßkastanie.*

***Hábitat:** Árbol común en parques y avenidas de Europa y América. También se encuentra asilvestrado formando parte de bosques en regiones montañosas.*

***Descripción:** Árbol de hoja caduca, de la familia de las Hipocastanáceas, de hermoso porte y gran follaje. Alcanza hasta los 30 m de altura, y, al igual que el castaño, es muy longevo (hasta 300 años). Sus hojas son palmeadas, grandes, de borde dentado, y nacen en grupos de 5 a 9. Las flores son blancas y se agrupan en ramilletes. Los frutos son grandes, rodeados de púas no muy duras, y contienen en su interior una o dos semillas parecidas a las castañas verdaderas.*

***Partes utilizadas:** la corteza de las ramas jóvenes, y las semillas.*

El castaño de Indias es un hermoso árbol, de cuya corteza y semillas se extrae el glucósido esculina. Esta sustancia natural forma parte de la composición de numerosos preparados farmacéuticos por su potente acción tonificante de la circulación sanguínea en las venas.

PROPIEDADES E INDICACIONES: La ***CORTEZA*** de las ramas jóvenes y las ***SEMILLAS*** (castañas) contienen varios principios activos de gran valor medicinal:

✓ **Esculina:** Glucósido cumarínico, que ejerce una potente acción sobre el sistema venoso y sobre la circulación sanguínea en general. La esculina entra en la composición de ***muchos preparados farmacéuticos,*** pues todavía no se ha sintetizado un fármaco que supere los efectos de esta sustancia vegetal. Las propiedades de la esculina son:

- ***Venotónica:*** Aumenta el tono de la pared venosa, lo cual determina que las venas se contraigan y que disminuya la congestión sanguínea, especialmente en los miembros inferiores.
- ***Protectora capilar:*** Fortalece las células que forman la pared de los capilares, haciendo que disminuya su permeabilidad, favoreciendo así la desaparición de los edemas e hinchazones.

✓ **Saponinas triterpénicas** (escina) de acción **antiinflamatoria y antiedematosa**, abundantes, sobre todo, en las semillas.

✓ **Taninos** catéquicos, **astringentes y antiinflamatorios.**

Esta planta resulta muy útil en todo tipo de trastornos venosos, especialmente en:

- **Varices** de las piernas, **insuficiencia venosa, piernas pesadas {❶,❷,❸}.**
- **Tromboflebitis, úlcera varicosa** de las piernas **{❶,❷,❸}**.
- **Hemorroides:** Calma el dolor y reduce su tamaño **{❶,❷,❹}**.
- **Próstata:** Resulta muy efectiva en la congestión e hipertrofia de esta glándula, tanto tomada en infusión o extractos, como aplicada en baños de asiento **{❶,❷,❹}**. Reduce el tamaño de la próstata inflamada y facilita la salida de la orina.

La ***HARINA*** de la castaña de Indias es especialmente rica en saponina, por lo que se emplea en **cosmética** y en la industria del jabón **{❺}**. Es un auténtico jabón vegetal, suavizante y protector de la piel.

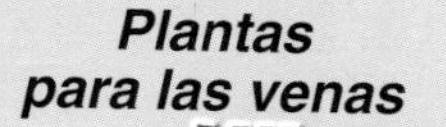

Avellano

Un árbol nutritivo y medicinal

TODAVÍA se pueden encontrar en las regiones montañosas y húmedas, bosques de nochizos (avellanos silvestres), donde las ardillas disponen de su paraíso. En los meses de septiembre y octubre, ofrecen sus sabrosas avellanas al caminante, que nada tienen que envidiar a las cultivadas.

Ya Dioscórides, en el siglo I d.C., recomendaba las avellanas para las enfermedades respiratorias, aunque no se le escapaba el hecho de que comidas en cantidad pueden resultar pesadas para el estómago. Santa Hildegarda las aconsejaba contra la impotencia masculina. Mattioli, destacado médico italiano del siglo XVI, las aplicaba en loción, trituradas y mezcladas con grasa de oso, como crecepelo.

Desde entonces, muchas otras aplicaciones se han dado a las avellanas, entre las que destacan las de calmante de los nervios y contra la formación de cálculos urinarios. Lo cierto es que ninguna de ellas ha sido definitivamente demostrada. Sin embargo, una cosa es cierta: las avellanas son un excelente alimento, rico en lípidos (62%), proteínas (14%), sales minerales y vitaminas. Por eso, quienes necesiten aumentar de peso, siempre que su aparato digestivo funcione con normalidad, harán bien en tomar cada día de 12 a 15 avellanas como postre.

Sin olvidar, por supuesto, que diversas partes del avellano tienen interesantes efectos medicinales.

Sinonimia hispánica: *avellano común, avellano europeo, avellanera, ablano;* ***Cat.:*** *avellaner, avellanera;* ***Eusk.:*** *hurritz (silvestre), hurrondo (cultivado);* ***Gal.:*** *abelaneira, abeleira, abelaira;* ***Fr.:*** *noisetier;* ***Ing.:*** *hazel [nut] tree, cob nut tree;* ***Al.:*** *Haselnußstrauch.*

Hábitat: *Crece espontáneo en regiones montañosas de Europa y América del Norte. Se cultiva en los países mediterráneos.*

Descripción: *Árbol o arbusto de la familia de las Betuláceas, que alcanza de 2 a 5 m de altura. Suele estar formado por múltiples tallos o retoños que parten de una cepa común. Sus hojas son dentadas, y terminan en punta.*

Partes utilizadas: *los amentos (inflorescencias en espiga), la corteza de las ramas jóvenes, las hojas y los frutos (avellanas).*

Preparación y empleo

USO INTERNO

❶ **Decocción** de hojas y corteza de ramas jóvenes (mezcladas): 30-40 g por litro de agua. Hervir durante 3 minutos, y dejar reposar durante otros 15. Se toman 1-2 tazas diarias.

❷ **Decocción** de amentos (sudorífico y adelgazante): 50 g de amentos primaverales por litro de agua. Hervir 5 minutos y dejar reposar otros 15. Filtrar. Se administra una taza después de cada comida.

❸ **Avellanas:** Un puñado en el desayuno o después de la comida del mediodía.

USO EXTERNO

❹ **Compresas:** Con la misma decocción de hojas y corteza, que se usa internamente, se empapan para aplicarlas sobre las zonas afectadas.

❺ **Baños de asiento:** También con esta decocción.

❻ **Fricciones** sobre la piel con aceite de avellanas.

PROPIEDADES E INDICACIONES: Todas las partes del árbol contienen flavonoides y taninos. La ***CORTEZA*** de las ramas jóvenes y las ***HOJAS,*** tienen las siguientes aplicaciones:

• **Tónico venoso:** Su efecto más notable es el de tonificar la circulación venosa, favoreciendo el retorno de la sangre hacia el corazón. La decocción de corteza y hojas, tanto ingerida como aplicada en compresas sobre las piernas, se recomienda en caso de **varices, flebitis y hemorroides {❶,❹}**. Tiene también un ligero efecto vasoconstrictor y hemostático, por lo que se utiliza igualmente en casos de **epistaxis** (hemorragia nasal) y de **hipermenorreas** (reglas excesivas).

• *Externamente* actúan como **cicatrizantes,** y resultan útiles en heridas tórpidas y úlceras varicosas. Sobre las **hemorroides** tienen un marcado efecto sedante y antiinflamatorio: Se aplica su decocción, tanto en compresas como en baños de asiento **{❺}**, además de tomarla bebida como se recomienda en el párrafo anterior **{❶}**.

Los ***AMENTOS*** (espigas florales) y su polen, recogidos en primavera, tienen propiedades:

• **Depurativas, sudoríficas y febrífugas:** Por eso se los utiliza en caso de **gripe** o de **resfriado,** con el fin de acelerar la curación **{❷}**. También se emplean en casos de **obesidad,** para depurar el organismo y provocar una pérdida de peso como consecuencia de la sudoración.

Las ***AVELLANAS,*** se usan como **alimento** rico en calorías y en sustancias nutritivas (grasas y proteínas) **{❸}**. Deben masticarse bien, o, si resulta necesario, triturarse en forma de papilla, con el propósito de conseguir una óptima asimilación. Tienen un ligero **efecto hipertensor** (suben la presión arterial), por lo que quienes padecen de hipertensión no deben abusar de ellas.

El ***ACEITE DE AVELLANAS*** es **astringente** y cierra los poros de la piel **{❻}**. Se recomienda para el cuidado de las **pieles grasas** y en caso de **acné.**

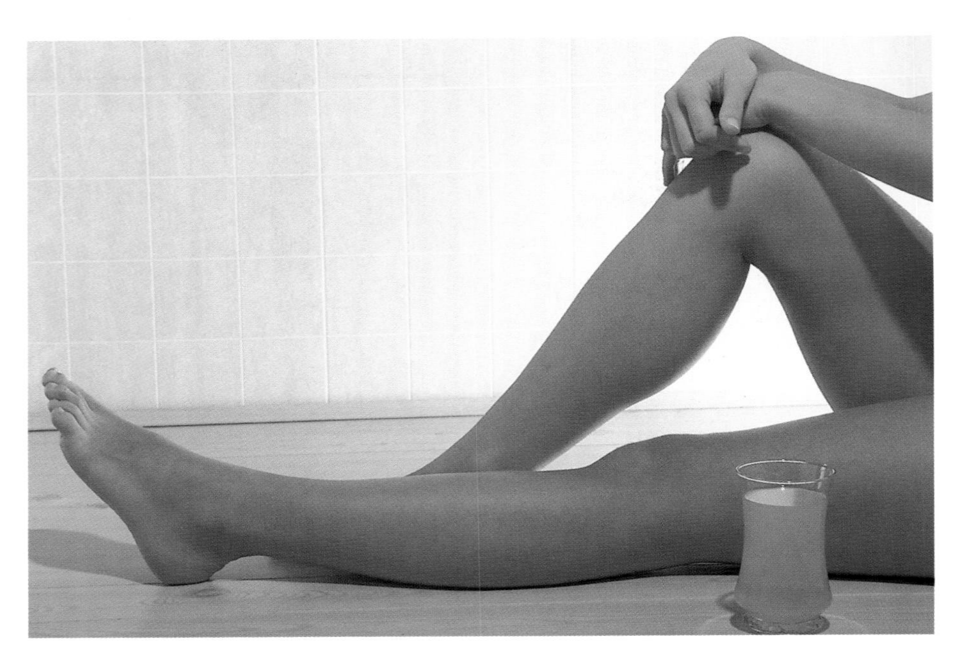

La decocción de hojas y corteza de ramas jóvenes de avellano facilita la circulación sanguínea de retorno en el sistema venoso. Ingerida por vía oral, y aplicada localmente en forma de compresas, constituye un buen remedio para aliviar la pesadez de las piernas, en caso de varices o insuficiencia venosa de los miembros inferiores.

Las avellanas aportan grasas y proteínas de gran valor nutritivo, y producen un ligero aumento de la presión arterial, por lo que convienen especialmente a los hipotensos.

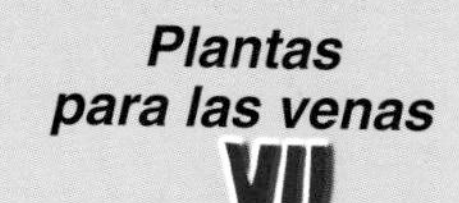

Ciprés

Tónico circulatorio y de la vejiga de la orina

EL CIPRÉS es un árbol casi tenebroso. Firme y solemne a las puertas de un cementerio, apuntando hacia el cielo con su copa y hacia las tumbas con su alargada sombra, parece estar recordando a los humanos el mortal destino que nos espera en esta tierra. Es el árbol, que mejor simboliza la muerte.

Pero, a la vez, el ciprés es signo de vida y de salud para tantos que padecen enfermedades del aparato respiratorio y circulatorio.

Ya en la antigua Grecia, se enviaba a los enfermos del pecho a los bosques de cipreses, para que recuperasen la salud respirando su aire cargado de esencias balsámicas. Hipócrates y Galeno lo recomendaban como medicinal. Desde entonces se ha venido utilizando con éxito, durante más de 2.000 años, como árbol curativo.

En el estado mexicano de Oaxaca se encuentra el célebre ciprés de Moctezuma o del Tule, de 50 m de alto y 14 m de diámetro en su tronco, que pertenece a una especie muy próxima al ciprés común. Se le atribuye una edad de 4.000 o 5.000 años. Los antiguos aztecas ya empleaban los frutos del ciprés (nueces o agallas) para evitar las canas y conservar el primitivo color del cabello.

Preparación y empleo

USO INTERNO

❶ **Decocción:** 20-30 g de nueces (frutos) de ciprés verdes, machacadas, o igual cantidad de su madera, por litro de agua. Se hierve durante 10 minutos y se filtra. Tomar una taza antes de cada comida (3 al día).

❷ **Esencia:** Se toman de 2 a 4 gotas 3 veces al día.

USO EXTERNO

❸ **Baño de asiento:** Para el tratamiento de las hemorroides con una decocción como la utilizada para uso interno, pero con mayor concentración de nueces (unos 50 g por litro). Se toman 3 baños al día, procurando que el agua se encuentre fría. Reduce el tamaño de las hemorroides y alivia el tenesmo y el dolor que producen.

❹ **Vahos:** A los que padecen de catarros bronquiales, les resulta altamente beneficioso realizar unos vahos, añadiendo al agua unas cuantas nueces de ciprés, o bien unas gotas de su esencia.

❺ **Compresas** sobre las piernas, con la misma decocción que para uso interno.

Sinonimia hispánica: *ciprés común;*
Cat.: *xiprer;* ***Eusk.:*** *altzifre [arrunt]; nekosta [arrunt];* ***Gal.:*** *alcipreste;*
Fr.: *cyprès [toujours vert];*
Ing.: *[Italian] cypress;*
Al.: *Italienische Zypresse.*

Hábitat: *Originario de Asia Menor, hoy lo encontramos repartido por toda Europa, y naturalizado en América, donde se dan algunas variedades.*

Descripción: *Árbol de la familia de las Cupresáceas, de hoja perenne, que alcanza 20-25 m de altura. Su fruto, llamado nuez de ciprés, presenta una forma poliédrica y es de color verde grisáceo.*

Partes utilizadas: *los frutos verdes (nueces) y la madera.*

Los baños de asiento con una decocción de nueces (frutos) de ciprés verde alivian los trastornos de la micción propios del síndrome protático, de la cistitis o de la incontinencia urinaria. Su efecto se refuerza si a la vez se ingiere por vía oral la decocción o la esencia durante varios días.
Por su acción tonificante sobre la circulación venosa, estos baños también resultan convenientes en caso de hemorroides.

PROPIEDADES E INDICACIONES: En la madera del ciprés, en sus ramas tiernas, y especialmente en sus frutos, se encuentra de un 0,2% a un 1,2% de esencia de ciprés, compuesta de varios hidrocarburos, así como tanino y diversas sustancias aromáticas. Este árbol tiene las siguientes propiedades:

• **Tónico venoso** ***potente:*** Su acción es tan intensa como la de la hamamelis (pág. 257), una de las plantas más activas sobre el sistema circulatorio que se conocen. El uso del ciprés está indicado para combatir las **varices,** las **úlceras varicosas** y las **hemorroides,** tanto en uso interno **[❶,❷]** como en aplicación local externa **[❸, ❺]**.

• **Vasoconstrictor** (contrae los vasos sanguíneos): Resulta especialmente recomendable durante la **menopausia,** para detener las frecuentes metrorragias (hemorragias uterinas) debidas a la congestión del útero (matriz), a consecuencia del desequilibrio hormonal propio de esa etapa de la vida femenina.

• **Tónico vesical:** Aumenta el tono de la vejiga de la orina, y permite un mejor control del sistema nervioso vegetativo sobre la musculatura de este órgano. En uso interno **[❶,❷]** o en baños de asiento **[❸]**, está indicado en casos de **incontinencia urinaria** diurna, o nocturna durante el sueño (enuresis), y en el **síndrome prostático** (dificultad en la micción debido a aumento del tamaño de la próstata).

• **Astringente,** debido a los taninos que posee **[❶]**. Se usa en caso de colitis o diarrea.

• **Sudorífico, diurético y febrífugo** (baja la fiebre). De gran utilidad en los catarros bronquiales, bronquitis, resfriados y gripes **[❶,❹]**. La **esencia** de ciprés posee además acción **balsámica, antitusígena y expectorante [❷].**

Hamamelis

Tonifica las venas y embellece la piel

LOS FRUTOS de este árbol son unas cápsulas leñosas de forma ovalada similares a las avellanas, que cuando están maduros estallan de forma ruidosa. Posiblemente por eso, los indios de Norteamérica creían que este árbol estaba embrujado.

En la actualidad, el hamamelis es ***una de las plantas más efectivas*** que se conocen para combatir las **afecciones circulatorias.**

PROPIEDADES E INDICACIONES: Las hojas y la corteza de este árbol contienen diversos tipos de taninos, entre los que destacan los hamamelitaninos, así como flavonoides y saponinas. Posee las siguientes propiedades:

- **Venotónico:** Contrae la pared de las venas, activando la circulación sanguínea en su interior. Por ello resulta muy útil en caso de **varices, flebitis, piernas pesadas y hemorroides** [❶,❷].
- **Hemostático** (detiene las hemorragias): Fortalece las paredes de las venas y capilares sanguíneos, efecto este similar al de la vitamina P (rutina). Se utiliza en los trastornos de la **menopausia** y en las **metrorragias** (hemorragias uterinas) [❶,❷].
- **Sobre la piel:** Activa la circulación de la piel, y tiene efecto cicatrizante y astringente. Se utiliza en dermatitis, eccemas, piel seca y arrugas [❹]. Forma parte de numerosos ***productos de belleza.***
- **Sedante ocular:** La infusión, o el agua destilada de hamamelis (preparación farmacéutica), se usan como colirio para lavar y relajar los ojos [❸]. Combaten la **conjuntivitis** producida por el polvo, el humo, la contaminación y la acción irritante del agua de mar o de las piscinas. También resultan útiles para aliviar el **cansancio** ocular provocado por una actividad que requiera mucha atención visual, como por ejemplo la conducción de automóviles, o el trabajo frente a una pantalla de ordenador (computadora).

Sinonimia hispánica: *avellano de bruja;* ***Cat.:*** *hamamelis;* ***Gal.:*** *hamamelis;* ***Fr.:*** *hamamélis [de Virginie];* ***Ing.:*** *witch hazel;* ***Al.:*** *Hamamelis.*

Hábitat: *Originario de la costa oeste de Estados Unidos y Canadá. Se cultiva en Europa como ornamental.*

Descripción: *Árbol de la familia de las Hamamelidáceas, que puede alcanzar hasta 5 m de altura. Sus hojas son alternas y ovaladas, y sus flores tienen 4 pétalos amarillos en forma de lengüeta.*

Partes utilizadas: *las hojas y la corteza.*

Preparación y empleo

USO INTERNO

❶ **Extracto seco:** La dosis normal es de 1-2 g repartidos en 3 tomas diarias.

❷ **Infusión:** 30-40 g de hojas y/o corteza por litro de agua. Tomar 2 tazas diarias.

USO EXTERNO

❸ **Lavados oculares:** Se emplea la misma **infusión** que para uso interno dejándola hervir unos minutos, y muy bien filtrada para que no quede ninguna mota, o bien el **agua destilada** de hamamelis.

❹ **Compresas** con la infusión: Se aplican sobre la zona de la piel afectada.

Meliloto

Previene la trombosis

EL MELILOTO es, junto con el aciano (pág. 131) y el llantén (pág. 325), una de las plantas conocidas desde antiguo como "rompegafas" o "quitagafas", por su acción beneficiosa sobre los ojos. Recientemente se ha descubierto que es un excelente tónico de la circulación venosa, y esta es la aplicación más importante del meliloto en la actualidad.

PROPIEDADES E INDICACIONES: Contiene un glucósido, el melilotósido, que con el secado se transforma en cumarina, además de flavonoides, vitamina C, mucílagos y colina. Estas sustancias le otorgan las siguientes propiedades:

- **Venotónico y protector capilar [❶]:** Muy útil en casos de varices, edemas (retención de líquidos), piernas cansadas y hemorroides. Por su acción anticoagulante, fluidificante de la sangre y activadora de la circulación, el meliloto está indicado en caso de flebitis (inflamación de las venas), así como para la prevención de la trombosis arterial y venosa. Todo ello se ve favorecido por su suave efecto diurético.
- **Antiespasmódico [❶]:** Útil en cólicos digestivos, y en espasmos gástricos o intestinales. Ayuda a vencer el **insomnio.**
- **Emoliente:** Se aplica ***externamente*** para lavados oculares en caso de conjuntivitis, con muy buenos resultados [❷].

Preparación y empleo

USO INTERNO

❶ **Infusión** con 50 g de planta por litro de agua, de la que se toman 3 o 4 tazas diarias.

USO EXTERNO

❷ **Lavados oculares:** Se usa una infusión, pero más concentrada que para uso interno, a razón de unos 200 g por litro de agua.

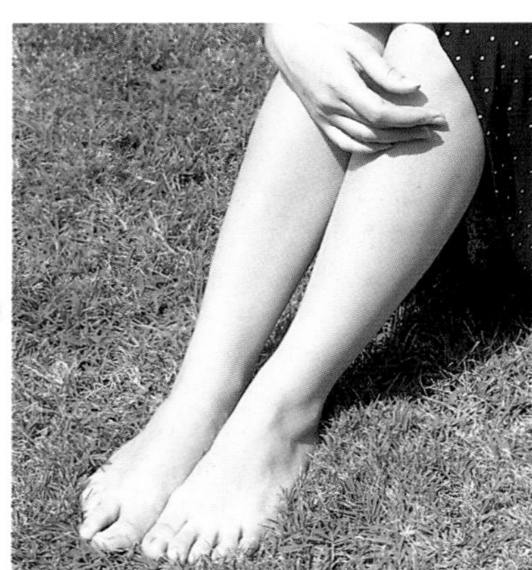

Las infusiones de meliloto alivian la pesadez de piernas y previenen la trombosis.

Sinonimia hispánica: *meliloto común, meliloto oficinal, meliloto amarillo, trébol oloroso, trébol de olor [amarillo], trébol real, loto doméstico, corona de rey, corona real, coronilla;* ***Cat.:*** *almegó, melilot, trèvol d'olor, trifoli olorós, enze;* ***Eusk.:*** *itsabalki [arrunt];* ***Gal.:*** *herba belleira, trevo de San Xoan;* ***Fr.:*** *mélilot;* ***Ing.:*** *[yellow] melilot, melilot trefoil, [yellow] sweet clover;* ***Al.:*** *Echter Steinklee.*

Hábitat: *Se encuentra en terrenos calizos y bordes de los caminos de toda Europa. Naturalizado en algunas zonas templadas del continente americano, como el sur de Estados Unidos y Argentina.*

Descripción: *Planta de la familia de las Leguminosas, de olor agradable, que alcanza de 60 a 120 cm de altura. Sus hojas se hallan divididas en tres foliolos, y sus flores son de color amarillo vivo.*

Partes utilizadas: *las sumidades floridas.*

Ruscus aculeatus L.

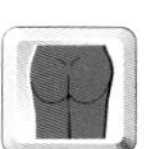

Rusco

Favorece la circulación venosa

LAS VERDADERAS hojas de esta planta, conocida ya por los antiguos griegos, son unas escamas apenas perceptibles que salen a lo largo del tallo. Lo que parecen hojas, son en realidad pseudohojas, conocidas botánicamente como filóclados. Sobre ellas crecen la flor y el fruto.

PROPIEDADES E INDICACIONES: La raíz y el rizoma del rusco contienen saponinas esteroídicas de acción vasoconstrictora y antiinflamatoria (ruscogeninas), así como rutina de acción protectora sobre los vasos capilares (efecto vitamina P). El rusco es posiblemente el ***remedio vegetal con mayor acción venotónica.*** Por eso entra en la composición de ***numerosos medicamentos*** antihemorroidales y antivaricosos.

Sus aplicaciones son las siguientes:

- **Afecciones venosas:** varices, flebitis, piernas pesadas, edemas (retención de líquidos), hemorroides [❶,❸]. Por efecto de sus principios activos, mejora la circulación en el sistema venoso y fortalece las paredes de los capilares, disminuyendo la exudación de líquidos hacia los tejidos. Su efecto diurético contribuye a potenciar su acción beneficiosa sobre la circulación venosa.
- **Gota, artritismo y litiasis renal,** por su acción depurativa [❶]. Favorece la eliminación del ácido úrico, y aumenta el sudor, lo que también contribuye a su efecto depurativo de la sangre.
- ***Externamente*** se aplica sobre la piel para reducir la **celulitis,** por su efecto tonificante sobre los tejidos [❷,❸].

Preparación y empleo

USO INTERNO

❶ **Decocción:** 40-60 g de raíz o rizoma por litro de agua durante 10 minutos. Tomar de 4 a 6 tazas por día.

USO EXTERNO

❷ **Loción:** Con la misma decocción de uso interno.

❸ **Compresas:** Se empapan en la decocción y se aplican sobre la zona afectada.

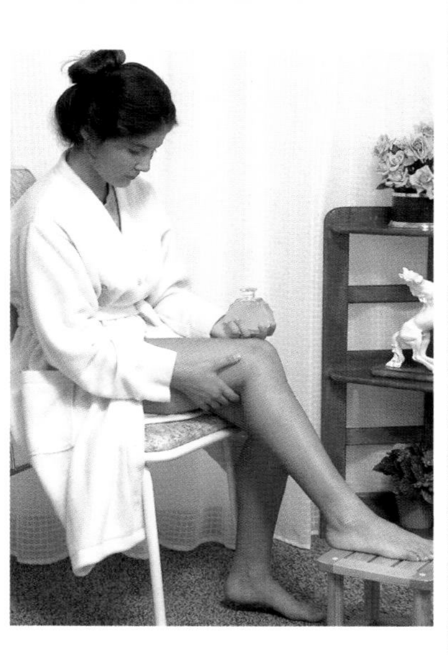

Las lociones con decocción de raíz de rusco ayudan a combatir la celulitis.

Sinonimia hispánica: *brusco, arrayán salvaje;* ***Cat.:*** *galzeran, galleran, galleret, boix marí, brusc, llorer bord, cirerer del bon pastor;* ***Eusk.:*** *erratz;* ***Gal.:*** *xilbarbeira, esvarda, baioba;* ***Fr.:*** *fragon, petit houx;* ***Ing.:*** *butcher's broom, kneeholly;* ***Al.:*** *Stechender Mäusedorn.*

Hábitat: *Terrenos calizos y bosques, especialmente de hayas y encinas, de Europa central y meridional.*

Descripción: *Subarbusto siempre verde de la familia de las Liliáceas, con tallo erguido de medio a un metro de altura. El fruto es una baya roja.*

Partes utilizadas: *el rizoma y la raíz.*

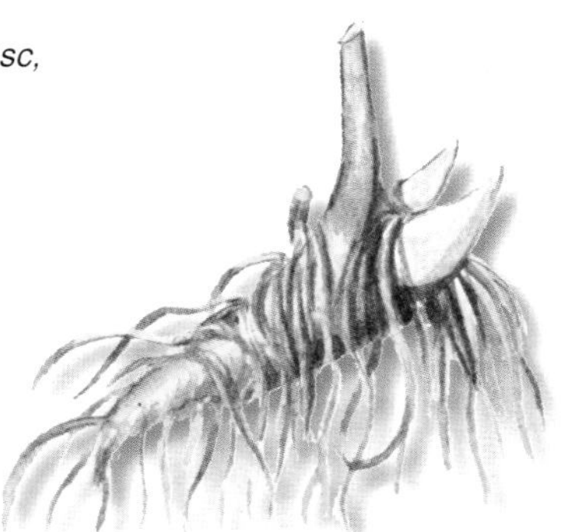

Arándano

Excelente remedio para diabéticos y varicosos

Sinonimia hispánica: *arándano común, mirtillo, uva de bosque, gardincha, manzanilleta;* ***Cat.:*** *nadiu, mirtil, raïm de pastor;* ***Eusk.:*** *ahabi;* ***Gal.:*** *arando, arandeira, uva do monte;* ***Fr.:*** *myrtille, airelle noire;* ***Ing.:*** *bilberry, whortleberry, [European] blueberry;* ***Al.:*** *Heidelbeerstrauch.*

Hábitat: *Terrenos montañosos y silíceos de toda Europa. En España, solo se encuentra en las montañas de la mitad norte. En el continente americano, puede encontrarse en zonas montañosas y frías de los dos hemisferios.*

Descripción: *Pequeño arbusto caducifolio de la familia de las Ericáceas, que alcanza de 25 a 50 cm de altura. Las hojas son ovaladas y finamente dentadas. El fruto es una baya primero roja, que se vuelve azul oscuro cuando madura.*

Partes utilizadas: *las hojas y los frutos.*

ENTRE las muchas delicias que esperan al montañero, está la de encontrarse con esta planta y disfrutar de sus sabrosas bayas, dulces y algo ácidas. Por sus propiedades alimenticias y medicinales, los arándanos son un auténtico regalo de la naturaleza. ¿No los ha probado todavía, apreciado lector? Su grato sabor perdura durante un tiempo, lo mismo que el color morado que dejan en los dientes y en la lengua de quien los ha comido.

Los arándanos entran en la composición de varios ***preparados farmacéuticos,*** pues sus excelentes propiedades medicinales no han podido ser todavía superadas por los productos de síntesis química.

PROPIEDADES E INDICACIONES: Los ***FRUTOS*** del arándano contienen diversos ácidos orgánicos (málico, cítrico, etc.) de acción tonificante sobre el aparato digestivo, azúcares, taninos, pectina, mirtilina (glucósido colorante), antocianinas, y las vitaminas A, C, y, en menor cantidad, la B. Además de sus propiedades alimenticias y refrescantes, son **astringentes, antidiarreicos, antisépticos y vermífugos.** Se hallan indicados en los siguientes casos:

• **Alteraciones circulatorias** del sistema venoso, como piernas pesadas, varices, flebitis, úlceras varicosas y hemorroides **{❶,❷,❸}**. Las antocianinas que contiene el arándano actúan protegiendo y reforzando la pared de los vasos capilares y venosos. De esta forma impiden la salida de proteínas y de

Preparación y empleo

USO INTERNO

❶ **Jugo fresco:** Se obtiene machacando los frutos maduros y filtrándolos después. Tomar 5-10 cucharadas en cada comida.

❷ **Decocción** de 50-70 g de frutos por litro de agua. Hervir durante 15 minutos y filtrar. Tomar todo el resultante de la decocción repartido a lo largo del día.

❸ **Cura de arándanos:** De medio a un kilo diario, ya sean frescos o cocidos en puré. Se toman como único alimento durante un período de 3 a 5 días. Los niños y los adultos que sientan debilidad durante la cura, pueden tomar hasta 3 o 4 vasos de leche diariamente.

❹ **Infusión de hojas:** 30-40 g por litro de agua. Para la diabetes, tomar 3 o 4 tazas diarias, sin endulzar. En caso de diarrea, se toma una taza después de cada deposición, hasta que se normalicen las deposiciones.

USO EXTERNO

❺ **Loción**: Puede aplicarse con el jugo fresco o con la decocción de los frutos.

Los arándanos, o los extractos que con ellos se elaboran constituyen un eficaz remedio para tratar las varices, la pérdida de visión por degeneración de la retina y las parasitosis intestinales.

Además, el jugo de arándano o sus extractos, resultan útiles en las infecciones urinarias bajas (cistitis y uretritis). Se ha comprobado que tomándolos de forma regular durante un periodo de uno a tres meses, se evitan las molestas cistitis de repetición en las mujeres propensas a ello.

líquido a los tejidos, con lo que se reduce el edema y la congestión. Los arándanos también actúan sobre el **corazón,** aumentando la resistencia del músculo cardíaco (miocardio).

• **Degeneración de la retina y pérdida de visión.** Las antocianinas del arándano actúan también sobre los capilares de la retina, mejorando la irrigación de las células sensibles a la luz. Resultan pues muy útiles para recuperar la agudeza visual nocturna y para mejorar la adaptación a la oscuridad [❶,❷,❸]. Su uso resulta especialmente indicado en la retinopatía diabética, en la miopía, y en la degeneración de la retina debida a hipertensión o a arteriosclerosis, o a otras causas, como es el caso de la retinosis pigmentaria.

• **Diarreas** en general, y especialmente las infecciosas debidas a disbacteriosis (alteración de la flora intestinal) [❶,❷,❸,❹]. Por su efecto antiséptico es capaz de frenar la **flatulencia** debida a fermentaciones y putrefacciones intestinales. Desinflama y normaliza el funcionamiento del intestino, especialmente del colon.

Se ha podido comprobar experimentalmente que, tanto las hojas como las bayas del arándano, frenan el excesivo desarrollo de los colibacilos *(Escherichia coli)* causantes de la disbacteriosis intestinal y muchas infecciones urinarias.

• **Parasitosis intestinal,** especialmente la causada por oxiuros, pequeños gusanos que con frecuencia parasitan el intestino infantil. En este caso se recomienda hacer una cura de arándanos frescos o cocinados en forma de puré, durante tres días consecutivos [❸]. Sólo se permite tomar leche, además de los arándanos. Según el doctor Schneider, el éxito de este tratamiento se ha podido comprobar en el Hospital Infantil de la Universidad de Helsinki (Finlandia).

• **Infecciones urinarias:** El jugo de arándano fresco o sus extractos, ejercen una acción antiséptica sobre los órganos urinarios, como la vejiga o la uretra [❶]. En caso de cistitis de repetición, frecuente en algunas mujeres, se recomienda que tomen arándanos durante uno a tres meses de forma continuada para evitar nuevas recaídas.

• **Afecciones de la piel,** como el eccema, la foliculitis y las úlceras varicosas [❺]. En estos casos se aplica ***localmente*** el jugo de los arándanos en forma de loción, o bien fresco, o concentrado mediante decocción.

Las ***HOJAS*** del arándano merecen una mención especial. Contienen tanino, glucósidos flavonoides, y glucoquinina, sustancia esta que rebaja el contenido de glucosa (azúcar) en la sangre. Así que tienen los mismos efectos astringentes y antidiarreicos que los frutos, pero además son hipoglucemiantes. De ahí su utilidad para los **diabéticos,** pues les permiten rebajar su dosis de medicación oral o de insulina [❹].

Arándano rojo

El arándano rojo o punteado (*Vaccinium vitis-idaea* L.)* es de hoja perenne, y da unas bayas rojas. Tanto en su aspecto como en sus propiedades es muy similar a la gayuba (pág. 564). Sus ***hojas*** se usan como **diurético, antiséptico y antiinflamatorio** urinario en caso de **cistitis y pielonefritis,** en ***infusión*** de 30 g de hojas por litro de agua (2-3 tazas diarias).

Las ***hojas*** también son **hipoglucemiantes,** como las del arándano; en cambio, los ***frutos*** son **astringentes**.

* ***Cat.:*** *mirtil vermell, gerdera vermella;* ***Eusk.:*** *ahabi gorria.*

PLANTAS PARA LA SANGRE

Determinadas plantas medicinales, al igual que ciertos alimentos de origen vegetal, son altamente eficaces en la prevención y el tratamiento de la anemia.

SUMARIO DEL CAPÍTULO

ENFERMEDADES Y APLICACIONES

PLANTAS

Plantas hemostáticas

Son plantas que detienen las hemorragias, tanto en los órganos internos como en la piel.
Su acción se potencia si se combina su ***uso interno*** *(tisanas por vía oral) con las* ***aplicaciones externas*** *sobre el punto sangrante, siempre que este se halle accesible.*

Planta	Pág.
Bistorta	198
Hidrastis	207
Vincapervinca	244
Muérdago	246
Avellano	253
Hamamelis	257
Erígeron	268
Centinodia	272
Pimienta acuática	274
Llantén	325
Tormentilla	519
Pimpinela menor	533
Pimpinela mayor	534
Zarza	541
Vid	544
Bolsa de pastor	628
Alfilerillo de pastor	631
Ortiga blanca	633
Milenrama	691
Cola de caballo	704

Enfermedad	Planta	Pág.	Acción	Uso
ANEMIA Disminución de la cantidad de sangre, especialmente de los hematíes (glóbulos rojos). El tratamiento fitoterápico consiste en el uso de plantas antianémicas, ricas en hierro (el elemento fundamental de los hematíes), pero también con abundante presencia de otros minerales, vitaminas (especialmente la C) y enzimas, que activan el metabolismo en su conjunto. Hay plantas, como el ginseng, que aumentan la producción de glóbulos rojos.	ALFALFA	269	Rica en oligoelementos, vitaminas, enzimas y aminoácidos esenciales	Cruda (brotes tiernos), jugo fresco, infusión, extractos
	ESPIRULINA	276	Aporta hierro, aminoácidos esenciales y vitamina B_{12}	Cápsulas, preparados farmacéuticos
	ORTIGA MAYOR	278	Contiene hierro y clorofila, estimula la producción de glóbulos rojos	Jugo fresco, infusión
	CEBOLLA	294	Aporta hierro, oligoelementos y enzimas, que estimulan la producción de sangre	Cruda, en jugo, hervida o asada
	ROMAZA	532	Contiene abundante hierro, antianémica, depurativa	Hojas como verdura, en infusión o en jugo fresco
	VID	544	Aporta hierro, otros minerales y vitaminas, limpia la sangre	Frutos (uvas), cura de uvas
	FRESAL	575	Tonificante, remineralizante, abre el apetito	Cura de fresas
	GINSENG	608	Tonificante, estimula la producción de sangre en la médula ósea	Preparados farmacéuticos
	ZURRÓN	702	Rico en hierro y vitamina C	Hojas como verdura
	AGUACATE	719	Aporta abundante hierro, minerales, vitaminas y ácidos grasos insaturados	La pulpa de los frutos
HEMATOMA Acúmulo de sangre en los tejidos, fuera de los vasos sanguíneos. Nos referimos aquí a los hematomas localizados debajo de la piel, causados por contusiones o heridas. Estas plantas, aplicadas localmente, facilitan su reabsorción y disminuyen la inflamación local. Son de utilidad también todas las plantas ***vulnerarias*** (ver cap. 26).	ÁRNICA	662	Vulneraria y antiinflamatoria	Tintura en aplicación local
	NUEZA NEGRA	679	Vulneraria, reabsorbe los hematomas	Cataplasmas con la raíz triturada y hervida
	SELLO DE SALOMÓN	723	Suaviza y embellece el cutis, reabsorbe los hematomas	Compresas con la decocción del rizoma, cataplasmas con el rizoma machacado
	SANÍCULA	725	Antiinflamatoria, cicatrizante, favorece la reabsorción de los hematomas	Compresas con la decocción, cataplasmas de hojas frescas machacadas

En cierto sentido, todas las plantas medicinales ingeridas actúan sobre la sangre, puesto que finalmente sus principios activos son transportados por el fluido vital tras haber sido absorbidos en el intestino.

Sin embargo, algunas plantas actúan directamente sobre la composición de la sangre y sobre su capacidad para coagularse.

Diversas plantas son capaces de aumentar la producción de hematíes (glóbulos rojos) y combatir así la anemia. El **hierro** de los vegetales es tan útil como el de procedencia animal para formar sangre. La absorción del hierro vegetal es algo más dificultosa que la del animal, pero en cambio tiene la ventaja de estar normalmente acompañado de abundantes minerales y

Plantas fluidificantes de la sangre

*Su uso está indicado como **preventivas de la trombosis** en caso de hipertensión, arteriosclerosis y siempre que existan factores de riesgo o predisposición a esa alteración sanguínea.*

Planta	Pág.
Tilo	169
Ajo	230
Meliloto	258
Cebolla	294
Aspérula olorosa	351
Fumaria	391
Milenrama	691
Pensamiento	735

El aguacate (pág. 719) es un fruto muy nutritivo y rico en hierro.

Enfermedad	Planta	Pág.	Acción	Uso
HEMORRAGIA Salida de sangre fuera de los vasos sanguíneos. Estas plantas tienen acción ***hemostática*** (ver también pág. 262) y ***vasoconstrictora*** (ver también pág. 229). Su acción se potencia si se combina el uso interno (ingeridas por vía oral), con las aplicaciones externas. Cualquier **hemorragia** anormal debe ser motivo de ***consulta médica.*** *Centinodia*	**AVELLANO**	253	Vasoconstrictor y hemostático	Decocción de hojas y corteza, compresas con esta decocción
	CENTINODIA	272	Favorece la coagulación de la sangre, aumenta la resistencia de los vasos sanguíneos	Decocción, polvo
	PIMIENTA ACUÁTICA	274	Detiene las hemorragias, cicatrizante	Jugo fresco, como loción o impregnando compresas
	ORTIGA MAYOR	278	Contrae los vasos sanguíneos, detiene las hemorragias, útil en hemorragias nasales y uterinas	Jugo fresco, infusión, taponamientos nasales con la infusión
	VELLOSILLA	504	Astringente	Infusión, taponamientos nasales con la infusión
	CINCOENRAMA	520	Astringente y hemostática	Decocción de rizoma y raíz
	BOLSA DE PASTOR	628	Contrae las pequeñas arterias sangrantes	Infusión, taponamientos nasales con la infusión
	RUDA	637	Aumenta la resistencia de los capilares sanguíneos	Infusión, esencia
	COLA DE CABALLO	704	Hemostática, regenera el tejido conjuntivo	Decocción, jugo fresco, aplicaciones locales
TROMBOSIS Es la formación de un coágulo dentro de un vaso (arteria o vena), que permanece en el mismo lugar en el que se ha formado. Cuando el coágulo se desplaza del lugar en el que se formó, discurriendo por el interior de la arteria o vena en la que se encuentra, se produce una **embolia.** La trombosis arterial asienta, en la mayor parte de los casos, sobre una lesión arteriosclerosa de la pared de las arterias. La fitoterapia aporta plantas que ***mejoran el riego*** sanguíneo y ***fluidifican*** la sangre (ver también pág. 263), ejerciendo una interesante acción preventiva sobre este trastorno. También son de utilidad preventiva las plantas que hacen descender el **colesterol** sanguíneo (ver pág. 229).	**TILO**	169	Vasodilatador, hipotensor, disminuye la viscosidad de la sangre	Infusión de flores, decocción de corteza, extractos
	AJO	230	Antiagregante plaquetario, fibrinolítico	Crudo, extractos, decocción de dientes de ajo
	ONAGRA	237	Previene los accidentes vasculares cerebrales, disminuye la agregación plaquetaria	Cápsulas o comprimidos del aceite de las semillas
	MUÉRDAGO	246	Hipotensor, vasodilatador, mejora el riego sanguíneo	Infusión o maceración de hojas
	MELILOTO	258	Fluidifica la sangre, activa la circulación	Infusión
	LIMONERO	265	Refuerza la estabilidad de los vasos capilares, mejora la circulación, limpia la sangre	Jugo del fruto, esencia
	SÉSAMO	611	Previene la arteriosclerosis, hace descender el colesterol	Semillas en diversas preparaciones

vitaminas. La vitamina C facilita la absorción del hierro contenido en los vegetales.

Las plantas **hemostáticas** actúan favoreciendo los mecanismos de **coagulación** de la sangre, por medio de la vitaminas K que contienen, y también, **coagulando** los pequeños vasos capilares por su acción astringente.

Más aplicaciones terapéuticas tienen las plantas que **fluidifican la sangre** y evitan que esta se coagule dentro de los vasos sanguíneos, proceso que se conoce como **trombosis.** Estas plantas hacen que la sangre sea más fluida, y ejercen una importante acción preventiva de la trombosis arterial, especialmente de las arterias cerebrales, coronarias (origen del infarto de miocardio) y femorales (causantes de la falta de riego en las piernas). Actúan por uno o varios de los siguientes mecanismos:

- disminuyendo la tendencia excesiva de las plaquetas de la sangre a agruparse formando coágulos: acción **antiagregante plaquetaria,**
- deshaciendo la fibrina, proteína del plasma sanguíneo que forma los coágulos: acción **fibrinolítica,**
- frenando los procesos de coagulación de la sangre: acción **anticoagulante.**

Citrus limon (L.) Burm.

Limonero

Compendio de grandes virtudes medicinales

LIMÓN: Sinónimo de salud. A poco que pensemos en él, nuestras glándulas salivares aumentan su producción: la boca se nos hace agua.

James Cook, el famoso navegante del siglo XVIII que descubrió Nueva Zelanda y las islas Hawai, hacía que todos sus marineros llevaran consigo unos cuantos limones en su equipaje. Por aquel entonces no se conocían las vitaminas; pero su agudo instinto de marino le había hecho intuir que en el limón podía residir el secreto que evitara el escorbuto de su tripulación.

Y efectivamente, el capitán Cook acertó. Sus marineros resistían la dureza de los largos viajes transoceánicos, con mayor fortaleza que cualesquiera otros, que caían víctimas del escorbuto. En gran parte, fue gracias al simple limón que aquel lobo de mar logró dominar los océanos, y llevar a cabo insólitas exploraciones. Así que la Armada británica debe sus éxitos, en buena medida, al limón.

En 1928, el químico húngaro Albert Szent-Györgyi logró aislar el ácido ascórbico, sustancia a la cual los cítricos deben sus efectos antiescorbúticos, y que se denominó vitamina C. Por este descubrimiento se le concedió el Premio Nobel en 1937.

En las últimas décadas se han descubierto otras muchas virtudes y propiedades medicinales del limón, además de la antiescorbútica. Citaremos, sin embargo, solo aquellas que tienen un fundamento científico, y que han podido ser comprobadas experimentalmente.

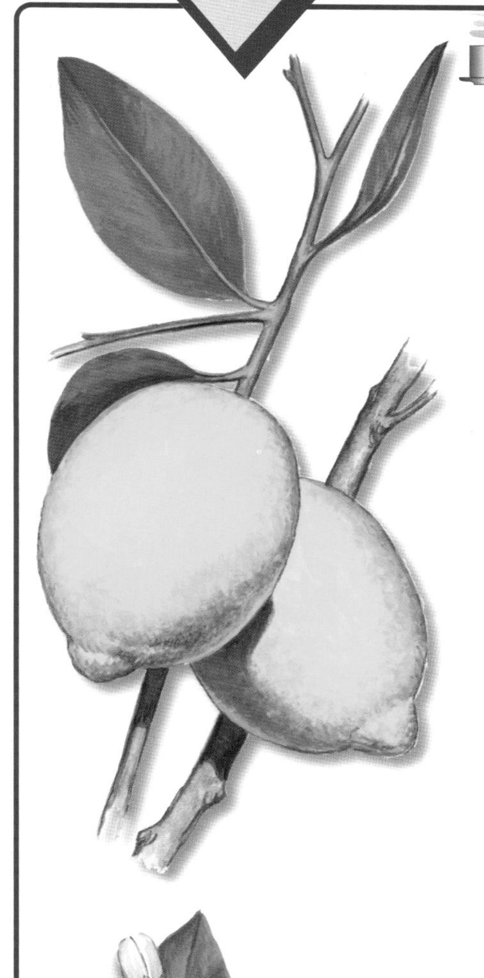

Preparación y empleo

USO INTERNO

❶ **Infusión de hojas:** 30 g por litro de agua. Se toman 3 o 4 tazas diarias, endulzadas con miel.

❷ **Infusión de corteza:** Se machaca la corteza de un limón por cada vaso de agua, y se hace infundir durante unos minutos. Tomar 3 tazas diarias, endulzadas con miel.

❸ **Esencia:** La dosis oscila de 3 a 10 gotas, 3 veces al día.

❹ **Jugo (zumo) de limón:** Conviene tomarlo diluido con agua, endulzado con miel, y con una pajita, de modo que tenga el mínimo contacto posible con la dentadura (ataca el esmalte dentario). Para la mayor parte de las aplicaciones, es suficiente con tomar hasta 3 limones al día.

USO EXTERNO

❺ **Gárgaras y toques:** Contra las afecciones de la garganta, se hacen gárgaras con jugo (zumo) de limón puro caliente y con miel. También se puede aplicar impregnando con él una torunda de algodón, y aplicar unos toques sobre las amígdalas o la zona irritada.

❻ **Antisepsia y belleza:** Como desinfectante para las heridas, y como cosmético, se aplica diluido en un poco de agua.

Sinonimia científica: *Citrus limonum* Risso, *Citrus medica* var. *limon* L.

Sinonimia hispánica: *limón [agrio], limón real, limón verdadero;* ***Cat.:*** *llimoner, llimonera, tarongina, citronella (fruto: llimó, llimona, llima);* ***Eusk.:*** *limonondo (fruto: limoi, zitroin), ;* ***Gal.:*** *limoeiro;* ***Fr.:*** *citronnier;* ***Ing.:*** *lemon tree;* ***Al.:*** *Zitronenbaum.*

Hábitat: *Originario de Asia central, sur de la China y regiones próximas al Himalaya, donde todavía se encuentra silvestre. Actualmente su cultivo se halla extendido por las regiones templadas de todo el mundo.*

Descripción: *Árbol de mediana estatura de la familia de las Rutáceas. Las hojas son perennes y tienen una espina en su base. La corteza de sus frutos está formada por dos capas: una externa en la que se hallan las glándulas secretoras de la esencia, fina y de color amarillo, llamada flavedo; y otra más interna, blanca y más gruesa, conocida como albedo.*

Partes utilizadas: *las hojas, y los frutos, incluida su corteza.*

Cura de limones

*Una cura de limones debe realizarse bajo **control facultativo,** pues se trata de un verdadero tratamiento médico. La cura de limones está formalmente **contraindicada** a quienes padecen insuficiencia renal, a los anémicos, a los que sufren descalcificación ósea, a los niños y a los ancianos. Se realiza siguiendo esta pauta: El primer día se toma el jugo de un limón diluido en agua, media hora antes de desayunar. Cada día que pasa (o cada dos días, según otros), se toma un limón más, hasta llegar a 7 o 9 diarios. A partir de entonces, se va reduciendo la dosis con el mismo ritmo, hasta tomar un solo limón. Descansar una semana y repetir si se precisa. Da muy buenos resultados en la **gota, artritismo y cálculos renales.***

PROPIEDADES E INDICACIONES: Las ***HOJAS*** del limonero son ricas en una esencia aromática compuesta por d-limoneno, l-linanol y otros hidrocarburos terpénicos en menor proporción. Son **sedantes y antiespasmódicas.** Su uso se recomienda a las personas que padecen de nerviosismo, insomnio, palpitaciones, jaquecas o asma [1]. Por ser además **sudoríficas,** convienen a los enfermos febriles. Poseen también efecto **vermífugo** (expulsan los gusanos parásitos del intestino).

La ***CORTEZA*** del fruto contiene un 0,5% de aceite esencial, cuyo principal componente es el d-limoneno, además de cumarinas y flavonoides. Tiene propiedades **tonificantes** sobre el aparato digestivo, y se recomienda a los que padecen de inapetencia, digestiones pesadas y mal funcionamiento del estómago [2]. Al igual que las hojas es **sudorífica y vermífuga,** y se emplea con éxito para hacer bajar la fiebre.

El ***JUGO (ZUMO)*** del limón contiene vitaminas B_1, B_2 y C (50 mg por cada 100 g), sales minerales (especialmente de potasio), oligoelementos, azúcares, mucílagos, ácidos orgánicos (cítrico, málico, acético y fórmico) y flavonoides (hesperidina). Se le atribuyen muchos efectos, pero citaremos solo los demostrados científicamente:

- **Antiescorbútico:** Es la propiedad más importante de limón, debido a su contenido en vitamina C [4]. Aunque hay vegetales que presentan mucha mayor concentración de vitamina C que el limón, como el escaramujo (500-800 mg por 100 g) y el grosellero (hasta 400 mg), el efecto antiescorbútico del limón es muy marcado, debido a su equilibrada composición en sales minerales y ácidos orgánicos.

El **escorbuto** es la enfermedad que se produce como consecuencia de la carencia de vitamina C (ácido ascórbico). Esta vitamina solo se encuentra en los alimentos vegetales frescos. Aunque hoy las deficiencias graves de vitamina C son muy raras, no es inusual encontrarse con casos leves entre quienes siguen una dieta desequilibrada o pobre en verduras y frutas frescas.

- **Tonificante:** Por su contenido en vitaminas, sales minerales y ácidos, el limón estimula la actividad de los órganos digestivos, y tiene un efecto revitalizante sobre todo el organismo [3,4]. Conviene a los que sufren de **dispepsia** (digestión difícil) y, por paradójico que parezca, a quienes padecen **acidez** de estómago. A pesar de su sabor ácido, el limón se comporta químicamente como un anfótero, y es capaz de neutralizar tanto el exceso de álcalis como el de ácido.

En caso de **indigestión o empacho,** constituye un remedio popular el administrar el jugo de un limón disuelto en medio vaso de agua, con una cucharadita de postre de bicarbonato sódico.

- **Alcalinizante y depurativo:** El limón provoca una alcalinización de todo el organismo, lo cual resulta muy conveniente a los que llevan una alimentación rica en carnes o proteínas, que produce un exceso de residuos ácidos, como el ácido úrico. Al virar el pH (grado de acidez o alcalinidad) hacia la alcalinidad en la sangre y en la orina, se facilita la disolución y la eliminación de los sedimentos úricos de los riñones y de las articulaciones. El jugo (zumo) del limón resulta altamente recomendable para quienes padecen de cálculos renales, gota o artritismo, así como para todos aquellos que deseen depurar su sangre y mejorar su salud [4].

- **Disolvente de cálculos renales:** Los citratos (sales de ácido cítrico) contenidos en el jugo de limón, especialmente el citrato potásico, impiden la formación de cálculos renales y facilitan su disolución. Esto ha sido comprobado en experimentos científicos,

Jugo de limón integral

Remedio contra la fiebre

Se toma un par de limones de buena calidad, y una vez lavados y limpios, sin pelarlos, se cortan en trozos pequeños. Se introducen en una trituradora o batidora, junto con un poco de agua. Una vez bien triturados, se añaden cuatro cucharadas de miel, y agua hasta completar dos litros. Este líquido se cuela o filtra, y se bebe a discreción durante todo el día.

*Con este jugo (zumo) de limón integral, que incluye tanto la pulpa como la corteza, se obtiene un **notable efecto febrífugo,** especialmente en caso de **gripe** o de **resfriado**.*

tanto con cálculos de urato como de oxalato (los tipos más frecuentes).

Esta propiedad de los citratos, combinada con la acción alcalinizante descrita, hace del jugo (zumo) de limón una auténtica medicina para los enfermos del riñón [❹].

• **Protector capilar y venotónico:** Por su contenido en hesperidina, diosmina y otros flavonoides, de acción similar a la vitamina P, el limón refuerza la estabilidad de los vasos capilares y mejora la circulación venosa. Resulta útil en los casos de hinchazón de las piernas, edemas, varices, hemorroides, trombosis, embolias. Resulta muy aconsejable para los hipertensos [❸,❹].

• **Antiséptico:** Aplicado directamente el jugo de limón sobre las amígdalas o el interior de la nariz, mediante una torunda de algodón empapada en su jugo, hace desaparecer los bacilos diftéricos de los portadores de esta enfermedad [❺]. Este hecho ha sido comprobado personalmente por el doctor Ernst Schneider, y coincide con otras experiencias que muestran el poder bactericida del limón. Citemos como ejemplo la epidemia de cólera que se desató en Venezuela en el año 1855, y que fue dominada gracias a un masivo consumo de limones por parte de la población.

Aplicado ***localmente,*** el jugo de limón resulta muy útil contra las **amigdalitis** (anginas) y **faringitis** [❺]. Igualmente beneficioso resulta como antiséptico para todo tipo de heridas y úlceras cutáneas [❻].

• **Cosmético:** El jugo de limón suaviza e hidrata la piel, fortalece las uñas débiles, y da brillo al cabello, además de disminuir la caspa [❻].

Quizá sea bueno que recordemos aquí que los ***REFRESCOS*** llamados "limonadas" o "de lima", no solo carecen de propiedades medicinales, sino que resultan **perjudiciales** para la salud, debido a su contenido en gas carbónico, colorantes y aromatizantes artificiales, aparte del azúcar u otros edulcorantes. La mejor forma de aprovechar las múltiples virtudes medicinales de los jugos de limón, lima u otros cítricos, es consumirlos recién exprimidos de la fruta.

Otros cítricos

Todo lo dicho del limón se aplica igualmente, aunque con menor intensidad, a otros cítricos similares pertenecientes igualmente a la familia botánica de las Rutáceas, como por ejemplo:

• la **cidra** (*Citrus medica* L.), también llamada: poncil, toronja, azamboera, azamboga, cedro limón, limón cidra*;

• la **lima** (*Citrus aurantifolia* [Christ.-Panz.] Sw. = *Limonia aurantifolia* [Christ.-Panz.]), denominada asimismo: limón de Ceuta, sutil, nance, o lima con diversos calificativos (agria, boba, ceutí, dulce, real, sutil)**;

• el **pomelo** (*Citrus maxima* [Burm.] Merr. = Citrus decumanus L.)***, con su característico sabor amargo y ácido.

* ***Cat.:*** *poncemer (fruto: poncem), poncirer (fruto: poncir), cidroner, cedrater;* ***Eusk.:*** *zidrondo (fruto: zidra);* ***Gal.:*** *citron.*

*****Gal.:*** *limeiro, lima.*

******Cat.:*** *aranger gran, pomelo;* ***Eusk.:*** *arabi sagar;* ***Gal.:*** *pomeleira, toronxeira.*

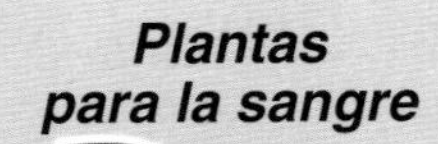

Erígeron

Hemostático y antidiarreico

LOS INDIOS de Norteamérica vienen usando esta planta desde tiempo inmemorial para el tratamiento de las hemorragias uterinas y de las menstruaciones demasiado abundantes. En Europa, su esencia fue utilizada durante la Primera Guerra Mundial como hemostático, para detener hemorragias.

Es una planta muy apreciada en los Estados Unidos y Canadá, que cada vez se va conociendo y utilizando más en Europa.

PROPIEDADES E INDICACIONES: Toda la planta contiene tanino, resinas, flavonoides, ácido gálico y colina, además de un aceite esencial *(oil of fleabane)* compuesto por limoneno, dipenteno, y terpineol. El erígeron tiene las siguientes propiedades:

- **Hemostático:** Se utiliza sobre todo para detener las menstruaciones demasiado abundantes o prolongadas **[❶,❷]**. También es efectivo en algunos casos de hematuria (sangre en la orina). Conviene recordar que cualquier ***pérdida anormal de sangre*** debe ser objeto de ***consulta médica.***
- **Antidiarreico:** Detiene las diarreas simples, pero también es eficaz en las disenterías (diarrea acompañada de moco y sangre) y en la fiebre tifoidea **[❶,❸]**.
- **Diurético y antirreumático:** Facilita la eliminación de ácido úrico con la orina. Está pues indicado en caso de gota, hiperuricemia (exceso de ácido úrico) y de litiasis renal (cálculos o piedras en el riñón) **[❶,❷]**.

Preparación y empleo

USO INTERNO

❶ **Infusión o decocción** con una cucharada sopera de hojas secas, por taza de agua. Se administran 2 o 3 tazas al día.

❷ **Extracto seco:** La dosis habitual es de 1-2 g al día, repartidos en 2 o 3 tomas.

USO EXTERNO

❸ **Enemas** con la misma infusión o decocción que se toma bebida.

Sinonimia hispánica: *erígeron canadiense, olivarda del Canadá;* ***Cat.:*** *erígeron canadenc, cànem bord, cua de vaca;* ***Gal.:*** *erixerón do Canadá;* ***Fr.:*** *vergerette du Canada;* ***Ing.:*** *horseweed, Canadian fleabane;* ***Al.:*** *Kanadisches Berufkraut.*

Hábitat: *Originario de Norteamérica. En el siglo XVII fue traído a Europa, donde se extendió rápidamente. Planta conocida también en Sudamérica. Se encuentra en los terrenos yermos, bordes de los caminos y terraplenes.*

Descripción: *Planta herbácea de la familia de las Compuestas, que alcanza hasta un metro de altura. Sus abundantes hojas son alargadas y estrechas, y las flores de color blanco crema.*

Partes utilizadas: *las hojas.*

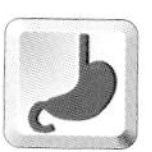

Alfalfa

Nutritiva y hemostática

¡QUÉ SUERTE tienen los caballos que les dan alfalfa para comer!

Desde tiempos inmemoriales, los animales domésticos han disfrutado de las ventajas de esta nutritiva planta, mientras que sus racionales dueños la desprecian por considerarla poco refinada para figurar en sus mesas.

Gracias a la moderna química analítica, hoy se conocen las excelentes propiedades de esta humilde planta. Y, afortunadamente, cada vez son más los que sacan provecho de ellas.

PROPIEDADES E INDICACIONES: Los ***BROTES TIERNOS*** (germinados) de la alfalfa son muy ricos en calcio (525 mg por 100 g, el triple que la leche), fósforo, provitamina A en forma de betacaroteno, vitaminas C, B y K, enzimas, aminoácidos esenciales, y otros nutrientes, además de fibra vegetal.

Por eso la ***ALFALFA*** posee propiedades remineralizantes, tonificantes, de protección contra las infecciones y hemostáticas [❶,❷,❸,❹]. Se halla especialmente indicada en caso de:

- **anemia** por deficiencias vitamínicas o minerales;
- **raquitismo y desnutrición;**
- **úlcera gastroduodenal;**
- **dispepsia y fermentaciones intestinales**, por su riqueza en enzimas;
- **estreñimiento**, por su contenido en fibra vegetal;
- **hemorragias nasales, gástricas** y **uterinas.** Recordemos que cualquier ***sangrado anormal*** debe ser objeto de ***consulta médica***.

Preparación y empleo

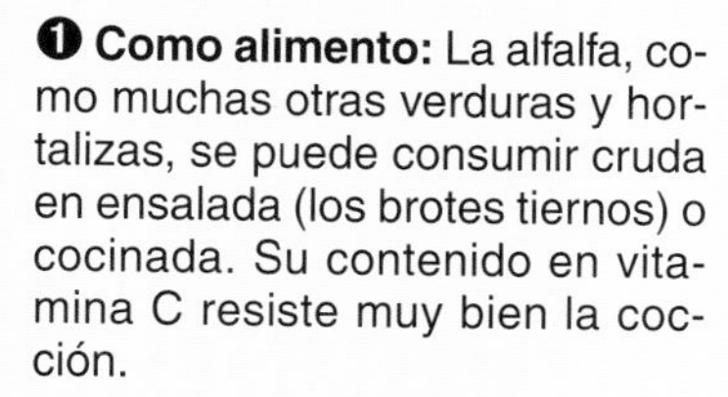

USO INTERNO

❶ **Como alimento:** La alfalfa, como muchas otras verduras y hortalizas, se puede consumir cruda en ensalada (los brotes tiernos) o cocinada. Su contenido en vitamina C resiste muy bien la cocción.

❷ **Jugo fresco:** Un vaso, tomado por la mañana, constituye un excelente tónico.

❸ **Infusión:** 30 g por litro de agua. Se consumen de 3 a 5 tazas al día.

❹ **Extracto seco:** 0,5-1 g al día.

Sinonimia hispánica: *alfalfa de Colombia, cadillo de hierba, alcacer, trébol de carretilla, mielga (la silvestre);* ***Cat.:*** *alfals, melga, userda, melgó, mèliga;* ***Eusk.:*** *alpapa, luzerna, frantzesbelar;* ***Gal.:*** *alforfa, alforta, trevo caracol;* ***Fr.:*** *luzerne;* ***Ing.:*** *lucern, lucerne, alfalfa;* ***Al.:*** *Luzerne.*

Hábitat: *Originaria del Oriente Medio, en la actualidad se cultiva en las regiones templadas de todo el mundo.*

Descripción: *Planta forrajera de la familia de las Leguminosas, que alcanza de 30 a 80 cm de altura. Sus flores son de color azulado. El fruto es una pequeña legumbre arrollada en forma de caracol.*

Partes utilizadas: *toda la planta.*

Germinados

Las ***semillas*** *de alfalfa pueden hacerse germinar en casa, y se consumen los tallitos recién brotados (brotes o germinados). Los germinados son especialmente ricos en vitaminas y minerales.*

Berro

Estimulante, depurativo y balsámico

QUÉ SALUDABLES –y baratas– esas ensaladas preparadas en el campo a base de verduras silvestres! El berro combina perfectamente con el diente de león, la acedera y la ortiga. Para un día de campo, resulta mucho más apropiado un plato así, que la sopa de sobre calentada con el hornillo portátil, la lata de sardinas, o los *sandwiches* de embutido.

Pero, ¡cuidado!, para poder disfrutar de la naturaleza se requieren unos conocimientos que los habitantes del asfalto tenemos que adquirir. Por eso dice el viejo refrán castellano: "Tú que coges el berro, guárdate del anapelo." El anapelo o acónito (pág. 148), también crece junto a aguas claras, y es una de las plantas más venenosas que se conocen. Afortunadamente, no resulta muy difícil distinguirlo del berro.

El refrán, sin embargo, debería decir: "Guárdate de la berraza", porque

Precauciones

*Las **embarazadas** deben **abstenerse** de consumir berros, por su posible efecto abortivo.*

*No conviene ingerir berros en **grandes cantidades,** ya que pueden resultar **irritantes** para el estómago. Las plantas que ya tienen flores o frutos se desechan, pues resultan muy fuertes.*

***Sinonimia hispánica:** berro blanco, berro de la fuente, berro francés, ococora, balsamita mayor, mastuerzo acuático, mastuerzo de agua;*
***Cat.:** creixen, créixens, morritort d'aigua;*
***Eusk.:** iturbelar, ur-berro, ur-krexu;*
***Gal.:** mastranzo, brizo, berro;*
***Fr.:** cresson de fontaine, cresson d'eau;*
***Ing.:** [green] watercress; **Al.:** Echte Brunnenkresse.*

***Hábitat:** Se cría cerca de manantiales y arroyos de aguas claras y frescas. No gusta de las charcas y embalses. Se halla extendido por toda Europa y América, donde se conocen hasta cinco variedades distintas.*

***Descripción:** Es una planta rastrera de la familia de las Crucíferas, con hojas de color verde intenso, y flores blancas, pequeñas. Su sabor recuerda al de la mostaza, aunque un poco menos picante.*

***Parte utilizada:** las hojas y los tallos finos.*

Preparación y empleo

USO INTERNO

❶ **Crudos:** Si se intentan conservar pueden volverse tóxicos. Para uso culinario, cuanto más **tiernos y frescos** sean los berros, tanto mejor. Hay que lavarlos cuidadosamente antes de consumirlos, o mantenerlos en remojo durante media hora en agua con sal, pues pueden albergar pequeñas larvas que los contaminan.

❷ **Jugo:** Se toma medio vaso, endulzado con miel, en cada comida.

USO EXTERNO

❸ **Cataplasmas:** Se preparan con 100 g de berros frescos machacados en un mortero, a ser posible de madera. Se aplican sobre las zonas afectadas, envueltas en una gasa.

❹ **Lociones:** Aplicar el jugo directamente sobre la piel.

Los berros tienen un notable efecto depurativo de la sangre, y además son tonificantes y aperitivos. Hay que asegurarse de que el agua donde se crían no esté contaminada.

esta ***planta tóxica*** (aunque no tanto como el acónito), sí que se suele confundir con el berro. La **berraza** (*Heloscyadium nodiflorum*) es más alta que el berro, y tiene sus hojas mayores y de un verde más claro. Además, la berraza tiene sus flores en umbela (ramillete), y no presenta un sabor tan agradable como el berro.

PROPIEDADES E INDICACIONES: El berro contiene gluconasturtósido (un glucósido sulfurado), yodo y hierro, así como un principio amargo y vitaminas A, C y E. Sus propiedades son:

• **Depurativo de la sangre y diurético:** Muy indicado en casos de gota, artritismo, obesidad y de alimentación rica en carnes y grasas **[❶,❷]**.

• **Tonificante:** El berro posee un suave efecto estimulante sobre todas las funciones del organismo **[❶,❷]**. Abre el apetito y activa el metabolismo, pues aporta cantidades importantes de vitaminas A, C y E, además de minerales como el hierro y el yodo. Esto lo hace muy útil para ayudar a superar la **astenia** (debilidad) por **deficiencia vitamínica o mineral.**

• **Expectorante:** Por su contenido en aceites esenciales sulfurados, favorece la expectoración y descongestiona el aparato respiratorio **[❶,❷]**. Los bronquíticos y enfisematosos se pueden beneficiar de sus propiedades.

• **Cicatrizante:** Las cataplasmas de berros aplicadas sobre las heridas tórpidas o llagas, facilitan la formación de nueva piel **[❸]**. También **regeneran la piel** en caso de eccemas, acné y dermatosis **[❸,❹]**. Aplicadas sobre el cuero cabelludo, impiden la **caída del cabello [❹].**

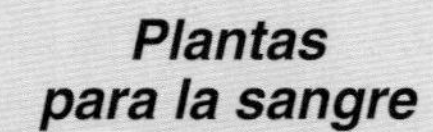

Centinodia

Corta las hemorragias y cura las diarreas

DIOSCÓRIDES, el gran médico y botánico griego del primer siglo de nuestra era, ya recomendaba el uso de la centinodia «para los que arrancan sangre viva del pecho y para las que padecen de excesivo menstruo». Debido a su efecto hemostático (capaz de detener las hemorragias), los romanos ya la calificaron de "sanguinaria", como se la sigue conociendo en diversos lugares.

En el siglo XIX, cuando la tuberculosis causaba estragos entre los habitantes de las insalubres aglomeraciones urbanas, la centinodia fue objeto de un lucrativo negocio: Se recomendaba y vendía para combatir la tuberculosis, puesto que, por su efecto hemostático, detenía las hemorragias bronquiales y pulmonares de los "tísicos". ¡Triste ejemplo de los errores a los que puede llevar la fitoterapia mal empleada! Se pensó que combatiendo el síntoma (la hemorragia bronquial), se curaría la enfermedad (la tuberculosis pulmonar o tisis).

Hoy conocemos la composición química y las verdaderas propiedades de la centinodia y de otras muchas plantas. Pero si los tratamientos con plantas medicinales, o con fármacos, no se aplican correctamente, se puede seguir cayendo en el error de confundir el síntoma con la enfermedad.

Sinonimia hispánica: *lengua de pájaro, hierba nudosa, sanguinaria mayor;* ***Cat.:*** *centinòdia, passacamins, tiraveques, herba de cent nusos, cent nyucs, llengua d'ocell, llengua de moixó, llengua de pardalet, escanyavelles, corriola;* ***Eusk.:*** *odolur;* ***Gal.:*** *centinodia, cen ríos, saincho;* ***Fr.:*** *renouée des oiseaux;* ***Ing.:*** *knotweed;* ***Al.:*** *Vogelknöterich.*

Hábitat: *Común en los bordes de los caminos, en los barbechos y terrenos secos. Repartida por todo el mundo.*

Descripción: *Planta rastrera de la familia de las Poligonáceas, que se extiende desde la orilla de los caminos hasta atravesarlos (passacamins, en catalán). Su tallo es fino, y tiene muchas rodillas o nudos (como ponen de manifiesto algunos de sus nombres vulgares) de los que nacen hojas alargadas y pequeñas flores de color rosa, púrpura o blanco.*

Partes utilizadas: *toda la planta.*

Preparación y empleo

USO INTERNO

❶ **Decocción:** 30-50 g de planta florida (es cuando más efecto tiene) por litro de agua. Dejar hervir durante 10 minutos y colar; endulzar a gusto. Se toman 4 o 5 tazas diarias; aunque puede superarse esta dosis sin ningún peligro, ya que esta planta carece de efectos tóxicos.

❷ **Polvo:** Tomar de 2 a 5 g, 3 veces al día.

La acción hemostática de la centinodia contribuye a reducir las reglas muy abundantes, siempre que no sean debidas a alguna causa patológica.

Igualmente, la decocción de centinodia resulta útil en caso de hemorragias digestivas o respiratorias, previo examen médico.

PROPIEDADES E INDICACIONES: La centinodia contiene taninos, flavonoides, silicio, mucílagos y un aceite esencial. Su acción hemostática, que favorece la coagulación de la sangre, se debe sobre todo a su gran contenido en taninos, que tienen la propiedad de coagular las proteínas. Por otro lado, los flavonoides aumentan la resistencia de las células que forman las paredes de los vasos sanguíneos (en especial de los más finos, los capilares), con lo cual se impide que la sangre siga saliendo de su interior.

El máximo efecto combinado de ambas sustancias se consigue sobre el conducto digestivo. Por todo ello, la centinodia resulta apropiada de modo especial en las inflamaciones acompañadas de hemorragia que se producen en los intestinos y en el estómago [❶,❷]:

• **Gastroenteritis y disentería** (diarreas con sangre)**:** Su efecto en estos casos es muy notable, pues, además de curar la diarrea, corta la hemorragia.

• **Gastritis hemorrágicas y úlceras gastroduodenales sangrantes:** En estos casos, debido a la gravedad que la hemorragia pueden llegar a alcanzar, ***únicamente un médico cualificado*** puede prescribir el uso de esta planta.

La centinodia también resulta útil en otros tipos de hemorragias:

• **Hemoptisis leve** (hemorragia broncopulmonar que se manifiesta por la aparición de sangre junto con el esputo). Téngase muy presente que la centinodia, aunque ayuda a detener la hemorragia, ***no cura*** la enfermedad que la causa (tuberculosis, cáncer, etc.).

• **Menstruación** excesiva (regla muy abundante). Antes de tomar la decocción de centinodia, hay que someterse a un ***examen ginecológico***.

Por su contenido en aceite esencial, junto con otros principios activos, la centinodia posee además un suave efecto **diurético** (aumenta la producción de orina).

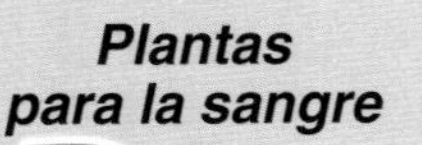

Pimienta acuática

Detiene las hemorragias y es cicatrizante

LAS HOJAS secas y trituradas de esta planta se utilizan como sucedáneo de la pimienta, sobre todo en las épocas en que esta especia escasea. Dioscórides ya la recomendaba como revulsiva, aplicada externamente.

PROPIEDADES E INDICACIONES: Toda la planta contiene un aceite esencial rico en terpenos, flavonoides (rutina) y tanino. Su propiedad más importante es la hemostática (detiene las hemorragias), atribuida a su contenido en rutina. Por ***vía interna,*** se ha empleado con éxito para cortar **hemorragias** de las vías respiratorias (hemoptisis) y urinarias (hematuria), así como para detener las reglas demasiado abundante **[❶,❷]**. Tiene también efecto **diurético.**

Externamente se puede aplicar sin riesgos para curar heridas sangrantes o infectadas **[❸]**. Además de detener la hemorragia, es un excelente **cicatrizante.**

Precauciones

No sobrepasar las dosis *en* ***uso interno,*** *ya que resulta irritante sobre el aparato digestivo.*

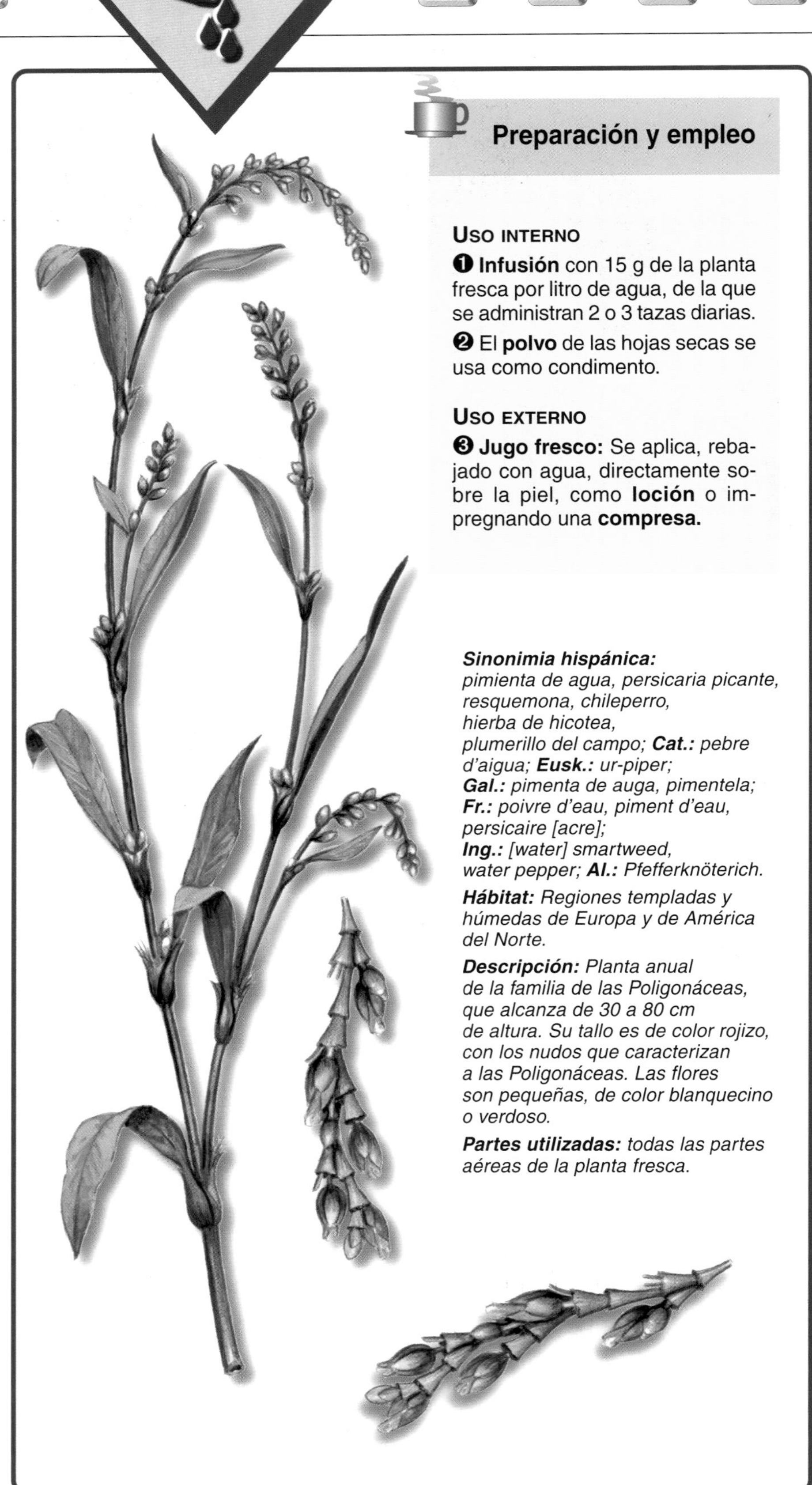

Preparación y empleo

USO INTERNO

❶ **Infusión** con 15 g de la planta fresca por litro de agua, de la que se administran 2 o 3 tazas diarias.

❷ El **polvo** de las hojas secas se usa como condimento.

USO EXTERNO

❸ **Jugo fresco:** Se aplica, rebajado con agua, directamente sobre la piel, como **loción** o impregnando una **compresa.**

Sinonimia hispánica: *pimienta de agua, persicaria picante, resquemona, chileperro, hierba de hicotea, plumerillo del campo;* ***Cat.:*** *pebre d'aigua;* ***Eusk.:*** *ur-piper;* ***Gal.:*** *pimenta de auga, pimentela;* ***Fr.:*** *poivre d'eau, piment d'eau, persicaire [acre];* ***Ing.:*** *[water] smartweed, water pepper;* ***Al.:*** *Pfefferknöterich.*

Hábitat: *Regiones templadas y húmedas de Europa y de América del Norte.*

Descripción: *Planta anual de la familia de las Poligonáceas, que alcanza de 30 a 80 cm de altura. Su tallo es de color rojizo, con los nudos que caracterizan a las Poligonáceas. Las flores son pequeñas, de color blanquecino o verdoso.*

Partes utilizadas: *todas las partes aéreas de la planta fresca.*

Acedera

Rica en vitamina C y depurativa

LAS HOJAS de acedera alegran las ensaladas silvestres con su agradable sabor ácido. En cambio, los navegantes de otros tiempos, la buscaban y apreciaban por su propiedad antiescorbútica. En efecto, hoy sabemos que contiene de 20-25 mg de vitamina C por cada 100 g (el limón contiene 50 mg).

PROPIEDADES E INDICACIONES: Toda la planta contiene un 1,3% de oxalato potásico, así como ácido oxálico, glucósidos antraquinónicos en pequeña cantidad, vitamina C y sales de hierro. Estas son sus propiedades:

- **Aperitiva, refrescante, tonificante y antiescorbútica,** por su contenido en ácidos orgánicos y vitamina C. Facilita la digestión. Conviene a los debilitados por enfermedades infecciosas y a los anémicos {❶,❷}.
- **Emoliente y cicatrizante** en ***aplicación externa:*** alivia el acné y las erupciones cutáneas {❹}. Su jugo fresco limpia las **úlceras** de la piel y las **heridas** infectadas {❸}.

Precauciones

No sobrepasar las dosis *indicadas. Si se consume hervida, se aconseja* ***desechar el caldo,*** *por la gran cantidad de ácido oxálico que contiene.*

Conviene ***evitar su uso*** *en caso de gota, artritismo o litiasis renal (cálculos en el riñón), a causa de su elevado contenido en* ***ácido oxálico.***

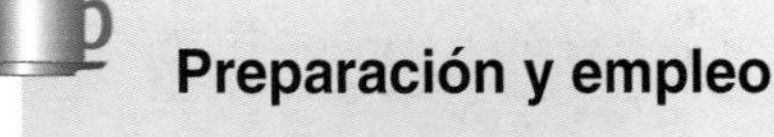

Preparación y empleo

USO INTERNO

❶ **Infusión** con 30 g de hojas por litro de agua, a razón de 2-3 tazas diarias.

❷ **Jugo fresco:** un vaso por día.

USO EXTERNO

❸ **Loción** de jugo fresco sobre la zona de piel afectada.

❹ **Cataplasmas** de hojas hervidas.

Aleluya

La aleluya (*Oxalis acetosella* L.), también llamada acederilla*, es una planta vivaz y rastrera similar en su composición a la acedera.

Las hojas contienen bioxalato de potasio, ácido oxálico, vitamina C y mucílagos. Son depurativas, diuréticas, febrífugas y refrescantes. Su aplicación más importante es como tisana refrescante en caso de **enfermedades febriles,** o como **depurativo** para realizar una cura primaveral.

Se emplea como ***verdura*** fresca, en ensaladas o sopas, y en ***infusión*** (un puñado de hojas por litro de agua). Su uso requiere **las mismas precauciones** que el de la acedera.

* ***Cat.:*** *pa de cucut, agrella borda;* ***Eusk.:*** *basoetako mingots;* ***Gal.:*** *acediña, trevo acedo, aleluia.*

Sinonimia hispánica: *agrilla, vinagrera;* ***Cat.:*** *agrella, sora;* ***Eusk.:*** *mingarratz handi;* ***Gal.:*** *vinagreira, acedeira;* ***Fr.:*** *oseille des prés, grande oseille;* ***Ing.:*** *[common] sorrel;* ***Al.:*** *Sauerampfer.*

Hábitat: *Común en los prados montañosos de toda Europa y del continente americano.*

Descripción: *Planta vivaz de la familia de las Poligonáceas, que alcanza de 20 a 70 cm de altura. Sus hojas son grandes y en forma de punta de flecha. Las flores, verdes o rojizas, se agrupan en espigas.*

Partes utilizadas: *las hojas y la raíz.*

Espirulina

Diminuta alga de grandes virtudes nutritivas y medicinales

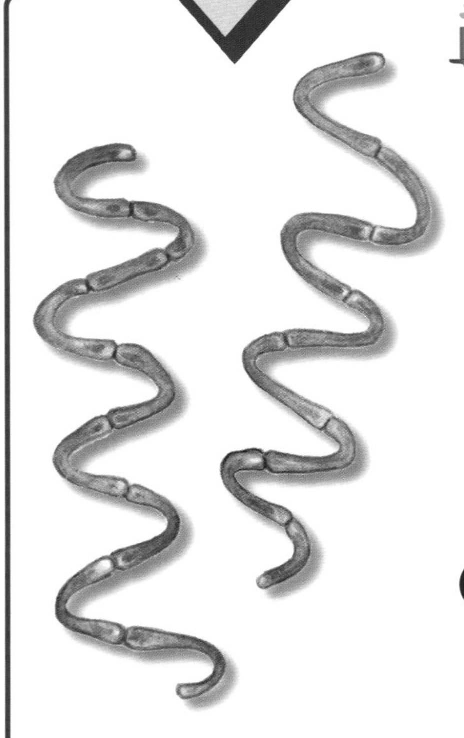

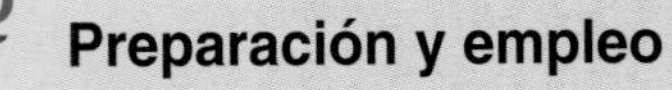

Preparación y empleo

USO INTERNO

❶ **Cápsulas** de 400 mg a 1 g de polvo de espirulina: Es la forma habitual de presentación. Se toman de 3 a 12 cápsulas diarias repartidas en 3 tomas. En las **dietas de adelgazamiento** se recomienda ingerirlas media hora antes de las comidas.

Obtención

Del filtrado del agua de los lagos en los que se cría esta alga, por pulverización y desecación a una temperatura de 70°C se obtiene la forma habitual de consumo, con la que se elaboran las cápsulas u otros preparados.

Los aztecas y los pueblos próximos a los lagos productores, la obtenían tradicionalmente por secado solar.

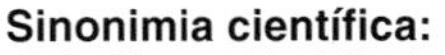

Sinonimia científica:
Spirulina geitleri G. de Toni.
Especie afín:
Spirulina platensis (Nord.) Geitler.
Sinonimia hispánica: *alga espirulina;* ***Cat.:*** *espirulina;* ***Eusk.:*** *espioulia;* ***Gal.:*** *espirulina, lismos;* ***Fr.:*** *spiruline;* ***Ing.:*** *spirulin;* ***Al.:*** *Spirulina.*

Hábitat: *Crece espontáneamente en lagos de aguas alcalinas de México, Japón, Tailandia y Chad (África). Se cultiva en Estados Unidos.*

Descripción: *Alga unicelular microscópica de la familia de las Cianofíceas (algas azules), con forma de espiral. Mide 0,1-0,3 mm.*

Partes utilizadas: *el alga entera.*

LA VARIEDAD más común de espirulina, la *Spirulina maxima*, es originaria de los lagos salados del altiplano mexicano, como el Totalcingo y el Texcoco. En el agua de estos lagos se dan unas altas concentraciones de bicarbonato sódico y de otras sales potásicas y magnésicas, y también de minerales como el selenio, que evitan la contaminación del agua.

Recientemente se ha descubierto una extensa red de canalizaciones de agua alrededor de estos lagos mexicanos, dedicadas al cultivo de la espirulina, construidas por los aztecas hace más de 500 años. Este pueblo, siguiendo la sabiduría popular, ya hacía uso de la espirulina mucho antes de que pudiera ser identificada a través del microscopio y de que la química moderna descubriera su excepcional composición.

PROPIEDADES E INDICACIONES: La composición de este vegetal acuático, debido a su riqueza nutritiva, ha sido objeto de destacadas investigaciones en los últimos años. Además de clorofila, como todas las algas, la espirulina contiene:

✓ **Prótidos:** Es una de las fuentes naturales más ricas en proteínas (hasta un 70% de su peso; la soja: 35%, la carne: 20%). Las proteínas de la espirulina son completas y de gran valor

biológico, pues contienen los ocho **aminoácidos esenciales** (los que el organismo no puede sintetizar) en una proporción óptima, además de los restantes aminoácidos no esenciales.

✓ **Lípidos** (8% de su peso), en su mayor parte constituidos por ácidos grasos insaturados como el ácido linoleico, el linolénico, y, especialmente, el gamma-linolénico. La espirulina es uno de los vegetales más ricos en estas importantes sustancias de gran valor para el tratamiento de la **arteriosclerosis.**

✓ **Glúcidos** o hidratos de carbono (18%), entre los que destaca un raro azúcar natural: la ramnosa, que favorece el metabolismo de la glucosa y tiene un efecto favorable sobre la **diabetes.**

✓ **Vitaminas** A, del grupo B, E y H (biotina): Destaca su contenido en **vitamina B_{12},** superior incluso al del hígado de los mamíferos, lo que convierte a la espirulina en un alimento muy apreciado para los que siguen una dieta vegetariana estricta, es decir, exenta incluso de huevos y productos lácteos. Aunque en realidad, la vitamina B_{12} no se encuentra en el alga propiamente dicha, sino en un tipo de bacterias que habitualmente la acompañan.

✓ **Minerales y oligoelementos varios.** Es especialmente rica en **hierro:** 53 mg por 100 g de parte comestible (la carne contiene entre 2 y 3 mg por 100 g, y el hígado 11 mg.

La espirulina es un buen complemento nutritivo para las personas de la tercera edad, así como en caso de desnutrición, anemia o agotamiento, debido a su gran riqueza en proteínas, vitaminas y minerales.

Debido a su gran riqueza nutritiva, la espirulina tiene efectos muy favorables en numerosos estados y afecciones **[❶]**:

• **Dietas de adelgazamiento:** Debido a su relativamente escaso contenido calórico (360 calorías por 100 g) en relación a su gran aporte proteínico y vitamínico, la espirulina es un complemento óptimo para las dietas de adelgazamiento. Su empleo ayuda a mantener el equilibrio nutritivo en las dietas hipocalóricas, sin provocar debilidad o agotamiento debidas a carencias. Además, su riqueza en fenilalanina, aminoácido esencial presente en cantidades relativamente altas, contribuye, según algunos investigadores, a reducir la sensación de hambre.

• Enfermedades en las que se requiere una dieta estricta, como por ejemplo la **diabetes,** la **hepatitis,** o la **pancreatitis,** en las que existe el riesgo de que se produzcan carencias.

• **Anemia:** Por su gran contenido en hierro y en aminoácidos esenciales, favorece la síntesis de hemoglobina, constituyente esencial de los glóbulos rojos. Muy recomendable durante el **embarazo.**

• Estados de **desnutrición, convalecencia y agotamiento** físico: Actúa como un tonificante y revitalizante general del organismo.

• **Arteriosclerosis y sus complicaciones:** angina de pecho, infarto de miocardio e isquemia arterial (falta de riego sanguíneo), que afecta sobre todo a las piernas. La acción favorable de la espirulina se debe a su riqueza en ácidos grasos insaturados, como los ácidos linoleico y gamma-linolénico.

Ortiga mayor

Una planta que se defiende... y que nos defiende

ES UNA lástima que tanta gente huya de la ortiga, e incluso que la consideren una mala hierba. ¡Si supieran cuantas virtudes encierra esta aparentemente agresiva planta!

La ortiga es una de las grandes estrellas de la fitoterapia. Sus peculiares pelillos hacen que sea conocida hasta por quien no ve. De ahí uno de sus nombres: hierba de los ciegos.

Discórides ya la ponderaba en el siglo I d.C. Y su comentarista, Andrés de Laguna, médico español del siglo XVI, dice de las hojas de ortiga, entre otras muchas cosas, que «pueden excitar a la lujuria». ¿Cómo es posible que esas hojas urticantes sean capaces de excitar el apetito sexual?

Urticaciones

*Con un ramo de ortigas recién cortadas, se golpea suavemente la piel sobre la articulación afectada por el proceso **inflamatorio o reumático** (rodilla, hombro, etc.). Se produce un **efecto revulsivo,** que atrae la sangre hacia la piel, descongestionando a la vez los tejidos internos.*

Preparación y empleo

Para tranquilizar a los que temen a esta planta, hay que decir que a las 12 horas de haberla arrancado, desaparece su efecto urticante y adquiere una consistencia suave como de terciopelo.

USO INTERNO

❶ **Jugo fresco:** Es la forma como se aprovechan mejor sus propiedades medicinales, especialmente su efecto depurativo. Se obtiene prensando las hojas o pasándolas por una licuadora. Se toma de medio a un vaso por la mañana, y otro tanto a medio día.

❷ **Infusión** con 50 g por litro de agua, dejando infundir durante un cuarto de hora. Ingerir 3 o 4 tazas diarias.

USO EXTERNO

❸ **Loción:** El jugo se aplica sobre la zona de la piel afectada.

❹ **Compresas:** Se empapan con el jugo y se colocan sobre la zona afectada. Se cambian 3 o 4 veces al día

❺ **Taponamiento nasal:** Se empapa una gasa en el jugo de ortiga y se introduce en la fosa nasal.

Sinonimia hispánica: *ortiga [verde], ortiga dioica, hierba del ciego, achume, achun;* ***Cat.:*** *ortiga gran, ortiga grossa, ortiga major, picamoros, picacames;* ***Eusk.:*** *asun [handi];* ***Gal.:*** *ortega, herba do cego, estruga;* ***Fr.:*** *[grande] ortie, ortie dïoique;* ***Ing.:*** *[great stinging] nettle;* ***Al.:*** *Große Brennessel.*

Hábitat: *Repartida por todo el mundo, prefiere los lugares húmedos próximos a zonas habitadas.*

Descripción: *Planta vivaz de la familia de las Urticáceas, que alcanza de 0,5 a 1,5 m de altura. Tanto los tallos, de sección cuadrada, como las hojas, se hallan cubiertos de pelos urticantes. Sus flores, de color verde, son muy pequeñas.*

Partes utilizadas: *toda la planta, especialmente las hojas.*

Un buen alimento

La ortiga se consume cruda en ensalada, en tortilla de huevo, en sopas, o bien simplemente hervida como cualquier otra verdura. Sustituye perfectamente a las espinacas, a las que aventaja por su menor acidez.

*Las ortigas son una **buena fuente de proteínas:** frescas contienen de 6 a 8 g por cada 100 g, y secas, de 30 a 35 g (porcentaje similar al de la soja, una de las legumbres más ricas en proteínas).*

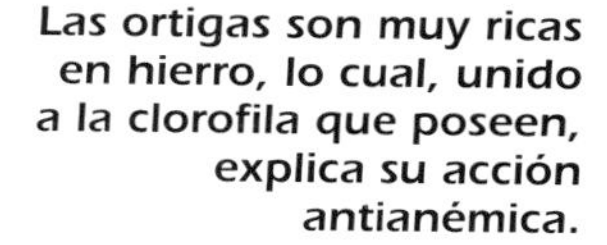

Las ortigas son muy ricas en hierro, lo cual, unido a la clorofila que poseen, explica su acción antianémica.

Cita Mességué que el poeta latino del siglo primero de nuestra era, Cayo Petronio, recomendaba a los hombres que querían aumentar su virilidad, que se azotaran «con un ramo de ortigas en el bajo vientre y en las nalgas». La urticación, es decir, el refregarse con ortigas frescas, ya era practicada por los antiguos griegos. Además de su efecto sobre la sexualidad, rinde excelentes beneficios a los reumáticos y artrósicos que tengan el valor de practicarla.

PROPIEDADES E INDICACIONES: Los pelillos de la ortiga contienen histamina (1%) y acetilcolina (0,2%-1%), sustancias que nuestro organismo también produce, y que intervienen activamente sobre los aparatos circulatorio y digestivo, como transmisores de los impulsos nerviosos del sistema vegetativo. Unos 10 mg de estas sustancias son suficientes para provocar una reacción cutánea.

Las hojas contienen abundante clorofila, el colorante verde del mundo vegetal, cuya composición química es muy similar a la de la hemoglobina que tiñe de rojo nuestra sangre. Son muy ricas en sales minerales, especialmente de hierro, fósforo, magnesio, calcio y silicio, que las hacen diuréticas y depurativas. Contienen también vitaminas A, C y K, ácido fórmico, tanino, y otras sustancias todavía no bien estudiadas, que en su conjunto hacen de la ortiga ***una de las plantas con más aplicaciones medicinales:***

- **Depurativa, diurética** y **alcalinizante:** Indicada en caso de afecciones reumáticas, artritismo, gota, cálculos renales, arenillas en la orina; y, en general, siempre que se precise una acción depurativa y diurética {❶,❷}. La ortiga tiene una notable capacidad para **alcalinizar** la sangre, facilitando la eliminación de los residuos ácidos del metabolismo relacionados con todas estas afecciones. El uso interno de la planta, se puede combinar con ***urticaciones*** (ver cuadro informativo, pág. 278) sobre la articulación afectada.

- **Antianémica:** Se usa en las anemias por falta de hierro o por pérdida sanguínea {❶,❷}. El hierro y la clorofila que abundan en la ortiga, son estimulantes de la producción de glóbulos rojos. La ortiga conviene también en los casos de **convalecencia, desnutrición y agotamiento,** por su efecto reconstituyente y tonificante.

- **Vasoconstrictora** (contrae los vasos sanguíneos) y **hemostática** (detiene las hemorragias): Indicada especialmente en las **hemorragias** nasales {❺} y uterinas {❶,❷}. Muy útil para las mujeres con menstruación abundante. Insistimos en que ***cualquier hemorragia anormal*** debe ser objeto de ***consulta médica.***

- **Digestiva:** Da buenos resultados en los trastornos digestivos debidos a atonía o insuficiencia de los órganos digestivos {❶,❷}. La ortiga contiene pequeñas cantidades de secretina, una hormona que producen determinadas células de nuestro intestino, la cual estimula la secreción de jugo pancreático y la motilidad del estómago y de la vesícula biliar. Esto explica que la ortiga facilite la digestión y mejore la asimilación de los alimentos.

- **Astringente:** Se ha usado con éxito para calmar las fortísimas diarreas del cólera {❷}. Es útil en todo tipo de diarreas, colitis o disentería.

- **Hipoglucemiante:** Las hojas de ortiga hacen bajar el nivel de azúcar de la sangre, lo que ha sido comprobado en numerosos pacientes {❶,❷}. Aunque no puede sustituir a la insulina, permite disminuir las dosis de medicación antidiabética.

- **Galactógena:** Aumenta la secreción de leche de las madres {❶,❷,❹}. Así que resulta recomendable durante la **lactancia.**

- **Emoliente:** Por su efecto suavizante, se recomienda en las **afecciones crónicas de la piel,** especialmente los eccemas, las erupciones y el acné {❸,❹}. También se usa contra la **caída del cabello** {❸}. Limpia, regenera y embellece la piel {❸,❹}. Se obtienen mejores resultados si se toma por vía oral {❷}, además de aplicarla localmente.

16 Plantas para el aparato respiratorio

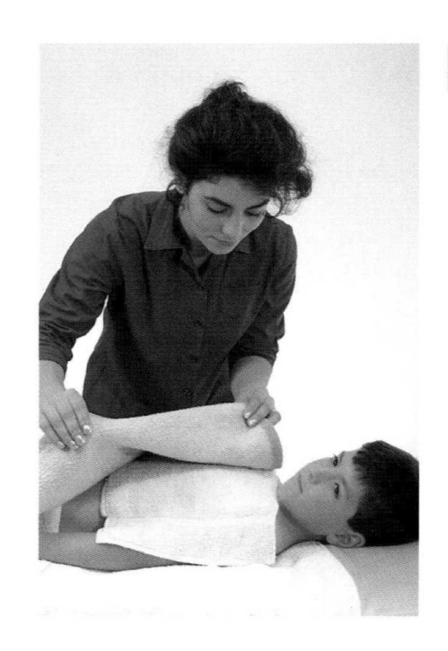

Sumario del Capítulo

EL APARATO respiratorio es posiblemente uno de los más sensibles a la acción de las plantas medicinales. Son muchas las formas de tratamiento fitoterápico que ejercen una acción beneficiosa sobre los órganos de la respiración. Por ejemplo:

- **Infusiones o decocciones calientes** (pág. 56) de plantas pectorales: actúan en primer lugar localmente, al pasar cerca de la laringe y de los tramos superiores de las vías respiratorias altas. Posteriormente, sus principios activos pasan al conducto digestivo, y de él a la sangre, alcanzando las células pulmonares y bronquiales.
- **Jarabes** (pág. 61)**:** Esta forma de preparación se utiliza tradicionalmente en caso de afecciones respiratorias. Los azúcares, en general, ejercen una acción balsámica sobre los bronquios, que es sobre todo notoria en el caso de la miel. Lo ideal, pues, es prepararlos con miel siempre que sea posible. Los jarabes resultan especialmente indicados para los niños, ya que su sabor dulce enmascara el posible mal gusto de las plantas en disolución.
- **Inhalación de esencias** (pág. 95)**:** La **aromatoterapia,** es decir, el empleo curativo de las esencias o aceites esenciales, constituye uno de los grandes redescubrimientos de la moderna fitoterapia. La simple inhalación de una esencia ya ejerce acciones medicinales sobre el aparato respiratorio: antisépticas, broncodilatadoras (dilatan los bronquios) y mucolíticas (fluidifican las mucosidades bronquiales). Respirar el aroma del eucalipto, o de una cebolla cruda partida en rodajas, calma la tos y despeja los bronquios.
- **Vahos** (pág. 70)**:** El vapor de agua es uno de los mucolíticos más efectivos que se conocen. La inhalación de vapor de agua, a la que se pueden añadir unas gotas de esencia para un mayor efecto, combina los efectos terapéuticos del agua con los de la planta acompañante.
- **Baños** (pág. 65), **cataplasmas** (pág. 67) y **fomentos** (pág. 70) con plantas medicinales: Son otras formas efectivas de empleo para el tratamiento de las afecciones del aparato respiratorio.

Todos los órganos respiratorios reciben grandes beneficios con el empleo de las plantas medicinales. Su acción no se limita a neutralizar los síntomas de la enfermedad, sino que ejercen una auténtica **acción limpiadora** del exceso de mucosidad depositada en el interior de los conductos respiratorios. Además, algunas plantas como la capuchina (pág. 772) o el tomillo (pág. 769), contienen también sustancias antibióticas, que impiden la proliferación bacteriana en la mucosidad retenida.

Cada día, pasan por los pulmones cerca de mil litros de aire, que, por lo común en las grandes ciudades, contiene humos, gérmenes y partículas contaminantes en suspensión. Los bronquios disponen de un eficaz **mecanismo de limpieza,** al estar recubierto su interior por una capa de moco, que atrapa y arrastra hacia el exterior las partículas contaminantes y gérmenes que entran con el aire. En condiciones normales, este mecanismo basta para mantener limpios los bronquios.

Sin embargo, por acción del tabaco, de otros humos o sustancias irritantes, de determinados gérmenes patógenos, o de unos malos hábitos respiratorios, el mecanismo de limpieza bronquial deja de funcionar correctamente, y se produce la **bronquitis.** Las plantas medicinales pueden actuar entonces, restableciendo el buen funcionamiento de la mucosa bronquial, pero con la condición obvia de que **desaparezca el factor causante.** De poco serviría aplicar los mejores tratamientos fitoterápicos –o de otro tipo–, mientras se continúa fumando o respirando aire contaminado.

La amapola posee propiedades pectorales y sedantes.

Enfermedad	Planta	Pág.	Acción	Uso
Bronquitis	Zanahoria	133	Fortalece las mucosas y aumenta las defensas: acción preventiva	Cruda o en jugo
	Tilo	169	Emoliente, antiespasmódico, sedante	Infusión de flores
	Hidrastis	207	Regenera las células de las membranas mucosas	Infusión de raíz
	Ajo	230	Antibiótico, expectorante	Crudo
	Girasol	236	Balsámico, expectorante	Infusión de flores y tallos tiernos
	Cebolla	294	Antibiótica, facilita la expulsión de la mucosidad, antiinflamatoria	Cruda, jugo fresco, jarabe
	Asclepias	298	Expectorante, sudorífica	Decocción de raíz
	Liquen de Islandia	300	Pectoral, expectorante, antibiótico	Decocción
	Eucalipto	304	Antiséptico, balsámico, regenera la mucosa bronquial	Infusión, esencia, baño de vapor
	Regaliz	308	Favorece la expectoración, calma la tos, desinflama las vías respiratorias	Infusión, maceración, extracto
	Hisopo	312	Mucolítico, expectorante, antiséptico	Infusión, esencia
	Helenio	313	Facilita la expectoración, calma la tos	Decocción, polvo o extracto de raíz
	Marrubio	316	Fluidifica y desinfecta las secreciones bronquiales	Infusión
	Llantén	325	Fluidifica las secreciones, desinflama la mucosa bronquial	Decocción de hojas y/o raíz
	Polígala	327	Mucolítica y expectorante	Decocción de hojas o raíz, polvo de raíz
	Tusílago	341	Fluidifica las secreciones, calma la tos, desinflama las mucosas respiratorias	Infusión de la planta seca
	Violeta	344	Descongestiona los bronquios, calma la tos, suaviza las mucosas respiratorias	Infusión de hojas y/o flores, jarabe
	Rábano	393	Mucolítico, expectorante, antibiótico	Crudo, jugo fresco
	Anís verde	465	Facilita la eliminación de las mucosidades bronquiales, ayuda a superar las secuelas del tabaco	Infusión de frutos
	Malva	511	Expectorante, antitusígena	Infusión o decocción de flores y/u hojas
	Enebro	577	Expectorante, antiséptico bronquial	Enebrinas maduras, infusión, esencia
	Mostaza negra	663	Revulsiva, descongestiona los órganos internos	Cataplasmas con la harina
	Achiote	700	Expectorante	Infusión de semillas
	Algodonero	710	Ablanda las secreciones, desinflama las vías respiratorias	Infusión de flores y hojas
	Drosera	754	Calma la tos y favorece la expectoración	Infusión, tintura
	Álamo negro	760	Desinflama la mucosa bronquial y facilita la expectoración	Decocción de brotes tiernos (yemas) y corteza
	Capuchina	772	Fluidifica la mucosidad, descongestiona los bronquios, calma la tos	Infusión o decocción de flores, hojas y frutos

Bronquitis

Es la inflamación de la mucosa que recubre el interior de los bronquios. Normalmente es de causa infecciosa, situación que se ve agravada por la inhalación de humos irritantes como el del tabaco. Cursa con fiebre, tos, dolor al toser, y, en ocasiones, dificultad al respirar. Cuando la enfermedad se repite con cierta frecuencia, se habla de **bronquitis crónica**.

El tratamiento fitoterápico consiste en la ingestión e inhalación mediante esencias o vahos, de plantas con acción ***balsámica*** (suavizantes de las mucosas respiratorias), ***mucolíticas*** (que deshacen la mucosidad y facilitan su eliminación), ***expectorantes y antibióticas.*** Ver más plantas con estas acciones en las tablas correspondientes. Estas plantas ejercen una interesante acción preventiva de nuevas crisis o recaídas.

La **traqueítis** es la inflamación de la tráquea, de la que parten los dos bronquios principales. El tratamiento fitoterápico es el mismo que el de la bronquitis, pues en realidad la traqueítis es una forma localizada de bronquitis.

Eucalipto

Tusílago

Enfermedad	Planta	Pág.	Acción	Uso
NEUMONÍA Es una inflamación del tejido pulmonar, normalmente de causa infecciosa. El tratamiento fitoterápico a base de infusiones o decocciones de acción ***pectoral y antibiótica,*** inhalación de esencias, vahos y cataplasmas de harina de mostaza, es un ***complemento*** del tratamiento antiinfeccioso específico.	**ALCANFORERO**	217	Estimula los centros nerviosos de la respiración, aumentando su frecuencia y profundidad	Polvo de alcanfor
	ABETO BLANCO	290	Balsámico, antiséptico, expectorante	Baños, fricciones, vahos e inhalaciones de esencia de trementina
	ASCLEPIAS	298	Expectorante, sudorífica, cardiotónica	Decocción de raíz seca
	LLANTÉN	325	Fluidifica las secreciones, desinflama la mucosa bronquial	Decocción de hojas y/o raíz
	POLÍGALA	327	Mucolítica y expectorante	Decocción de hojas o raíz, polvo de raíz
	TUSÍLAGO	341	Fluidifica las secreciones, calma la tos, desinflama las mucosas respiratorias	Infusión de la planta seca
	VIOLETA	344	Descongestiona los bronquios, calma la tos, suaviza las mucosas respiratorias	Infusión de hojas y/o flores, jarabe
	MOSTAZA NEGRA	663	Revulsiva, descongestiona los órganos internos	Cataplasmas con la harina
ASMA Es una enfermedad caracterizada por ataques de dificultad respiratoria acompañados de silbidos al respirar, tos y sensación de constricción debido a un espasmo de los bronquios. Suele ser de causa alérgica o infecciosa. El tratamiento fitoterápico se basa en plantas de acción ***antiespasmódica*** (para relajar el espasmo bronquial), ***broncodilatadoras y expectorantes,*** como estas (ver también las tablas específicas de cada una de estas acciones). Las plantas medicinales tienen sobre todo una ***acción preventiva*** de nuevos brotes o recaídas.	**TILO**	169	Emoliente, antiespasmódico, sedante	Infusión de flores
	VALERIANA	172	Antiespasmódica y sedante, previene el espasmo bronquial	Infusión, maceración, polvo de raíz
	ALCANFORERO	217	Estimula los centros nerviosos de la respiración, aumentando su frecuencia y profundidad	Polvo de alcanfor
	AJO	230	El disulfuro de alilo, responsable de su olor, es expectorante y antiasmático	Crudo
	LIMONERO	265	Sedante, antiespasmódico	Infusión de hojas
	CEBOLLA	294	Antibiótica, facilita la expulsión de la mucosidad, antiinflamatoria	Cruda, jugo fresco, jarabe
	EFEDRA	303	Relaja la musculatura bronquial	Preparados farmacéuticos
	GRINDELIA	310	Antiespasmódica y expectorante	Infusión, jarabe
	HELENIO	313	Facilita la expectoración, calma la tos, antiespasmódico, antialérgico	Decocción, polvo o extracto de raíz
	SOMBRERERA	320	Antiespasmódica, sedante, emoliente	Infusión de hojas y/o rizoma
	GORDOLOBO	343	Antiespasmódico, antitusígeno	Infusión de flores, extractos
	ASAFÉTIDA	359	Notable antiespasmódico y sedante	Lágrimas (granos de goma)
	VERÓNICA	475	Previene las crisis de asma, antitusígena	Infusión, jugo de la planta fresca
	MALVA	511	Expectorante, antitusígena	Infusión o decocción de flores y/o hojas
	BIZNAGA	561	Antiespasmódica, dilata los bronquios	Infusión

Abeto

Grindelia

Gordolobo

Enfermedad	Planta	Pág	Acción	Uso
ENFISEMA PULMONAR Es la dilatación exagerada y permanente de los alveolos pulmonares. Generalmente aparece como consecuencia de repetidos brotes de bronquitis. Las plantas medicinales son un elemento más en el tratamiento de esta afección, con acción sobre todo ***preventiva.*** Están indicadas también todas las plantas ***pectorales.***	BERRO	270	Sus esencias sulfuradas favorecen la expectoración y descongestionan el aparato respiratorio	Crudos o en jugo
	TUSÍLAGO	341	Calma la tos, dilata los bronquios, desinflama las mucoasas respiratorias	Infusión
HEMOPTISIS Es la emisión de sangre junto con la expectoración, procedente del aparato respiratorio. Debe ser siempre motivo de ***consulta especializada***, para descartar una tumoración o una tuberculosis pulmonar. Una vez diagnosticada la causa, se pueden administrar plantas ***hemostáticas*** como estas (ver más en pág. 262) para frenar las hemorragias.	VINCAPERVINCA	244	Astringente, hemostática, complemento del tratamiento antituberculoso	Decocción de hojas
	CENTINODIA	272	Aumenta la resistencia de las células de los vasos sanguíneos	Decocción, polvo
	PIMIENTA ACUÁTICA	274	Hemostática por su contenido en rutina	Infusión, polvo de hojas
	CINCOENRAMA	520	Astringente, hemostática	Decocción de rizoma y raíz

Los bosques en general, y los de coníferas en particular, son lugares ideales para realizar ejercicio físico, pues el aire está allí repleto de las esencias balsámicas que exhalan los árboles. El abeto (pág. 290) y el pino (pág. 323), dos de las especies de coníferas más frecuentes, producen una esencia muy medicinal: la trementina.

Enfermedad	Planta	Pág.	Acción	Uso
Tos La tos en muchos casos es un mecanismo defensivo del organismo para expulsar mucosidades o cuerpos extraños situados en el interior de la tráquea o los bronquios. En estos casos la tos es **productiva**, y consigue arrancar mucosidades. En otros casos la tos es **seca y no productiva,** y está causada por un foco irritativo de origen infeccioso o más raramente tumoral. Estas plantas medicinales ***antitusígenas*** consiguen calmar la tos por varios mecanismos: relajando el espasmo de la musculatura bronquial (acción ***antiespasmódica***), ablandando las mucosidades, lo cual facilita su expulsión (acción ***mucolítica***), y produciendo ***sedación*** nerviosa. Ver más plantas ***antitusígenas*** en la tabla de la página 288 y en la tabla inferior de esta misma página.	**Lechuga silvestre**	160	Sedante, calma la tos irritativa, útil en la tosferina	Decocción de hojas, lactucario (látex), jugo fresco
	Tilo	169	Suavizante y antiespasmódico bronquial	Infusión de flores
	Culantrillo	292	Alivia la irritación en las vías respiratorias superiores, béquico	Infusión, jarabe
	Liquen de Islandia	300	Emoliente, antibiótico	Decocción
	Eucalipto	304	Antiséptico y balsámico, regenera las células mucosas dañadas	Infusión, esencia, baño de vapor
	Grindelia	310	Antitusígena, antiespasmódica	Infusión, jarabe
	Helenio	313	Facilita la expectoración, calma la tos	Decocción, polvo, extracto, esencia
	Amapola	318	Vence la tos pertinaz, sedante	Pétalos crudos, infusión o jarabe de pétalos, decocción de frutos
	Serpol	338	Calmante de la tos, especialmente en los niños	Infusión, esencia
	Tusílago	341	Fluidifica las secreciones, calma la tos, desinflama las mucosas respiratorias	Infusión de la planta seca
	Orégano	464	Expectorante, antitusígeno	Condimento, infusión, esencia
	Verónica	475	Antitusígena, suaviza la garganta	Infusión, jugo fresco
	Malva	511	Expectorante, antitusígena	Infusión o decocción de flores y/u hojas
	Drosera	754	Alivia la tos seca o irritativa, antibiótica	Infusión, tintura
	Tomillo	769	Antiséptico, antitusígeno, expectorante	Infusión, esencia, vahos e inhalaciones

Plantas pectorales

Son aquellas que actúan favorablemente sobre las afecciones del aparato respiratorio en general. Son también pectorales todas las plantas ***antitusígenas*** *(pág. 288),* ***broncodilatadoras*** *(pág. 288),* ***balsámicas*** *(pág. 289) y* ***expectorantes*** *(pág. 286).*

Planta	Pág.
Té de Nueva Jersey	191
Girasol	236
Cebolla	294
Doradilla	299
Liquen de Islandia	300
Amapola	318
Caña de azúcar	332
Nébeda	367
Rábano	393
Cinoglosa	703

Las hojas y las flores de la malva (pág. 511) son muy ricas en mucílagos de acción emoliente (suavizante), expectorante y antitusígena, además de laxante. Muy recomendable en catarros, gripes y bronquitis, tanto para los adultos como para los niños.

Plantas expectorantes

Facilitan la expulsión de las secreciones mucosas de la tráquea y de los bronquios. Actúan disminuyendo la viscosidad del moco, que al ser más fluido, se elimina con mayor facilidad. De esta forma, los expectorantes limpian los bronquios y calman la tos.

Planta	Pág.	Planta	Pág
Erísimo	211	Saponaria	333
Ajo	230	Alsine	334
Girasol	236	Tejo	336
Ciprés	255	Serpol	338
Berro	270	Trébol común	340
Abeto blanco	290	Tusílago	341
Culantrillo	292	Violeta	344
Cebolla	294	Hinojo	360
Pie de gato	297	Mejorana	369
Asclepias	298	Ajedrea	374
Liquen de Islandia	300	Eupatorio	388
Musgo de Irlanda	301	Polipodio	392
Eucalipto	304	Ananás	425
Galeopsis	306	Angélica	426
Hiedra terrestre	307	Ásaro	432
Regaliz	308	Ipecacuana	438
Grindelia	310	Poleo	461
Hisopo	312	Orégano	464
Helenio	313	Anís verde	465
Lirio	315	Verónica	475
Marrubio	316	Malva	511
Amapola	318	Enebro	577
Sombrerera	320	Buglosa	696
Lengua de ciervo	321	Achiote	700
Pimpinela blanca	322	Camambú	721
Pino	323	Sello de Salomón	723
Llantén	325	Sanícula	725
Polígala	327	Escabiosa mordida	731
Primavera	328	Borraja	746
Cerezo de Virginia	330	Álamo negro	760
Pulmonaria	331	Capuchina	772

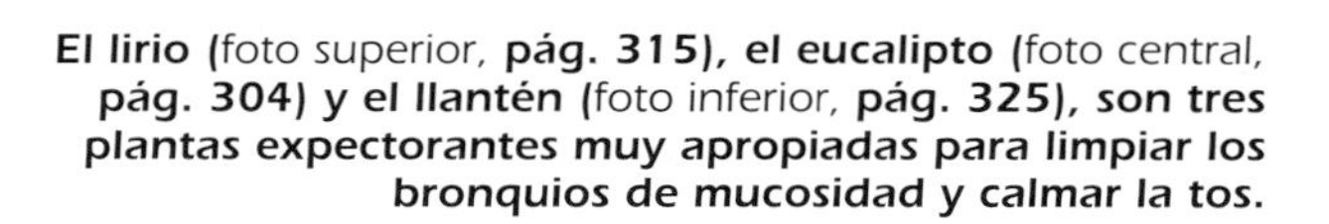
El lirio (foto superior, **pág. 315**), **el eucalipto** (foto central, **pág. 304**) **y el llantén** (foto inferior, **pág. 325**), **son tres plantas expectorantes muy apropiadas para limpiar los bronquios de mucosidad y calmar la tos.**

La infusión pectoral de las cuatro flores

Quienes realizan ejercicio físico al aire libre, como es el caso del ciclismo, necesitan tener los bronquios y pulmones en condiciones óptimas.

Las infusiones de plantas medicinales pectorales, como esta de las cuatro flores, prepara al aparato respiratorio para cumplir su función ventilatoria con el máximo de eficacia.

Tusílago

La famosa infusión pectoral de las cuatro flores se prepara con 10 gramos de cada una de las flores siguientes, por cada litro de agua: tusílago (pág. 341), amapola (pág. 318), pie de gato (pág. 297) y malva (pág. 511). Resulta muy efectiva en caso de catarro bronquial, bronquitis, asma, y otras afecciones broncopulmonares, debido a la acertada combinación de las respectivas acciones medicinales de las cuatro plantas.

Amapola

Pie de gato

Malva

Plantas antitusígenas

Además de las que se exponen en la tabla correspondiente a la tos, estas plantas tienen también acción antitusígena, aunque no como propiedad principal.

Planta	Pág.
Té de Nueva Jersey	191
Erísimo	211
Pie de gato	297
Doradilla	299
Musgo de Irlanda	301
Galeopsis	306
Regaliz	308
Llantén	325
Primavera	328
Trébol común	340
Gordolobo	343
Violeta	344
Polipodio	392

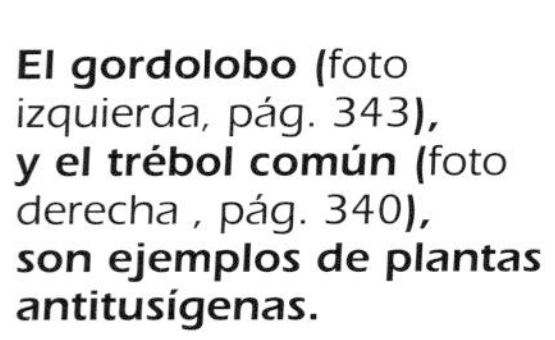

El gordolobo (foto izquierda, pág. 343), **y el trébol común** (foto derecha , pág. 340), **son ejemplos de plantas antitusígenas.**

El pino (foto inferior, pág. 323) **es balsámico, es decir, suaviza las mucosas del aparato respiratorio.**

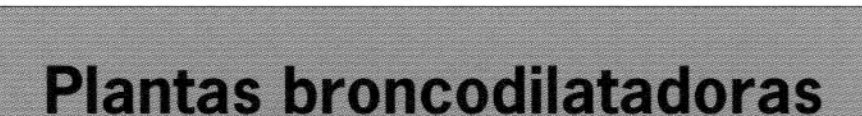

Plantas broncodilatadoras

Dilatan los bronquios, debido a que relajan las fibras musculares que los recubren. Son de utilidad en el tratamiento del asma bronquial.

Planta	Pág.
Efedra	303
Tusílago	341
Asafétida	359
Biznaga	561

Plantas balsámicas

Contienen sustancias balsámicas (mezcla de resinas, esencias y aceites) de acción suavizante sobre el aparato respiratorio.

Planta	Pág.
Lavanda	161
Ciprés	255
Abeto blanco	290
Caimito	302
Eucalipto	304
Guayaco	311
Pino	323
Mejorana	369
Ajedrea	374
Copaiba	571
Hipérico	714
Camambú	721
Álamo negro	760
Tomillo	769

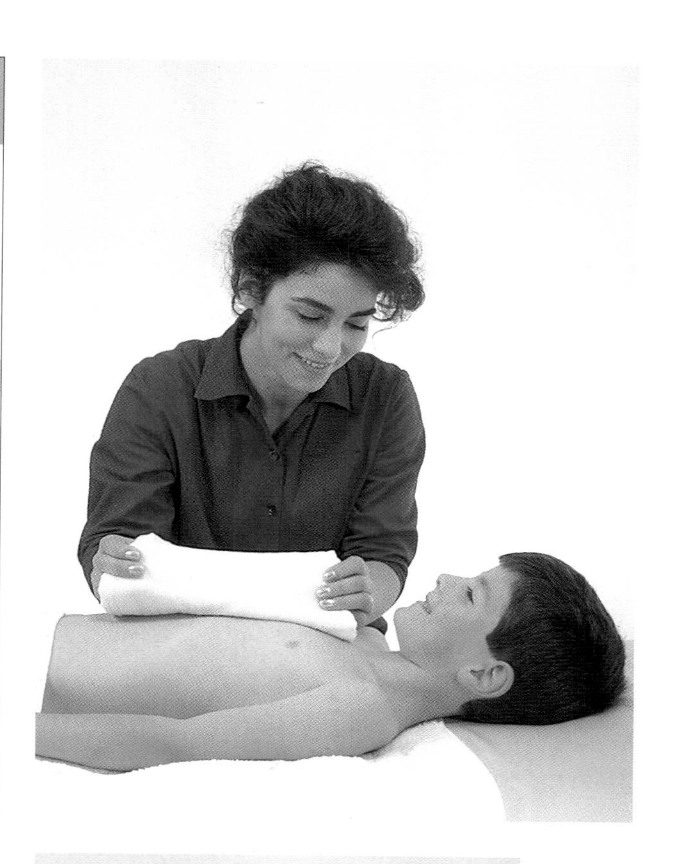

Plantas mucolíticas

Son las que disuelven o deshacen el moco, haciéndolo más fluido y por lo tanto más fácil de expulsar. Las plantas ***expectorantes*** *(pág. 286) tienen también acción mucolítica.*

Planta	Pág.
Galeopsis	306
Hisopo	312
Pimpinela blanca	322
Polígala	327
Primavera	328
Capuchina	772

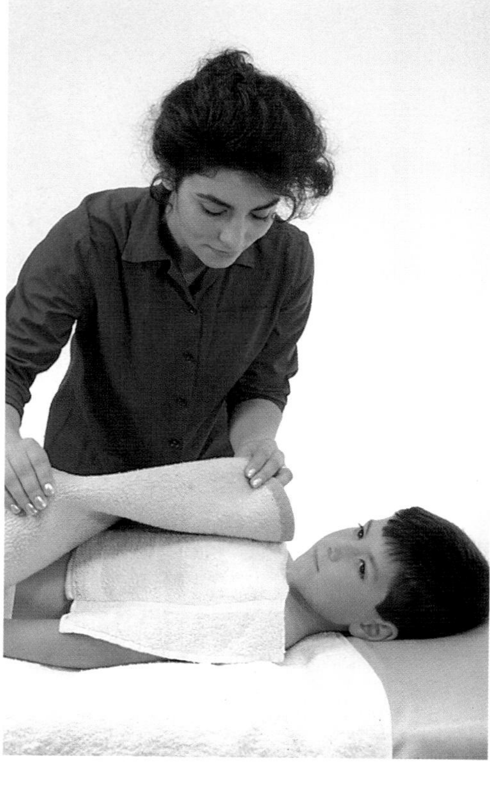

Los fomentos (ver págs. 69-70) con una infusión o decocción de plantas medicinales ejercen una poderosa acción antiinflamatoria y descongestiva sobre el aparato respiratorio. Se pueden realizar con cualesquiera de las plantas pectorales o balsámicas que citamos.

En lugar de usar el líquido de la infusión o decocción de una planta, también puede usarse su esencia, añadiendo unas gotas al agua. Las esencias de lavanda, eucalipto y tomillo son especialmente recomendables.

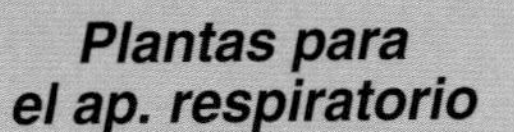

Abies alba Miller

Abeto blanco

Excelente para bronquíticos y reumáticos

A ESTE magnífico árbol, bien podría ortorgársele el título de "Decano de los bosques". No solo nos llama la atención por su grandioso y geométrico porte, sino por su extraordinaria longevidad, ya que puede llegar a vivir hasta 800 años. Durante todo ese tiempo, el abeto llena los bosques con su fresco aroma a trementina, que tanto beneficia a los bronquíticos y asmáticos que por ellos pasean.

En la actualidad se tiende a sustituir la trementina del abeto por la del pino, posiblemente porque resulta más fácil de recolectar. Aunque sus propiedades son muy similares, la trementina del abeto es posiblemente más aromática incluso que la del pino.

La resina del abeto o trementina, se acumula durante la primavera debajo de la corteza y en las yemas. Cuando se practica una incisión en la corteza brota la resina, un líquido fluido como el aceite, cuyo olor recuerda al del limón, pero de sabor amargo. Esta resina se puede destilar, con lo que se obtiene la esencia de trementina o aguarrás.

Precauciones

*La inhalación o ingestión de **dosis excesivas de trementina** o de su esencia, pueden producir irritación del sistema nervioso central, especialmente en los niños.*

Preparación y empleo

USO INTERNO

❶ **Infusión** de 30-40 g de **yemas** por litro de agua,de la que se ingieren 3 o 4 tazas diarias. Las yemas del abeto blanco son pegajosas por su gran contenido en trementina, especialmente durante la primavera.

❷ **Trementina o su esencia:** 3-5 gotas, 3 veces al día.

USO EXTERNO

❸ **Trementina o su esencia:** se aplica en forma de **baños** (de gran alivio para reumáticos y asmáticos), **fricciones, vahos o inhalaciones.**

Sinonimia científica: *Abies pectinata* Lam.

Sinonimia hispánica: *abete;* ***Cat.:*** *avet, pinavet;* ***Eusk.:*** *izei [zuri];* ***Gal.:*** *abeto;* ***Fr.:*** *sapin [blanc], sapin pectiné;* ***Ing.:*** *[silver] fir;* ***Al.:*** *Weißtanne.*

Hábitat: *Regiones montañosas de la Europa central y meridional. En América se dan especies similares.*

Descripción: *Árbol de la familia de las Pináceas, que alcanza hasta los 50 m de altura. Su tronco crece recto, con una corteza lisa y grisácea. Da flores masculinas y femeninas sobre el mismo árbol. Produce piñas de unos 5 cm de ancho, que a medida que maduran, van liberando los piñones y las escamas. Su aroma recuerda al del limón; su sabor es algo acre.*

Partes utilizadas: *las yemas y la resina (trementina).*

El simple hecho de pasear por un bosque de abetos o pinos, e inhalar el aroma de la trementina, tiene ya un efecto beneficioso sobre el aparato respiratorio.

Además de inhalarse, la trementina también puede aplicarse en fricciones e ingerirse por vía oral.

PROPIEDADES E INDICACIONES: Toda la planta contiene tanino, aceite esencial, trementina y provitamina A. La *TREMENTINA* es una oleorresina, que aplicada ***externamente*** posee las siguientes propiedades:

- **Balsámica, antiséptica y expectorante:** Por eso se halla muy indicada en las **afecciones de las vías respiratorias:** sinusitis, traqueítis, bronquitis, neumonía y asma. Facilita la expulsión de las mucosidades y regenera la mucosa que tapiza los conductos respiratorios **[❸]**.
- **Revulsiva** (atrae la sangre hacia la piel y descongestiona los órganos y tejidos internos), **antirreumática y vulneraria** (sana las heridas y las contusiones): Alivia los dolores reumáticos, la ciática, el lumbago y la tortícolis. Desinflama las articulaciones que han sufrido un esguince (torcedura), así como las contusiones y dolores musculares en general. Limpia las **heridas** infectadas y las **úlceras** de la piel **[❸]**.
- Ingerida por ***vía oral*** **[❶,❷]**, la trementina de abeto o su esencia actúan de forma igualmente beneficiosa sobre los **órganos respiratorios.** Además, es **diurética, antiséptica urinaria,** y se usa como **preventiva** de la formación de **cálculos y arenillas** en las vías urinarias.

Abeto del Canadá

En Norteamérica se cría el abeto del Canadá (*Abies balsamea* Miller = *Abies canadensis* L.) de cuya resina se obtiene el llamado **bálsamo del Canadá.** Este bálsamo posee **las mismas propiedades** que la **trementina** del abeto blanco; así que sus aplicaciones medicinales son las mismas.

Además, el bálsamo del Canadá se usa para facilitar los exámenes microscópicos de laboratorio, por sus especiales características ópticas.

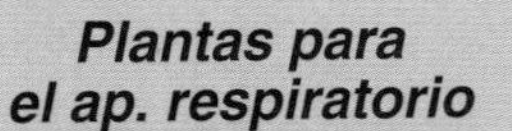

Adiantum capillus-veneris L.

Culantrillo

Calma la tos... y fortalece el cabello

NO TE RECUERDA a la hermosa cabellera de la diosa Venus? –le pregunta Lucio Apuleyo, llamado el Platónico, a uno de sus discípulos, mientras observa un culantrillo que crece alrededor de una fuente romana.

–Esa es mi diosa preferida –dice el alumno con cara de satisfacción. Y mientras sigue hablando, y soñando, con la belleza de Venus, el maestro Apuleyo, filósofo y botánico romano del siglo IV d.C., autor de un *Herbarium,* sigue contemplando la modesta planta.

–Solo ves lo que tienes delante de los ojos. Así nunca llegarás a ser un buen filósofo –le reprocha.

–Maestro, veo que tenéis mucha imaginación. Pero, ¿qué importa que los largos y brillantes rabillos de esta humilde planta recuerden a los cabellos de Venus?

–Mira, muchacho. Todas las plantas tienen alguna señal que la naturaleza ha puesto en ellas, para que los humanos podamos descifrar sus virtudes. Es una de las doctrinas sobre la que estoy meditando.

–Ahora empiezo a comprender. ¡Maestro Apuleyo, busquemos un calvo y apliquémosle un emplasto de esta planta sobre la cabeza!

Sinonimia hispánica: *culantrillo de pozo, cabello de Venus, capilera;* ***Cat.:*** *falzia [de pou], [herba] capillera, falguerola, falguerina, herba de font, herba breuca;* ***Eusk.:*** *garaizka [arrunt], iturri-belar [arrunt];* ***Gal.:*** *coantriño, colandriño, avenza;* ***Fr.:*** *capillaire [de Montpellier];* ***Ing.:*** *Venus' hair, maidenhair fern;* ***Al.:*** *Frauenhaarfarn.*

Hábitat: *Propio de Europa meridional, aunque también crece en regiones templadas del continente americano. Prefiere los lugares húmedos, como las paredes de los pozos, las fuentes y las grutas.*

Descripción: *Planta vivaz de la familia de las Polipodiáceas, que alcanza de 10 a 40 cm de altura. Botánicamente se trata de un helecho, cuyos esporangios están situados en un repliegue del borde exterior de las frondes (parte foliácea de los helechos). Los tallos y los peciolos (rabitos que sujetan las hojas), son finos, lisos y brillantes. Su sabor es ligeramente dulce.*

Partes utilizadas: *los tallos finos, los pedúnculos (rabillos) y las frondes (hojas).*

Preparación y empleo

Uso interno

❶ **Infusión:** 30 g de la parte aérea de la planta, por cada litro de agua. Endulzar con miel y tomar hasta 6 tazas diarias.

❷ **Jarabe:** Decocción con 100 g de la parte aérea de la planta, en un litro de agua. Se deja hervir hasta que el líquido se reduzca a la tercera parte. Colar entonces, y añadir unos 250 g de miel. Se toma a cucharadas. Muy útil para calmar la **tos rebelde** de los niños.

Uso externo

❸ **Cataplasmas** con 100 g de planta machacada, que se aplican directamente sobre el cuero cabelludo como si se tratara de una boina, cubriéndolas con una gasa o paño de algodón. Mantenerlas colocadas durante media hora cada día. Para conseguir que vuelva a crecer el pelo, aplicar este tratamiento diariamente durante una o dos semanas.

❹ **Gargarismos** con la misma infusión que se usa internamente.

En infusión o jarabe, el culantrillo calma la tos provocada por irritación de la garganta, y favorece la expectoración. Además, aplicado en cataplasmas sobre el cuero cabelludo, fortalece el cabello, evita su caída, e incluso hace que vuelva a salir.

Seguramente que la prueba dio resultado, y, leyenda o historia cierta, en diversos idiomas modernos algunos de los nombres vulgares de esta planta nos recuerdan a Venus y su cabellera. Así que durante muchos siglos, el culantrillo de pozo fue uno de los remedios más utilizados para fortalecer y hacer crecer el cabello. Actualmente, los champús y los preparados cosméticos han dejado de lado a este antiguo y probado remedio. ¿Por qué no repetir la experiencia del filósofo Lucio Apuleyo?

PROPIEDADES E INDICACIONES: Toda la parte aérea de la planta contiene mucílago, tanino, azúcares y aceites esenciales. A lo largo de la historia, son muchas las propiedades que se le han atribuido, pero mencionaremos solo las que han podido ser demostradas y comprobadas:

- **Béquico,** (calma la tos y la irritación de la garganta): El culantrillo está especialmente indicado en las **toses secas** provocadas por irritación de las vías aéreas superiores (faringe, laringe y tráquea) **[❶,❷]**. Se puede administrar a los niños, ya sea solo o acompañado de otras plantas béquicas (pág. 280). Aplicado ***localmente*** en gárgaras alivia la sequedad e irritación de garganta **[❹]**.
- **Emoliente y expectorante:** Recomendado como tratamiento de apoyo en las bronquitis agudas y crónicas **[❶,❷]**.
- **Antiespasmódico uterino:** Alivia las menstruaciones dolorosas (**dismenorrea**) y regulariza la menstruación (efecto **emenagogo**) **[❶]**.
- **Fortalece el cabello,** evita su caída, y en algunos casos hace que vuelva a salir **[❸]**.

Cebolla

Ideal para bronquíticos, artríticos y reumáticos

QUIÉN NO ha llorado alguna vez al "enfrentarse" a una cebolla! Según decía Andrés de Laguna, médico español del siglo XVI, las mujeres de su época la usaban «cuando, no pudiendo llorar, quieren provocar lagrimitas para enternecer a sus asnos [léase maridos]». También usaban la cebolla las plañideras profesionales que eran contratadas para "ambientar" los sepelios con sus llantos.

Seguramente que ni unas ni otras tenían noticia de las maravillosas propiedades de este lacrimógeno vegetal. Los antiguos médicos caldeos, egipcios, griegos y romanos, sí las conocían, y empleaban ampliamente la cebolla como planta medicinal.

"Contigo, pan y cebolla": A eso están dispuestos los amantes, aludiendo a la aparente sencillez y humildad de este bulbo comestible. Sin embargo, la moderna investigación bioquímica, ha descubierto en él extraordinarias propiedades medicinales: La cebolla es antibiótica, antidiabética, afrodisíaca (a pesar de su olor), e incluso preventiva del cáncer intestinal. No en vano es un elemento fundamental de la salutífera "dieta mediterránea", tanto cruda en ensaladas como en los más diversos platos cocinados, aliñada siempre, por supuesto, con buen aceite de oliva.

Comer una cebolla diaria, es garantía de salud. Y aunque al prepa-

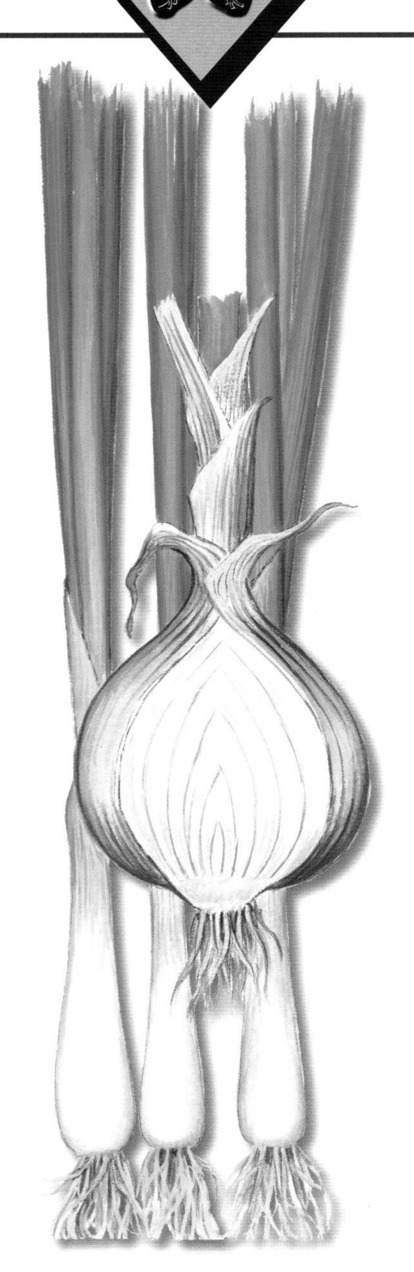

***Cat.:** ceba; **Eusk.:** tipula; **Gal.:** cebola; **Fr.:** oignon; **Ing.:** onion; **Al.:** Zwiebel.*

***Hábitat:** Originaria de Persia y Oriente Medio, se halla ampliamente extendida y cultivada por todo el mundo.*

***Descripción:** Planta vivaz bulbosa, de la familia de las Liliáceas, que alcanza hasta un metro de altura. Durante su primer año forma el bulbo, y en el segundo se desarrolla el tallo, florece y fructifica.*

***Partes utilizadas:** el bulbo.*

Preparación y empleo

USO INTERNO

❶ **Cruda:** Siempre que se pueda, y el estómago lo tolere (conviene acostumbrarlo con dosis progresivas), se debe tomar la cebolla cruda, pues es como surte **mayor efecto.** Generalmente se toma cortada o rallada en ensalada (con aceite y limón). La dosis terapéutica mínima recomendable es de una cebolla mediana diaria, y la máxima, según la tolerancia.

❷ **Jugo fresco** obtenido con licuadora, mezclado con limón, con miel o con jugo de zanahoria o tomate, y tomado a cucharaditas. Se toma medio vaso 2 o 3 veces diarias.

❸ **Cebolla hervida o asada:** Carece por completo de acritud y de picor, por lo que la toleran muy bien todos los estómagos, aunque a costa de perder un pequeño porcentaje de principios activos, y sobre todo de ver reducido su efecto antibiótico. Sin embargo, así ofrece la ventaja de poder se consumida en mayor cantidad sin rechazo. Si las cebollas se cocinan en agua, se debe beber el caldo, que es muy rico en principios activos. La dosis mínima recomendable en caso de tomar las cebollas asadas o cocidas con fines medicinales, es de 2 o 3 cebollas diarias con su caldo.

❹ **Jarabe de cebolla:** Ver página siguiente.

USO EXTERNO

❺ **Jugo fresco:** Se aplica sobre la piel en **loción** o empapando **compresas.**

❻ **Cataplasmas de cebolla hervida:** Ideales para madurar abscesos y furúnculos. También da muy buen resultado el aplicar directamente los cascos de cebolla hervida calientes sobre la piel.

❼ **Gargarismos** con el caldo de haber hervido las cebollas.

Aplicados directamente sobre la piel, los cascos de cebolla hervida, la suavizan y embellecen. Son muy recomendables en caso de acné.

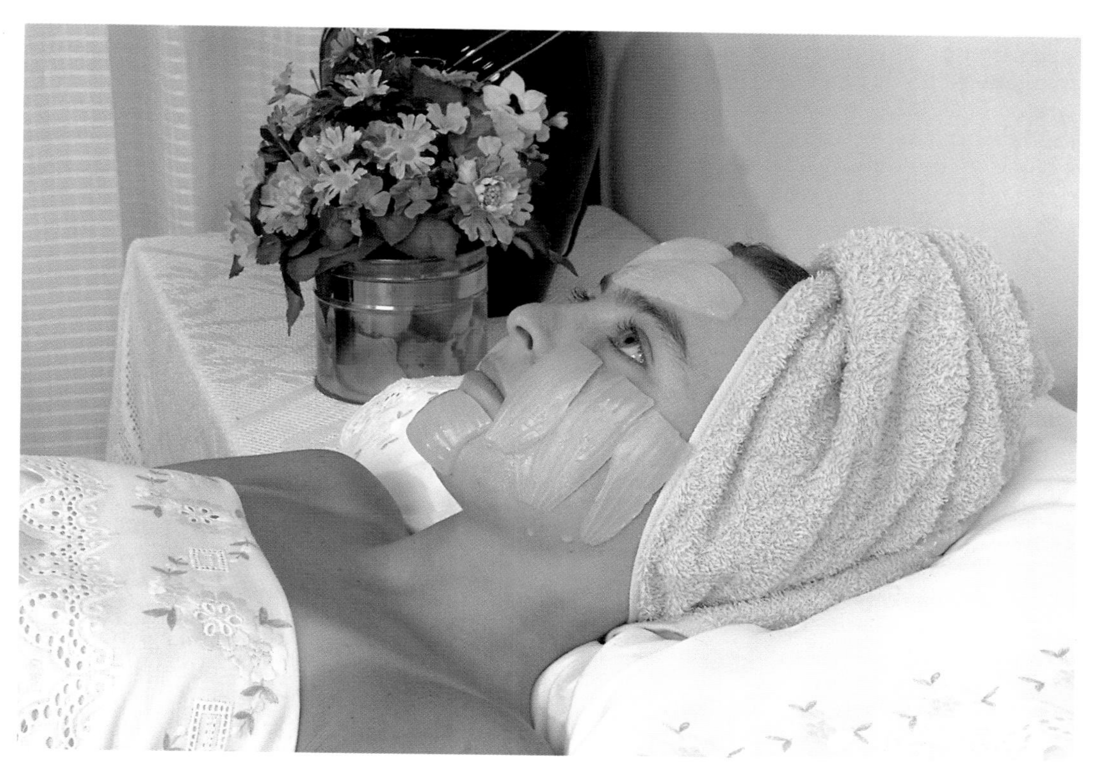

El jarabe de cebolla resulta de gran utilidad contra las afecciones respiratorias. Se prepara hirviendo varias cebollas cortadas a rodajas con un poco de agua y abundante miel o azúcar (mejor si es moreno). Formar una pasta homogénea y tomar a cucharadas.

rarla nos haga llorar un poco, a la larga nos hará reír de felicidad.

PROPIEDADES E INDICACIONES: Toda la planta contiene una esencia volátil rica en glucósidos sulfurados, el más importante de las cuales es el disulfuro de alilpropilo. A esta esencia se deben la mayor parte de sus propiedades. Contiene también abundantes enzimas (fermentos), de acción dinamizadora sobre la digestión y el metabolismo; oligoelementos (azufre, hierro, potasio, magnesio, flúor, calcio, manganeso y fósforo); vitaminas (A, complejo B, C, E); flavonoides de acción diurética; y una hormona vegetal de acción antidiabética, la glucoquinina.

Las virtudes salutíferas y curativas de la cebolla son semejantes a las del ajo (pág. 230), el cual, en vez de disulfuro de alilpropilo, contiene un compuesto similar, el disulfuro de alilo. Las propiedades de la cebolla son las siguientes:

• **Antibiótica:** El jugo de la cebolla cruda se comporta como un auténtico antibiótico, con actividad comprobada frente a diversas bacterias que habitualmente causan **infecciones en la piel,** entre ellas el estafilococo dorado. De ahí que se use para curar heridas y furúnculos (granos infectados), abscesos, quemaduras (evita que se infecten y acelera su cicatrización), grietas de la piel y acné. En todos estos casos se aplica ***externamente*** machacada en forma de cataplasma **(❻)**, o bien el jugo fresco en loción o en compresas **(❺)**. Para madurar abscesos se puede aplicar también una cataplasma caliente de cebolla hervida o asada **(❻)**.

• **Expectorante y pectoral:** Por su acción antibiótica, mucolítica (facilita la expulsión de la mucosidad, haciéndola más fluida) y antiinflamatoria, resulta un ***remedio ideal*** en caso de ***afecciones respiratorias:*** catarros de las vías respiratorias, sinusitis, faringitis, laringitis, bronquitis, tos, asma bronquial, enfisema pulmonar. El jarabe de cebolla con miel es una forma tradicional de administrarla en estos casos **(❹)**. Las gárgaras con caldo de cebolla **(❼)** desinflaman la faringe y son muy útiles en caso de amigdalitis (anginas).

• **Hipotensora, diurética, depurativa:** Muy recomendable para los hipertensos, los obesos, los reumáticos, los artríticos y gotosos, así como para los enfermos renales **(❶,❷,❸)**. Apropiada asimismo en caso de nefrosis y albuminuria, retención de líquidos, arenillas y cálculos urinarios. **Alcaliniza** notablemente el pH (reduce la acidez) de la orina, con lo que favorece la eliminación del ácido úrico y de otros residuos tóxicos del metabolismo.

• **Fluidificante de la sangre:** La cebolla es muy recomendable para aquellos que padecen de **trombosis** (tendencia a la formación de trombos o coágulos en la sangre), haciendo que la sangre sea más fluida y que circule mejor **(❶,❷,❸)**. Ello es debido a que, tal como se ha podido comprobar (revista *Preventive Medicine*, vol. 16, pág. 670), la cebolla contiene sustancias fibrinolíticas, que deshacen los coágulos sanguíneos e impiden que se formen en exceso. También está demostrado que la cebolla actúa como un antiagregante plaquetario, impidiendo la tendencia excesiva de las plaquetas sanguíneas a agruparse formando trombos o coágulos.

• **Vermífuga:** Eficaz contra los áscaris (lombrices) y los oxiuros (pequeños gusanos blancos que causan picor anal en los niños). En este caso se tiene que tomar ***cruda*** **(❶,❷)**.

• **Hipoglucemiante:** Por la acción de la glucoquinia, desciende el nivel de glucosa en la sangre **(❶,❷,❸)**. Como complemento en el tratamiento de la diabetes, permite reducir la dosis de insulina o de fármacos antidiabéticos.

• **Tonificante** digestivo y general del organismo: Aumenta todas las secreciones digestivas (gástrica, intestinal, pancreática), con lo que mejora la digestión y la asimilación de los alimentos **(❶,❷,❸)**. Por esto mismo, ***no conviene*** a los que padecen de ***hiperacidez*** y de ***úlcera*** gastroduodenal en fase de actividad. Estimula la función metabólica y desintoxicadora del hígado, por lo que resulta altamente recomendable para quien padece alguna **enfermedad hepática:** hepatitis crónica, degeneración grasa del hígado, cirrosis e insuficiencia hepática.

Por su acción antibiótica y antiséptica, regula la flora intestinal frenando los procesos de putrefacción, en los que se liberan sustancias tóxicas muy irritantes, como el indol y el escatol. Estas sustancias se relacionan con la aparición de cánceres en el colon y el recto. De ahí su efecto ***preventivo*** sobre el ***cáncer intestinal.***

Su acción tonificante general se debe a su contenido en enzimas que activan el metabolismo y que estimulan la producción de sangre (efecto antianémico), aportando hierro y oligoelementos. El efecto afrodisíaco que se le atribuye se supone debido a la revitalización general que produce.

• **Cosmética:** Aplicada ***externamente,*** estimula el crecimiento del cabello; suaviza y embellece la piel; limpia las pieles sucias, con granos y acné **(❺,❻)**. Para obtener un resultado más intenso, se recomienda combinar la aplicación externa, con el uso interno.

Cebolla albarrana

La albarrana (*Urginea maritima* [L.] Baker) es una especie de cebolla silvestre que crece en las regiones costeras de Europa, y que llama la atención porque su bulbo no está enterrado del todo, como el de la común. Es conocida también por los nombres de escila, cebolla chirle, cebolla de grajo y ceborrancha.*

La cebolla albarrana contiene unos glucósidos llamados escilarenos, de acción **cardiotónica** muy semejante a los de la digital (pág. 221). Antiguamente era usada como alternativa a los tratamientos digitálicos, en dosis de 0,5-0,7 g de bulbo triturado, por día. ***Dosis altas*** producen náuseas, vómitos, arritmias, y hasta parada cardíaca. De ahí que esté considerada como ***planta tóxica,*** que, por supuesto, hay que usar ***siempre bajo control facultativo.***

* ***Cat.:*** *ceba marina, ceba porrera, ceba d'ase, escil·la [blanca];* ***Eusk.:*** *astatipula;* ***Gal.:*** *albarrán;* ***Fr.:*** *scille officinale;* ***Ing.:*** *sea squill.*

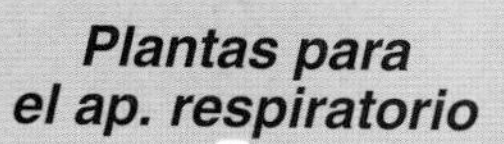

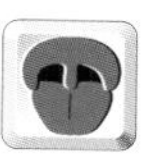

Pie de gato

Pectoral y colagogo

TODA esta planta evoca la suavidad de los gatos. Sus flores recuerdan a la almohadilla que recubre las garras de dichos felinos.

Se usa desde el siglo XVIII. Durante algún tiempo se le atribuyeron propiedades anticancerosas y curativas de la tuberculosis, que no han podido ser demostradas.

PROPIEDADES E INDICACIONES: Toda la planta, pero especialmente las cabezuelas florales hembras, contiene mucílago, al que se debe su acción **béquica** (alivia la irritación de la garganta), **expectorante y antiinflamatoria** sobre las vías respiratorias. En su composición también encontramos flavonoides, a los que se atribuyen sus propiedades **colagogas** (facilita el vaciamiento de la vesícula biliar).

Su principal aplicación son las **afecciones respiratorias [❶,❷]**: faringitis y laringitis (alivia el picor e irritación de garganta), tos seca y catarros bronquiales (ablanda la mucosidad y facilita la expectoración). Lo ideal es combinar el uso interno (infusiones) con el externo (gargarismos).

También puede usarse en las **disquinesias biliares** (vesícula perezosa o atónica) **[❶]**, ***en combinación*** con otras plantas activas sobre las vías biliares.

Preparación y empleo

USO INTERNO

❶ **Infusión** con 30-40 g de cabezuelas florales hembras secas por litro de agua, de la que se toman 3 o 4 tazas diarias endulzadas con miel.

USO EXTERNO

❷ **Gargarismos** de 5 a 10 minutos, 3 veces diarias, con la misma infusión que para uso interno, procurando no tragar el líquido.

Sinonimia científica: *Gnaphalium dioicum* L.

Sinonimia hispánica: *pata de gato, [hierba] sanguinaria, siempreviva, nafalio, antenaria dioica;* ***Cat.:*** *pota de gat, peu de gat, sanguinària, [flor de] sempredura;* ***Gal.:*** *ollo de can;* ***Fr.:*** *pied de chat, gnaphale;* ***Ing.:*** *cat's foot, mountain everlasting;* ***Al.:*** *Gemeines Katzenpfötchen.*

Hábitat: *Difundido por los prados de montaña de toda Europa. También se encuentra en la costa del Pacífico de Norteamérica.*

Descripción: *Planta vivaz dioica, de la familia de las Compuestas, que mide de 5 a 20 cm de altura. Sus hojas son vellosas, de color blanco por el envés, y forman una roseta basal. Los capítulos florales de las plantas masculinas son de color blanco, y los de las femeninas, rosado.*

Partes utilizadas: *los capítulos florales hembras (rosados) secos.*

Asclepias

Un expectorante muy usado en Norteamérica

ESTA PLANTA, que produce una savia blanca, ha sido muy utilizada en Norteamérica contra las enfermedades respiratorias. Su nombre se lo dieron los indígenas, que la vienen usando con éxito desde tiempo inmemorial.

PROPIEDADES E INDICACIONES: El principio activo más importante es la asclepiadina, un glucósido similar a los de la digital (pág. 221). También contiene aceite esencial, resina, almidón, mucílago y tanino.

La raíz de la planta posee un marcado efecto **expectorante y sudorífico.** ***Asociándola*** a otros tratamientos, con este planta se obtienen buenos resultados en caso de catarro bronquial, bronquitis aguda y crónica, y neumonía [❶].

Precauciones

*Las **hojas** y el **tallo** pueden producir **intoxicaciones** cuando se consumen **frescos,** debido a que contiene un glucósido tóxico que desaparece con la desecación.*

Preparación y empleo

USO EXTERNO

❶ **Decocción** con una cucharada de raíz seca y triturada por taza de agua. Tomar 1-2 tazas diarias.

Diversas *Asclepias*

El género *Asclepias* incluye, además de la *Asclepias tuberosa* L., diversas especies propias del continente americano, entre las que por su empleo en fitoterapia cabe destacar las siguientes:

- *Asclepias curassavica* L., llamada **bencerueco,** platanillo y flor de calentura.
- *Asclepias incarnata* L.: Su nombre vulgar más extendido en México y toda Centroamérica, **algodoncillo*,** se debe a que su corteza proporciona una fibra textil. La raíz y el rizoma de estas dos especies presentan **propiedades y usos** medicinales **similares** a los de la *Asclepias tuberosa* L.
- *Asclepias speciosa* Torr., *Asclepias syriaca* L.: Se cultivan para consumirlas como verdura y para elaborar chicle (goma de mascar) con su látex.

* **Cat.:** *innocència.*

Sinonimia hispánica: *raíz de la pleuresía;* ***Gal.:*** *asclepias;* ***Fr.:*** *asclépiade;* ***Ing.:*** *butterfly [milk]weed, pleurisy root;* ***Al.:*** *Knollige Schwalbenwurz.*

Hábitat: *Planta originaria de Norteamérica, donde se cría en suelos secos y arenosos. En Europa se cultivan algunas especies similares como ornamentales.*

Descripción: *Planta de la familia de las Asclepiadáceas, cuyo tallo alcanza fácilmente un metro de altura. Sus hojas se encuentran dispuestas en espiral a lo largo de su erecto tallo. Las flores son de color anaranjado o amarillo, y se agrupan en umbelas en el extremo del tallo.*

Partes utilizadas: *la raíz seca.*

Doradilla

Antitusígena y diurética

DIOSCÓRIDES ya mencionó esta planta en el siglo I d.C., con el nombre de *scolopendrio,* debido a la semejanza de sus hojas con la escolopendra, pequeño reptil que también abunda en los muros viejos y rocas secas. Galeno la llamó *splenio,* porque la creía capaz de reducir el volumen del bazo (*splen* en griego).

Ha sido utilizada desde muy antiguo, y aunque no es un planta que destaque por sus propiedades, sigue siendo útil en la actualidad.

PROPIEDADES E INDICACIONES: Contiene tanino y ácidos orgánicos. Se viene empleando con éxito, desde tiempos muy antiguos, contra la tos de las bronquitis agudas y catarros bronquiales, ya que posee propiedades **béquicas, pectorales y antitusígenas [❶]**. No es tan activa como el culantrillo (pág. 292), otro helecho.

También es **diurética y sudorífica.** Proporciona cierta acción **antiinflamatoria** sobre las vías urinarias, por lo que resulta útil en caso de **cistitis** y de **cólico renal [❶]**.

Preparación y empleo

USO INTERNO

❶ **Decocción** con 30 g de frondes por litro de agua. Se deja hervir durante 15 minutos y se toman hasta 5 tazas diarias. En caso de afecciones broncopulmonares, se administra caliente y endulzada con miel.

Sinonimia hispánica: *cetaraque, flor de piedra;* ***Cat.:*** *dauradella, dauradeta, herba daurada, melsera, herba de la sang;*
Eusk.: *xardin-belar hori;*
Gal.: *douradiña, cerveriña;*
Fr.: *cétérach [officinal], doradille;*
Ing.: *rusty back;* ***Al.:*** *Schriftfarn.*

Hábitat: *Se cría en muros y peñascos de Europa occidental. Naturalizada en América.*

Descripción: *Helecho vivaz de la familia de las Polipodiáceas, que forma pequeñas matas de 20 a 25 cm de altura. Las frondes (parte foliácea de los helechos) se hallan divididas en lóbulos, y recubiertas por unas escamas doradas por el envés. La raíz es fibrosa y de color negro.*

Partes utilizadas: *las frondes (hojas del helecho).*

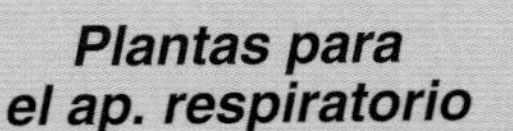

Liquen de Islandia

Remedio del norte contra los resfriados

Sinonimia hispánica: *musgo de Islandia;* ***Cat.:*** *liquen d'Islàndia, liquen negre;* ***Eusk.:*** *oroldio;* ***Gal.:*** *liquen de Islandia;* ***Fr.:*** *lichen d'Islande, mousse d'Islande;* ***Ing.:*** *Iceland moss;* ***Al.:*** *Isländisches Moos.*

Hábitat: *Bosques de coníferas y terrenos montañosos de suelos ácidos del norte de Europa y América. En España es raro, pero se puede encontrar a partir de los 1.500 m de altitud en la mitad norte de la península.*

Descripción: *Líquen de 5 a 10 cm de longitud, de la familia de las Cetrariáceas, que se caracteriza por su talo marrón claro, profundamente dividido en lóbulos desiguales.*

Partes utilizadas: *el talo (cuerpo del liquen) seco.*

LOS LÍQUENES, que no disponen de hojas ni de raíces, son todo un ejemplo de supervivencia. Se adaptan al frío y a la sequía rigurosos, y pueden pasar más de un año en estado de vida latente.

Los lapones del norte de Escandinavia utilizan este liquen desde tiempo inmemorial. El gran botánico sueco Linneo lo recomendaba como medicinal en el siglo XVIII.

PROPIEDADES E INDICACIONES: Contiene ácido cetrárico, de fuerte sabor amargo, que lo hace aperitivo y tonificante; gran cantidad de mucílago, que explica su acción emoliente (suavizante); y ***antibióticos*** como el ácido úsnico, que se han mostrado activos *in vitro* frente a las micobacterias responsables de la tuberculosis.

Estas son sus propiedades e indicaciones [❶]:

- **Pectoral, expectorante y antitusígeno:** En las bronquitis, catarros, asma, traqueítis y laringitis, da excelentes resultados.
- **Antituberculoso:** Se recomienda como ***complemento*** en el tratamiento de la tuberculosis pulmonar.
- **Antiemético:** Ayuda a detener los vómitos persistentes del embarazo.

Preparación y empleo

USO INTERNO

❶ **Decocción** con 10-20 g por litro de agua durante 2 minutos. Para eliminar su sabor amargo, cambiar el agua y volverlo a hervir en 1,5 litros de agua, hasta que se reduzca a un litro. Tomar 3 o 4 tazas diarias, calientes y endulzadas con miel.

La decocción del liquen de Islandia es muy rica en mucílagos de acción expectorante.

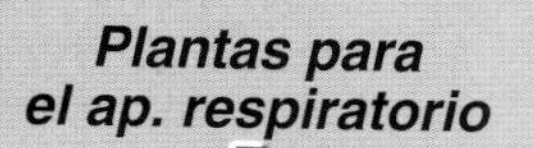

Musgo de Irlanda

Un poderoso emoliente

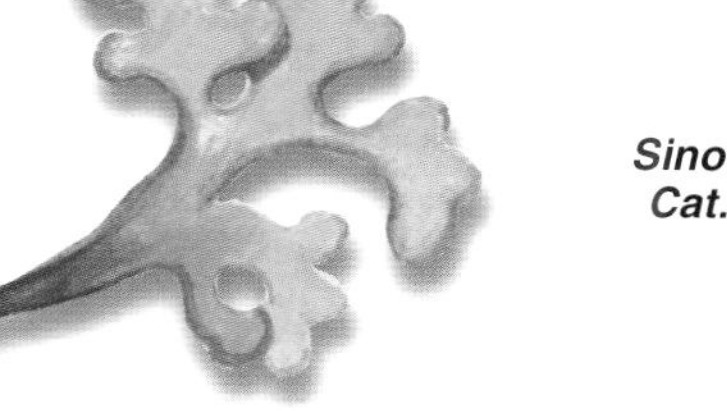

Sinonimia hispánica: *carragen, liquen de mar;* ***Cat.:*** *[liquen] carragheen, carragheen irlandès;* ***Gal.:*** *carrapucho, murgo, pata de galiña;* ***Fr.:*** *carragaheen;* ***Ing.:*** *Irish moss;* ***Al.:*** *Irländisches Moos.*

Hábitat: *Se cría en las rocas submarinas del Atlántico europeo, desde Irlanda hasta el sur de España.*

Descripción: *A pesar de su nombre, botánicamente se trata de un alga roja (rodofito) de la familia de las Gigartináceas, cuyo talo mide de 5 a 15 cm de altura. Su color varía desde el rojo hasta el pardo, cuando está fresco, hasta el blanquecino, después del desecado.*

Partes utilizadas: *el talo (toda el alga).*

ESTA ALGA empezó a usarse en Irlanda a mediados del siglo XIX, y desde entonces, sus aplicaciones medicinales han ido en aumento. Su talo es de consistencia cartilaginosa (*Chondrus* = cartílago, en latín), debido a la gran cantidad de mucílago que contiene.

PROPIEDADES E INDICACIONES: Además de un 80% de mucílago, el talo contiene yodo, provitamina D y sales minerales. Su principio activo más importante es el mucílago, que le confiere propiedades **emolientes, expectorantes y laxantes.**

Su uso se halla indicado en casos de bronquitis y catarros, pues facilita la expectoración, alivia la tos y desinflama las **vías respiratorias.** Conviene asimismo en caso de **gastritis** y de **inflamación intestinal** por colitis o estreñimiento crónico [❶]. Se usa abundantemente en la ***industria alimentaria*** por su efecto ***gelatinizante.***

Preparación y empleo

USO INTERNO

❶ **Decocción** de 10 g de alga por litro de agua. Se hace hervir durante 5 minutos. Se beben 2 o 3 vasos diarios.

El musgo de Irlanda es un alga de intensa acción suavizante sobre las mucosas respiratorias.

Caimito

Un fruto sabroso y medicinal

EL CAIMITO es uno de los árboles más llamativos de la América tropical. Su fruto es refrescante y de un sabor muy agradable.

No es extraño pues, que se utilice buscando en él propiedades medicinales, que de hecho las tiene, aunque hasta ahora no han sido confirmadas científicamente. La sabiduría popular tiene la palabra en estos casos.

Propiedades e indicaciones: La pulpa de los ***FRUTOS*** contiene 15 g de glúcidos (hidratos de carbono) por cada 100 g de parte comestible, 2 g de lípidos (grasa) y 1 g de prótidos; además de sales minerales, y pequeñas cantidades de vitamina A, B y C. Son **astringentes,** y convienen especialmente a los viajeros aquejados de diarreas, hecho frecuente en los trópicos **[❶]**.

Según la tradición, las ***HOJAS,*** aplicadas por su cara inferior sobre las llagas, las hacen supurar y después **cicatrizar;** aplicadas por su cara superior sobre las heridas, detienen la **hemorragia.**

La ***CORTEZA*** del árbol, las ***HOJAS,*** y también la ***CÁSCARA*** del fruto, tienen efecto **balsámico** (suavizan las mucosas respiratorias) y **febrífugo,** por lo que se utiliza en caso de bronquitis y resfriados **[❷]**.

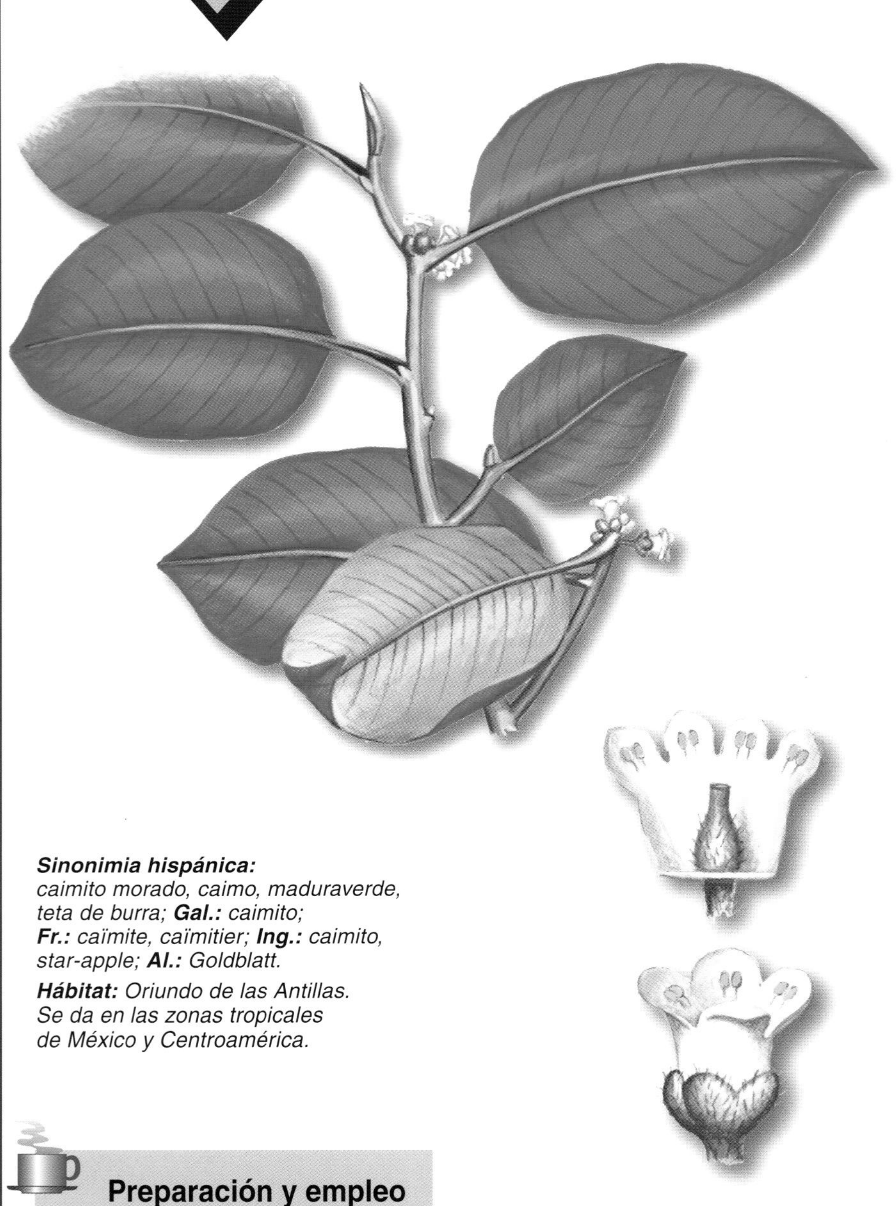

Sinonimia hispánica: *caimito morado, caimo, maduraverde, teta de burra;* ***Gal.:*** *caimito;* ***Fr.:*** *caïmite, caïmitier;* ***Ing.:*** *caimito, star-apple;* ***Al.:*** *Goldblatt.*

Hábitat: *Oriundo de las Antillas. Se da en las zonas tropicales de México y Centroamérica.*

Descripción: *Árbol de la familia de las Sapotáceas, que alcanza hasta los 15 m de altura, cultivado a menudo como ornamental por su hermoso aspecto. Sus hojas tienen un pelo sedoso y brillante de color dorado por el envés. Su fruto es redondo, de unos 10 cm de diámetro.*

Partes utilizadas: *los frutos, las hojas y la corteza.*

Preparación y empleo

Uso interno

❶ Frutos: Se pueden consumir a discreción.

❷ Decocción de corteza y hojas, a razón de 30-50 g por litro de agua. Se toman de 3 a 5 tazas calientes cada día.

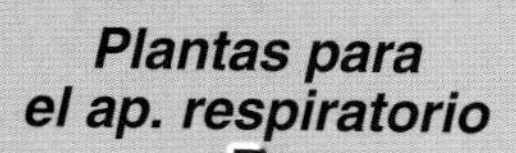

Efedra

Antiasmática y antialérgica

LA EFEDRA es quizá ***la planta medicinal utilizada desde hace más tiempo.*** En la terapéutica china se la conoce con el nombre de *ma-huang,* y se sabe que ya era utilizada por los chinos desde hace varios milenios.

La medicina occidental no la descubrió hasta el siglo XIX. Y fue en 1926 cuando su principio activo, la efedrina, se sintetizó por primera vez en los Laboratorios Merck de Alemania. Desde entonces, forma parte de numerosos ***preparados farmacéuticos.***

PROPIEDADES E INDICACIONES: Toda la planta contiene efedrina, un alcaloide muy activo sobre el sistema vegetativo, así como taninos, saponina, flavonas y un aceite esencial. La ***efedrina*** actúa de forma similar a la adrenalina, **estimulando el sistema nervioso simpático** (acción simpaticomimética). Eleva la presión arterial, produce taquicardia, relajación de la musculatura bronquial, midriasis (dilatación de la pupila) y aumento de la sudoración y de las secreciones salivar y gástrica.

Su aplicación clínica más importante es el **asma bronquial,** por su efecto broncodilatador, así como las reacciones alérgicas (urticaria, fiebre del heno, etc.), debido a que neutraliza los **síntomas de la alergia [❶].**

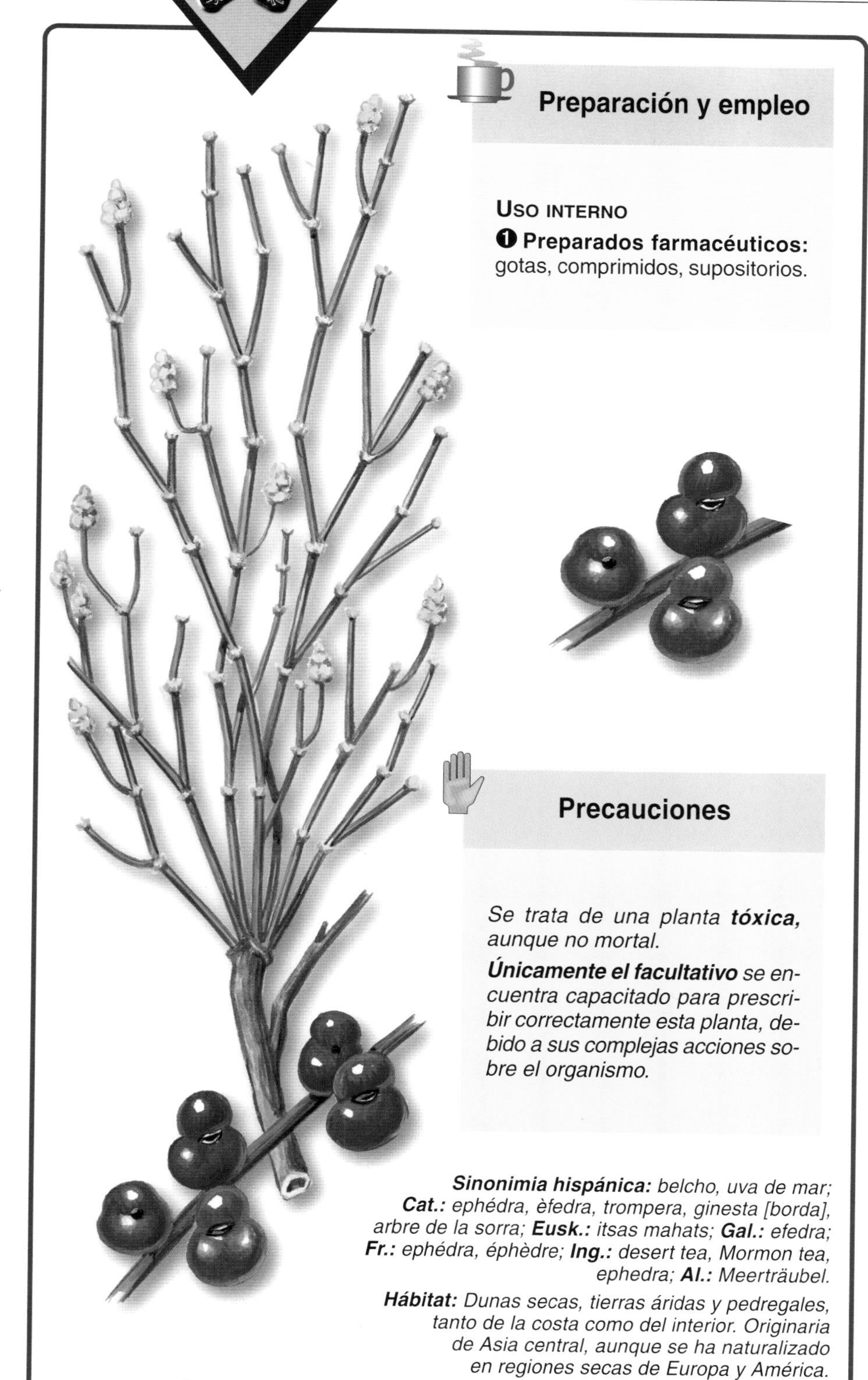

Preparación y empleo

USO INTERNO

❶ Preparados farmacéuticos: gotas, comprimidos, supositorios.

Precauciones

*Se trata de una planta **tóxica,** aunque no mortal.*

***Únicamente el facultativo** se encuentra capacitado para prescribir correctamente esta planta, debido a sus complejas acciones sobre el organismo.*

***Sinonimia hispánica:** belcho, uva de mar; **Cat.:** ephédra, èfedra, trompera, ginesta [borda], arbre de la sorra; **Eusk.:** itsas mahats; **Gal.:** efedra; **Fr.:** ephédra, éphèdre; **Ing.:** desert tea, Mormon tea, ephedra; **Al.:** Meerträubel.*

***Hábitat:** Dunas secas, tierras áridas y pedregales, tanto de la costa como del interior. Originaria de Asia central, aunque se ha naturalizado en regiones secas de Europa y América.*

***Descripción:** Pequeño subarbusto vivaz, de la familia de las Efedráceas, que alcanza hasta 25 cm de altura. Las ramas son muy finas, y en sus nudos crecen las flores, de color amarillo. El fruto es de color rojo vinoso.*

***Partes utilizadas:** los tallos.*

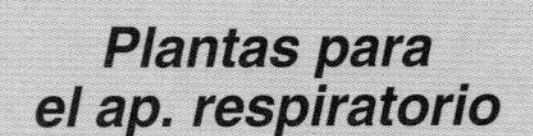

Eucalipto

Muy efectivo contra las afecciones bronquiales

A MEDIADOS del siglo XIX, el eucalipto fue introducido en Europa y en América procedente de Australia y Tasmania, donde alcanza más de 100 metros de alto. Es uno de los árboles de mayor altura que se conocen. Existen ejemplares que llegan a medir 180 metros.

El eucalipto crece rápidamente y absorbe gran cantidad de agua del suelo De ahí su empleo para drenar terrenos pantanosos y evitar así el que el mosquito anofeles, transmisor del paludismo, críe sus larvas y se reproduzca.

Sin embargo, este hermoso árbol se cobra un tributo en los terrenos en los que se planta: Acidifica el suelo y no deja crecer otras plantas a su alrededor.

Precauciones

***No** conviene **sobrepasar las dosis** recomendadas de eucalipto por **vía interna** (en infusión de hojas o esencia). En grandes dosis, la esencia puede provocar gastroenteritis y hematuria (sangre en la orina). A las dosis recomendadas carece por completo de estos efectos secundarios.*

Preparación y empleo

USO INTERNO

❶ **Infusión:** Se prepara con un par de hojas grandes por cada taza de agua (20-30 g por litro). Se dejan infundir durante 10 minutos, con el recipiente tapado. Se administran 3 tazas diarias, endulzadas con miel.

❷ **Esencia:** Se administran de 4 a 10 gotas, repartidas a lo largo del día.

USO EXTERNO

❸ **Baño de vapor** de pecho y cabeza, tal como se describe en la página siguiente.

Sinonimia hispánica: *eucaliptus, eucalipto azul, eucalipto blanco, alcanfor, gigante, gomero azul, ocalo, ocalito ucal;* ***Cat.:*** *eucaliptus [comú], febrer, arbre de la salut;* ***Eusk.:*** *eukalitu;* ***Gal.:*** *eucalipto, alcolito;* ***Fr.:*** *eucalyptus;* ***Ing.:*** *eucalyptus, blue gum [tree];* ***Al.:*** *Eukalyptus.*

Hábitat: *Cultivado y naturalizado en regiones de clima templado de Europa y América. Prefiere los terrenos húmedos y pantanosos.*

Descripción: *Árbol de gran altura. En Europa se ven ejemplares de hasta 30 m de altura, pero en Australia, de donde es originario, así como en América, no resulta demasiado raro encontrar eucaliptos de 100 m. Pertenece a la familia de las Mirtáceas. Su tronco es liso de color claro y las hojas perennes en forma de lanza.*

Partes utilizadas: *las hojas y el carbón de su madera.*

Propiedades e indicaciones: Sus ***HOJAS*** contienen tanino, resina, ácidos grasos y sobre todo, esencia, en la que se encuentran sus principios activos. Esta esencia contiene cineol o eucaliptol, hidrocarburos terpénicos, pineno y alcoholes alifáticos y sesquiterpénicos. A ella se deben sus propiedades **expectorantes, balsámicas, antisépticas, broncodilatadoras** y ligeramente **febrífugas y sudoríficas.**

El eucalipto está indicado en todas las afecciones de las vías respiratorias, especialmente en los catarros bronquiales, en el asma y en las bronquitis agudas y crónicas [❶,❷,❸].

Por su acción antiséptica y balsámica (antiinflamatoria) sobre la mucosa bronquial, colabora en la regeneración de las células dañadas, facilita la expulsión de la mucosidad y calma la tos. El eucalipto es ***una de las plantas más efectivas*** que se conocen, para las **afecciones bronquiales y pulmonares.**

El ***CARBÓN*** de la madera de eucalipto es un remedio muy apreciado en dos casos concretos:

- **Intoxicaciones** accidentales por venenos, alimentos en mal estado, hongos (setas) venenosos, etcétera. Actúa como un antídoto universal.
- **Colitis, diarrea, disbacteriosis o fermentaciones intestinales:** Absorbe las toxinas intestinales producida por los gérmenes patógenos. Sus efectos son espectaculares.

Diversas y eficaces aplicaciones del eucalipto

Baños de vapor

*Los baños de vapor son **la mejor forma** de aprovechar todas las propiedades del eucalipto: En una olla con agua hirviendo, se echa un puñado de **hojas de eucalipto**, o bien de 4 a 6 gotas de **esencia** por litro de agua. El enfermo se sienta en una silla cubierto con una sábana o toalla, con el tórax desnudo, y sitúa la cabeza por encima de la olla, de forma que el vapor le llegue al pecho y a la cabeza. El baño debe durar de 5 a 10 minutos, y se aplica 3 o 4 veces diarias.*

El vapor, junto con la esencia de eucalipto volatilizada, actúa de dos formas:

- *Directamente **sobre la piel del pecho,** facilitando la eliminación de toxinas a través de la piel y descongestionando los pulmones.*
- *Por **inhalación** dentro de los bronquios. Además, a la acción **antiséptica, balsámica y expectorante** de la esencia de eucalipto, se añade el **efecto mucolítico** del vapor de agua, que deshace el moco bronquial y facilita así su eliminación.*

Flor del eucalipto

Carbón de madera

*El carbón vegetal posee numerosas acciones medicinales, debido especialmente a su notable poder de **adsorción** (ver "Glosario"). Tanto **ingerido,** como **aplicado sobre la piel,** tiene una gran capacidad para retener toxinas y gérmenes, así como los líquidos que se forman en los procesos inflamatorios.*

Conviene que el carbón de eucalipto esté finamente pulverizado, para que su acción resulte más eficaz.

Se pueden ingerir de 5 a 10 g disueltos en agua, 4 a 6 veces por día. En caso de emergencia también se puede masticar directamente un trozo de carbón. En las farmacias se expende en polvo, o bien en forma de comprimidos o cápsulas.

*También se puede mezclar el carbón de eucalipto pulverizado con **aceite de oliva,** hasta formar una mezcla de una consistencia cremosa. Este es un remedio tradicional muy eficaz para limpiar el conducto digestivo en caso de **indigestión, diarrea, fermentación o descomposición intestinal.***

*Con el carbón vegetal se han conseguido resultados sorprendentes en caso de **halitosis rebelde** (mal aliento de boca), debido a fermentaciones digestivas. Para combatirlo tomar de una a 3 cucharadas, de 15 a 30 minutos antes de las comidas.*

Esencia contra la tos

Disolver 2 cucharadas de miel en medio vaso de agua, y añadirle 2-3 gotas de esencia de eucalipto. Tomarlo en caso de tos causada por faringitis o laringitis (infección de la garganta), traqueítis, bronquitis o catarro bronquial.

Se pueden tomar hasta 4 o 5 vasos diarios. Para los niños, es suficiente con 2 o 3 vasos al día.

Galeopsis

Expectorante y antianémica

DIFUNDIDAS por Europa y América existen varias especies de galeopsis, todas las cuales tienen en común sus flores bilabiadas, que recuerdan la boca de una comadreja (*gale* en griego).

En el siglo XIX, cuando la tuberculosis producía estragos en las aglomeraciones urbanas, la galeopsis adquirió fama de planta antituberculosa. Hoy sabemos que resulta de utilidad como planta pectoral, pero que carece de efecto curativo sobre esa enfermedad.

PROPIEDADES E INDICACIONES: Toda la planta es muy rica en silicio, y contiene también saponinas y taninos. Posee las siguientes propiedades:

- **Mucolítica y expectorante:** Facilita la disolución y expulsión del moco bronquial. Su uso está indicado en los catarros bronquiales para aliviar la congestión de los bronquios y la tos.
- **Antianémica:** La galeopsis se ha utilizado con éxito para aumentar la producción de glóbulos rojos, debido a que posiblemente aumenta la absorción y asimilación del hierro.
- **Antidegenerativa:** Debido a su contenido en silicio, está indicada en las arrugas y estrías de la piel, artrosis, osteoporosis, y arteriosclerosis; todos ellos procesos en los que existe degeneración de las fibras del tejido conjuntivo.

Preparación y empleo

USO INTERNO

❶ **Infusión de** 20-30 g de planta seca por litro de agua. Tomar 1-2 tazas diarias.

Las infusiones de galeopsis combaten los catarros bronquiales, la anemia y la artrosis, por lo que son muchas las mujeres que se benefician de su uso.

Sinonimia científica: *Galeopsis tetrahit* L.

Sinonimia hispánica: *galeópside, yerba santa, ortiga real;* ***Cat.:*** *tetrahit, galeopsis;* ***Gal.:*** *furafoles;* ***Fr.:*** *galeopsis, ortie royale;* ***Ing.:*** *hemp [dead] nettle;* ***Al.:*** *Hanfnessel.*

Hábitat: *Terrenos silíceos y cerca de las plantaciones de cereales de Europa central y meridional. Naturalizada en el continente americano.*

Descripción: *Planta anual de la familia de las Labiadas, que alcanza de 15 a 70 cm de altura. El tallo y las hojas son vellosas, y las flores de color amarillo o rosado, con su cáliz punzante.*

Partes utilizadas: *la planta entera desecada.*

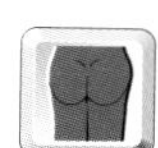

Hiedra terrestre

Expectorante y vulneraria

Sinonimia hispánica: *zapatitos de la Virgen, hierba de San Juan, madrona;* ***Cat.:*** *heura de terra, hedra de terra;* ***Eusk.:*** *amuntz;* ***Gal.:*** *herba redonda, malvela;* ***Fr.:*** *lierre terrestre;* ***Ing.:*** *ground ivy;* ***Al.:*** *Gundermann.*

Hábitat: *Terrenos húmedos, prados y bosques claros de Europa y América. En España se vuelve infrecuente en la mitad sur de la península.*

Descripción: *Planta vivaz, de la familia de las Labiadas, que produce tallos rastreros. Las ramas alcanzan hasta unos 25 cm de altura. Sus flores son de color violeta, rosa o blanco.*

Partes utilizadas: *las sumidades floridas.*

LA HIEDRA terrestre viene siendo utilizada como planta medicinal desde la Edad Media. Santa Hildegarda, abadesa benedictina alemana del siglo XII, ya la recomendaba contra las afecciones pulmonares.

PROPIEDADES E INDICACIONES: Toda la planta contiene un principio amargo, colina, ácidos fenólicos y tanino. Posee propiedades **expectorantes y pectorales.** Su uso por ***vía interna*** resulta adecuado en caso de catarros bronquiales y bronquitis crónica, para facilitar la expulsión de secreciones y descongestionar el aparato respiratorio [❶,❷]. También da buenos resultados en el asma bronquial.

Externamente se usa como **vulneraria,** para el tratamiento de **heridas y hemorroides [❸].**

Preparación y empleo

USO INTERNO

❶ **Infusión** con 20-30 g de sumidades floridas por litro de agua, de la que se toman 3-4 tazas diarias, calientes y endulzadas con miel.

❷ **Jugo fresco** de la planta: una cucharada 3 veces al día.

USO EXTERNO

❸ **Compresas** con una decocción hecha a razón de 60 g de planta por litro de agua, que se aplican sobre heridas y hemorroides.

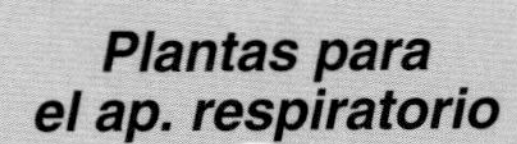

Regaliz

Pectoral y digestivo por excelencia

ME VOY a "fumar" un purito de regaliz –comenta un chiquillo a un compañero, a la salida de la escuela.

–¡Mira! Allí en la esquina hay un hombre que vende –exclama un compañero.

Y, colocando ese cilindro amarillo de corteza marrón entre sus dedos, se lo lleva a la boca para chuparlo dándose un cierto aire de importancia, mientras se deleita con el especial sabor del palo dulce (*Glycyrrhiza* procede del griego: *glykys,* dulce, y *riza,* raíz).

Esta escena se repite con frecuencia a la salida de muchos colegios de los países del sur de Europa. Buena costumbre la de chupar raíz de regaliz, en vez de fumar. Pero, ¡ay!, quizá ese muchacho algún día cambie el "puro" de regaliz, por el habano o los cigarrillos de verdad... Y hasta es posible que con el tiempo quiera dejar de fumar. Entonces, quizá algún conocedor de las virtudes de esta planta le diga:

–¿Te acuerdas de aquellos "puritos" de regaliz con los que disfrutábamos a la salida de la escuela? Pues vuélvelos a chupar, que te ayudarán a dejar de

Preparación y empleo

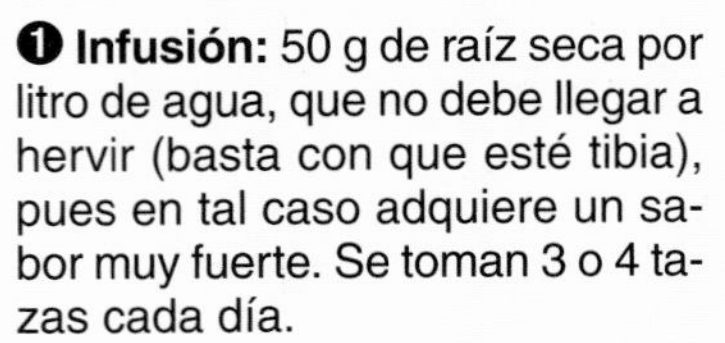

USO INTERNO

❶ **Infusión:** 50 g de raíz seca por litro de agua, que no debe llegar a hervir (basta con que esté tibia), pues en tal caso adquiere un sabor muy fuerte. Se toman 3 o 4 tazas cada día.

❷ **Maceración:** Dejar durante una noche unos 40 o 50 g de raíz triturada en un litro de agua fría. A la mañana siguiente se filtra, y se toman de 3 a 6 tazas diarias.

❸ **Extracto:** Es de color negro; se chupa a pedacitos. No recomendamos el uso habitual de extracto de regaliz endulzado con azúcar; es preferible el puro (sin azúcar), que puede combinarse con extractos de otras plantas como la menta o el anís.

USO EXTERNO

Se usa la misma **infusión** que para uso interno en:

❹ **compresas** sobre la piel,

❺ **lavados** oculares,

❻ **enjuagues** bucales.

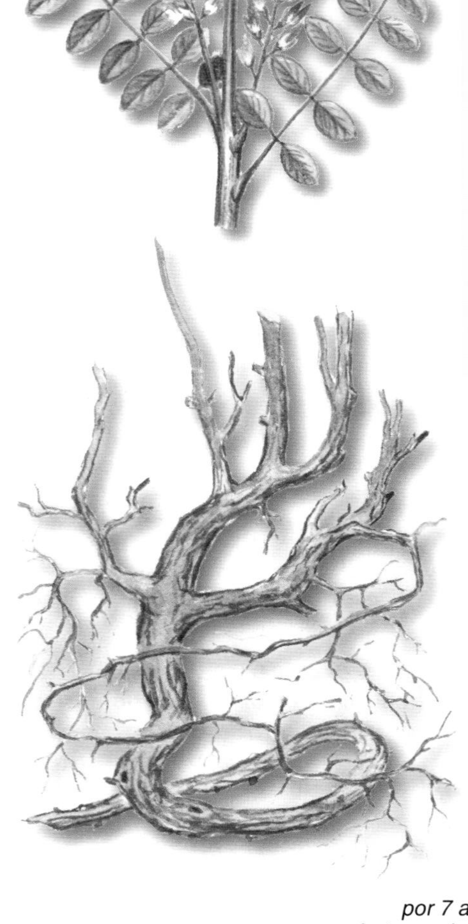

Sinonimia hispánica: *paloduz, paloluz, palo dulce, ororuz [común], alcacuz, alfender, fendor, regalicia, regalina, regaliza;* ***Cat.:*** *regalèssia, regalíssia;* ***Eusk.:*** *erregaliz, errefain;* ***Gal.:*** *regaliz;* ***Fr.:*** *réglisse;* ***Ing.:*** *licorice [root], sweet wood;* ***Al.:*** *Süßholz.*

Hábitat: *Originario de los países mediterráneos y del Oriente Próximo, donde busca las tierras húmedas y arcillosas. Su cultivo se ha extendido a regiones templadas de América. En España abunda en el valle de los ríos Ebro y Tajo.*

Descripción: *Planta herbácea vivaz de hasta 1,5 m de altura, perteneciente a la familia de las Leguminosas (subfamilia de las Papilonáceas). Sus hojas están constituidas por 7 a 17 foliolos elípticos. De flores azul violeta y frutos en legumbre de unos 2 cm. De su raíz principal salen abundantes y largos rizomas del grosor de un dedo.*

Partes utilizadas: *la raíz y el rizoma*

Precauciones

El regaliz contiene pequeñas cantidades de una sustancia esteroidea que estimula las glándulas suprarrenales. Así que, si se consume en ***grandes dosis*** *o durante* ***mucho tiempo*** *(más de tres meses seguidos), puede producir síntomas de* ***hiperaldosteronismo:*** *retención de líquidos (edemas) en las articulaciones (tobillos especialmente) o en la cara, mareos y dolor de cabeza, calambres musculares e hipertensión arterial.*

Estos efectos secundarios se deben a la disminución del nivel de potasio en la sangre, y aumento del de sodio, y desaparecen rápidamente al suprimir el tratamiento.

El ***consumo*** *prolongado de regaliz está* ***desaconsejado*** *en caso de* ***hipertensión*** *arterial,* ***embarazo,*** *o cuando se sigan tratamientos a base de* ***corticoides.***

El regaliz es una planta herbácea que crece en terrenos húmedos. Su raíz contiene principios activos expectorantes y cicatrizantes de las úlceras gastroduodenales.

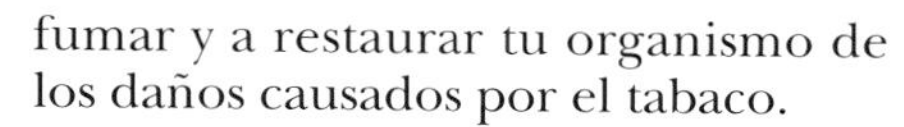

fumar y a restaurar tu organismo de los daños causados por el tabaco.

Efectivamente, el regaliz es un buen antídoto contra el tabaco, debido en parte a sus grandes propiedades pectorales y digestivas.

Decía Dioscórides en el siglo I d.C.: «Su zumo es útil a las asperezas de la caña de los pulmones (...) y sirve también contra los ardores del estómago.» El regaliz lleva ya más de 2.000 años ofreciendo sus excelentes virtudes medicinales a los humanos, sean o no fumadores. Actualmente, entra en la composición de ciertos preparados farmacéuticos.

PROPIEDADES E INDICACIONES: Contiene varios grupos de sustancias activas:

✓ **Saponinas** triterpénicas, principalmente glicirricina, que al contrario de las mayoría de las saponinas, no tiene poder hemolítico. Estas saponinas le otorgan propiedades expectorantes, antitusígenas, antiinflamatorias y emolientes.

✓ **Flavonoides,** especialmente liquiritina, y pequeñas cantidades de atropina; a los que debe sus propiedades antiespasmódicas, antibióticas, digestivas y cicatrizantes.

✓ **Vitaminas** del grupo B, azúcares y resinas.

Las aplicaciones más importantes del regaliz son las siguientes:

• **Afecciones respiratorias:** bronquitis, tos, catarros bronquiales, faringitis, laringitis, ronquera y traqueítis [❶,❷]. Favorece la **expectoración,** calma la **tos** y **desinflama** las vías respiratorias. Además presenta **acción antibiótica** contra las bacterias patógenas más comunes de los bronquios. Se usa también en caso de tuberculosis, como tratamiento complementario.

• **Afecciones digestivas [❶,❷,❸]:** Tiene una notable acción sobre el estómago: calma la acidez y hace desaparecer rápidamente la sensación de empacho o de pesadez. Se usa con buenos resultados en todo tipo de dispepsias, meteorismo (gases y eructos), dolores de estómago, cólicos intestinales y biliares, y gastritis.

• **Úlcera gastroduodenal:** En 1950 se comprobó experimentalmente que esta dulce raíz era capaz de cicatrizar las úlceras del estómago y duodeno, de lo cual dan fe muchos ulcerosos curados gracias a ella [❶,❷,❸]. Se ha constatado que el regaliz forma una película protectora sobre la mucosa del estómago, librándola así de la acción corrosiva del jugo gástrico, lo cual permite su rápida cicatrización. Hoy el extracto de regaliz es ***constituyente indispensable*** de diversos ***medicamentos antiulcerosos.***

• **Tabaquismo:** En las curas de desintoxicación tabáquica presta muy buenos resultados, pues además de contribuir a la regeneración de las mucosas respiratorias y digestivas, su atrayente sabor ayuda a vencer el deseo de fumar [❸].

• **Afecciones ginecológicas:** Por su acción antiespasmódica se emplea para calmar los dolores menstruales [❶, ❷,❸].

• **Afecciones cutáneas, oculares y bucales:** En ***uso externo*** se emplea en caso de eccemas, psoriasis, impétigo y otras dermatitis [❹]; así como para lavados oculares en caso de conjuntivitis [❺], y para enjuagues bucales contra la estomatitis [❻].

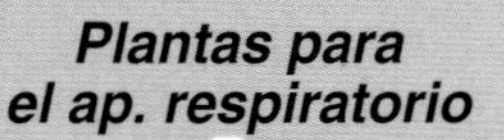

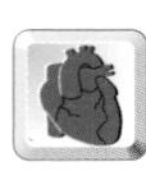

Grindelia

Calma la tos... y el corazón

PROPIEDADES E INDICACIONES: Contiene fenoles y flavonoides, que le otorgan acción antiespasmódica; y también saponinas, que explican su acción expectorante. La resina está formada por ácidos diterpénicos, entre los que destaca el ácido grindélico, de acción antitusígena, antiespasmódica y bradicardizante (enlentece el ritmo cardíaco).

Su uso resulta indicado para lo siguiente [❶,❷]:

- **Asma bronquial:** Por su efecto antiespasmódico y expectorante.
- **Bronquitis** aguda y **catarros** bronquiales: Suaviza las mucosas respiratorias y facilita su regeneración.
- **Tosferina y tos bronquial** rebelde: Por su efecto antitusígeno.
- **Arritmias cardíacas,** especialmente las taquicardias.

Grindelia áspera

Además de la *robusta,* existe otra especie de *Grindelia* con **las mismas propiedades** medicinales: la grindelia áspera (*Grindelia squarrosa* Pursch.) Ambas son oriundas de la costa del Pacífico de Norteamérica, pero sus interesantes propiedades han hecho que en la actualidad a ambas se las pueda encontrar, fuera de Estados Unidos, en muchas herboristerías.

Preparación y empleo

USO INTERNO

❶ **Infusión** con una cucharadita de postre de sumidades floridas por taza de agua. Lo habitual es que los adultos tomen 3 tazas diarias y se administre la mitad de la dosis a los niños.

❷ **Jarabe:** Suele elaborarse farmacéuticamente con un 5% de extracto fluido. Se toman 2-3 cucharadas diarias.

Precauciones

*En **grandes dosis** tiene efectos **tóxicos,** y puede llegar a provocar paro cardíaco.*

Sinonimia hispánica: *grindelia robusta, hierba de la goma, planta de la goma;* ***Cat.:*** *grindèlia;* ***Eusk.:*** *grindelia;* ***Gal.:*** *grindelia;* ***Fr.:*** *grindelia;* ***Ing.:*** *[shore] grindelia, [broad] gum plant;* ***Al.:*** *Grindelia.*

Hábitat: *Originaria de la costa occidental norteamericana. Se cría en terrenos salitrosos y marismas. Frecuente en California.*

Descripción: *Planta vivaz de unos 80 cm de altura, de la familia de las Compuestas, cuyas cabezuelas florales se asemejan a las de una margarita. El tallo y las hojas están impregnados de una resina pegajosa. Desprende un olor balsámico, y su sabor es algo amargo.*

Partes utilizadas: *las sumidades floridas.*

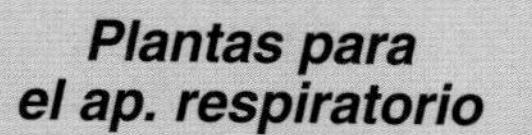

Guayaco

Balsámico y depurativo

Sinonimia hispánica: guayacán [verdadero]; **Cat.:** guaiac; **Eusk.:** guaiako; **Gal.:** guaiaco; **Fr.:** gaïac; **Ing.:** guaiac, lignum vitae tree; **Al.:** Guajak.

Hábitat: Originario de América Central, se da especialmente en el sur de México, en las Antillas, en Colombia y en Venezuela.

Descripción: Árbol de hoja perenne, de la familia de las Zigofiláceas, que alcanza hasta 10 m de altura. Su madera es muy oscura, pesada y resinosa. Las hojas son compuestas, con 4 a 28 foliolos, y las flores pequeñas y de color azulado.

Partes utilizadas: la madera triturada y la resina.

LA MADERA de este hermoso árbol, aromática, de color cetrino y muy dura, llamó la atención de los primeros españoles que viajaron al continente americano. A partir del siglo XVI se empezó a exportar a Europa, donde se la conocía como "madera de la vida". Hasta finales del siglo XIX se la consideraba capaz de curar la tuberculosis e incluso la sífilis. Hoy conocemos sus verdaderas propiedades.

PROPIEDADES E INDICACIONES: La madera del guayaco exuda una resina cuyo principio activo más importante es el ***guayacol.*** Esta resina contiene, además, saponinas, goma y un aceite esencial, componentes que le confieren las siguientes propiedades [❶,❷]:

- **Balsámica** y **expectorante,** indicada en todo tipo de afecciones respiratorias.
- **Diurética, sudorífica y depurativa:** Se usa en caso de reumatismo, artritismo y gota, pues actúa eliminando de la sangre el ácido úrico y otras sustancias de desecho. También conviene a los hipertensos y arteriosclerosos, por su efecto depurativo.

Popularmente se sigue usando en Centroamérica contra la sífilis, aunque su efectividad no ha sido demostrada.

Preparación y empleo

USO INTERNO

❶ **Decocción** con 50 g de madera triturada por litro de agua. Dejar hervir durante 10 minutos, y tomar de 3 a 5 tazas diarias.

❷ **Preparados farmacéuticos** elaborados a base de su resina y de su principio activo, el guayacol.

Hyssopus officinalis L.

Hisopo

Mucolítico y expectorante

AUNQUE en la Biblia se menciona el 'hisopo' como símbolo de pureza, es posible que se trate de otra especie, pues la que actualmente conocemos con este nombre no se cría en Palestina. Dioscórides habla de él, y ha sido siempre muy apreciado por sus numerosas virtudes.

PROPIEDADES E INDICACIONES: Las hojas y sumidades del hisopo contienen un principio amargo, la marrubiina, que desarrolla una acción **mucolítica** (ablanda las secreciones bronquiales) y **expectorante;** una esencia aromática que estimula las secreciones digestivas, y posee además acción **antiséptica;** así como diversos compuestos flavonoides y tanino.

Su principal indicación son los catarros bronquiales, la bronquitis crónica y el asma. Fluidifica la mucosidad, impide que se infecte, y favorece su expulsión. También se usa como **carminativo** (elimina los gases del aparato digestivo), **digestivo y vermífugo** (expulsa los parásitos intestinales) **[❶,❷]**.

Aplicado ***externamente*** es un buen **vulnerario** (cura las heridas y contusiones) **[❸]**. Las gárgaras de agua de hisopo dan buenos resultados en las **amigdalitis [❹].**

Precauciones

No** se deben **sobrepasar las dosis** de la esencia, ya que una ingestión de dosis **altas** puede provocar **convulsiones.

Preparación y empleo

USO INTERNO

❶ **Infusión** con 50-60 g por litro de agua. Se toman 3 o 4 tazas diarias calientes, endulzándolas con miel en caso de afecciones bronquiales.

❷ **Esencia:** Se ingieren 1-3 gotas, 3 veces al día.

USO EXTERNO

❸ **Lavados** con una infusión igual a la empleada internamente.

❹ **Gargarismos** con esta misma infusión.

***Sinonimia hispánica:** hierba sagrada, rabo de gato, rabillo de gato; **Cat.:** hisop, asperge, sajolida borda; **Eusk.:** isipu-belar; **Gal.:** hisopo, herba sagrada; **Fr.:** hysope; **Ing.:** hyssop; **Al.:** Ysop.*

***Hábitat:** Originario de los países mediterráneos, y cultivado como ornamental en jardines de Europa y América. Se puede encontrar asilvestrado, pero actualmente resulta bastante infrecuente. Crece en laderas secas y soleadas.*

***Descripción:** Pequeño arbusto de 30 a 60 cm de altura, de la familia de las Labiadas, con flores de color azul o violeta dispuestas a lo largo de una espiga terminal.*

***Partes utilizadas:** las hojas y las sumidades floridas.*

Helenio

Antitusígeno y antibiótico

SEGÚN la mitología griega esta planta surgió de las lágrimas de Helena, esposa de Menelao, rey de Esparta y causante de la guerra de Troya.

El helenio es una de las plantas cuya reputación se ha mantenido siempre en alto. Sus virtudes medicinales han sido destacadas por los médicos, botánicos y naturalistas más famosos de la historia: Teofrasto, Dioscórides y Aristóteles, en Grecia; Plinio el Viejo, en Roma; Alberto el Grande y Santa Hildegarda, durante la Edad Media; Mattioli y Laguna, en el Renacimiento.

Andrés de Laguna, traductor al castellano y comentarista de las obras de Dioscórides, decía en el siglo XVI: «Comido el helenio, hace olvidar las tristezas y congojas del corazón, conserva la hermosura de todo el cuerpo, y despierta la virtud genital.» ¿Qué más se le puede pedir a una planta?

El helenio sigue manteniendo su prestigio en la actualidad, basado no en la mitología, sino en las investigaciones científicas que sobre él se hallan en curso. Últimamente se han puesto de manifiesto sus propiedades antibióticas: El helenio se ha mostrado eficaz *in vitro* contra el bacilo de Koch, causante de la tuberculosis.

Preparación y empleo

USO INTERNO

❶ **Decocción:** 40-50 g de raíz seca y cortada en pequeñas rodajas por litro de agua. Hay que dejarla hervir a fuego lento durante 15 minutos. Se toman 4-5 tazas diarias endulzadas con miel, repartidas a lo largo del día.

❷ **Polvo o extracto seco:** Se administran de 4 a 10 g diarios, repartidos en 3 tomas diarias.

❸ **Esencia:** La dosis habitual es de 2-4 gotas, 3 veces diarias.

USO EXTERNO

❹ **Compresas** de algodón empapadas en la misma decocción que se emplea internamente. Se aplican durante 15 minutos sobre la zona afectada, 3 veces cada día.

Sinonimia hispánica: *ínula, hierba del moro, raíz del moro, [hierba del] ala, hierba campana, énula campana;* ***Cat.:*** *herba de l'ala, ala [de corb], [herba] campana, ènula campana;* ***Eusk.:*** *usteltxa;* ***Gal.:*** *helenio;* ***Fr.:*** *aunée, inule aunée;* ***Ing.:*** *elecampane;* ***Al.:*** *Alant.*

Hábitat: *Originario del centro de Asia, pero extendido por toda Europa y América. En España es más común en los Pirineos. Se cría en prados y lugares húmedos, casi siempre cerca de donde haya habido antiguas plantaciones.*

Descripción: *Planta vivaz de la familia de las Compuestas, que alcanza hasta 2 m de altura. El tallo es robusto y erguido, y las hojas grandes y finamente dentadas. Los capítulos florales son de color amarillo, y se hallan rodeados de numerosas brácteas.*

Partes utilizadas: *la raíz.*

PROPIEDADES E INDICACIONES: Toda la planta, y especialmente la raíz, contiene una esencia, compuesta por una mezcla de lactonas sesquiterpénicas, así como helenina (conocida también como alcanfor de helenio). Esta esencia posee propiedades **expectorantes, antitusígenas, antibióticas, coleréticas y colagogas.** Contiene también fructosanos e inulina (un glúcido), a los que debe su acción **diurética** en ***uso interno,*** y **vulneraria y parasiticida** cuando se aplica ***externamente*** sobre la piel. Sus indicaciones más importantes son:

• **Afecciones respiratorias:** En todas las formas de bronquitis y catarros bronquiales, facilita la expectoración y calma la tos **[❶,❷,❸]**. Además, presenta acción **antimicrobiana** sobre los gérmenes que infectan la mucosa bronquial. Resulta muy útil en las bronquitis con **tos seca,** que a menudo siguen a la gripe. En los casos de **tuberculosis** pulmonar, calma la tos y tiene un efecto tonificante sobre todo el organismo, por lo que es un buen ***complemento*** del tratamiento antituberculoso.

• **Asma alérgica:** Posee asimismo acción **antiespasmódica y antialérgica,** por lo que su uso está especialmente indicado en los casos de bronquitis asmática y asma bronquial de origen alérgico, así como en otras manifestaciones alérgicas.

• **Trastornos digestivos:** Por su acción colerética (aumenta la producción de bilis en el hígado) y colagoga (estimula el vaciamiento de la vesícula biliar), actúa como un tónico de la digestión y como favorecedor de las funciones hepáticas y biliares. Tiene también un efecto aperitivo. Es útil en los casos de gastritis y de dispepsia (mala digestión) **[❶,❷,❸]**.

• **Afecciones de la piel:** Por su efecto vulnerario y parasiticida (destruye a los parásitos), se emplea ***externamente*** con éxito en el tratamiento de la sarna, pediculosis (infestación por piojos), eccemas, prurito cutáneo (picor de la piel), y erupciones diversas **[❹]**.

El helenio, o ínula, crece en prados y lugares húmedos de Europa y América. Su raíz contiene una esencia expectorante y antitusígena, que además posee propiedades antibióticas.

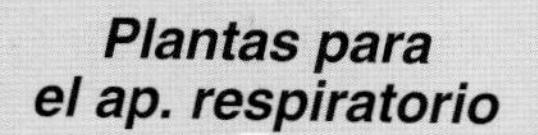

Lirio

Bello, aromático y medicinal

DIOSCÓRIDES le dedica un largo párrafo a esta planta en el primer capítulo de su *Materia médica*. Andrés de Laguna (siglo XVI), su traductor al castellano, y comentarista, insiste en sus múltiples propiedades, como la de «purgar maravillosamente el celebro, sorbido su jugo (zumo) por las narices». Años más tarde, el lirio cayó en desuso, pero hoy se vuelven a aprovechar sus virtudes.

PROPIEDADES E INDICACIONES: En su raíz hay un 50% de almidón, además de mucílago y un aceite esencial muy aromático, que le otorga su olor a violeta. En estado fresco, el rizoma es un violento **purgante,** no tan intenso cuando está seco. También se utiliza en diversos preparados bronquiales, por su notable acción **expectorante** y **antitusígena [❶].** Es además muy **diurético.**

Perfume

*Por su delicado aroma a violeta, se emplea en **perfumería** y en la confección de **dentífricos** y de productos para **cosmética.***

Preparación y empleo

USO INTERNO

❶ **Decocción:** 5-20 g de polvo de rizoma seco en un litro de agua, que se hace hervir durante 10 minutos, y de la cual se ingieren 2 o 3 tazas diarias.

Lirio florentino / pálido

Además del lirio común (*Iris germanica* L.), que aparece en la ilustración, está el lirio florentino *Iris florentina* L., llamado también lirio de Florencia, o lirio blanco*, por el color de sus flores. Se halla extendido por toda la costa mediterránea y las islas Canarias. En las zonas mediterráneas se da también el lirio pálido (*Iris pallida* Lam.) de flores azul claro.

La **composición y propiedades** curativas de estas tres especies de lirio son **las mismas.**

* ***Cat.:*** *lliri blanc, lliri de Florència, lliri d'olor, gínjol blanc;* ***Eusk.:*** *ostargi belar*

Sinonimia hispánica: *lirio común, lirio cárdeno, lirio azul, lirio morado, lirio pascual, cuchillos, espadañas;* ***Cat.:*** *lliri [blau], lliri morat, grejol, garitjol blau, gínjol blau;*
Eusk.: *ostargi-belar arrunt, lirio arrunt;*
Gal.; *lirio, galos, lirio cárdeno;*
Fr.: *iris, grande flambe;*
Ing.: *[German] iris, orris root;*
Al.: *Schwertlilie.*

Hábitat: *Originario de la Europa meridional, pero naturalizado en todo el continente. Cultivado en toda Europa y en algunos países americanos.*

Descripción: *Planta vivaz de la familia de las Iridáceas, con un tallo erecto de 50 a 80 cm de altura, en cuyo extremo nacen una flores muy atractivas de color morado. El rizoma es rastrero y muy grueso.*

Partes utilizadas: *el rizoma (tallos subterráneos) seco.*

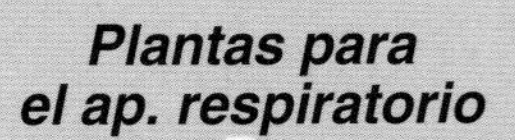

Marrubio

Un buen expectorante usado desde antiguo

EL MARRUBIO viene siendo utilizado desde muy antiguo contra las afecciones del aparato respiratorio. Dioscórides, a principios de nuestra era, ya decía de él que «arranca los humores gruesos del pecho». El marrubio no ha perdido vigencia desde entonces, y sigue siendo una ***planta muy apreciada*** por sus virtudes.

PROPIEDADES E INDICACIONES: Contiene un principio amargo, la marrubiina, al que se atribuyen sus propiedades **expectorantes, béquicas** (calmante de la tos y de la irritación de garganta), **febrífugas, aperitivas y digestivas.** Contribuye también a ellas su contenido en saponinas, mucílagos y taninos. Se emplea:

- En las afecciones del **aparato respiratorio [❶].** Su acción sobre el aparato respiratorio es la más notable: **fluidifica y desinfecta** las secreciones mucosas bronquiales, facilitando de esta manera su eliminación, y aliviando la tos. Se recomienda su uso en todas las afecciones bronquiales: catarros, laringitis, traqueítis, bronquitis, asma, etcétera.
- Como **tónico digestivo [❶].** Debido a que aumenta el apetito y facilita la digestión, resulta de gran utilidad a los **enfermos debilitados,** bronquíticos crónicos, e incluso, a los tuberculosos. Aunque no actúa directamente sobre el bacilo de Koch, causante de la tuberculosis, limpia los bronquios y tonifica todo el organismo.

Preparación y empleo

USO INTERNO

❶ **Infusión:** 30-40 g de sumidades floridas y/o hojas por litro de agua. Se toman 2 o 3 tazas diariamente bien endulzadas con miel.

Sinonimia hispánica: *marrubio común, marrubio blanco, malva rubia, juanrubio, menta de burro, hierba virgen, malva de sapo, malva de pavo, hierba de la rabia, hierba cuyana, toronjil cuyano, matico, aliso de galeno, amor seco;* ***Cat.:*** *malrubí [blanc], manrubi, marreu;* ***Eusk.:*** *lekugi;* ***Gal.:*** *alcar, maroxo, herba dos lombos;* ***Fr.:*** *marrube blanc, herbe vierge;* ***Ing.:*** *[white] horehound, marrubium;* ***Al.:*** *Gemeiner Andorn.*

Hábitat: *Común en terrenos soleados, secos y baldíos, de toda Europa, de donde es originario, y de América, donde se halla naturalizado.*

Descripción: *Planta vivaz de la familia de las Labiadas, que alcanza de 30 a 80 cm de altura. De tallo erguido, rígido y algo leñoso, con pequeñas flores blancas que se disponen en grupos a lo largo de él.*

Partes utilizadas: *las sumidades floridas y las hojas.*

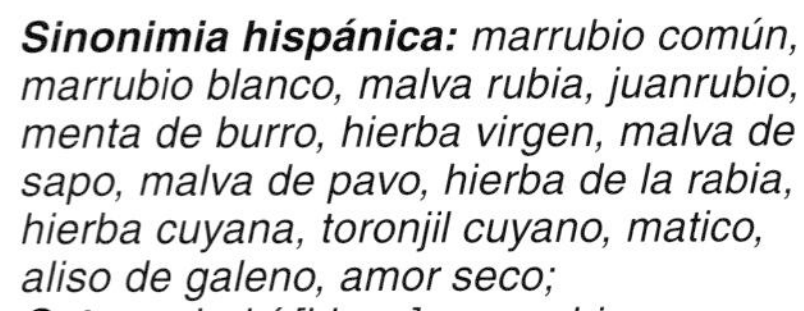

El marrubio fluidifica y desinfecta las secreciones mucosas bronquiales.

Arrayán

Astringente y antiséptico, además de aromático

LA ALHAMBRA de Granada, uno de los monumentos más visitados de España y quizás de toda Europa, tiene un hermoso patio dedicado a los arrayanes. En él se conjuga el refinamiento del arte árabe, con el verdor y la fragancia de este arbusto. Tanto Dioscórides, el gran médico y botánico griego del siglo I d.C., como Avicena, el 'Galeno' árabe del siglo XI, ya recomendaban el arrayán por sus propiedades astringentes y antisépticas.

PROPIEDADES E INDICACIONES: Las hojas y las bayas contienen tanino, resinas, sustancias amargas, y sobre todo mirtol, esencia rica en cineol, de acción **antiséptica y antibiótica** frente a gérmenes gram-positivos. Sus propiedades **astringentes y antisépticas,** lo hacen especialmente útil en los siguientes casos:

- **Afecciones respiratorias:** rinitis, sinusitis, bronquitis, por la acción de su esencia [❶,❷,❺].
- **Diarreas, gastroenteritis, dispepsia e infecciones urinarias,** por su contenido en taninos, tomado en forma de infusión [❶].
- **Estomatitis** (inflamación de la mucosa bucal) y **faringitis,** aplicado en forma de gárgaras [❸].
- **Leucorrea** (flujo vaginal anormal), aplicado, mediante una cánula especial, en forma de lavados o irrigaciones vaginales [❹].

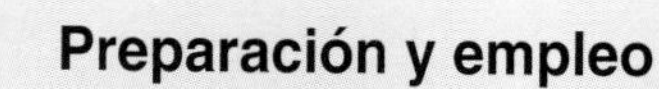

Preparación y empleo

USO INTERNO

❶ **Infusión:** Se prepara con 15-20 g de hojas y bayas en un litro de agua. Colarla y tomar de 3 a 5 tazas al día.

❷ **Esencia:** 1-3 gotas, 3 veces diarias antes de las comidas.

USO EXTERNO

❸ **Gargarismos** con la infusión que se emplea internamente.

❹ **Lavados vaginales** con esta misma infusión cuidadosamente colada.

❺ **Inhalaciones** de la esencia.

Guayabito

En México se da una especie del género *Myrtus*, conocida como guayabito (*Myrtus foliosa,* H.B.-K. Nov. Gen. = *Eugenia florida* D.C.), nombre que también se aplica a la especie *communis.* El guayabito **se usa igual** que el arrayán por sus propiedades **astringentes.** Los frutos del guayabito son de color rojizo.

Sinonimia hispánica: *arrayán blanco, arrayán común, guayabito, mirto [común], murta;* ***Cat.:*** *murta, murtra, murtrer, murtrera;* ***Eusk.:*** *mitre;* ***Gal.:*** *murta, murteira, mirta;* ***Fr.:*** *myrte;* ***Ing.:*** *myrtle;* ***Al.:*** *Gemeine Myrte.*

Hábitat: *Originario de Europa, aunque también se cría en el continente americano.*

Descripción: *Arbusto de tallo muy ramificado, de la familia de las Mirtáceas, que alcanza hasta 3 m de altura. Las flores son blancas o rosadas, y los frutos son unas bayas negras de sabor áspero pero aromático.*

Partes utilizadas: *las hojas y los frutos.*

Amapola

Sedante y pectoral

ALTIVA como un gallo con su cresta, y delicada como una fina pluma, la amapola es una de las plantas medicinales mas atractivas y hermosas. ¿Qué sería de nuestros dorados trigales si no estuvieran salpicados por esas manchas de sangre brillante?

Los antiguos griegos y romanos ya la consumían en ensalada, costumbre que se ha mantenido en algunas zonas del Mediterráneo, como en Cataluña. A pesar de su color rojo escarlata, símbolo de la vitalidad, desde tiempos remotos se la asoció con el sueño. Según la mitología, el dios Morfeo tocaba con una amapola a aquellos a los que quería adormecer.

PROPIEDADES E INDICACIONES: El látex de la amapola contiene cuatro alcaloides (readina, reagenina, rearrubina I y II), pero no morfina, como antes se había supuesto. La amapola posee además antocianinas y mucílagos. Aunque los efectos de los alcaloides de la amapola son similares a los de la morfina, se hallan exentos de su toxicidad. No hay, por lo tanto, riesgo de dependencia, o de crear hábito con su uso. Mességué dice que las amapolas son «el ***opio inofensivo*** del botiquín familiar». Estas son sus propiedades:

Preparación y empleo

USO INTERNO

❶ **Pétalos crudos** en ensalada. Se recogen preferentemente en las mañanas de primavera.

❷ **Infusión** con 6 u 8 pétalos por taza de agua. Se toman hasta 3 tazas diarias. Los pétalos se conservan desecados a la sombra.

❸ **Jarabe:** Se prepara para los niños infundiendo, durante 5 minutos, 10 g de pétalos secos en 170 ml de agua caliente. Se cuela el agua, y se le añaden 340 g de azúcar moreno. Se les administran de 2 a 4 cucharaditas de postre (según la edad), antes de acostarlos.

❹ **Decocción:** Los frutos de la amapola, llamados también cápsulas, tienen el mismo efecto que los pétalos, aunque contienen mayor proporción de principios activos. Se recogen cuando todavía están verdes, antes del verano. La decocción se prepara con 2 o 3 cápsulas en 100 ml de agua. Se toman varias cucharadas soperas antes de acostarse.

Sinonimia hispánica: *ababol, apamate;* ***Cat.:*** *rosella;* ***Eusk.:*** *mitxoleta;* ***Gal.:*** *mapoula, papoula, ababa;* ***Fr.:*** *coquelicot;* ***Ing.:*** *[corn] poppy, field poppy;* ***Al.:*** *Klatschmohn.*

Hábitat: *Frecuente entre las mieses y campos abandonados. Mezclada con las simientes de los cereales desde remotos tiempos, se ha extendido por todos los continentes.*

Descripción: *Planta anual, de la familia de las Papaveráceas, al igual que la adormidera (pág. 164) productora del opio. Su tallo, que se halla recubierto por unos pelillos, segrega un látex blanco al cortarlo. Las flores están formadas por 4 pétalos de un color rojo intenso, con una mancha negra en su base. El fruto tiene forma de urna, con una tapadera en lo alto. A pesar de que todo el mundo la conoce, describimos la amapola con cierto detalle, ya que existen algunas especies muy similares, pero carentes de efectos medicinales.*

Partes utilizadas: *los pétalos de las flores y los frutos.*

• **Sedante y somnífera:** De acción suave y libre de los riesgos de los psicofármacos. Debido a ello, se recomienda sobre todo a los niños y ancianos, a quienes facilita un sueño apacible **[❷,❸,❹]**. A los adultos les puede resultar útil para eliminar la angustia o la ansiedad, tan frecuentes en nuestros días.

• **Antitusígena y expectorante:** Especialmente indicada para vencer la **tos pertinaz** de la tosferina, de las bronquitis secas o de los ataques de asma. Además provoca una abundante **sudoración,** por lo que conviene a los griposos y acatarrados **[❶,❷,❸,❹]**.

La amapola forma parte de la famosa "Infusión pectoral de las cuatro flores", junto con el tusílago, el pie de gato y la malva.

• **Dolor de muelas:** Los enjuagues bucales con la infusión de sus pétalos producen un notable efecto analgésico en muchos casos.

La amapola pertenece al género botánico 'Papaver', al igual que la adormidera productora del opio.

Contiene cuatro alcaloides de acción similar a la morfina del opio, pero sin sus efectos indeseables. Por ello ha sido calificada como "el opio inofensivo del botiquín familiar".

Sus pétalos y sus frutos o cápsulas, tienen una acción sedante, somnífera y antitusígena suave y segura.

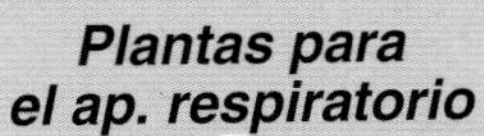

Sombrerera

Pectoral y antiinflamatoria

A LA SOMBRERERA se la conoce también con el nombre de tusílago mayor, por la semejanza que guarda en cuanto a su forma y a sus propiedades con el auténtico tusílago (pág. 341). Se viene usando desde la Edad Media en Centroeuropa, aunque se prefiere el tusílago que tiene mejor sabor.

Propiedades e indicaciones: El rizoma y las hojas de la sombrerera contienen inulina, pectina y mucílagos, que la hacen **expectorante y emoliente;** glucósidos y aceite esencial, de propiedades **antiespasmódicas, diuréticas, sudoríficas y emenagogas;** taninos y resinas, que la hacen **vulneraria.** Sus principales aplicaciones son:

- **Afecciones respiratorias:** Por su efecto antiespasmódico, da buenos resultados en los casos de **asma bronquial,** evitando que se presenten crisis agudas. También se usa como antitusígeno y expectorante en las bronquitis y bronconeumonías **[❶]**.
- **Afecciones de la garganta:** Indicada en las laringitis, afonía y traqueítis **[❶]**.
- **Sudorífica:** Indicada en los catarros bronquiales y en la gripe **[❶]**.
- **Antiinflamatoria:** *Externamente,* las hojas frescas aplicadas directamente o machacadas en cataplasma, en caso de **flebitis** (inflamación de las venas), **furúnculos y adenopatías** (ganglios inflamados) **[❷]**.

Preparación y empleo

Uso interno

❶ **Infusión** con 20-30 g de hojas y/o rizoma por litro de agua, de la que se toman de 3 a 5 tazas diarias.

Uso externo

❷ **Cataplasmas** con las hojas frescas machacadas.

Precauciones

*La sombrerera contiene cantidades variables de **alcaloides** que pueden resultar tóxicos para el hígado. Por ello, la Comisión Alemana de Medicina Humana, Sección de Fitoterapia, no recomienda su uso, aunque tampoco lo prohíbe.*

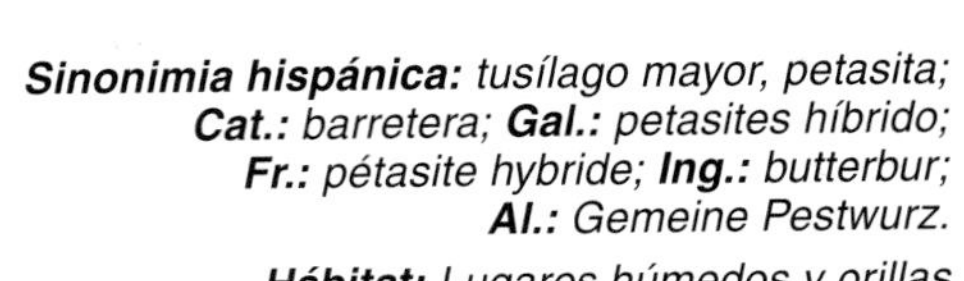

Sinonimia hispánica: *tusílago mayor, petasita;* ***Cat.:*** *barretera;* ***Gal.:*** *petasites híbrido;* ***Fr.:*** *pétasite hybride;* ***Ing.:*** *butterbur;* ***Al.:*** *Gemeine Pestwurz.*

Hábitat: *Lugares húmedos y orillas de corrientes de agua, en regiones frías y templadas de toda Europa.*

Descripción: *Planta vivaz de la familia de las Compuestas que alcanza hasta 50 cm de altura. Al principio de la primavera surgen unos tallos florales de los rizomas subterráneos con cabezuelas de color rosado o violáceo. Las grandes hojas con largo peciolo aparecen después.*

Partes utilizadas: *el rizoma y las hojas.*

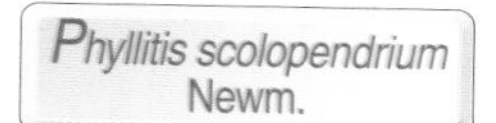

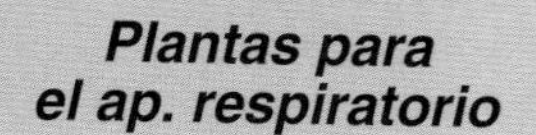

Lengua de ciervo

Desinflama las mucosas

ESTE HELECHO ya fue utilizado por Dioscórides, quien dice de él que «tiene la virtud de consumir el bazo». Se ha utilizado desde entonces para combatir la esplenomegalia (aumento de tamaño del bazo). De ahí uno de sus nombres en catalán: *herba melsera,* es decir, hierba del bazo. Antiguamente se administraba a los alcohólicos, que frecuentemente padecen de congestión sanguínea en el bazo; aunque con escasos resultados.

PROPIEDADES E INDICACIONES: Los frondes de este helecho contienen mucílago, tanino, azúcares y vitamina C. Debido a su contenido en mucílagos, son **emolientes** (acción antiinflamatoria sobre las mucosas y la piel), y **expectorantes.** El tanino les otorga propiedades **astringentes.**

Se usa en caso de **bronquitis y catarros,** para ablandar las secreciones y facilitar su expulsión; y también en **gastritis y colitis,** para proteger y desinflamar la mucosa digestiva **[➊]**.

Da buenos resultados en caso de **hipertensión,** para normalizar las cifras tensionales **[➊]**; aunque no se conoce con certeza a que principio activo se debe esta acción.

Externamente se usa para el lavado de heridas, por su acción **antiinflamatoria y suavizante** sobre la piel **[➋]**. Actúa también como **vulneraria,** para el tratamiento de las contusiones y hematomas **[➌]**: en este caso se aplica en compresas.

Sinonimia científica: *Scolopendrium officinale* Sm.

Sinonimia hispánica: *escolopendra, hierba de la sangre;* ***Cat.:*** *llengua de cérvol, llengua cervina, [herba] melsera, herba cervuna;* ***Eusk.:*** *oreinmihi;* ***Gal.:*** *lingua de cervo, broeira;* ***Fr.:*** *langue de cerf, scolopendre;* ***Ing.:*** *hartstongue;* ***Al.:*** *Hirschzunge.*

Hábitat: *Terrenos calcáreos, muros y rocas sombreadas de Europa y mitad norte del continente americano. Es poco frecuente.*

Descripción: *Helecho vivaz de la familia de las Polipodiáceas, con frondes indivisas, de color verde brillante, alargadas (de 20 a 60 cm) y acabadas en punta.*

Partes utilizadas: *las frondes (hojas de los helechos).*

Preparación y empleo

USO INTERNO

➊ **Decocción** de 30 g de frondes secas en un litro de agua, durante 10 minutos, de la que se toman 4 o 5 tazas al día. Se endulza con miel.

USO EXTERNO

➋ **Lavados** con la misma decocción que se usa internamente.

➌ **Compresas** con dicha decocción.

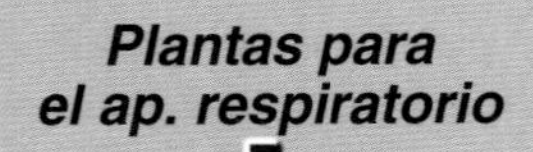

Pimpinela blanca

Antitusígena y sedante

A DIFERENCIA del anís (*Pimpinella anisum* L., pág. 465), esta pimpinela no tiene vello en el tallo y en los frutos. Su nombre francés, *boucage* o *petit persil* (pequeño perejil) *de bouc* (macho cabrío), o en catalán, *julivert de boc* (perejil de macho cabrío), hace referencia al típico olor a macho cabrío que desprende sobre todo su raíz.

PROPIEDADES E INDICACIONES: Toda la planta, y especialmente la raíz, contiene tanino, aceite esencial, saponinas, pimpinelina y resinas. Su efecto fundamental consiste en estimular la actividad secretora de las células de las vías respiratorias, de los riñones y de la piel. Sus propiedades son las siguientes **[❶]**:

- **Mucolítica, expectorante y antitusígena:** Aumenta y hace más fluidas las secreciones bronquiales, con lo que se eliminan con mayor facilidad y desaparece la tos. Indicada en los catarros bronquiales, y en caso de ronquera.
- **Diurética y sudorífica:** Indicada siempre que se requiera depurar la sangre de toxinas y residuos metabólicos, especialmente en casos de artritismo, gota y afecciones renales.
- **Calmante** de la excitación nerviosa.

Preparación y empleo

USO INTERNO

❶ **Decocción** con 30 g de raíz por litro de agua, durante 10 minutos. Para conseguir mayor efecto sedante, añadir 30 g de sumidades floridas.

Pimpinela negra

La pimpinela negra (*Pimpinella major* [L.] Hudson = *Pimpinella magna* L.) es una especie **muy similar** a la blanca, en cuanto a sus características botánicas y **propiedades.** Y al igual que esta, y a diferencia del anís, tampoco presenta vello ni en el tallo ni en los frutos.

De ahí que en algunos lugares los nombres comunes de estas dos pimpinelas resulten intercambiables o se confundan. En diversos idiomas a la pimpinela blanca también se la califica de menor y a la negra de mayor, con el fin de distinguirlas.

Sinonimia hispánica: *pimpinela alba, saxífraga menor, saxífraga parva, saxifragia menor;* ***Cat.:*** *saxífraga blanca, julivert de boc;* ***Eusk.:*** *gaitun;* ***Gal.:*** *pimpinela;* ***Fr.:*** *boucage, petit persil de bouc;* ***Ing.:*** *pimpernel, burnet saxifrage;* ***Al.:*** *Kleine Bibernelle.*

Hábitat: *Prados secos, laderas pedregosas y terrenos calcáreos de toda Europa.*

Descripción: *Planta vivaz de tallo hueco y erguido, que alcanza de 0,3 a 1 m de altura, de la familia de las Umbelíferas. Las flores son de color blanco o rosado, en umbelas que tienen de 8 a 15 radios muy finos.*

Partes utilizadas: *la raíz recolectada en primavera (fresca) o en otoño (seca) y las sumidades floridas.*

Pino

Alivia a bronquíticos y reumáticos

ENTRE las muchas especies de pinos que se conocen, solo dos poseen marcadas propiedades medicinales: el pino marítimo (*Pinus pinaster* Soland), conocido también como pino negral, y el pino silvestre (*Pinus sylvestris* L.) al que también se llama pino albar.

El pino marítimo se caracteriza por tener las agujas más largas y las piñas más voluminosas que el silvestre. Ambas especies producen trementina, aunque el pino marítimo rinde más.

PROPIEDADES E INDICACIONES: La ***TREMENTINA*** es una oleorresina contenida en las yemas y en las capas externas de la corteza del pino, de donde exuda naturalmente o por sangrado. Esta formada por dos constituyentes principales:

✓ una **esencia** (20%-30%), llamada también **aguarrás,** rica en el hidrocarburo pineno, que se obtiene por destilación; y

Precauciones

*La inhalación o ingestión de **dosis excesivas de trementina** o de su **esencia,** pueden provocar una **irritación** del sistema nervioso central, sobre todo a los **niños.***

Especie afín: *Pinus sylvestris* L.

Cat.: *pi;* ***Eusk.:*** *ler, pinu;*
Gal.: *piñeiro bravo, piñeiro do país;*
Fr.: *pin des Landes;*
Ing.: *pine tree;* ***Al.:*** *Seestrandkiefer.*

Hábitat: *Las diez especies de pino conocidas se distribuyen por toda Europa y regiones templadas y frías del continente americano. Prefiere los terrenos de suelo ligero o arenoso.*

Descripción: *Árbol de 15 a 40 m de la familia de las Pináceas, de hojas perennes y aciculares. En el mismo árbol se dan flores masculinas (estambres de color amarillo) y femeninas (conos o piñas).*

Partes utilizadas: *las yemas (brotes tiernos) y la resina.*

Preparación y empleo

USO INTERNO

❶ **Infusión:** Se prepara con 20-40 g de **yemas** de pino por litro de agua, de la que se toman 3 o 4 tazas diarias.

❷ **Esencia de trementina:** Ingerir de 2 a 5 gotas, 3-4 veces al día.

USO EXTERNO

❸ **Baños:** Se prepara una **decocción** con 500 g de **yemas** de pino en 4 litros de agua. Hervir durante media hora. Filtrar y añadir al agua de baño (caliente). También se puede preparar un baño medicinal añadiendo 40-50 gotas de **esencia de trementina** al agua de la bañera.

❹ **Fricciones:** Friccionar con un paño de algodón mojado en trementina (o en su esencia), el pecho de los bronquíticos, hasta que la piel adquiera un saludable color rojo. Igualmente se aplica sobre las articulaciones o músculos inflamados y dolorosos.

❺ **Vahos:** Añadir un puñado de **yemas** (30-50 g) o unas gotas de **esencia de trementina** en una olla con 1-2 litros de agua. Calentar sobre un fuego eléctrico (para evitar gases de combustión) e inhalar profundamente el vapor.

Las fricciones con trementina o con su esencia, mejoran la evolución de los catarros bronquiales, así como de las bronquitis, tanto de los niños como de los adultos.

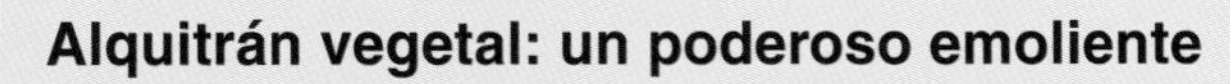

Alquitrán vegetal: un poderoso emoliente

Por destilación seca del tronco y de las raíces del pino silvestre o albar se obtiene el ***alquitrán*** *o* ***brea vegetal,*** *de composición compleja en la que predominan los fenoles, que poseen propiedades balsámicas, expectorantes y antisépticas, pero sobre todo emolientes (****suavizantes de la piel****).*

Se puede ingerir (hasta un gramo diario en forma de cápsulas o comprimidos de gelatina), aunque su aplicación más importante sea la ***externa,*** *en las* ***afecciones de la piel:*** *dermatosis (degeneraciones e inflamaciones crónicas de la piel como eccemas y psoriasis), micosis (infección por hongos) y parasitosis (afecciones causadas por parásitos como la sarna).*

En uso externo, el alquitrán o brea vegetal, se aplica en forma de ***jabón, champú o pomada.***

✓ una **resina** (70%-80%), denominada también **colofonia** o pez griega.

La ***RESINA*** es el residuo sólido que queda después de volatilizarse la esencia. La resina (colofonia) se emplea en emplastos, linimentos y ungüentos de acción **rubefaciente y antirreumática.** El más conocido, ya desde muy antiguo, es el ***ungüento regio o basílico,*** que, según indica Font Quer, se elabora fundiendo una parte de colofonia, una de trementina, una de cera, una de sebo y tres partes de aceite de oliva.

La *TREMENTINA* y su esencia poseen propiedades **balsámicas, antirreumáticas, antisépticas, diuréticas, depurativas,** y previenen la formación de **cálculos** en las vías urinarias **[❶,❷]**. Estas son sus aplicaciones fundamentales:

- **Afecciones respiratorias:** Inhalada **[❺]**, en fricciones **[❹]**, o ingerida por vía oral **[❶,❷]**, resulta de gran utilidad en todo tipo de afecciones del aparato respiratorio (bronquitis, asma, etc.), así como en casos de resfriados, de rinitis y de sinusitis. Los baños calientes **[❸]** con yemas de pino o esencia de trementina, proporcionan un gran alivio a los asmáticos.

- **Antiinflamatoria** (revulsiva) Aplicada ***externamente*** en baños y fricciones **[❹,❺]**, la trementina o su resina (colofonia) hace que la piel se ruborice, desinflamando los tejidos profundos (acción revulsiva). Se obtienen excelentes resultados en todo tipo de **dolores reumáticos,** ya sean articulares o musculares (lumbago, tortícolis, dolores cervicales, etc.), o los provocados por **golpes o contracturas.**

- **Tonificante:** Se ha comprobado recientemente, que la trementina de pino tiene la propiedad de estimular las glándulas suprarrenales, lo que se traduce en un efecto tonificante y revitalizante de todo el organismo **[❶,❷]**.

Llantén

Pectoral y cicatrizante

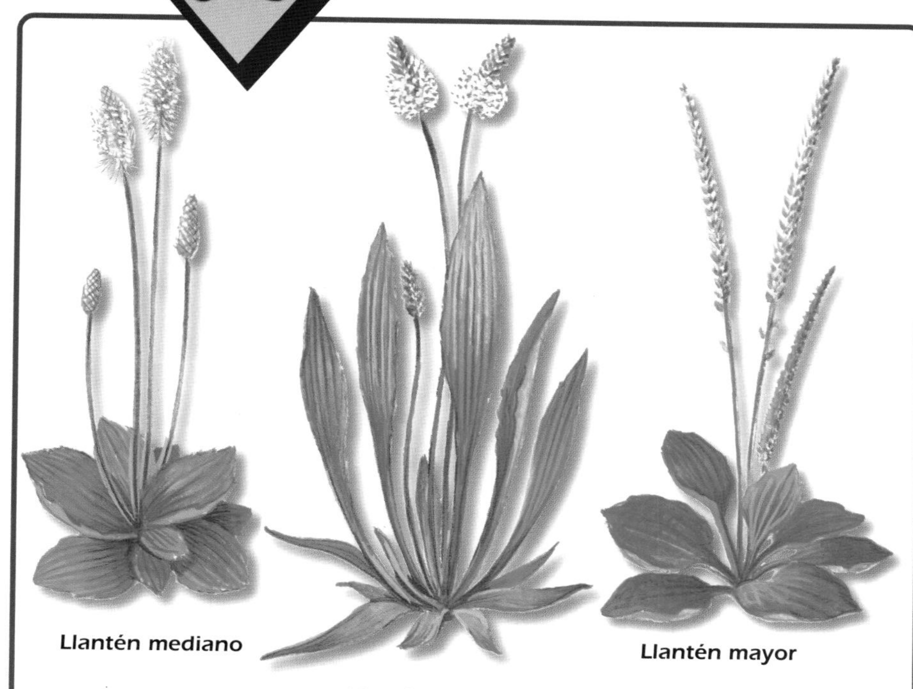

EL GÉNERO *Plantago* abarca unas 200 especies, entre las que destacan por sus aplicaciones fitoterapéuticas la zaragatona (pág. 515) y los tres llantenes, usados medicinalmente desde la antigüedad griega. El nombre de *Plantago* hace referencia a la forma de huella o pisada que tienen las hojas.

PROPIEDADES E INDICACIONES: Los tres llantenes contienen gran cantidad de mucílagos, que les otorga propiedades **emolientes, expectorantes, antitusígenas y béquicas;** tanino, que los hace **astringentes y hemostáticos y cicatrizantes;** pectina; y unos glucósidos cromogénicos, la aucubina y el catalpol, de acción **antiinflamatoria y antiséptica.**

El ***LLANTÉN MAYOR*** contiene además ácidos fenólicos, flavonoides, colina, y el alcaloide noscapina, de propiedades **antiespasmódicas y antitusígenas.**

Los llantenes suavizan y secan a la vez, debido a la acción combinada de los mucílagos (emolientes, suavizantes) con la de los taninos (astringentes, producen constricción y sequedad). Esto les otorga un efecto antiinflamatorio amplio, útil para curar muchas afecciones de las mucosas respiratorias

Especies afines: *Plantago media* L. (llantén mediano), *Plantago lanceolata* L. (llantén menor).

Sinonimia hispánica: *llantén mayor, hierba estrella, arta, carmel, aycha-aycha, huincallantén, llantaina, plantaina, plantaje, pan de pájaro;* ***Cat.:*** *plantatge major, plantatge gros, plantatge comú,* ***Eusk.:*** *plantain handi;* ***Gal.:*** *herba estrela, chantaxe;* ***Fr.:*** *plantain;* ***Ing.:*** *common plantain;* ***Al.:*** *Breitwegerich.*

Hábitat: *Difundido por toda Europa y naturalizado en el continente americano. El mayor prefiere los terrenos húmedos, el mediano, los bordes de los caminos y los ribazos, y el menor o lanceolado los terrenos calcáreos.*

Descripción: *Planta de la familia de las Planataragináceas, que mide de 10 a 60 cm de altura. Las tres especies se caracterizan por tener hojas radicales (que nacen directamente de la raíz), con nervios paralelos y confluyentes en la punta. Difieren en el tamaño y forma de sus hojas, así como en la longitud de la espiga floral.*

Partes utilizadas: *la planta entera (hojas, espiga floral y raíz).*

Preparación y empleo

USO INTERNO

❶ **Decocción:** 20-30 g de hojas y/o raíz por litro de agua, que se dejan hervir durante 3-5 minutos, y de la que se ingieren de 3 a 5 tazas diarias.

USO EXTERNO

❷ La misma decocción que para uso interno, pero más concentrada (50-100 g por litro), se usa en **gargarismos, lavados oculares, compresas sobre la piel, baños de asiento o enemas.**

❸ **Apósitos** de hojas: Se lavan previamente y se escaldan en agua hirviendo durante un minuto, para desinfectarlas. Para colocarlas sobre las úlceras y heridas no deben manipularse con los dedos, sino con pinzas estériles. Se fijan mediante un vendaje, y hay que cambiarlas 2 o 3 veces cada día.

❹ **Cataplasmas** de hojas hervidas y machacadas.

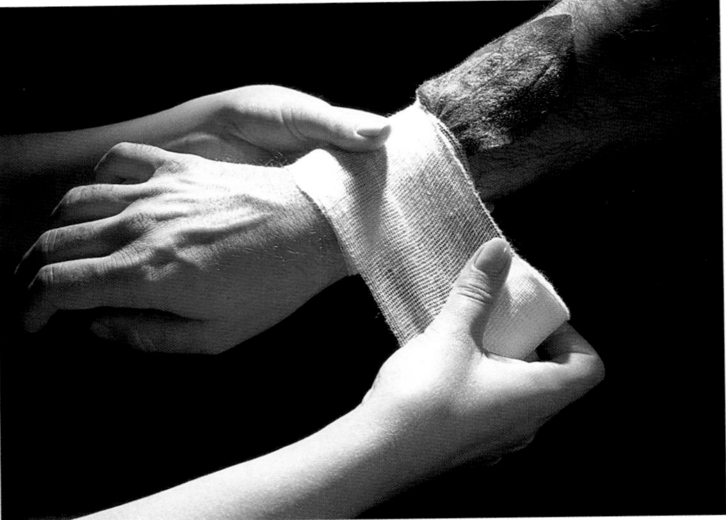

El llantén es un gran emoliente (suavizante) de las mucosas respiratorias y de la piel. Se puede aplicar en compresas empapadas con la decocción de hojas, o en cataplasmas de hojas machacadas.

La forma más práctica y eficaz de aplicar las hojas de llantén sobre la piel, sin embargo, quizá sea colocándolas directamente sobre la zona afectada, a modo de apósito, tal como se muestra en estas fotografías. Se escaldan previamente durante un minuto, con el fin de desinfectarlas. Dan excelentes resultados en caso de úlceras varicosas, heridas y quemaduras.

y digestivas. Estas son sus principales aplicaciones:

• **Afecciones respiratorias:** bronquitis agudas y crónicas, catarros bronquiales, asma **❶**. Fluidifican las secreciones, facilitan su eliminación, desinflaman la mucosa bronquial y calman la tos. El llantén se han usado contra la tuberculosis pulmonar y las neumonías, como complemento del tratamiento específico. El llantén mayor es el de más acusado efecto antitusígeno.

• **Afecciones de la boca y garganta,** en enjuagues bucales y gargarismos: Se recomiendan en caso de estomatitis (inflamación de la mucosa bucal), gingivitis (inflamación de las encías), faringitis, amigdalitis y laringitis **❷**. Desinflaman la boca, quitan el picor y la irritación de garganta, y alivian los accesos de tos de la tosferina (acción béquica).

• **Afecciones digestivas:** colitis, aerocolia (gases en el colon), distensión del abdomen por exceso de gases o mala digestión, putrefacciones intestinales, diarreas, disenterías, estreñimiento crónico con inflamación del intestino grueso **❶**.

• **Hemorroides:** Los baños de asiento y los enemas (lavativas) con decocción de llantén resultan muy efectivos para desinflamarlas **❷**.

• **Afecciones oculares:** En lavados, la decocción de llantén, alivia la conjuntivitis y la blefaritis (inflamación de los párpados) **❷**.

• **Úlceras varicosas, heridas** que no cicatrizan, **quemaduras:** Se pueden aplicar compresas de la decocción de llantén **❷**, o directamente las hojas escaldadas en agua hirviendo **❸**.

• **Picaduras de insectos y reptiles:** El doctor Leclerc afirma que las comadrejas se frotan contra las matas de llantén antes de pelear con las serpientes, con el fin de protegerse contra los efectos del veneno. En caso de picadura de mosquitos, arañas, abejas, avispas, escorpiones, frotar enérgicamente la zona de piel afectada con unas hojas de llantén, y aplicar un apósito **❸** o cataplasma de hojas **❹**.

En caso de mordeduras de serpiente, es necesario aplicar previamente el tratamiento de urgencia habitual (incisión, torniquete, suero antiponzoñoso), y después una fricción y un apósito o una cataplasma de hojas de llantén.

Polígala

Gran efecto expectorante

Los antiguos griegos dieron el nombre de polígala a las especies europeas de esta planta (de *poly,* mucho, y *gala,* leche), pues la empleaban para aumentar la secreción láctea de los animales domésticos. Durante mucho tiempo, en Europa se ha administrado a las vacas y a las cabras con este fin, aunque sus resultados sean más que dudosos.

Paralelamente, los indios norteamericanos emplean tradicionalmente otra especie de polígala, la *senega,* de similar composición que la europea, para tratar las afecciones respiratorias y las mordeduras de serpiente.

Es curioso comprobar como la moderna investigación farmacológica ha dado la razón a los indígenas de los Estados Unidos. Actualmente, la polígala entra en la composición de diversos ***preparados farmacéuticos*** para el tratamiento de las **afecciones bronco-pulmonares.**

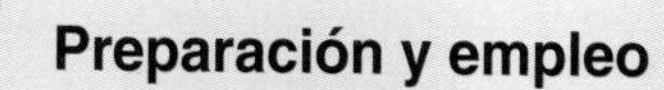

Preparación y empleo

Uso interno

❶ **Decocción** con 5 a 10 g de hojas o raíz triturada por litro de agua. Hervir durante 3 minutos. Tomar 3 o 4 tazas diarias, endulzadas con miel.

❷ **Polvo de la raíz:** Se administra en dosis de 0,5 a 2 g diarios.

Sinonimia hispánica: *polígala de Virginia, polígala americana, [hierba] lechera;* ***Cat.:*** *polígala;* ***Eusk.:*** *esneaski;* ***Gal.:*** *[herba] leiteira;* ***Fr.:*** *polygala de Virginie;* ***Ing.:*** *milkwort, senega snakeroot;* ***Al.:*** *Senega-Kreuzblume.*

Hábitat: *Terrenos pedregosos del este de Norteamérica. Cultivada en otras partes del mundo como planta medicinal.*

Descripción: *Planta vivaz de la familia de las Poligaláceas, de tallo rastrero y perenne, del que nacen unos tallos herbáceos de hasta 30 cm de altura. Las flores son pequeñas, de color azulado, rosado o blanco, y se agrupan en el extremo de los tallos. Su sabor es áspero y acre.*

Partes utilizadas: *la planta entera, especialmente la raíz.*

Polígalas europeas

Existen varias especies de polígalas, todas ellas con una **composición muy similar,** aunque la *senega* es la más empleada, debido a su mayor riqueza en principios activos. En Europa se conocen sobre todo dos polígalas:

- la **amarga** (*Polygala amara* L.), que se cría en el norte de Europa y en Asia occidental;
- la **rupestre** (*Polygala rupestris* Pourr.), que se encuentra repartida por el sur de Europa.

Propiedades e indicaciones: Toda la planta, y especialmente la raíz, es muy rica en saponinas, sustancias vegetales que, al igual que el jabón, hacen que el agua se vuelva espumosa, por disminuir su tensión superficial. Las saponinas más importantes son el ácido poligálico y la senegina, sustancias que aumentan las secreciones bronquiales.

El efecto resultante de todas estas sustancias es que el moco bronquial patológico, se vuelve menos viscoso, y se hace más espumoso y abundante; de esta forma, se facilita su expulsión y con ello, la regeneración de las mucosas respiratorias.

La polígala es una planta netamente **mucolítica y expectorante.** Su uso está pues indicado en todos los casos de bronquitis, catarros bronquiales, asma bronquial, y neumonía, así como en las faringitis, la gripe y para combatir la tos **(❶,❷).**

La polígala, debido a su contenido en saponinas, tiene acción **laxante,** y en dosis altas **emética** (provoca el vómito) **(❷).**

Primavera

Expectorante y antiinflamatoria

CUANDO llega la primavera, una de las primeras plantas en florecer es precisamente esta. De ahí su nombre. Sus flores son muy apreciadas como ornamentales y aromáticas.

Los grandes médicos y botánicos de la antigüedad clásica no conocían esta planta, que se viene usando en terapéutica desde el siglo XVI.

PROPIEDADES E INDICACIONES: La raíz y el rizoma de la primavera son muy abundantes en saponinas triterpénicas (5%-10%), la más importante de las cuales se conoce como primulina. A eso deben su acción **expectorante y mucolítica** (fluidificantes de las secreciones bronquiales). Contienen también dos heterósidos fenólicos derivados del ácido salicílico (primaverina y primulaverina), que se transforman por hidrólisis en deriva-

Sinonimia científica: *Primula officinalis* L.

Sinonimia hispánica: *flor de primavera, prímula, hierba de San Pablo, gordolobillo, hierba de la parálisis, clavelina, vellorita [de oro], bichileta, pichilindra;* ***Cat.:*** *prímula [vera], herba de Sant Pau, herba de la paràlisi, prímula oficinal, prímula comuna, [papagall de] primavera, [flor de] cucut, herba del mos del diable, rossinyol, margaridussa;* ***Eusk.:*** *San Jose lore, udaberri-lore;* ***Gal.:*** *herba de San Paulo;* ***Fr.:*** *primevère officinale, herbe à la paralysie, coucou;* ***Ing.:*** *[English] cowslip, primrose;* ***Al.:*** *Schlüsselblume.*

Hábitat: *Prados y bosques claros de las montañas de Europa, de donde pasó a algunas regiones templadas del continente americano.*

Descripción: *Planta vivaz herbácea de la familia de las Primuláceas. Sus hojas, grandes y ovaladas, se disponen en roseta basal. El tallo mide de 15 a 30 cm y acaba en una umbela de flores amarillas.*

Partes utilizadas: *la raíz, el rizoma (tallo subterráneo) y las flores.*

Precauciones

Algunas variedades que se crían en macetas y en jardines, tienen sus hojas revestidas de unos pelillos urticantes, que pueden provocar ***irritación*** *en la piel e incluso, reacciones* ***alérgicas.***

Preparación y empleo

USO INTERNO

❶ **Decocción** durante 15 minutos, de 30-50 g de raíz y/o rizoma triturados por litro de agua. Se toman 3 o 4 tazas diarias, calientes y endulzadas a gusto con miel.

❷ **Infusión** con 20-30 g de flores por litro de agua, de la que se ingieren hasta 5 tazas al día.

USO EXTERNO

❸ **Compresas:** Se realizan con la misma decocción que para uso interno, aunque más concentrada, y se aplican sobre la parte afectada.

La primavera es una planta herbácea que crece en los prados y bosques claros de las regiones montañosas de Europa, como esta de los Alpes, y también del continente americano. Su raíz es expectorante y antiinflamatoria, y sus flores, sedantes y diuréticas.

dos del ácido salicílico. Esta es la razón de su acción **analgésica, antiinflamatoria y antirreumática.** Recuérdese que la aspirina es el ácido acetilsalicílico, un derivado sintético del ácido salicílico.

Así pues, las dos aplicaciones fundamentales de la ***RAÍZ*** de la primavera son:

• **Afecciones respiratorias** en las que se requiera un aumento de la fluidez de las secreciones bronquiales, para facilitar su expulsión: bronquitis aguda y crónica, asma bronquial y bronconeumonía, entre otras **[❶]**. Es útil también en los catarros bronquiales simples y para calmar los accesos de tos. Aunque la acción fluidificante y expectorante de las saponinas de la primavera no es tan marcada como la de la polígala (pág. 327), sigue siendo una planta muy útil.

• **Afecciones reumáticas, gota [❶]**, y en ***aplicación externa,*** como **antiinflamatorio** en caso de contusiones, esguinces y dolores musculares **[❸]**.

Por otra parte, las ***FLORES*** de la primavera contienen flavonoides y caroteno (provitamina A). También tienen dos aplicaciones:

• Por su acción **antiespasmódica y sedante,** se emplean en el tratamiento de **jaquecas y cefaleas [❷]**. Por su sabor agradable, su tisana resulta muy conveniente para calmar a los **niños nerviosos** o hiperactivos.

• Por su acción **diurética y depurativa,** se usa en el tratamiento de la **gota** y de la **litiasis úrica** (cálculos úricos en las vías urinarias, arenillas), ***en combinación*** con otras plantas diuréticas **[❷]**.

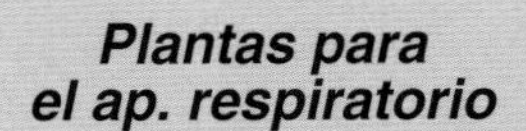

Prunus serotina Poir.

Cerezo de Virginia

Remedio bronquial procedente de Norteamérica

LA CORTEZA del cerezo de Virginia es un remedio tradicional de los indios de Norteamérica. La moderna investigación farmacológica ha confirmado las propiedades medicinales de este hermoso árbol, y su uso se ha extendido por Estados Unidos y por algunas regiones de Europa.

En Centro y Sudamérica se da una especie tan **semejante en aspecto y propiedades,** que incluso algunos autores le atribuyen similar denominación científica, *Prunus serotina* Ehrh., o la sinonimia científica de *Prunus capuli* Cav. A este cerezo americano se lo conoce popularmente como capulín, cerezo criollo, cerezo de los Andes, cerezo negro silvestre o mují.

PROPIEDADES E INDICACIONES: La corteza del cerezo de Virginia contiene un glucósido cianogenético (prunasina), ácido cumárico, tanino, escopoletina y aceite esencial.

Su principal acción medicinal es la **expectorante y antitusígena.** Facilita la eliminación de la mucosidad de las vías respiratorias y calma la tos. Resulta especialmente útil en catarros y bronquitis **[❶]**.

Ciertas tribus indígenas norteamericanas lo emplean para aliviar los dolores del parto, por su efecto **sedante.**

Sinonimia científica: *Prunus virginiana* L., *Prunus melanocarpa* Rydb.

Especie afín: *Prunus capuli* Cav.

Sinonimia hispánica: *cerezo [americano];* ***Cat.:*** *cirerer americà, cirerer de Virgínia;* ***Gal.:*** *cerdeira de Virxinia;* ***Fr.:*** *cerisier de Virginie;* ***Ing.:*** *[Virginian] bird cherry, [American] choke cherry;* ***Al.:*** *Späte Traubenkirsche.*

Hábitat: *Se cría en zonas boscosas de América del Norte.*

Descripción: *Árbol de la familia de las Rosáceas, que alcanza hasta 30 m de altura, cubierto por una corteza oscura y rugosa. Produce unos frutos parecidos a las cerezas vulgares, pero más pequeños, de color más oscuro y de sabor un tanto amargo.*

Partes utilizadas: *la corteza.*

Preparación y empleo

USO INTERNO

❶ **Infusión:** Se realiza vertiendo una cucharadita de postre de corteza triturada, en una taza de agua caliente.

Precauciones

*Las **hojas** del cerezo de Virginia son **venenosas,** pues contienen ácido cianhídrico.*

La corteza, en cambio, se halla libre de este tóxico, por lo que su uso no entraña peligros.

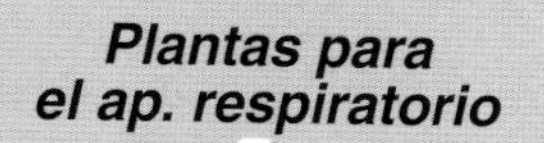

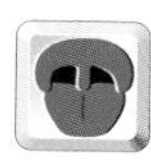

Pulmonaria

Pectoral y antiinflamatoria

DESDE el siglo XVI, los partidarios de la teoría de los signos vieron en las hojas de esta planta, la superficie de un pulmón enfermo con nódulos tuberculosos. Muchos tísicos del siglo XIX, y de la primera mitad del XX, fueron tratados con la pulmonaria, obteniendo buenos resultados en algunos casos. Hoy sigue siendo una planta útil en las afecciones respiratorias.

PROPIEDADES E INDICACIONES: Toda la planta contiene gran cantidad de mucílago y de alantoína, sustancias que determinan su acción **emoliente;** taninos, que la hacen **astringente;** cierta cantidad de saponinas, que la hacen **expectorante;** ácido salicílico, así como sales potásicas y cálcicas, que la hacen **antiinflamatoria, diurética y sudorífica.**

- En *uso interno* resulta indicada en diversas **afecciones respiratorias:** catarro bronquial, irritación de garganta, tos seca o irritativa, ronquera y afonía (tomada y en gárgaras) **[❶,❷]**. Muy útil para contrarrestar los efectos negativos del tabaco sobre las vías respiratorias **[❶]**. En la **tuberculosis** pulmonar, se puede usar como ***complemento*** del tratamiento específico, siempre bajo ***control facultativo.***
- ***Externamente*** se emplea para curar **heridas, contusiones, grietas** de la piel y **sabañones [❸].**

Preparación y empleo

USO INTERNO

❶ **Decocción** de 30-50 g de planta por litro de agua, durante 15 minutos. Se toman 3 o 4 tazas diarias endulzadas con miel.

USO EXTERNO

❷ **Gargarismos** con la misma decocción de uso interno.

❸ **Lavados y compresas** con dicha decocción, que se aplican sobre la zona afectada.

Sinonimia hispánica: *pulmonaria manchada, pulmonaria medicinal, roseta, rosetas, salvia de Jerusalén;* ***Cat.:*** *pulmonària;* ***Eusk.:*** *biri-belar sendakari;* ***Gal.:*** *pulmonaria;* ***Fr.:*** *pulmonaire;* ***Ing.:*** *[spotted] lungwort, Jerusalem cowslip;* ***Al.:*** *Lungenkraut.*

Hábitat: *Bosques claros y húmedos, con preferencia calcáreos, de toda Europa. En la península ibérica es más frecuente en el cuadrante nordeste. Se halla introducida en regiones templadas y frías del continente americano.*

Descripción: *Planta herbácea, vivaz, de la familia de las Borragináceas. Su tallo, velloso, alcanza hasta 30 cm, y al final del mismo nace un ramillete de flores de color rosa y violeta.*

Partes utilizadas: *la planta florida.*

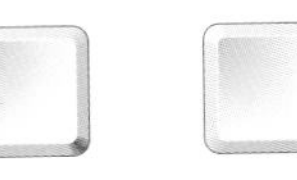

Caña de azúcar

Un caramelo natural

LA CAÑA de azúcar es originaria del sudeste asiático. Los árabes extendieron su cultivo por el Mediterráneo, y los españoles y portugueses la llevaron a América en el siglo XVI. De ella se obtiene el azúcar de caña, así como la melaza, llamada también miel o melada de caña, que es el residuo en forma de jarabe que queda después de separar del jugo de la caña, el azúcar cristalizado.

PROPIEDADES E INDICACIONES: El jugo de la caña de azúcar contiene de un 16% a un 20% de sacarosa, glúcido del tipo de los disacáridos, cuya fórmula química es $C_{12}H_{22}O_{11}$. Además posee un buen porcentaje de sales minerales y de vitaminas, la mayor parte de las cuales quedan en la melaza. El azúcar sin refinar (azúcar moreno) contiene restos de melaza, que le proporciona su típica coloración, y hace que persistan en él cierta cantidad de sales minerales y vitaminas. Por el contrario, el azúcar refinado es prácticamente sacarosa pura, carente de otras sustancias nutritivas.

El jugo de la caña de azúcar [❶] y el cocimiento o decocción de su pulpa [❷] tienen propiedades **pectorales,** además de **tonificantes y refrescantes.** Su empleo beneficia a los que padecen de **catarros bronquiales, bronquitis crónica y asma.**

Preparación y empleo

USO INTERNO

❶ **Jugo fresco:** Se extrae triturando o machacando los tallos de la caña de azúcar.

❷ **Decocción:** Se hierven 250 g de caña de azúcar pelada en un litro de agua. Beber a gusto.

Sinonimia hispánica: *caña melar, caña dulce, cañaduz, cañamiel, caña de Castilla;* ***Cat.:*** *canya de sucre, canya dolça, canyamel;* ***Eusk.:*** *azukre-kanabera;* ***Gal.:*** *cana de azucre;* ***Fr.:*** *canne à sucre;* ***Ing.:*** *sugar cane;* ***Al.:*** *Zuckerrohr.*

Hábitat: *Se encuentra en las regiones subtropicales del sur de Europa, y en la zona tropical de Centro y Sudamérica, especialmente en Cuba.*

Descripción: *Planta de la familia de las Gramíneas, parecida a la caña común, con los tallos aéreos de hasta 4 m de altura. Su médula es muy dulce y jugosa.*

Partes utilizadas: *los tallos.*

Saponaria

Expectorante y amiga de la piel

ANTIGUAMENTE las lavanderas recurrían a esta planta para lavar y desengrasar los tejidos, sobre todo la lana. Por lo general se usa por vía externa, para el cuidado de la piel y del cabello.

PROPIEDADES E INDICACIONES: Toda la planta, y especialmente el rizoma y la raíz, contienen una saponina llamada saporrubina, de acción expectorante, diurética, colagoga y depurativa. Las saponinas tienen la propiedad de disolver las grasas en el agua, haciendo espuma.

Su propiedad más importante es la **expectorante,** por la capacidad que tiene para fluidificar las secreciones bronquiales. Aunque resulta eficaz en las afecciones respiratorias [❶], debido a su ***toxicidad por vía interna,*** su uso ha sido sustituido por otras plantas más seguras.

Externamente resulta muy útil para combatir los **eccemas y erupciones** de la piel [❷,❸], así como para el **lavado de los cabellos delicados** [❹].

Precauciones

No sobrepasar las dosis *recomendadas en* ***uso interno.*** *Puede producir intoxicaciones.*

Preparación y empleo

USO INTERNO

❶ **Decocción** con 15 g por litro de agua, de la que se toman hasta 2 tazas diarias endulzadas con miel.

USO EXTERNO

❷ **Lociones o compresas** con una decocción más concentrada que la de uso interno.

❸ **Cataplasmas** con hojas y/o raíces cortadas a rodajas.

❹ **Lavado del cabello:** Se realiza con una decocción de 20 g de saponaria por litro de agua.

En el campo, restregarse las manos con las flores de la saponaria es, a falta de jabón, una buena forma de lavárselas.

Sinonimia hispánica: *[hierba] jabonera, hierba de bataneros, jabón de palo, jabonera de la Mancha;* ***Cat.:*** *sabonera [comuna], saponària, sabó de gitana;* ***Eusk.:*** *xaboi-belar [sendakari];* ***Gal.:*** *concheira, albitorno, brotaneira;* ***Fr.:*** *saponaire, herbe à foulon, savonnière;* ***Ing.:*** *soapwort, soap root;* ***Al.:*** *Seifenkraut.*

Hábitat: *Común en bordes de caminos y ribazos de lugares húmedos, de toda Europa y Norteamérica. En España se encuentra en la mitad norte de la península.*

Descripción: *Planta vivaz de la familia de las Cariofiláceas, de 30 a 60 cm de altura, con tallo erguido y abundante rizoma. Sus inflorescencias terminales son de color rosado y desprenden un olor agradable.*

Partes utilizadas: *toda la planta.*

Alsine

Verdura silvestre expectorante y emoliente

ESTA HUMILDE planta es muy apreciada por los pájaros, y por las gallinas; y también por los que conocen la naturaleza y los dones que esta ofrece a los humanos.

En los albores de la primavera, cuando los campos empiezan a vestirse de verde, el alsine presenta unas pequeñas hojas que nacen de sus tiernos tallos. Entonces es el momento de recogerlo, y de preparar con él una excelente ensalada. Hay quien lo utiliza como las espinacas. Crudo o cocinado, el alsine no pica ni amarga, y nada tiene que envidiar a las hortalizas cultivadas.

El alsine es una planta silvestre muy apreciada por las gallinas y los pájaros, así como por los seres humanos que conocen sus propiedades medicinales.

Sinonimia hispánica: *pamplina [de canarios], berrillo, quilloiquilloi, pajarera, hierba de los canarios, picagallina, regojo, zadorija;* ***Cat.:*** *morró [blanc], herba de canari, ocellera, pardalera, picagallina, tinya;* ***Eusk.:*** *sapelar;* ***Gal.:*** *maruxa, herba paxareira;* ***Fr.:*** *mouron blanc, stellaire, mouron des oiseaux;* ***Ing.:*** *[common] chickweed;* ***Al.:*** *Vogelmiere.*

Hábitat: *Distribuida por todo el mundo. Prefiere los lugares húmedos. Los agricultores la consideran una mala hierba de los campos cultivados.*

Descripción: *Planta de la familia de las Cariofiláceas, rastrera, con tallos poco consistentes. Las hojas son ovaladas y terminadas en punta. Las flores son pequeñas, con pétalos blancos, que se abren a mediodía en forma de estrella.*

Partes utilizadas: *toda la planta.*

Preparación y empleo

Uso interno

❶ **Crudo** en ensaladas o **cocinado** como las espinacas.

❷ **Decocción** con 30 g de planta por litro de agua. Hervir durante 15 minutos, filtrar, y tomar una taza antes de cada comida.

Uso externo

❸ **Cataplasmas:** Se cuecen 100 g de planta triturada en medio litro de agua, hasta que se forma una pasta homogénea. Aplicarlas sobre la zona de piel irritada.

Además de expectorante y emoliente, el alsine tiene un notable efecto tonificante. Por ello conviene a los estudiantes, especialmente en época de exámenes, y a quienes se hallen sometidos a sobrecarga física o intelectual.

El alsine ya fue mencionado por Dioscórides en el primer siglo de nuestra era, aunque sus propiedades medicinales no llegaron a ser bien conocidas hasta el siglo XIX. El abate Kneipp, renombrado maestro de la medicina natural alemana, lo utilizó con éxito en las enfermedades de las vías respiratorias.

PROPIEDADES E INDICACIONES: Toda la planta es rica en sales minerales y oligoelementos (especialmente magnesio, silicio, potasio, fósforo, hierro y cobre), así como en vitaminas del grupo B y C. También contiene cierta cantidad de saponinas (del latín *saponem,* jabón), sustancias que disminuyen la tensión superficial del agua, y la hacen espumosa como el agua jabonosa. En las mucosas del organismo, las saponinas provocan la formación de una espuma fina y duradera.

Las saponinas son el principio activo más importante del alsine. A ellas se deben la mayor parte de las propiedades de esta planta.

• **Expectorante:** Se utiliza en las bronquitis de todo tipo, y también en los simples catarros bronquiales, para provocar la eliminación de las secreciones secas o espesas **[❷]**.

• **Emoliente:** Se emplea en caso de **gastritis** para proteger la mucosa del estómago, y aliviar la sensación de pesadez que acompaña a este trastorno **[❶,❷]**. También se utiliza en caso de **colitis** (inflamación del intestino grueso), para favorecer una evacuación regular y sin molestias. Proporciona un suave efecto laxante **[❷]**.

• Aplicado ***externamente,*** el alsine elimina la **inflamación de la piel** debida a contusiones, irritaciones de origen físico (rozaduras, quemaduras solares, etc.) o químico (por acción de sustancias tóxicas) **[❸]**.

• **Tonificante:** Por su contenido en sales minerales y vitaminas, el alsine estimula a todo el organismo de forma natural, proporcionando una sensación de vitalidad y de bienestar. Resulta de gran utilidad en caso de **fatiga o agotamiento [❶,❷]**.

Tejo

Venenoso, pero útil

TODAS las partes de este hermoso árbol son altamente tóxicas, excepto la cúpula carnosa de color rojo, que a modo de capuchón recubre a sus semillas. Dioscórides creía que era peligroso incluso sentarse bajo su sombra. Se dice que los pueblos celtas envenenaban sus flechas con el jugo de este árbol con el fin de paralizar a sus víctimas.

PROPIEDADES E INDICACIONES: La cúpula carnosa que rodea a las semillas contiene mucílagos, y con ellas se prepara un jarabe pectoral para facilitar la **expectoración [❶]**. Contiene además proteínas, y posee acción **emoliente** (suavizante y antiinflamatoria) en especial sobre el aparato respiratorio.

El resto de la planta, incluso la semilla propiamente dicha, contiene ***taxina***, un **alcaloide *muy tóxico*** que produce convulsiones, parálisis nerviosa, cólicos y trastornos del ritmo cardíaco hasta la parada cardíaca y la muerte. Antiguamente se usó en muy pequeñas dosis para estimular el peristaltismo intestinal y subir la presión arterial, pero para conseguirlo hoy se emplean otras plantas no tóxicas.

El tejo es abortivo, aunque tampoco se usa con este fin debido a su gran

Cat.: *teix, teixera;* ***Eusk.:*** *hagin;* ***Gal.:*** *teixo, teixeira, teixoeira;*
Fr.: *if;* ***Ing.:*** *yew;* ***Al.:*** *Eibe.*

Hábitat: *Zonas umbrías de bosques y barrancos de toda Europa, Norteamérica y cono sur de Sudamérica. Es más frecuente en bosques de robles o encinas y en terrenos calizos. En algunos países goza de protección especial para evitar su extinción. Cultivado como ornamental en parques y jardines.*

Descripción: *Árbol o arbusto de la familia de las Taxáceas, de hasta 20 m de altura, dioico (flores masculinas y femeninas sobre pies distintos) y de hoja perenne. Las semillas de las flores femeninas se hallan rodeadas de una cúpula carnosa de color rojo (arilo), que es un falso fruto.*

Partes utilizadas: *los arilos (cúpulas carnosas que rodean a las semillas).*

Preparación y empleo

USO INTERNO

❶ **Jarabe:** Se machacan los arilos o cúpulas (sin las semillas), y se les añade igual peso de azúcar y el agua que precise hasta la total disolución. Tomar de 6 a 18 cucharadas diarias.

Precauciones

Planta ***muy tóxica****, excepto la cúpula de color rojo de las semillas (arilos). La ingestión de* ***unas hojas*** *puede provocar la* ***muerte de un niño.***

En caso de intoxicación, *provocar el vómito o aplicar un lavado de estómago y administrar grandes dosis de carbón vegetal. Es necesario proceder al* ***traslado inmediato*** *del envenenado a un* ***hospital.***

toxicidad. Hay que recordar el aforismo que dice: "Los abortivos son venenos tanto para el feto como para la madre."

En los últimos años, investigadores norteamericanos y franceses han descubierto en el tejo una sustancia llamada ***taxol,*** que tiene la propiedad de impedir la reproducción de las células tumorales (acción antimitótica). Actualmente se está investigando la posible aplicación del taxol y de sus derivados en el tratamiento del **cáncer,** con expectativas prometedoras. Hay que decir que el taxol se encuentra en muy pequeñas cantidades en la corteza y las hojas del tejo, por lo que el ***uso directo*** de la planta ***carece de utilidad,*** además de ser muy tóxica debido al alcaloide taxina.

Paradójicamente, esta planta venenosa, llamada "el árbol de la muerte", puede contener remedios muy útiles para salvar la vida de los enfermos de cáncer. El mundo vegetal guarda todavía muchos secretos por desvelar.

Todas las partes del tejo son muy venenosas, a excepción de las pequeñas cúpulas carnosas de color rojo que rodean a las semillas, llamadas arilos. Estos son muy ricos en mucílago, y sirven para preparar un jarabe pectoral que facilita la expectoración.

De su corteza, especialmente de la del tejo del Pacífico, se extrae una sustancia capaz de frenar el desarrollo del cáncer.

El tejo contra el cáncer

El interés por el tejo comenzó en 1960 en el Instituto Nacional del Cáncer de los Estados Unidos. Un grupo de científicos descubrió allí que el extracto de la corteza de una especie de tejo llamado tejo del Pacífico (Taxus brevifolia), *mostraba una notable actividad antitumoral sobre las células cancerosas.*

En 1971 se identificó el principio activo del extracto de tejo, y se le dio el nombre de ***taxol****. Su extracción es muy costosa, pues para obtener 100 mg de taxol se precisa un kilo de corteza del árbol. Afortunadamente, el taxol se ha podido sintetizar químicamente sin necesidad de disponer de la corteza del árbol.*

En las numerosas investigaciones realizadas, el taxol se ha mostrado efectivo contra el cáncer de ovario avanzado, resistente a otros tratamientos, y contra el cáncer de mama con metástasis.

La aplicación clínica del taxol ha estado frenada a la espera de que los investigadores logren frenar sus efectos tóxicos: neutropenia (disminución de glóbulos blancos), alergia, náuseas y caída del cabello.

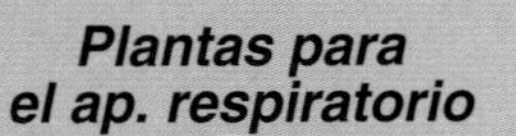

Serpol

Calma la tos y los dolores

AL IGUAL que otras plantas de la familia de las Labiadas, como el orégano (pág. 464), el tomillo (pág. 769), la menta (pág. 366) o el poleo (pag. 461), el serpol desprende un fragante aroma. No es fácil diferenciarlo del tomillo (*Thymus vulgaris* L., pág. 769), sobre todo porque existen varias subespecies intermedias. Sin embargo, estas tres características del serpol no suelen faltar:

✓ el **labio superior del cáliz** de sus flores, que se halla dividido en tres dientes profundos;

✓ las **hojas,** que son planas y verdes por ambas caras (el tomillo tiene los bordes de las hojas vueltos hacia aba-

El serpol calma la tos y tonifica todo el organismo.

Sinonimia hispánica: *serpillo, tomillo silvestre, tomillo salsero, tomillo sanjuanero, samarillo, pebrella, hierba luna;* ***Cat.:*** *sèrpol, serpol, serpoll, farigoleta, timó de prat, timó negre, serfull, salsa de pastor;* ***Eusk.:*** *sarpoil;* ***Gal.:*** *tomentelo, tomelo, tornelo;* ***Fr.:*** *[thym] serpolet, thym bâtard;* ***Ing.:*** *wild thyme, mother of thyme;* ***Al.:*** *Feldthymian.*

Hábitat: *Terrenos secos, áridos o pedregosos en tierras bajas o en laderas montañosas hasta 2.500 m de altura de toda Europa. Se halla naturalizado en Norteamérica.*

Descripción: *Planta vivaz de la familia de las Labiadas, que alcanza hasta 40 cm de altura. Los tallos son rastreros, las hojas pequeñas y planas, y las flores de color rosa o púrpura, agrupadas en inflorescencias terminales.*

Partes utilizadas: *las sumidades floridas.*

Preparación y empleo

USO INTERNO

❶ **Infusión** con 20-40 g de planta por litro de agua; de la que se toman de 3 a 5 tazas cada día. Se puede endulzar con miel. Como **antitusígeno** se administran 1-2 cucharadas cada hora, hasta que se calme la tos.

❷ **Esencia:** Se administran 3-5 gotas, 3 veces diarias.

USO EXTERNO

❸ **Baños:** Se añaden al agua de una bañera mediana 2-3 litros de una decocción realizada con 50-100 g, que se han dejado en ebullición 5 minutos.

❹ **Lavados, enjuagues y gargarismos:** Se realizan con la misma infusión que para uso interno, pero más concentrada.

❺ **Compresas** y **fricciones** con la esencia.

Para tomar un buen baño tonificante, se añaden al agua del baño 2-3 litros de una decocción realizada con 50-100 gramos de sumidades floridas de serpol por litro de agua. Se toma caliente. Da muy buenos resultados en caso de depresión, astenia y agotamiento, tanto en niños como en adultos.

jo, y estas son blanquecinas por el envés);

✓ su **aroma** recuerda al del limón o al de la melisa.

Propiedades e indicaciones: Las hojas y las flores contienen una esencia de composición variable según las subespecies, pero que siempre posee cimol, timol y carvacrol. También contiene pequeñas cantidades de ácidos fenólicos, flavonoides y taninos. Las propiedades del serpol se las confiere su esencia: **digestiva, antiespasmódica, expectorante y antiséptica.**

Sus aplicaciones son similares a las de otras plantas de la familia de las Labiadas, con las siguientes particularidades:

• **Afecciones respiratorias:** El serpol da muy buenos resultados como calmante de la tos, especialmente la **tos seca convulsiva** de los **niños {❶,❷}.** También se usa en la tosferina y en todo tipo de catarros bronquiales.

• **Afecciones digestivas:** El serpol se emplea contra la atonía de estómago, las digestiones pesadas, las flatulencias y las dispepsias en general **{❶,❷}**.

• **Afecciones bucales y anales:** Por su acción antiséptica, el serpol resulta muy indicado para realizar lavados y enjuagues en heridas o inflamaciones de las mucosas del aparato digestivo, ya sea en la boca (aftas o llagas) o en el ano (fisura anal) **{❹}**. En gárgaras, es muy beneficioso en caso de **amigdalitis** (anginas) o de **faringitis.**

• **Reumatismos y neuralgias:** Aplicada ***localmente,*** la esencia de serpol calma los dolores de la ciática, de las neuralgias faciales y de los dolores reumáticos en general **{❺}**.

• **Depresión, astenia y agotamiento:** Dan muy buenos resultados los baños calientes con serpol; son tonificantes y revitalizantes **{❸}**. Convienen tanto a los niños endebles como a los adultos necesitados de un estímulo natural.

Trébol común

Pectoral y digestivo

LA MANCHA blanca que presentan las hojas del trébol, hizo pensar a los partidarios de la teoría de los signos que debía de ser bueno contra las cataratas. Dioscórides (siglo I d.C.) decía que el jugo (zumo) del trébol mezclado con miel «resuelve las nubes, las motas blancas, y otros impedimentos que obscurecen la vista». En la actualidad conocemos sus verdaderas aplicaciones.

PROPIEDADES E INDICACIONES: Contiene taninos, glucósidos, ácidos orgánicos y pigmentos.

Resulta útil en las **afecciones respiratorias** (bronquitis, tos y ronquera) y en las **digestivas** (diarrea, gastritis, inapetencia) [❶].

No está demostrado que sea útil contra las cataratas.

Externamente se usa en baños y compresas contra las **irritaciones e inflamaciones de la piel [❷].**

Preparación y empleo

USO INTERNO

❶ **Decocción** durante 10 minutos de 20-30 g de hojas y/o flores por litro de agua, de la que se toman hasta 5 tazas diarias.

USO EXTERNO

❷ **Compresas** y **baños** con la misma **decocción** de uso interno, pero más concentrada.

Trébol blanco

El trébol blanco (*Trifolium repens* L. = *Trifolium nigrescens* Schur.) es una especie similar al trébol común o rojo que a diferencia de este tiene las flores blancas. El trébol blanco, calificado asimismo de rastrero, de coche o ladino, llamado también trébol de Holanda*, huele intensamente a heno.

Además de tener **las mismas aplicaciones medicinales** que el común, su decocción se añade al agua de baño para obtener un marcado efecto **antirreumático.**

* ***Cat.:*** *trèvol repent, trèvol bord, trèvol mascle, trevolet, farratge bord;* ***Eusk.:*** *hirusta zuri;* ***Gal.:*** *trebo branco, trevo branco:* ***Fr.:*** *trèfle blanc;* ***Ing.:*** *white clover.*

Sinonimia hispánica: *trébol rojo, trébol rosado, trébol colorado, trébol morado, trébol violeta, trébol violado, trébol de los prados, melga;* ***Cat.:*** *trèvol [de prat], trifoli, farratge bord, [herba de la] desfeta;* ***Eusk.:*** *hirusta [gorri];* ***Gal.:*** *trevo [vermello], trevo encarnado;* ***Fr.:*** *trèfle, trèfle rouge, trèfle des près;* ***Ing.:*** *wild clover, red clover;* ***Al.:*** *Rotklee.*

Hábitat: *Praderas y pastos húmedos, especialmente de suelo calcáreo, de Europa y Norteamérica.*

Descripción: *Planta herbácea vivaz de la familia de las Leguminosas que alcanza hasta 50 cm. Las hojas están divididas en tres foliolos ovalados que presentan una mancha blanca característica en su haz. Las cabezuelas florales son de color rojo violáceo.*

Partes utilizadas: *las flores y las hojas.*

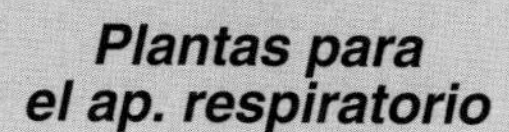

Tusílago

El antitusígeno por excelencia

Los ESCRITORES latinos de la antigüedad definían al tusílago como *filius ante patrem* (el hijo antes que el padre), debido a que las flores nacen al principio de la primavera, dos o tres meses antes que las hojas. Estas no adquieren su madurez hasta que no empiezan a marchitarse las flores. Esta planta se utiliza como como antitusígena desde remotos tiempos.

Dioscórides describió al tusílago con el nombre griego de *bekion*, de donde ha quedado el término 'béquico' para referirse a la propiedad de calmar la tos y la irritación de garganta. El tusílago sigue siendo después de dos milenios, ***el béquico por excelencia.***

Sinonimia hispánica: *tusilago, fárfara, pie de caballo, uña de caballo, pata de mulo, paso de asno, uña de asno,* ***Cat.:*** *tussílag, fàrfara, pota de cavall, ungla de cavall;* ***Eusk.:*** *eztul-belar;* ***Gal.:*** *uña de cabalo, farfuxio;* ***Fr.:*** *tussilage, pas-d'âne;* ***Ing.:*** *coltsfoot, British tobacco;* ***Al.:*** *Huflattich.*

Hábitat: *Terrenos húmedos y fríos de toda Europa. Prefiere los suelos arcillosos, aunque también se puede encontrar en los calcáreos. Se encuentra en el continente americano, aunque es poco común.*

Descripción: *Planta vivaz de la familia de las Compuestas que alcanza hasta 30 cm. De sus tallos subterráneos salen cada año tallos floríferos, carnosos, cuyas hojas están reducidas a escamas; en su extremo se forma el capítulo floral de color amarillo. Las hojas grandes con largo peciolo, se desarrollan después de las flores, y tienen el envés de color blanquecino.*

Partes utilizadas: *las hojas secas y los capítulos florales o cabezuelas.*

Precauciones

Las hojas del tusílago se usaban como antiescorbúticas en ensalada, por su gran contenido en vitamina C. Sin embargo, es preferible ***abstenerse*** *de las* ***hojas tiernas crudas,*** *pues contienen pequeñas cantidades de un alcaloide tóxico para el hígado que desaparece con la desecación.*

Preparación y empleo

USO INTERNO

❶ **Infusión** con 30-50 g de planta seca por litro de agua, de la que se toman de 3 a 5 tazas diarias calientes. Para mejorar su gusto, no muy agradable, basta endulzarla con miel, o añadirle una pizca de menta o de anís verde. A los **niños pequeños** se les administra a cucharadas: de media a una cada hora.

La infusión hay que **filtrarla** antes de usarla para eliminar los pelillos que desprenden los capítulos florales, que pueden irritar la garganta.

USO EXTERNO

❷ **Gargarismos:** Con la misma infusión que para uso interno, o un poco más concentrada.

❸ **Compresas y lociones** sobre la zona de piel afectada, con la infusión concentrada.

La infusión de hojas secas y cabezuelas florales del tusílago, constituyen un valioso complemento de los planes o tratamientos para dejar de fumar. Su acción consiste en limpiar los bronquios de secreciones, favoreciendo su eliminación.

PROPIEDADES E INDICACIONES: Los capítulos florales, y sobre todo las hojas, contienen abundantes mucílagos con propiedades **expectorantes, béquicas, antitusígenas y emolientes** (suavizantes) sobre las vías respiratorias. Contienen también alcoholes triterpénicos y flavonoides (rutina e hiperósido) de acción **antiespasmódica** suave, que contribuyen a la acción antitusígena y broncodilatadora del tusílago.

Posee también propiedades **sudoríficas y depurativas,** pues provoca la eliminación de toxinas tanto por la orina como por el sudor [❶]. Esta acción resulta muy favorable para combatir el componente infeccioso de la mayor parte de las afecciones respiratorias.

El tusílago resulta pues indicado en todas las afecciones respiratorias: fluidifica las secreciones bronquiales y ayuda a su eliminación, calma la tos, dilata los bronquios y desinflama las mucosas respiratorias.

Muy apropiado para tratar bronquitis agudas y crónicas, catarros bronquiales, asma, enfisema pulmonar, bronconeumonías, gripe, traqueítis, laringitis, faringitis y amigdalitis (anginas) [❶]. Da muy buenos resultados en caso de afonía aplicado tanto interna [❶] como externamente [❷].

En las **bronquitis agudas y bronconeumonías,** para usarlo es preferible esperar a ***que pase la fase aguda*** (dos o tres días), y empiece a desaparecer la congestión inicial.

El tusílago es una ***planta aliada del ex-fumador,*** pues contribuye a regenerar las mucosas respiratorias de quienes han dejado de fumar. Tomado en infusión [❶], resulta sumamente útil en las curas de desintoxicación tabáquica, para ayudar a limpiar los bronquios de las secreciones acumuladas. Tanto es así, que ha sido un ingrediente fundamental de los llamados "tabacos de hierbas". Sin embargo, lo conveniente, para quien sufre de los bronquios, es abstenerse de todo tipo de humos, inclusive del que produce el tusílago.

Externamente se utiliza para curar diversas **afecciones de la piel:** heridas y úlceras, erupciones e inflamaciones (dermatitis). Conviene a los que padecen de piel grasa, y resulta muy útil aplicarlo sobre el **cuero cabelludo** para limpiarlo y fortalecerlo [❸].

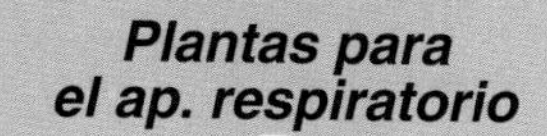

Gordolobo

Suaviza los bronquios y todos los tejidos

LAS VIRTUDES pectorales del gordolobo ya eran conocidas en la Grecia clásica por Hipócrates y por Dioscórides. Desde entonces se vienen utilizando con éxito en fitoterapia.

Sus hojas se han utilizado como mechas de candil y como apósitos para heridas. Su aterciopelada suavidad les ha merecido el calificativo de "papel higiénico" silvestre.

PROPIEDADES E INDICACIONES: Las flores sobre todo, y en menor cantidad las hojas, contienen mucílagos, a los que debe su acción **emoliente** (suavizan los tejidos); saponinas y flavonoides, de efecto **antiinflamatorio, antitusígeno y antiespasmódico;** y diversos glucósidos y pigmentos. Es **diurético y sudorífico** suave. Su uso está indicado en los siguientes casos:

- **Irritaciones de las mucosas respiratorias:** faringitis, laringitis, catarros bronquiales y asma (por su acción antiespasmódica). Alivia la tos y facilita la expectoración [❶,❷].
- Aplicado ***externamente,*** es útil en los furúnculos, quemaduras, sabañones y hemorroides [❸,❹]. Se puede aplicar tanto en compresas empapadas en una decocción de hojas y flores, como en cataplasmas realizadas con las hojas hervidas en leche.

Preparación y empleo

USO INTERNO

❶ **Infusión:** 20-30 g de flores por litro de agua. Se toman 3 o 4 tazas diarias; después de haberla **filtrado** cuidadosamente con un lienzo, con el fin de eliminar los pelillos.

❷ **Extracto seco:** La dosis habitual es de 0,5-1 g, 3 veces diarias.

USO EXTERNO

❸ **Compresas** empapadas en una decocción de 60-80 g de hojas y flores por litro de agua. Se aplican sobre la piel afectada.

❹ **Cataplasmas:** Se realizan con las hojas hervidas en leche, que se aplican directamente sobre la zona afectada.

Sinonimia hispánica: *gordolobo común, gordolobo macho, verbasco, candelaria, candela regia, escobizo, chopo blanco;* ***Cat.:*** *[herba] blenera, herba candelera, ploranera, salvió, repalassa borda, llapassera borda, jovenal, trepó, cua de moltó, cua de llop, cua de guilla;* ***Eusk.:*** *apo-belar;* ***Gal.:*** *chupón, seoane;* ***Fr.:*** *bouillon blanc, molène;* ***Ing.:*** *mullein, Aaron's rod, hedge-taper;* ***Al.:*** *Kleinblütige Königskerze.*

Hábitat: *Repartido por lugares incultos y terrenos pedregosos de toda Europa. En España es más frecuente en el norte y en el este de la península. Conocido en el continente americano.*

Descripción: *Planta bienal de la familia de las Escrofulariáceas, de tallo erguido, que alcanza hasta 1,5 m de altura. Sus hojas son grandes y afelpadas por abundantes pelillos lanosos. Las flores son de color amarillo, y nacen en gruesas espigas.*

Partes utilizadas: *las flores y las hojas.*

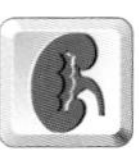

Violeta

Pectoral y aromática

Sinonimia hispánica: *violeta común, violeta olorosa, viola;* ***Cat.:*** *violeta [de la Mare de Déu], viola d'olor, viola boscana, viola vera;* ***Eusk.:*** *bioleta [usaindun], liliubel;* ***Gal.:*** *violeta [de cheiro];* ***Fr.:*** *violette [odorante];* ***Ing.:*** *[garden] violet, sweet violet;* ***Al.:*** *Märzveilchen.*

Hábitat: *Prados y bosques húmedos de toda Europa. Cultivada y difundida en el continente americano. Está bastante extendida, aunque es poco frecuente.*

Descripción: *Planta vivaz de la familia de las Violáceas que alcanza de 5 a 15 cm de altura. Carece de tallos aéreos, y tanto las hojas como las flores nacen de una cepa central mediante largos pedúnculos. Flores de característico color violeta, aunque en ocasiones son blancas o rosadas, con 5 pétalos y muy olorosas.*

Partes utilizadas: *las flores, las hojas y las raíces.*

LA VIOLETA pertenece a la misma familia botánica que el pensamiento (pág.735). Las flores de ambas plantas son igualmente bellas y delicadas. Se diferencian en que las de la violeta tienen dos pétalos hacia arriba y tres hacia abajo, mientras que las del pensamiento tienen cuatro pétalos hacia arriba y uno hacia abajo.

Hipócrates en el siglo V a.C. ya recomendaba las violetas para el tratamiento de las jaquecas. A primeros del siglo XX se les atribuyó la facultad de curar los tumores cancerosos, lo cual no ha podido ser confirmado. La violeta es ***una de las plantas pectorales más apreciadas*** en fitoterapia.

PROPIEDADES E INDICACIONES: Toda la planta contiene saponinas (especialmente la raíz), que la hacen **expectorante y diurética;** mucílagos, de acción **emoliente, béquica** (antitusígena) **y laxante;** ácido salicílico, de efecto **antiinflamatorio y sudorífico;** pigmentos (antocianinas) y glucósidos, a los que se atribuye su suave efecto **diurético;** y esencia, en las flores, que les otorga su grato aroma.

Las ***FLORES*** tienen las siguientes aplicaciones:

• **Afecciones respiratorias:** Por su contenido en saponinas, fluidifican las secreciones bronquiales, descongestionan los bronquios y calman la tos (❶,❷). Los mucílagos ejercen una acción suavizante y antiinflamatoria so-

Preparación y empleo

USO INTERNO

❶ **Infusión** con 30-40 g de hojas y/o flores por litro de agua, de la que se toman 3 o 4 tazas diarias. Tiene un sabor muy agradable.

❷ **Jarabe de violeta:** Puede sustituir a la infusión, especialmente para los niños. Se prepara con 50 g de flores, que se dejan en maceración en medio litro de agua durante 12 horas. Después de filtrada se le añaden 200 g de miel y se hierve durante 5 minutos. Se administran 1-3 cucharadas cada 2 horas.

❸ **Decocción vomitiva:** Se prepara con 10-20 g de raíz triturada en un cuarto de litro de agua. Hervir hasta que se reduzca a la mitad. Se tiene que tomar una cucharada cada 5 minutos, hasta que se produzca el vómito.

❹ **Polvo de raíz** disuelto a razón de 1-4 g en medio vaso de agua; con lo cual el efecto vomitivo es aún más intenso.

USO EXTERNO

❺ La misma **infusión** descrita para uso interno, se aplica en **enjuagues bucales,** en gárgaras, en **lavados palpebrales** (de los párpados), o en **compresas y fomentos** sobre la frente.

El jarabe de violetas resulta especialmente beneficioso para los niños en caso de catarro bronquial o de gripe. Calma la tos, fluidifica las secreciones bronquilaes y favorece la sudoración.

Además del jarabe, los adultos también pueden tomar la violeta en infusión de hojas y/o flores.

bre todas las mucosas; los de las violetas actúan especialmente sobre las mucosas del aparato respiratorio. La violeta es pues una planta muy útil para el tratamiento de los **catarros** bronquiales, **bronquitis, traqueítis y bronconeumonía.** Las violetas son además **sudoríficas,** por lo que se recomiendan especialmente cuando además la afección respiratoria curse con **fiebre,** como suele ocurrir con la gripe. Poseen también un suave efecto diurético y laxante, muy convenientes para los enfermos febriles.

• **Cistitis:** Se recomiendan en este caso en razón de la acción antiinflamatoria que ejercen sobre el aparato urinario los mucílagos **❶,❷**.

• **Jaquecas y cefaleas:** Se ha usado con éxito desde antiguo, aunque no se sabe bien cual de sus principios activos de la violeta es el responsable de esta acción. Tradicionalmente, las flores de violeta se aplican tanto por vía oral (infusión) **❶** como en compresas o fomentos sobre la frente **❺**.

• **Afecciones bucales y de la garganta:** ***Externamente,*** la infusión se usa para realizar enjuagues o gárgaras en caso de estomatitis (inflamación de la mucosa bucal), gingivitis, faringitis, amigdalitis, laringitis y afonía **❺**.

• Se aplica en lavados sobre los ojos **❺** en caso de blefaritis (inflamación de los párpados) y de conjuntivitis .

Las ***HOJAS*** de las violetas tienen propiedades similares a las flores, pero con mayor efecto **sudorífico, diurético y laxante.** Se suelen usar mezcladas con las flores.

Las ***RAÍCES*** son muy ricas en saponinas, por lo que tienen una acción emética (vomitiva) **❸,❹**. Se administran para provocar el **vómito** en caso de intoxicación alimentaria o de indigestión (empacho).

17

Plantas para el aparato digestivo

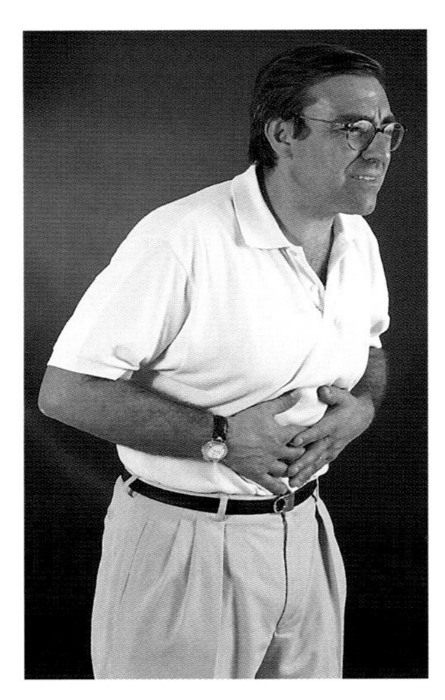

Ningún tratamiento, sea con plantas o con fármacos, puede compensar los trastornos digestivos debidos a una alimentación incorrecta.

Sumario del Capítulo

Enfermedades y aplicaciones

Plantas

CASI TODAS las plantas medicinales ejercen algún tipo de efecto sobre el aparato digestivo. Las que describimos en este capítulo actúan sobre el conjunto de los órganos digestivos, entre ellos el estómago, el intestino, el hígado y el páncreas. Estas plantas facilitan la digestión mediante dos acciones fundamentales:

- **Activan las ondas peristálticas,** que son las contracciones del conducto digestivo que hacen progresar el contenido intestinal. Cuando estas contracciones no son lo suficientemente intensas, o bien no son efectivas, el bolo alimenticio no progresa correctamente, y la digestión se hace lenta y pesada.
- **Aumentan la secreción de jugos** digestivos por parte del estómago, intestino y páncreas, cuya carencia enlentece el proceso de la digestión.

Para que estas plantas sean realmente efectivas, se debe seguir una alimentación correcta, lo más sana y natural posible. No existe ninguna planta medicinal, ni por supuesto fármaco alguno, capaces de compensar los efectos negativos de una dieta inadecuada.

Enfermedad	Planta	Pág.	Acción	Uso
MAL ALIENTO Olor anormal del aire espirado. Generalmente se debe a causas bucales (piorrea), gástricas (retención de alimentos en el estómago) o intestinales (fermentaciones y putrefacciones). Además de estas plantas, convienen todas las que combaten la ***piorrea*** (cap. 10), la ***dispepsia*** (cap. 19) y las ***fermentaciones intestinales*** (cap. 20).	**CARIOFILADA**	194	Tónico digestivo, antiséptico bucal	Infusión, enjuagues bucales
	LENTISCO	197	Perfuma el aliento, combate la piorrea	Almáciga (resina) masticada o en pastas dentífricas
	EUCALIPTO	304	Combate las fermentaciones intestinales, elimina las toxinas intestinales causantes del mal aliento	Carbón de la madera pulverizado (también sirve el carbón de la madera de otros árboles)
	POLEO	461	Combate las fermentaciones intestinales	Infusión
APETITO, FALTA DE Cualquier alteración a lo largo del aparato digestivo, desde el esófago hasta el intestino, puede provocar una falta de apetito. También puede estar causado por trastornos psíquicos (anorexia nerviosa). Antes de aplicar ningún tratamiento para abrir el apetito, se debe ***diagnosticar la causa*** de la inapetencia. *Cardo santo* *Ajedrea*	**CARIOFILADA**	194	Activa los procesos digestivos	Infusión de rizoma, raíz u hojas secas
	MARRUBIO	316	Aumenta el apetito, facilita la digestión	Infusión de sumidades floridas y hojas
	ARGENTINA	371	Abre el apetito, facilita la digestión	Decocción de hojas y flores
	ENDRINO	372	Estimula los procesos digestivos, aperitivo, tonificante	Frutos frescos, en jarabe o en decocción
	AJEDREA	374	Abre el apetito, facilita la digestión, elimina los gases	Infusión, esencia
	ANGÉLICA	426	Aumenta la secreción de jugos y abre el apetito, elimina los gases	Infusión o decocción de raíz
	AJENJO	428	Tónico amargo, aumenta el apetito	Infusión de hojas y cabezuelas florales
	CENTAURA MENOR	436	Estimula los movimientos de vaciado del estómago	Infusión de sumidades floridas
	CARDO SANTO	444	Tonifica el estómago y todo el aparato digestivo	Infusión o decocción de hojas
	GENCIANA	452	Contiene amargos que excitan la secreción de todas las glándulas digestivas	Maceración, decocción, polvo o extracto de raíz
	LAUREL	457	Facilita la digestión, abre el apetito	Infusión de hojas y frutos
	ARTEMISA	624	Abre el apetito, estimula el vaciamiento del estómago	Infusión de sumidades floridas o de raíz
	MILENRAMA	691	Tonifica los órganos digestivos	Infusión de sumidades floridas
	QUINO	752	Aperitivo, tonificante, combate las fermentaciones intestinales	Infusión de la corteza

Plantas digestivas

Estas plantas ejercen una acción favorecedora del conjunto de los procesos digestivos, regulando la motilidad del estómago e intestino (ondas peristálticas) y aumentando la secreción de los jugos necesarios para la digestión.

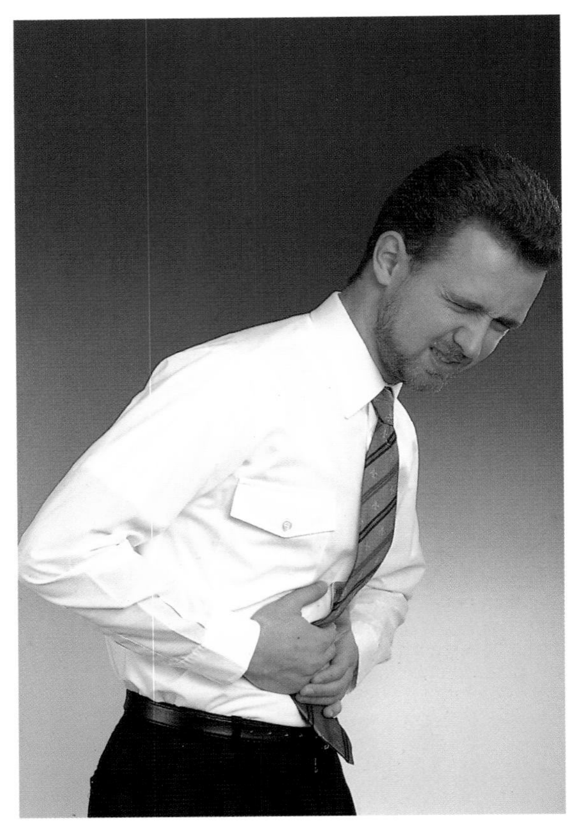

En muchas ocasiones, el dolor abdominal se debe a trastornos funcionales de la digestión, tales como "nervios en el estómago", exceso de gases, digestión lenta o pesada, mezclas inadecuadas de alimentos y estreñimiento. Las plantas digestivas regulan y normalizan los procesos digestivos, siempre y cuando se corrija primeramente el factor causal.

El hinojo (pág. 360) pertenece a la familia de las Umbelíferas, junto con el eneldo, la angélica, la alcaravea, el cilantro, al anís y el comino, entre otras plantas. Todas ellas producen esencias de acción digestiva y carminativa (combaten los gases intestinales).

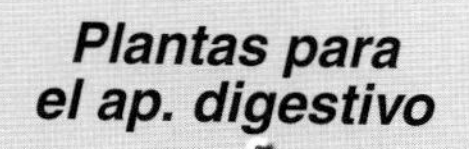

Eneldo

Aperitivo y antiflatulento

EL ENELDO es una de las plantas medicinales más antiguas: egipcios, griegos y romanos lo conocían y valoraban, usándolo como remedio y como condimento.

Su aspecto es muy similar al del hinojo, y dice el médico español del siglo XVI, Andrés de Laguna, que «si el gusto no fuese el juez, fácilmente se engañaría la vista, tomando por el uno, el otro».

Efectivamente, el eneldo tiene un sabor más fuerte y picante que el hinojo (pág. 360), aunque las propiedades medicinales de ambos son muy similares.

PROPIEDADES E INDICACIONES: Las semillas de eneldo contienen una esencia (3%-4%), cuyo componente más importante es la carvona. Es un ***poderoso* carminativo** (elimina los gases y flatulencias intestinales), y **aperitivo,** además de **diurético, galactógeno** (aumenta la producción de leche) y ligeramente sedante. También tiene efecto **emenagogo** (estimula la menstruación).

Sus indicaciones más importante son los **eructos** y el **hipo infantiles,** así como el exceso de **gases** en el estómago (aerofagia) y las **flatulencias** intestinales de los **adultos [❶].**

También se utiliza como **sedante** en caso de vómitos, y como **estimulante** de la secreción de leche en las **madres que lactan.**

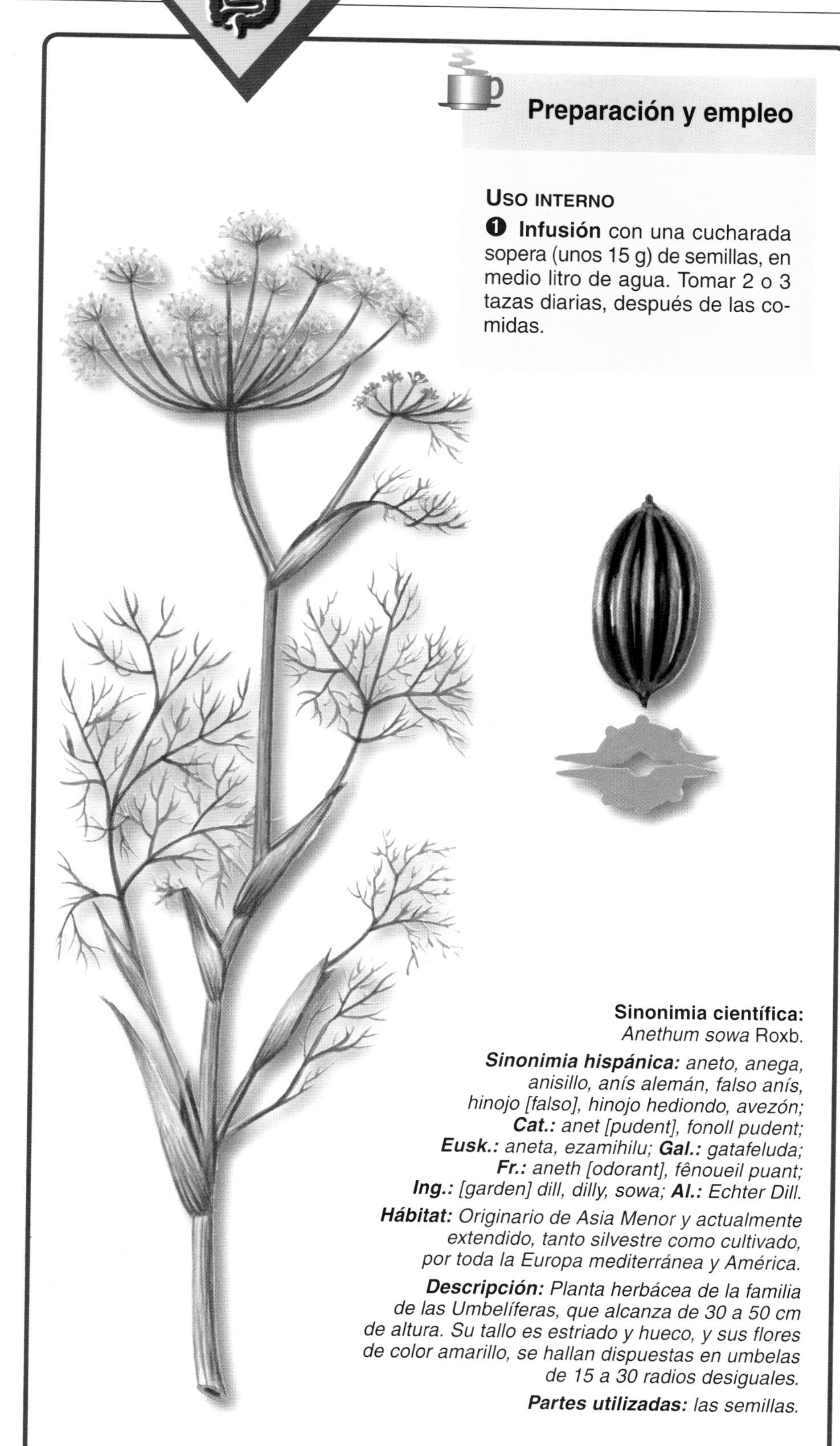

Preparación y empleo

USO INTERNO

❶ **Infusión** con una cucharada sopera (unos 15 g) de semillas, en medio litro de agua. Tomar 2 o 3 tazas diarias, después de las comidas.

Sinonimia científica: *Anethum sowa* Roxb.

Sinonimia hispánica: *aneto, anega, anisillo, anís alemán, falso anís, hinojo [falso], hinojo hediondo, avezón;* **Cat.:** *anet [pudent], fonoll pudent;* **Eusk.:** *aneta, ezamihilu;* **Gal.:** *gatafeluda;* **Fr.:** *aneth [odorant], fênoueil puant;* **Ing.:** *[garden] dill, dilly, sowa;* **Al.:** *Echter Dill.*

Hábitat: *Originario de Asia Menor y actualmente extendido, tanto silvestre como cultivado, por toda la Europa mediterránea y América.*

Descripción: *Planta herbácea de la familia de las Umbelíferas, que alcanza de 30 a 50 cm de altura. Su tallo es estriado y hueco, y sus flores de color amarillo, se hallan dispuestas en umbelas de 15 a 30 radios desiguales.*

Partes utilizadas: *las semillas.*

Manzanilla romana

Digestiva y antiespasmódica

SE LA LLAMA romana a esta manzanilla, porque se cultivaba en Roma en los siglos XVI y XVII. No tenemos constancia, sin embargo, de que fuera conocida por los antiguos griegos o romanos.

A pesar de que sus propiedades son muy similares a las de la manzanilla común (pág. 364), esta planta ha conservado su personalidad propia y su puesto en la fitoterapia.

PROPIEDADES E INDICACIONES: La esencia de la manzanilla romana contiene camazuleno, de acción **antiinflamatoria** y diversos ésteres, y un principio amargo de acción **digestiva y carminativa** (ayuda a expulsar los gases intestinales). Contiene además cumarinas y flavonoides de acción **antiespasmódica.** Posee también propiedades **emenagogas** (estimula y normaliza la menstruación) **y antirreumáticas.**

Se aplica en ***uso interno:***

- **Afecciones digestivas** (uso principal): empachos, dispepsia (digestión difícil), flatulencias, náuseas **[❶,❷,❸]**.
- **Cólicos** intestinales, biliares o renales: como antiespasmódica **[❶,❷,❸]**.
- **Dolores menstruales [❶,❷,❸].**

Externamente se usa para:

- **Reumatismo:** en fricciones **[❻]**.
- **Cicatrización** de las heridas, mediante la aplicación de compresas sobre la piel **[❹]**.
- **Lavados oculares:** como colirio **[❺]**.

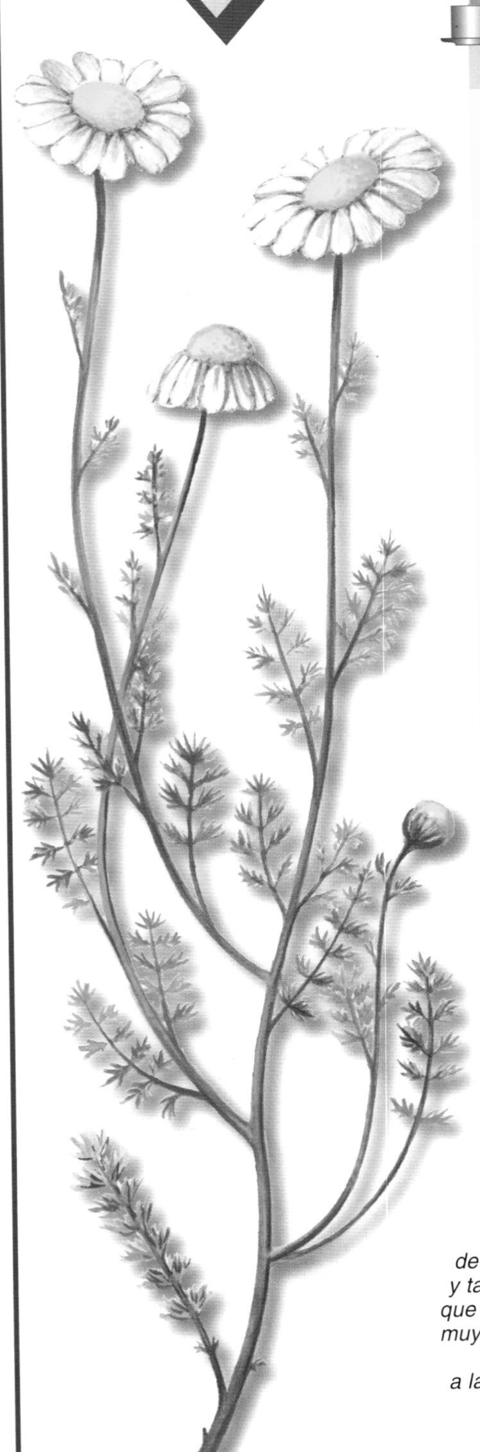

Preparación y empleo

USO INTERNO

❶ **Infusión:** 5-10 g de cabezuelas por litro de agua. Se toman hasta 6 tazas diarias.

❷ **Polvo:** La dosis oscila entre 2 y 10 g diarios. Se ingiere diluyéndolo en agua y acompañándolo con un poco de miel.

❸ **Esencia:** Se administran 2-4 gotas, 3 veces diarias.

USO EXTERNO

❹ **Compresas** empapadas en una decocción de 20-30 g de cabezuelas por litro de agua, que se aplican sobre la piel.

❺ **Lavados oculares** con la misma decocción.

❻ **Fricciones:** Se aplican sobre la piel con la **esencia** disuelta en alcohol.

Sinonimia hispánica: *camomila romana, matricaria, manzanilla [verdadera], manzanilla fina, manzanilla noble, manzanilla oficinal, manzanilla del Moncayo;* ***Cat.:*** *camamilla romana;* ***Eusk.:*** *kamamila erromatar;* ***Gal.:*** *macela;* ***Fr.:*** *camomille romaine;* ***Ing.:*** *Roman camomile, English chamomile;* ***Al.:*** *Hundskamille.*

Hábitat: *Campos cultivados, prados y barbechos de terreno silíceo de Europa occidental. Conocida en el continente americano.*

Descripción: *Planta vivaz de la familia de las Compuestas, de 10 a 30 cm de altura y tacto velloso. Es más baja y más extendida que la manzanilla común. Sus hojas se hallan muy finamente segmentadas. Las cabezuelas florales son muy parecidas a las de la manzanilla común, pero su aroma es más intenso.*

Partes utilizadas: *los capítulos o cabezuelas florales.*

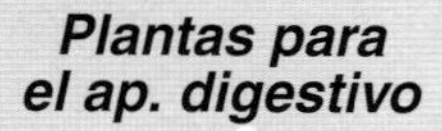

Aspérula olorosa

Una planta efectiva, pero poco utilizada

EN LOS PAÍSES germánicos se viene preparando desde hace muchos siglos el *Maiwein* (vino de mayo), bebida alcohólica obtenida por maceración de aspérulas en vino blanco. Afortunadamente, su uso es cada vez menor, pues, cuando se toma con cierta regularidad, provoca violentos dolores de cabeza, pérdida de la memoria y trastornos del sistema nervioso.

PROPIEDADES E INDICACIONES: Su principio activo es el asperulósido, un glucósido que se transforma en cumarina cuando la planta se seca. Son muchas las propiedades atribuidas a la aspérula:

- **Antiespasmódica:** Facilita la **digestión** de las **personas nerviosas.** Combate los espasmos del estómago e intestino [❶]. Este es su *efecto más destacado.*
- **Sedante e somnífera** (inductora del sueño) en dosis altas [❶].
- **Anticoagulante y fluidificante** de la sangre [❶].
- **Diurética y antiséptica urinaria,** por lo que su uso está indicado también en caso de infección urinaria (pielonefritis y cistitis), así como de litiasis (piedras en el riñón) [❶].
- **Antiinflamatoria ocular:** Se aplica en caso de blefaritis (inflamación de los párpados) y conjuntivitis [❷].

Preparación y empleo

USO INTERNO

❶ **Infusión:** 40-50 g de planta seca por litro de agua, de la que se ingieren 2 o 3 tazas al día.

USO EXTERNO

❷ **Lavados oculares:** Se realizan con una decocción de 50 g de planta por litro de agua. Debe hervir durante al menos 5 minutos para que quede estéril antes de aplicarla al ojo.

Sinonimia hispánica: *aspérula, asperilla [de los bosques], hepática estrellada, hierba de las siete sangrías, reina de los bosques;* ***Cat.:*** *espunyidella [d'olor], reina dels boscs, aspèrula flairosa;* ***Eusk.:*** *ziabelar [usaiundun];* ***Gal.:*** *raiña dos bosques;* ***Fr.:*** *aspérule odorante, reine des bois;* ***Ing.:*** *[sweet] woodruff;* ***Al.:*** *Waldmeister.*

Hábitat: *Se cría en bosques frescos y hayedos de la zona templada de Europa. Cultivada en Estados Unidos y en otros países de América.*

Descripción: *Planta vivaz de la familia de las Rubiáceas, que alcanza 20-30 cm de altura. Sus hojas, que nacen en grupos de 6 u 8, presentan forma lanceolada y una superficie áspera, tal como indica su nombre. Las flores son blancas.*

Partes utilizadas: *toda la planta, salvo la raíz.*

Belladona

Tóxico potente y medicamento insustituible

Sinonimia hispánica: belladama, tabaco bastardo, botón negro, solano mayor; **Cat.:** belladona, tabac bord; **Eusk.:** belladonna, belaiki, beladar; **Gal.:** beladona; **Fr.:** belladone; **Ing.:** belladonna; **Al.:** Tollkirsche.

Hábitat: *Se cría espontáneamente en bosques montañosos y umbríos de Europa central y meridional, así como en los de Sudamérica.*

Descripción: *Planta vivaz de la familia de las Solanáceas, que alcanza hasta 1,80 m de altura. Sus hojas son anchas y ovaladas. Las flores son grandes y solitarias, con forma de campana, y de color púrpura o violeta. Los frutos son unas bayas de color negro brillante, semejantes a las cerezas.*

Partes utilizadas: *las hojas y la raíz.*

REFIERE Mattioli, destacado botánico italiano del siglo XVI, traductor y comentarista de los libros de Dioscórides, que los toscanos llamaban a esta planta *herba bella donna*.

–¡Qué ojos más grandes y brillantes tienes! ¿Cómo lo has conseguido? –le pregunta una dama a otra.

–Es muy fácil: Dejando caer en el ojo unas gotitas del jugo que sueltan las bolas negras de una planta que crece en las montañas.

Posiblemente fue así como en la Italia medieval y renacentista se puso de moda llevar las pupilas de los ojos dilatadas. Pero no solo las mujeres usaron esta planta con fines cosméticos. Los brujos y envenenadores medievales descubrieron que haciéndola ingerir a sus víctimas, podían producir alucinaciones y delirios, además de una gran variedad de efectos sobre

Precauciones

No se recomienda** su empleo en forma de **planta medicinal,** pues resulta **muy difícil aplicar la dosis** correcta, y pueden producirse **intoxicaciones.

Font Quer, el destacado botánico y farmacéutico español, relata en su libro, Plantas medicinales: El Dioscórides renovado, *como cierto día al encontrarse resfriado y con algún síntoma de asma, él mismo se preparó lo que le parecía una ligera infusión con unas hojas de belladona. Unas horas más tarde no podía deglutir, y sufría los efectos secundarios de una sobredosis de belladona.*

***Únicamente el facultativo** se halla capacitado para aplicar correctamente esta planta, que tanto puede curar como matar. Y dado lo potente de su acción, es **más seguro** emplear su principio activo la **atropina,** en forma de **preparados farmacéuticos** cuya dosificación resulta perfectamente conocida.*

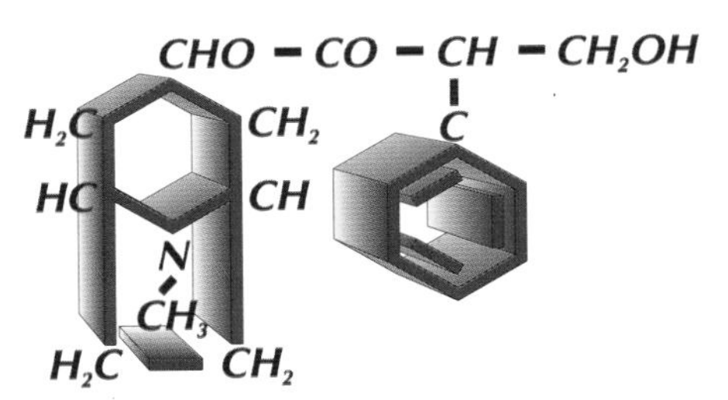

Fórmula química de la atropina, el alcaloide más importante de la belladona. Se trata de una sustancia muy potente, que forma parte de diversos medicamentos.

Precauciones

*Las **bayas** de esta planta, de sabor algo dulce, son parecidas a una cereza, y pueden ser confundidas por los niños. Unas **10 bayas** pueden producir la **muerte** de un **adulto,** y **3 o 4** la de un **niño.** La **intoxicación** se manifiesta por excitación nerviosa, pupilas dilatadas y visión borrosa, sequedad de boca, taquicardia y enrojecimiento del rostro.*

*Los **primeros auxilios** consisten en provocar el vómito, y administrar, disuelto en agua, carbón vegetal en polvo, al que se le puede añadir sulfato de magnesia. Es necesario trasladar al afectado **lo antes posible** a un **hospital.***

En la Edad Media, las damas utilizaban el jugo de las bayas de la belladona, como colirio para dilatar las pupilas y aumentar el brillo de los ojos. La belladona, y su alcaloide la atropina, ya no se usan más por su pretendido efecto embellecedor, sino como fármaco insustituible en medicina de urgencias y en anestesiología.

el organismo. Ingerida en cierta cantidad, producía incluso la muerte.

Fue debido a los notables y variados efectos tóxicos de esta planta, que Linneo, el gran naturalista sueco del siglo XVIII, la bautizó con el nombre de *Atropa belladonna.* Átropos era una de las tres Parcas de la mitología griega, deidad de cuyas manos pendía el hilo de la vida de los humanos, y que cortaba de forma caprichosa a su antojo.

Ya en el siglo XIX, el progreso de la bioquímica y de la fisiología, permitió aislar la ***atropina,*** el alcaloide más importante de la belladona. La experimentación científica fue descubriendo los muchos efectos de la atropina en el organismo, y sus aplicaciones terapéuticas. En dosis controladas, la atropina resulta ***insustituible en medicina,*** especialmente en anestesiología.

PROPIEDADES E INDICACIONES: Toda la planta, especialmente las hojas, contiene potentes alcaloides (atropina e hiosciamina).

La *ATROPINA* es un **parasimpaticolítico,** es decir, una sustancia que bloquea la transmisión del impulso nervioso en las terminaciones del sistema parasimpático. Estas son sus propiedades más importantes:

- **Midriática:** Provoca la dilatación de las pupilas.
- **Antiespasmódica:** Relaja la musculatura del tubo digestivo y de los conductos urinarios, aliviando los espasmos y dolores cólicos.
- **Antisecretora:** Disminuye la secreción de todas las glándulas digestivas, incluidas las salivares (produce sequedad de boca).
- **Antiarrítmica:** Se usa en caso de bradicardia (pulso lento), y para normalizar el ritmo cardíaco.
- **Antiasmática:** Relaja la musculatura de los bronquios, aumentando su diámetro (acción broncodilatadora).

Clínicamente son muchas las aplicaciones de la belladona, y de su principio activo más importante, la atropina. Se emplea mucho en **oftalmología** por sus efectos sobre la pupila; en espasmos y cólicos del aparato digestivo y urinario por su efecto antiespasmódico; en los trastornos del ritmo cardíaco, y en muchas otras situaciones clínicas.

Pimiento

Estimulante y revulsivo

EL PIMIENTO o chile, tanto el dulce como el picante, era el condimento más apreciado por los mayas. Fue una de las primeras plantas que los españoles, después del Descubrimiento o Encuentro con América, se llevaron para Europa, donde rápidamente se extendió su consumo.

PROPIEDADES E INDICACIONES: Todas las variedades de pimientos contienen el alcaloide capsicina (los picantes en mayor proporción), además de carotenos y vitaminas (especialmente la C). El pimiento picante, o chile, **estimula** la producción de **jugos gástricos e intestinales,** activando todos los órganos digestivos. Conviene a los que padecen de digestiones lentas o pesadas, a los que padecen de ptosis gástrica (estómago caído) y a los inapetentes **[❶]**. Pero ***siempre en pequeñas dosis,*** pues la capsicina que contiene puede provocar gastritis y enteritis.

Aplicado ***externamente***, el pimiento picante, o chile, es **rubefaciente** (irrita la piel y las mucosas) y **revulsivo,** por lo que atrae la sangre hacia la piel y así descongestiona los órganos y tejidos internos. Por ello se utiliza en el **reuma, lumbago, tortícolis y dolores musculares [❸].**

Pimiento (chile) dulce

El pimiento o ají dulce, pimentón o bombalón (*Capsicum annuum* L.)*, tiene acción **antiflatulenta y laxante** si se toma crudo o asado al horno. Al igual que el picante, también **estimula** la producción de **jugos digestivos.** Frito, resulta bastante indigesto. Es rico en caroteno (provitamina A). Por su bajo contenido en carbohidratos y en grasas se recomienda especialmente a los **diabéticos y obesos [❶,❷].**

* ***Cat.:*** *pebrot, pebre, pebreta;* ***Eusk.:*** *piper;* ***Gal.:*** *pemento, pimenteiro.*

Preparación y empleo

USO INTERNO

❶ **Como hortaliza:** En cualquiera de sus preparaciones culinarias.

❷ Seco en **polvo.**

USO EXTERNO

❸ **Cataplasmas** con pimientos picantes (chiles), que se aplican sobre la zona dolorida, cubriéndolas después con un paño de lana.

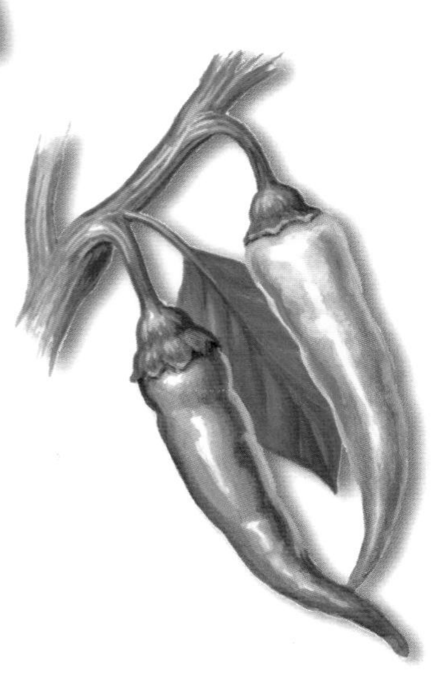

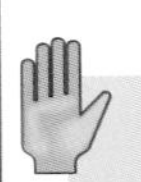

Precauciones

Deben ***abstenerse*** *del uso de pimiento* ***picante*** *o chile los que padecen de* ***gastritis,*** *de* ***úlcera*** *gastroduodenal, de* ***colitis*** *y de* ***hemorroides.***

Puesto que el alcaloide capsicina, responsable de la acción picante, se elimina también por la orina irritando a su paso las mucosas que recubren los conductos urinarios, deben evitarlo igualmente los ***hombres prostáticos*** *(puede producir retención de orina), así como las* ***mujeres*** *que padecen de* ***cistitis*** *(inflamación de la vejiga urinaria).*

Sinonimia hispánica: *chile [largo], chile juipín, chile picante, guindilla, ají [agujeta], ají bravo, ají picante, ají chirel, paprica, chilpepe, chivato, tempechile;* ***Cat.:*** *pebrot coent, pebrot picant, banyeta, bitxo, coralet;* ***Eusk.:*** *paprika;* ***Gal.:*** *pemento, pimenteiro;* ***Fr.:*** *piment, poivron;* ***Ing.:*** *pepper, paprika, cayenne;* ***Al.:*** *Cayennepfeffer.*

Hábitat: *Cultivado como hortaliza o bien como condimento en todos los países tropicales y templados.*

Descripción: *Planta de la familia de las Solanáceas, de la que existen más de 50 variedades. El fruto es rojo, verde o amarillo, más acabado en punta si es picante.*

Partes utilizadas: *el fruto.*

Carum carvi L.

Alcaravea

Combate los gases digestivos

EL NOMBRE de esta planta tiene resonancias arábigas, que nos transportan con la imaginación a los exóticos y suculentos platos orientales. La alcaravea es originaria de los países del Mediterráneo oriental. Se viene usando desde muy antiguo como condimento. El pan, las hortalizas, los quesos, los pasteles, y una infinidad de platos y salsas, se benefician de su aroma.

PROPIEDADES E INDICACIONES: En la composición de esta planta, lo mismo que en la de otras Umbelíferas similares, como el anís (pág. 465) y el hinojo (pág. 360), destacan sobre todo las esencias. La más abundante de ellas es la carvona, responsable del gran efecto carminativo (antiflatulento) de sus frutitos.

«Resuelve las ventosidades del estómago», decía de ella Andrés de Laguna, destacado médico y botánico del siglo XVI. Y ciertamente la alcaravea es ***una de las plantas con mayor efecto carminativo.*** De ahí que resulte indicada allí donde haya exceso de gases:

- **aerofagia:** deglución de aire seguida de eructos,
- **aerogastria:** dilatación del estómago por gases,
- **aerocolia:** exceso de gases en el intestino,
- **aero...**

Hace desaparecer los flatos, y calma los espasmos y retortijones intestinales [❶,❷]. Resulta pues de ***gran utilidad*** para los **bebés con exceso de gases,** a los que se les puede administrar con la leche [❸].

La alcaravea también es **eupéptica** (facilita la digestión), ligeramente **diurética,** y favorecedora de la **secreción láctea** de las mujeres que amamantan [❶,❷].

Sinonimia hispánica: *carvia, carvi, carvi-comino, comino de prado, hinojo de prado;* ***Cat.:*** *càrvit, alcaravia, comí [de prat], comí de Madrid, fonoll de prat, matafaluga borda;* ***Eusk.:*** *txarpoil;* ***Gal.:*** *alcaravia, alcarovia;* ***Fr.:*** *carvi, cumin des près;* ***Ing.:*** *caraway;* ***Al.:*** *Echter Kümmel.*

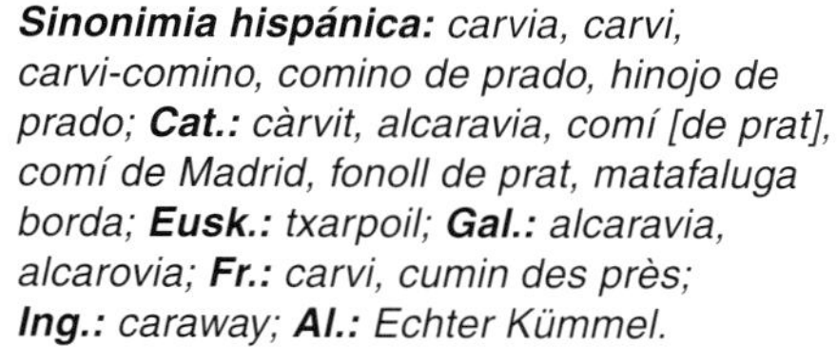

Hábitat: *Común en praderas y pastizales de regiones montañosas, aunque también se cultiva. Se encuentra por toda Europa y en la mitad norte del continente americano, aunque su uso se halla extendido por todo el mundo.*

Descripción: *Planta bienal de 20 a 60 cm de altura, perteneciente a la familia de las Umbelíferas. Sus hojas son escasas y finas; las flores, pequeñas y agrupadas en umbelas. Sus frutos son pequeños pero muy aromáticos.*

Partes utilizadas: *los frutos.*

Preparación y empleo

USO INTERNO

❶ **Infusión:** Media cucharadita de postre de frutos por cada taza de agua. Se toma una después de cada comida.

❷ **Esencia:** Hasta 3 gotas 3 veces al día. A los lactantes se les administran 1-2 gotas disueltas en un poco de agua azucarada, 2 o 3 veces al día.

❸ **Con leche:** A la leche o al agua del preparado lácteo (fórmula láctea) de los bebés, se le añade media cucharadita de postre de frutos por litro. Se hierve y se cuela.

Condimento

Triturada en toda clase de platos, acompaña especialmente bien a las ***ensaladas*** *y a las* ***hortalizas flatulentas,*** *como las coles.*

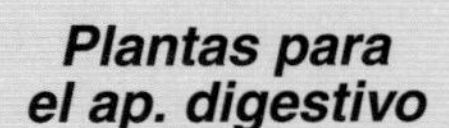

Coclearia

Antiescorbútica y tónica digestiva

EN LAS costas de Inglaterra atraca un barco que acaba de llegar de un largo viaje por el Atlántico. Nos hallamos en pleno siglo XVIII, en tiempos del capitán James Cook, época de grandes viajes y de intrépidos exploradores.

–La tripulación está muy diezmada –dice el capitán a los escasos aldeanos que salen a recibirlos–. Nos sentimos muy debilitados y las heridas no nos cicatrizan. El caso es que no nos ha faltado la ración de trigo, cebada y carne seca.

–¡Me sangran las encías, y las tengo muy hinchadas! –exclama fatigosamente un curtido marinero.

Uno de los campesinos observa como descienden de la embarcación aquellos rudos hombres, que han sido capaces de superar los embates del mar, pero que están cayendo ante el acoso de la malnutrición.

–¡Creo que tengo un remedio para vosotros! –dice el humilde campesino–. Hay una hierbecilla que crece por estas costas, y que os puede devolver el vigor que os ha robado la mar. Es la "hierba del escorbuto", la que cura la enfermedad de los navegantes.

Los marineros consumen esta planta durante varios días, y sus síntomas empiezan a desaparecer.

Sinonimia hispánica: *hierba de la cuchara, cucharadita, hierba del escorbuto, rábano vagisco, rábano vaguco;* ***Cat.:*** *coclearia, herba de culleres, culleretes d'aigua, herba de l'escorbut;* ***Eusk.:*** *zali-belar;* ***Gal.:*** *herba das culleres;* ***Fr.:*** *clochléaria, herbe au scorbut;* ***Ing.:*** *scurvy grass, scorbute grass;* ***Al.:*** Löffelkraut.

Hábitat: *Diseminada por terrenos pedregosos y húmedos, cerca del mar o de cursos de agua. En España solamente se cría en las costas cantábricas del norte peninsular. Es poco frecuente en el centro y norte de Europa, así como en la mitad norte del continente americano.*

Descripción: *Planta vivaz de la familia de las Crucíferas, que alcanza de 10 a 25 cm de altura. Sus hojas son carnosas, con un peciolo largo, de color verde oscuro y forma acorazonada. Las flores, blancas o rosadas, crecen en racimos terminales.*

Partes utilizadas: *la planta entera fresca.*

Preparación y empleo

USO INTERNO

❶ **Verdura:** Sus hojas y tallos frescos pueden tomarse como ensalada, solos o acompañando a otras hortalizas.

❷ **Jugo:** Conviene beberlo lo antes posible para evitar que se pierdan sus vitaminas. Solo, o mezclado con jugo (zumo) de naranja, constituye un excelente tónico contra la astenia (fatiga) primaveral. Tomar un vaso diario por la mañana.

USO EXTERNO

❸ **Compresas** empapadas con infusión de coclearia, que se preparan con 50 g de planta por cada litro de agua. Se aplican sobre las zonas doloridas.

La dieta de las gentes de la mar de antaño, a base de carne seca, pescado y harina, era muy deficiente en vitamina C. Debido a su riqueza en esta vitamina, la coclearia, en los siglos pasados, salvó la vida de muchos marinos aquejados de escorbuto. En la actualidad se utiliza por su acción tonificante y digestiva.

Hoy sabemos que la coclearia, *scurvy grass* (hierba del escorbuto) en inglés, contiene grandes dosis de vitamina C; precisamente lo que faltaba en la dieta de los marineros, exenta de frutas y verduras frescas.

Ni Dioscórides en el siglo I d.C., ni sus comentaristas del Renacimiento, tenían noticia de esta planta. Al ser su hábitat atlántico, y no darse en los países mediterráneos, fue ignorada por los grandes herboristas y médicos del área latina de Europa. Pero en los siglos XVII y XVIII se hicieron en Francia e Inglaterra grandes plantaciones de coclearia, para socorrer a los marineros y exploradores que volvían enfermos de sus viajes por la carencia de la entonces desconocida vitamina C.

En la actualidad, aunque el escorbuto ya no es tan frecuente como antaño, la coclearia se sigue usando por sus propiedades medicinales y por su agradable sabor.

Propiedades e indicaciones: Toda la parte aérea de la planta contiene un glucósido sulfurado (glucoclearina), y un fermento llamado mirosina, que lo transforma en isosulfocianato de butilo, sustancia similar a la esencia de mostaza. A ello se debe su sabor similar al del berro o al de la mostaza. La planta contiene además vitamina C, tanino y sales minerales. Sus propiedades son:

• **Antiescorbútica:** Debido a su contenido en vitamina C, y a su capacidad para estimular globalmente el metabolismo. Conviene a los debilitados por otras enfermedades, así como a quienes siguen una dieta deficitaria en frutas y verduras frescas **[❶,❷]**.

• **Aperitiva y digestiva:** Estimula la secreción de jugos gástricos y la actividad de todo el aparato digestivo, facilitando la digestión. Conviene pues a los inapetentes, a los que sufren atonía gástrica (sensación de plenitud o distensión después de las comidas), y en general, a los que padecen digestiones pesadas **[❶,❷]**.

• **Diurética y depurativa:** Favorece la eliminación de sustancias ácidas de desecho, como la urea y el ácido úrico. Resulta de utilidad a algunos reumáticos, a los artríticos y gotosos, así como a los recargados por una alimentación excesivamente rica en carnes **[❶,❷]**.

• **Rubefaciente** en **uso externo:** Se usa, como la mostaza (pág. 663), para atraer la sangre hacia el exterior, con el fin de descongestionar los órganos internos. Se aplica en compresas sobre la zona afectada (articulaciones inflamadas, por ejemplo) **[❸]**.

Díctamo

Aromático y tonificante

ESTA PLANTA es muy bella y fragante», decía Andrea Mattioli, el más destacado intérprete y traductor de las obras de Dioscórides, refiriéndose al díctamo. «Lo cual nos indica, que no la habrá producido la naturaleza sin excelentes facultades.»

Curioso, el razonamiento del médico renacentista: Es bella, luego será buena. Así, hasta el siglo XX, se le atribuyeron grandes virtudes a esta planta; aunque con escaso fundamento. Hoy conocemos mejor sus verdaderas propiedades.

PROPIEDADES E INDICACIONES: Contiene un aceite esencial rico en anetol y estragol, saponinas, principios amargos y colina, así como dictamnina, un alcaloide que actúa sobre el útero.

Tiene propiedades **emenagogas, digestivas, antiespasmódicas, vermífugas y diuréticas.** Es un **tonificante** general del organismo **[❶]**.

Actualmente se usa como ingrediente en muchas ***recetas de plantas medicinales,*** por su agradable **aroma.**

Precauciones

*En **dosis altas** puede provocar hemorragias uterinas y abortos.*

*El díctamo está **contraindicado en el embarazo.***

Preparación y empleo

USO INTERNO

❶ **Infusión** con una cucharadita de postre de hojas frescas (5 g) o una grande de hojas secas, por taza de agua. Se pueden añadir unos gramos de corteza triturada. Tomar hasta 2 tazas, bebiéndolas a sorbos, a lo largo del día.

Díctamo real

En el continente americano se cría el díctamo real o fraxinela (*Dictamnus fraxinella* L.), que es muy similar al díctamo europeo, y tiene **las mismas propiedades.** De ahí que se les atribuyan a ambas especies los mismos nombres vulgares indistintamente.

Sinonimia hispánica: *fresnillo, chitán;* ***Cat.:*** *dictam, lletimó;* ***Gal.:*** *díctamo;* ***Fr.:*** *dictame;* ***Ing.:*** *dittany, fraxinella;* ***Al.:*** *Diptam.*

Hábitat: *Espontáneo en el sur y centro de Europa, aunque poco frecuente. Introducido en el continente americano. Se cultiva como ornamental en parques y jardines, y como planta medicinal.*

Descripción: *Planta vivaz de la familia de las Rutáceas, que alcanza de 50 a 70 cm de altura. Sus hojas recuerdan a las del fresno; de ahí su nombre de fraxinela. Sus flores son grandes, de color rosado o blanco, muy olorosas.*

Partes utilizadas: *las hojas y la corteza de la raíz.*

Asafétida

Nauseabunda, pero muy medicinal

ES CURIOSO ver como varían las costumbres y los gustos de los diversos pueblos y culturas. En Europa se llama a esta planta "estiércol del diablo" –¿podemos imaginar algo más detestable?–, mientras que en los países árabes se la conoce como "manjar de los dioses", y se la utiliza incluso como condimento.

Realmente, cualquiera que la pruebe, o simplemente que la huela, quedará impresionado por su repugnante olor. Sin embargo, sus propiedades medicinales son extraordinarias.

PROPIEDADES E INDICACIONES: El aceite esencial sulfurado que le comunica su fetidez, actúa como un excelente **antiespasmódico y sedante.** Alivia de forma inmediata los dolores **cólicos,** las **flatulencias** intestinales y los retortijones [❶,❷]. También es muy efectiva en caso de **asma, tos ferina, espasmo laríngeo** con sensación de asfixia (el llamado *crup*) y de **palpitaciones** nerviosas [❶].

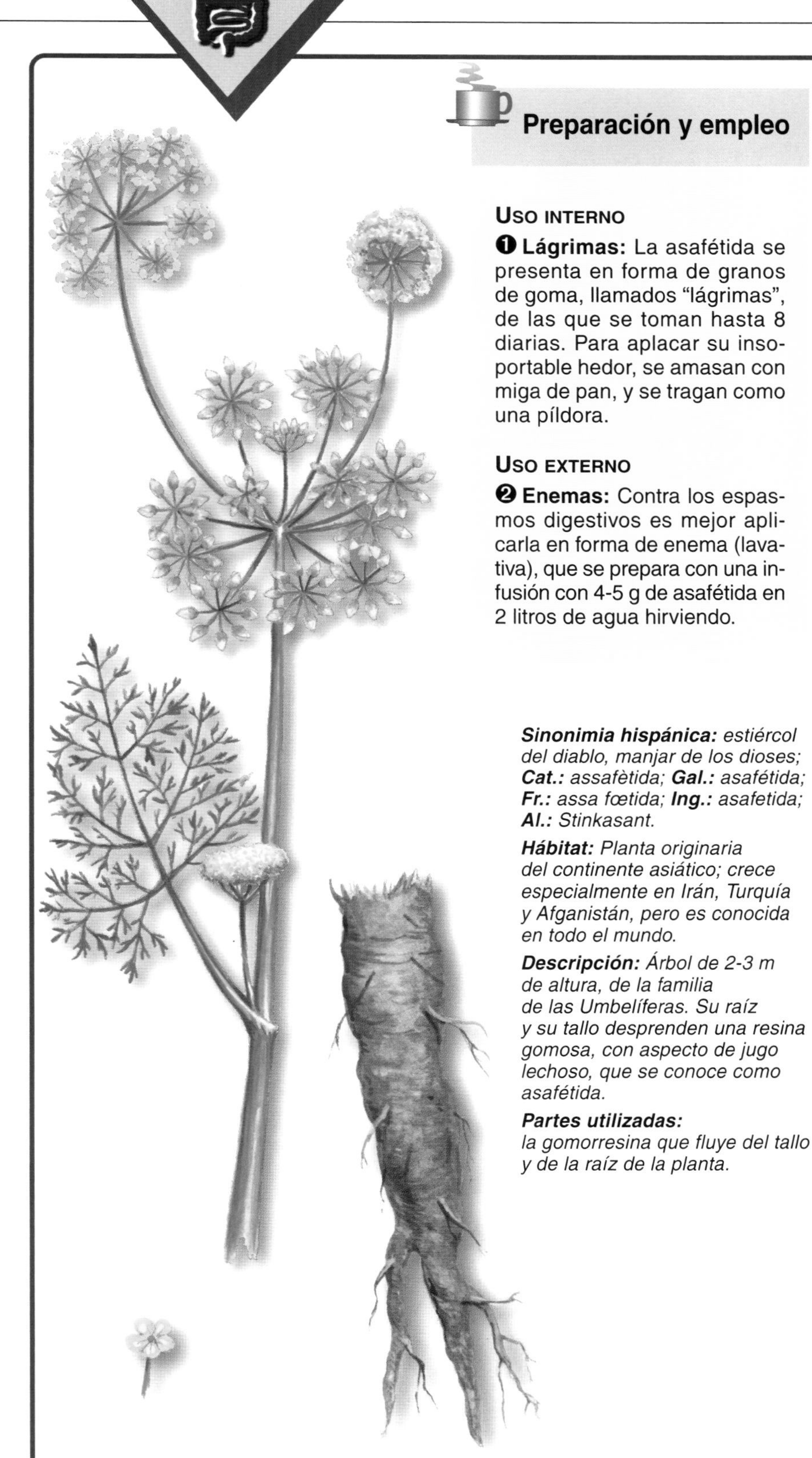

Preparación y empleo

USO INTERNO

❶ **Lágrimas:** La asafétida se presenta en forma de granos de goma, llamados "lágrimas", de las que se toman hasta 8 diarias. Para aplacar su insoportable hedor, se amasan con miga de pan, y se tragan como una píldora.

USO EXTERNO

❷ **Enemas:** Contra los espasmos digestivos es mejor aplicarla en forma de enema (lavativa), que se prepara con una infusión con 4-5 g de asafétida en 2 litros de agua hirviendo.

Sinonimia hispánica: *estiércol del diablo, manjar de los dioses;* ***Cat.:*** *assafètida;* ***Gal.:*** *asafétida;* ***Fr.:*** *assa fœtida;* ***Ing.:*** *asafetida;* ***Al.:*** *Stinkasant.*

Hábitat: *Planta originaria del continente asiático; crece especialmente en Irán, Turquía y Afganistán, pero es conocida en todo el mundo.*

Descripción: *Árbol de 2-3 m de altura, de la familia de las Umbelíferas. Su raíz y su tallo desprenden una resina gomosa, con aspecto de jugo lechoso, que se conoce como asafétida.*

Partes utilizadas: *la gomorresina que fluye del tallo y de la raíz de la planta.*

Foeniculum vulgare Mill.

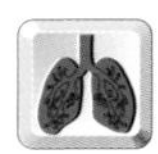

Hinojo

Limpia el estómago y los ojos

EL HINOJO ya era usado por los antiguos egipcios contra las malas digestiones. En la India existe una tradición que califica a esta planta de "perla de los afrodisíacos", y por eso forma parte de pócimas supuestamente excitantes. Pero en la actualidad, sus mayores aplicaciones son las digestivas y respiratorias.

PROPIEDADES E INDICACIONES: Toda la planta, y especialmente las semillas, contienen una esencia rica en anetol, estragol e hidrocarburos terpénicos. Veamos sus propiedades y aplicaciones:

- **Carminativo:** Facilita la expulsión de los gases intestinales y estimula los movimientos peristálticos del intestino **[❶,❷]**. Es ligeramente laxante.
- **Digestivo:** Facilita el vaciamiento del estómago y la digestión. Da buenos resultados en la pesadez de estómago, las digestiones lentas, y el exceso de gases en el estómago o eructos **[❶,❷]**.
- **Expectorante:** Indicado en catarros bronquiales y resfriados **[❶,❷]**.
- **Galactógeno:** Aumenta la producción de leche en las madres que lactan **[❶,❷]**.
- ***Externamente*** se utiliza para lavados o baños oculares en las **conjuntivitis** crónicas **[❸]**.

Preparación y empleo

USO INTERNO

❶ **Infusión** con una cucharadita de postre de semillas por cada taza de agua. Se toman 3 o 4 diarias, después de las comidas. Para los catarros, endulzarla con miel.

❷ **Esencia:** La dosis normal es de 1-3 gotas, 2 o 3 veces al día.

USO EXTERNO

❸ **Lavados oculares** con una infusión igual a la que se usa internamente.

Sinonimia científica:
Foeniculum foeniculum Karst., *Foeniculum officinale* All.

Sinonimia hispánica: *hinojo común, hinojo amargo, anís [de Florencia], comino, eneldo, hierba santa;*
Cat.: *fonoll, fenoll, fonollera, fenollera, herba de les vinyes;* ***Eusk.:*** *mihilu;*
Gal.: *fiuncho, fieiteiro, fiollo;*
Fr.: *fenouil sauvage;* ***Ing.:*** *fennel;*
Al.: *Wilder Fenchel.*

Hábitat: *Originario de los países mediterráneos, pero ampliamente difundido por toda Europa y América. Se cría en zonas no cultivadas y ribazos secos.*

Descripción: *Planta vivaz de 80 a 140 cm de altura, de la familia de las Umbelíferas. Sus tallos son macizos de color verde azulado. Las hojas estan finamente divididas y despiden un aroma típico. Las flores son amarillas y se agrupan en umbelas terminales.*

Partes utilizadas: *las semillas.*

Precauciones

No sobrepasar las dosis, *pues la esencia que contiene puede provocar* ***convulsiones.***

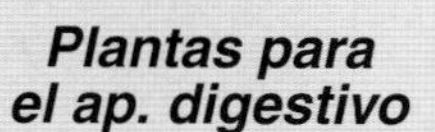

Galio

Cuaja la leche y ayuda a la digestión

LAS LLAMATIVAS flores del galio exhalan un delicado aroma a miel. Siguiendo la recomendación de Galeno, han sido utilizadas desde hace más de veinte siglos para cuajar la leche (*gála/gálaktos*, en griego). Con esta planta se siguen fabricando hoy exquisitos quesos, como el Chéster.

PROPIEDADES E INDICACIONES: Toda la planta contiene asperulósido, glucósidos flavonoides y cumarínicos, así como pequeñas cantidades de un fermento láctico, cuyo efecto se ve potenciado por el contenido de la planta en ácidos cítrico y tánico.

Estas son sus propiedades:

- **Antiespasmódico:** Se recomienda para dispepsias funcionales (mala digestión debida a nerviosismo), por su efecto relajante y sedante sobre la musculatura de los órganos digestivos **[❶]**.
- **Diurético:** Su uso está indicado en las afecciones de las vías urinarias (litiasis renal, cistitis), hidropesía o edemas (retención de líquidos en los tejidos) y obesidad **[❶]**.
- **Vulnerario:** Aplicado ***externamente,*** el galio contribuye a la cicatrización de heridas y a la curación de golpes y contusiones **[❷]**.

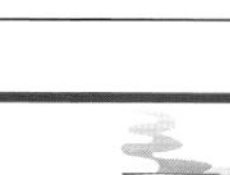

Preparación y empleo

USO INTERNO

❶ **Infusión** con 10-20 g de planta por litro de agua, de la que se toman 3 tazas diarias.

USO EXTERNO

❷ **Compresas:** Preparadas con esta misma infusión, pero más concentrada (30-40 g por litro). Se aplican sobre la zona de piel lesionada.

Sinonimia hispánica: *cuajaleche, hierba sanjuanera, presera;*
Cat.: *espunyidella groga, quallallet, herba de mató, herba mosquera, herba de Sant Joan;* ***Eusk.:*** *ziabelar [hori];* ***Gal.:*** *rodesmo, herba do rodicio, agana, callaleite, presoira;*
Fr.: *caille-lait, gaillet;*
Ing.: *[yellow] bedstraw;*
Al.: *Echtes Labkraut.*

Hábitat: *Común en prados y bosques de toda Europa. Naturalizada en regiones templadas del continente americano.*

Descripción: *Planta vivaz de la familia de las Rubiáceas, que alcanza de 20 a 80 cm de altura. Sus pequeñas flores, que se presentan en racimos terminales, son de color amarillo,.*

Partes utilizadas: *las sumidades floridas.*

Amor de hortelano

El galio es similar a otra planta de su misma familia, el amor de hortelano (*Galium aparine* L.)*, aunque este carece de capacidad para cuajar la leche.

* ***Cat.:*** *apegalós, rèvola;* ***Eusk.:*** *ziabelar [latz];* ***Gal.:*** *callaleite, chapizo, gatuña, herba dos amores, presoira.*

Abelmosco

Fragancia que relaja y tranquiliza

LAS SEMILLAS del abelmosco son muy apreciadas por los perfumistas hindúes y árabes, quienes las utilizan además como afrodisíaco. Por la acción del calor o del roce, desprenden un intenso aroma a almizcle y a ámbar. En algunos lugares de América Central las añaden al café con el fin de darle más fragancia.

PROPIEDADES E INDICACIONES: Las semillas del abelmosco contienen un aceite esencial con un marcado efecto **antiespasmódico,** es decir, capaz de relajar los músculos de las vísceras huecas espasmodizadas. Por ello se emplean con éxito para calmar el dolor de los **cólicos** intestinales, biliares o renales, así como los espasmos uterinos que acompañan a la menstruación dolorosa (**dismenorrea**) **{❶}.** También tienen un efecto **sedante** sobre el sistema **nervioso.**

La rosa de China, que aparece en el dibujo y en la fotografía, pertenece al género botánico 'Hibiscus', lo mismo que el abelmosco, al que se asemeja.

Preparación y empleo

USO INTERNO

❶ **Infusión** de 50 g de semillas por litro de agua. Tomar 2 o 3 tazas diarias.

Rosa de China

La planta que aparece en el grabado es la rosa de China (*Hibiscus rosa-sinensis* L.), llamada también hibisco de China, escandalosa o clavel japonés*, que es un arbusto ornamental, similar al abelmosco.

Sus flores, de color rojo, son **astringentes** y se emplean en ***infusión*** para aliviar la **irritación de garganta** y para **lavados oculares.**

* ***Cat.:*** *rosa de la Xina, rosa xinesa, hibisc.*

Sinonimia hispánica: *almizcle [vegetal], algalia, anaucho, lagarto;*
Cat.: *hibisc;* ***Gal.:*** *quingonbó de cheiro;*
Fr.: *ambrette, graine à musc;*
Ing.: *abelmosk, musk-mallow;*
Al.: *Abelmoschus.*

Hábitat: *Originario de la India, se da con bastante frecuencia en las zonas tropicales de Centroamérica. Se cultiva en las Antillas y en la Guayana.*

Descripción: *Arbusto de la familia de las Malváceas, que alcanza hasta 2 m de altura. Sus hojas presentan varios lóbulos irregulares. Las flores son grandes y muy vistosas, con pétalos de color amarillo o rojo. Dentro de ellas se encuentran las semillas, que tienen forma de riñón y unas estrías grisáceas.*

Partes utilizadas: *las semillas.*

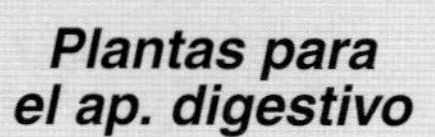

Hibisco

Hermosa flor que tonifica y refresca

EL GÉNERO *Hibiscus* abarca unas 200 especies, la mayor parte de las cuales se utiliza, por sus hermosas flores, como plantas ornamentales en parques y jardines de todo el mundo. Las más empleadas desde el punto de vista medicinal, junto con la *sabdariffa*, son el abelmosco (*Hibiscus abelmoschus* L.), la rosa de China (*Hibiscus rosa-sinensis* L., pág. 362) y la damajagua (*Hibiscus tiliaceus* L., recuadro inferior derecho).

PROPIEDADES E INDICACIONES: Los sépalos de las flores del hibisco contienen ácido hibíscico así como una mezcla de ácidos orgánicos (málico, cítrico y tartárico) y un colorante rojo, que le confieren las siguientes propiedades:

- **Digestivas y tonificantes:** Debido a su contenido en ácidos orgánicos, las infusiones de hibisco tienen un efecto estimulante de las funciones digestivas y tonificante del organismo en su conjunto [❶].
- **Laxantes suaves:** Tienen una acción emoliente (suavizante) sobre las mucosas del conducto digestivo, por lo que facilitan la función de evacuación intestinal [❶].
- **Diuréticas:** Las flores de hibisco tienen un suave pero eficaz efecto diurético, por lo que convienen a los obesos y a los que padecen del corazón [❶].
- **Aditivo natural:** Por su sabor ligeramente ácido, así como por el color rojo que otorgan a otros productos, las flores del hibisco se utilizan como ***aditivo natural***, para mejorar el aspecto y el sabor de otras plantas medicinales o de diversos preparados alimentarios [❶].

Preparación y empleo

USO INTERNO

❶ **Infusión** con un puñado de flores con su cáliz por cada litro de agua. Endulzar con miel y beber a gusto como refresco.

Sinonimia hispánica: *cáñamo de Guinea, acedera [roja] de Guinea, carcadé, aleluya, [flor de] Jamaica, rosa de Jamaica, quimbombó chino, serení, chiriguatá, frambuesa, grosella, rosella, maravilla, orgalia, viña, viñuela, vinagrillo;* ***Cat.:*** *hibisc;* ***Gal.:*** *acediña, carurú acedo, quiabo acedo;* ***Fr.:*** *oseille rouge de Guinée, groseillier [du pays], karkadé;* ***Ing.:*** *Guinea sorrel, Jamaica sorrel, roselle;* ***Al.:*** *Rosellaeibisch.*

Hábitat: *Originaria del Sudán; cultivada en Egipto, en Ceilán y en zonas tropicales de México.*

Descripción: *Arbusto de la familia de las Malváceas, que alcanza hasta 2 m de altura. Las hojas tienen de 3 a 5 lóbulos. Sus flores son de color amarillo o rojizo.*

Partes utilizadas: *las flores con su cáliz.*

Damajagua

La damajagua (*Hibiscus tiliaceus* L.) se cultiva en los trópicos de América, donde recibe además los nombres de: majagua [de Cuba], majagüito de playa, gatapa, algodoncillo, clavel de arbolito y jarcia blanca.

Las fibras de su corteza se usan para la fabricación de cuerdas y sacos, y las hojas se emplean para forraje.

Las ***flores*** y la ***corteza de la raíz*** de la damajagua tienen propiedades **laxantes y emolientes** (alivian la inflamación de las mucosas) del conducto digestivo.

Manzanilla

La tisana digestiva por excelencia

SON MUCHOS los que, al hablar de tisanas o de infusiones, piensan de inmediato en la manzanilla. Se podría decir que es ***la tisana por excelencia.***

–Dadle una taza de manzanilla a este enfermo, antes de retirarle el suero –dice el cirujano a una estudiante de enfermería.

Ambos se hallan frente a un joven de 15 años operado hace dos días de una apendicitis aguda perforada. Su aparato digestivo ha estado paralizado durante este tiempo, debido a la peritonitis (inflamación del peritoneo, que es la membrana que recubre el interior de la cavidad abdominal y sus órganos) que se le produjo como consecuencia de la apendicitis.

–Doctor, ¿por qué recomienda siempre manzanilla a los recién operados? –inquiere la futura enfermera, después de acabada la visita.

–Hace ya muchos años que sigo la norma de reiniciar la alimentación oral de los recién operados, con una tisana de manzanilla. Así me lo enseñaron mis maestros en el arte y la ciencia de la cirugía. La manzanilla estimula los movimientos peristálticos del intestino, y hace que este recupere su función después de haber estado paralizado por la peritonitis.

–¿Y cómo sabremos que la manzanilla ha sido efectiva?

–Habrás visto que todos los días cuando paso visita, pregunto a los recién operados si ya han emitido ven-

Preparación y empleo

USO INTERNO

❶ **Infusión:** 5-10 g de cabezuelas florales por litro de agua (equivalentes a 5-6 cabezuelas por taza). Tómense de 3 a 6 tazas diarias, calientes.

USO EXTERNO

❷ **Lavados** oculares, nasales o anales. Se realizan con una infusión algo más concentrada que la de uso interno (hasta 50 g de cabezuelas por litro). Dejar reposar durante 15-20 minutos y filtrarla convenientemente antes de emplearla.

❸ **Baños:** Se realizan añadiendo al agua de la bañera de 2 a 4 litros de esta infusión concentrada. Estos baños, con agua tibia, tienen un marcado efecto **relajante y sedante.**

❹ **Compresas** con la infusión concentrada: Se aplican sobre la zona de la piel afectada.

❺ **Fricciones** con **aceite de manzanilla.** El aceite de manzanilla se prepara calentando al baño María, durante 3 horas, 100 g de cabezuelas en medio litro de aceite de oliva. Se filtra el aceite y se conserva en una botella.

Sinonimia hispánica: *manzanilla común, camomila, manzanilla de Aragón, manzanilla de Castilla, manzanilla dulce, manzanilla alemana, manzanilla loca, magarza, magarzuela;* ***Cat.:*** *camamilla [d'Urgell], camamil·la, [camamilla] majola, maçanella, matricària;* ***Eusk.:*** *kamamila [arrunt];* ***Gal.:*** *macela, mogarcela, marcela;* ***Fr.:*** *camomille allemande;* ***Ing.:*** *[German] camomile;* ***Al.:*** *Echte Kamille.*

Hábitat: *Abundante por campos, lugares incultos, linderos y caminos de toda Europa. Se cría también en regiones templadas del continente americano.*

Descripción: *Planta herbácea anual de la familia de las Compuestas, que alcanza de 20 a 50 cm de altura. Los tallos están muy ramificados y las flores se agrupan en unas cabezuelas de unos 2 cm de diámetro, parecidas a las margaritas. Su olor tiene un aroma característico, y su sabor es amargo.*

Partes utilizadas: *los capítulos o cabezuelas florales.*

Otras aplicaciones de la manzanilla

- **Contra los insectos:** *La manzanilla en bolsitas, dentro del armario, ahuyenta la polilla y otros insectos.*
- **Relajante:** *Añadida su infusión, algo concentrada, al agua del baño.*
- **Cosmética capilar:** *Los cabellos castaños o rubios lavados con su infusión, adquieren mayor brillantez y belleza.*

Tomar una taza de manzanilla después de comer es una buena y sana costumbre, tanto para jóvenes como para mayores.

tosidades. Por grotesco que parezca, esta es la mejor señal de que el intestino vuelve a funcionar.

–Ahora lo entiendo, doctor –concluye la alumna.

Propiedades e indicaciones: El principio activo más importante de la manzanilla es su esencia, cuyos componentes más importantes son el camazuleno (antiinflamatorio) y el bisabolol (sedante). Contiene además flavonoides y cumarinas, así como un principio amargo tonificante. Son muchas las propiedades de esta planta, confirmadas todas ellas por la investigación científica:

- **Sedante y antiespasmódica:** Resulta muy útil contra los espasmos del estómago e intestino debidos a nerviosismo o ansiedad {❶,❸}. También se administra en cólicos de todo tipo, especialmente en los renales y biliares (mal llamados hepáticos), por su efecto sedante y relajante {❶,❸}.
- **Tónico intestinal y carminativo:** Aunque pueda parecer paradójico, la manzanilla también estimula la motilidad del tubo digestivo, como ya hemos dicho. Por eso conviene a los recién operados y a los que padecen de exceso de gases, que ayuda a expulsar (efecto carminativo) {❶}. En realidad su acción consiste en regular y normalizar el funcionamiento intestinal.
- **Eupéptica:** Resulta indicada, en forma de tisana, en los empachos o digestiones pesadas. Alivia las náuseas y vómitos, y estimula ligeramente el apetito {❶}. Las manzanillas más amargas, como la llamada de Soria, en España, tienen una acción eupéptica más intensa.
- **Emenagoga:** Estimula la función menstrual, normalizando su cantidad y periodicidad. Alivia los dolores de la regla. Dioscórides ya le puso el nombre de *Matricaria,* de *matrix* (matriz, en latín).
- **Febrífuga y sudorífica:** Al hacer bajar la temperatura y provocar la transpiración, conviene a los enfermos febriles, especialmente a los niños {❶}.
- **Analgésica:** Calma los dolores de cabeza y algunas neuralgias {❶}.
- **Antialérgica:** Se ha demostrado su acción moderadora sobre las reacciones alérgicas, como el asma, la rinitis y la conjuntivitis alérgicas. Se recomienda en las crisis alérgicas agudas para calmarlas, y como tratamiento de fondo para evitarlas. Los mejores resultados se obtienen combinando la aplicación interna (tisanas) {❶} con la externa (colirios, irrigaciones nasales) {❷}.
- **Cicatrizante, emoliente y antiséptica:** En ***uso externo*** da buenos resultados para lavar todo tipo de heridas, úlceras e infecciones de la piel {❷}. Se ha podido comprobar que el camazuleno es eficaz contra el estafilococo dorado, el estreptococo hemolítico y el *Proteus.* La infusión de manzanilla constituye un ***colirio*** muy adecuado para lavados oculares en caso de conjuntivitis o irritación ocular {❷}. Se utiliza también como antiinflamatoria, aplicada en forma de compresas sobre eccemas, erupciones, y otras afecciones de la piel {❸}. Los lavados anales con su infusión, desinflaman las hemorroides {❷}.
- **Antirreumática:** El aceite de manzanilla se usa en fricciones contra el lumbago, tortícolis, dolores reumáticos y contusiones {❺}.

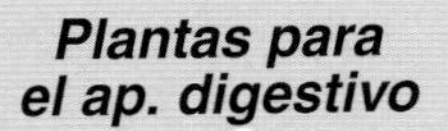

Menta

Tonifica y calma los dolores

EXISTEN muchas especies y variedades de mentas, que se hibridan entre sí, pero que conservan sus propiedades medicinales. Hipócrates ya la recomendaba como afrodisíaca, virtud que se le reconoce cuando se consume en grandes dosis.

PROPIEDADES E INDICACIONES: Contiene del 1% al 3% de una esencia de composición muy compleja con más de 100 componentes, entre los que destaca el mentol, un alcohol al que se deben la mayor parte de sus propiedades: **digestiva, carminativa** (elimina los gases y las putrefacciones intestinales), **colerética, antiséptica, analgésica, tonificante y afrodisíaca** en dosis elevadas. La esencia contiene unos polifenoles de acción **antivírica** frente al virus de la **hepatitis A.**

- En ***uso interno:*** Se recomienda en dispepsias, gases intestinales, cefaleas y jaquecas, espasmos y cólicos digestivos, atonía gástrica (estómago caído), hepatitis vírica (tipo A) y agotamiento físico **[❶,❷]**.
- ***Externamente,*** las fricciones con esencia en disolución alcohólica (alcohol mentolado) alivian los **dolores reumáticos y musculares,** así como las **neuralgias [❸]**.

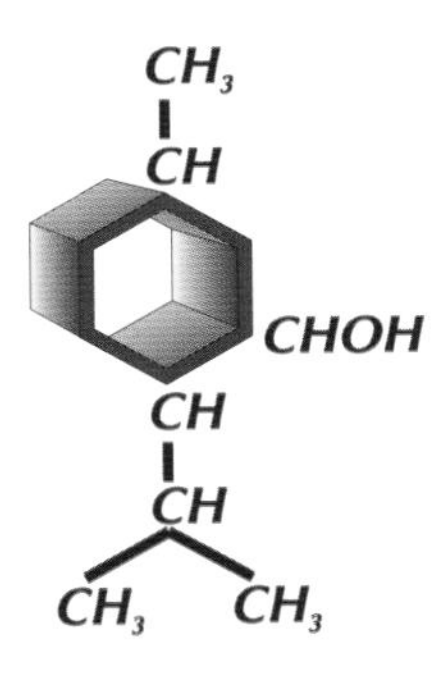

Fórmula química del mentol, uno de los cien componentes de la esencia de la menta.

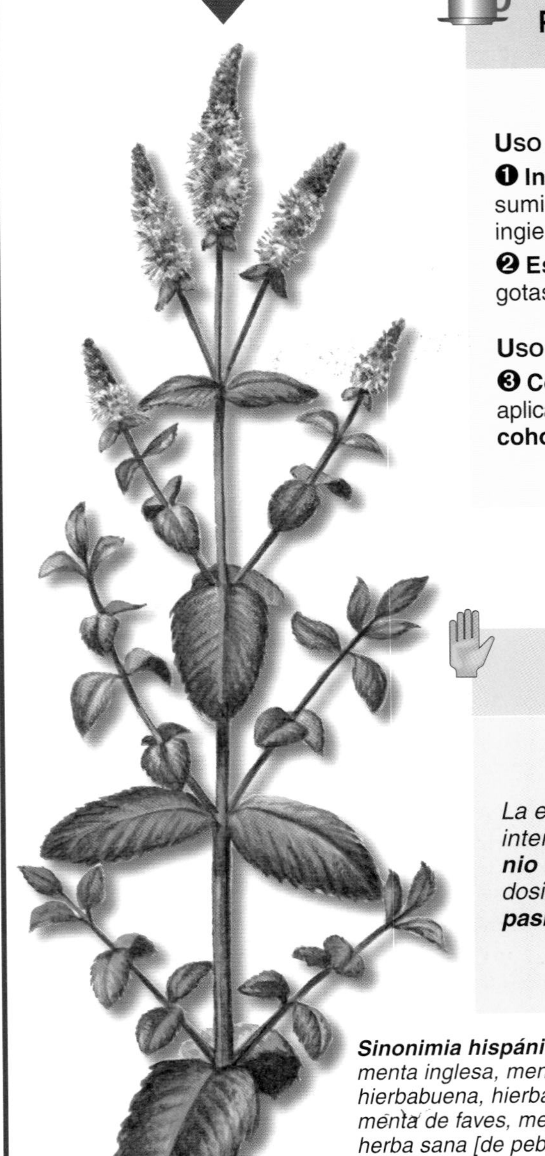

Preparación y empleo

USO INTERNO

❶ Infusión: 10-20 g de hojas y sumidades por litro de agua. Se ingieren de 3 a 5 tazas diarias.

❷ Esencia: Se administran 1-3 gotas, hasta 3 veces al día.

USO INTERNO

❸ Compresas y fricciones: Se aplican con la **esencia** o con el **alcohol mentolado.**

Precauciones

*La esencia, en **dosis altas** y uso interno, puede provocar **insomnio e irritabilidad. Inhalada** en dosis elevadas puede causar **espasmos de laringe** en los **niños.***

Sinonimia hispánica: *[menta] piperita, menta inglesa, menta negra, toronjil [de menta], hierbabuena, hierba de olor;* ***Cat.:*** *menta [piperita], menta de faves, menta pebrera, herba sana [de pebre], herba sana anglesa, herba de Santa Maria;* ***Eusk.:*** *mendafin, menda;* ***Gal.:*** *mentrastes, sesimbro;* ***Fr.:*** *menthe poivrée, menthe anglaise;* ***Ing.:*** *peppermint, mint;* ***Al.:*** *Pfefferminze.*

Hábitat: *Terrenos frescos y umbríos de toda Europa y Sudamérica. Se cultiva por su esencia, especialmente en Inglaterra.*

Descripción: *Planta herbácea de las familia de las Labiadas, con tallo violáceo y cuadrangular de 40 a 80 cm de altura. Las inflorescencias son de color rosado o violáceo, y se disponen en espigas terminales.*

Partes utilizadas: *las hojas y las sumidades floridas.*

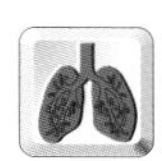

Nébeda

Alivia los dolores cólicos

LOS GATOS se sienten especialmente atraídos por el aroma de esta planta, y es posible que ellos mismos también la utilicen como medicinal. La tisana de nébeda recuerda a la de menta, aunque no es tan aromática. La nébeda actualmente ha caído un poco en el olvido, pero sigue teniendo interesantes propiedades.

PROPIEDADES E INDICACIONES: Toda la planta contiene una esencia rica en carvacrol y timol, así como lactona y ácido nepetálico. Tiene propiedades antiespasmódicas, antidiarreicas, carminativas (elimina los gases intestinales) y pectorales. Se usa sobre todo para calmar las **diarreas** y los dolores **cólicos** que las acompañan **[❶]**; también como **antiflatulenta** y como **pectoral,** en caso de catarro bronquial **[❶]**.

Preparación y empleo

USO INTERNO

❶ **Infusión** con 30 g de la planta por litro de agua. Se toma una taza caliente después de cada comida (3-4 diarias), que se puede endulzar con miel.

Sinonimia hispánica: *népeta, gatera, hierba de los gatos, albahaca de los gatos, menta gatuna, menta de gatos, gargantea;* ***Cat.:*** *nepta, [herba] gatera, herba de gat, menta de gat, alfàbrega de gat;* ***Eusk.:*** *katu-belar;* ***Gal.:*** *cumilago, [herba] gateira, herba dos gatos;* ***Fr.:*** *cataire, herbe aux chats;* ***Ing.:*** *catnip, catmint;* ***Al.:*** *Katzenminze.*

Hábitat: *Terrenos baldíos y pedregosos de gran parte de Europa y Norteamérica.*

Descripción: *Planta vivaz de la familia de las Labiadas, que alcanza de 20 a 60 cm de altura. Sus flores son rosadas o amarillentas, lo cual la distingue de la melisa (pág. 163). Toda la planta desprende un típico olor a menta.*

Partes utilizadas: *las sumidades floridas y las hojas.*

Albahaca

Facilita la digestión y tonifica

ADEMÁS de su agradable aroma, este muy apreciado condimento culinario posee interesantes propiedades medicinales.

PROPIEDADES E INDICACIONES: Toda la planta contiene un aceite esencial rico en estragol (al igual que el estragón, pág. 430) y eugenol (al igual que el clavero, pág. 192), así como linalol y terpenos. A esta esencia se le atribuyen las siguientes propiedades:

- **Antiespasmódicas:** Calma los **trastornos digestivos** de origen nervioso, como son los espasmos gástricos (nervios en el estómago), la aerofagia (exceso de gases y eructos) y la dispepsia nerviosa (digestiones lentas debidas a tensión nerviosa). Calma asimismo las jaquecas debidas, o asociadas, a una mala digestión **[❶,❷]**.
- **Tonificantes** del sistema nervioso y cardiovascular: Se recomienda en caso de **astenia, agotamiento** nervioso, fatiga e **hipotensión** arterial (tensión baja) **[❶,❸,❹]**.
- **Galactógenas:** Aumenta la producción de leche en las madres lactantes **[❶,❷]**.
- **Emenagogas:** Facilita la menstruación y disminuye los dolores debidos a espasmos o congestión uterina **[❶,❷]**.

Preparación y empleo

USO INTERNO

❶ **Infusión** con 20-30 g de hojas y flores por litro de agua, de la que se consume, después de cada comida, una taza caliente, endulzada con miel para mayor efecto.

❷ **Esencia:** de 2 a 5 gotas, 3 veces al día.

USO EXTERNO

❸ **Fricciones** tonificantes con la esencia.

❹ **Baños:** Se añade la esencia al agua del baño, para aprovechar sus efectos tonificantes.

Sinonimia hispánica: *basílico, albahaca blanca, albahaca clavo, albahaca de burro, orégano [falso], hierba real;* ***Cat.:*** *alfàbrega;* ***Eusk.:*** *albahaka;* ***Gal.:*** *manxericón;* ***Fr.:*** *basilic;* ***Ing.:*** *[sweet] basil;* ***Al.:*** *Basilikum.*

Hábitat: *Originaria de la India e Indonesia, donde se da espontáneamente. Desde tiempos muy antiguos se halla aclimatada en Europa. Difundida por regiones tropicales y subtropicales de América y de todo el mundo.*

Descripción: *Planta herbácea vivaz de la familia de las Labiadas, que alcanza hasta 50 cm de altura, con hojas lanceoladas de color verde claro. Las flores son blancas o rosadas y se disponen en ramilletes terminales.*

Partes utilizadas: *las hojas y las flores.*

Precauciones

A ***dosis altas*** *la esencia, en* ***uso interno,*** *puede provocar efectos* ***narcóticos,*** *y aplicada* ***externamente*** *puede* ***irritar*** *las mucosas.*

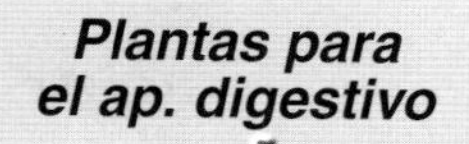

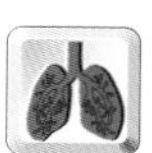

Mejorana

Sedante y digestiva

LA MEJORANA no se cría espontáneamente en Europa Occidental, y parece que fueron los Cruzados quienes la difundieron en la Edad Media.

Por su similitud con el orégano (pág. 464), que sí se da silvestre en Europa, se la llamó orégano indígena. Los antiguos egipcios ya usaban la mejorana como condimento y como remedio. Actualmente sigue siendo una planta *muy apreciada en fitoterapia*.

PROPIEDADES E INDICACIONES: Los principios activos de la mejorana residen en su esencia, rica en sustancias terpénicas como el terpineol. Esta esencia posee las siguientes propiedades:

- **Antiespasmódica y digestiva:** Muy útil contra la flatulencia (efecto **carminativo**), los espasmos nerviosos del estómago y las digestiones pesadas **[❶,❷]**.
- **Sedante:** Se recomienda para combatir la excitación psíquica, el nerviosismo y el insomnio. Es un buen remedio contra la ansiedad **[❶,❷]**.
- **Hipotensora:** Disminuye el tono del sistema nervioso simpático, responsable de la contracción de las arterias, y además, es **diurética [❶,❷]**.
- **Expectorante y pectoral [❶,❷].**
- **Antirreumática:** Aplicada ***externamente***, la esencia calma los dolores reumáticos y las contracturas musculares. En fricciones **[❸]**, o en el agua de baño, tiene además efecto tonificante **[❹]**.

Preparación y empleo

USO INTERNO

❶ **Infusión:** 40-50 g de sumidades por litro de agua. Se pueden tomar hasta 3 tazas diarias.

❷ **Esencia:** La dosis habitual es de 4-6 gotas, 3 veces diarias.

USO EXTERNO

❸ **Fricciones:** Se aplican con la esencia disuelta en alcohol (10-20 gotas en 100 ml).

❹ **Baños:** Añadiendo unas cuantas gotas de esencia en el agua de baño se obtiene un notable efecto **antirreumático.**

Sinonimia científica: *Majorana hortensis* Moench.

Sinonimia hispánica: *mejorana dulce, mayorana, orégano [indígena], almoradijo, amáraco, sampsuco, sarilla;* ***Cat.:*** *moraduix, marduix, amàrac, majorana;* ***Eusk.:*** *mendaro, erlabelar;* ***Gal.:*** *manxerona;* ***Fr.:*** *marjolaine;* ***Ing.:*** *marjoram;* ***Al.:*** *Majoran.*

Hábitat: *Originaria del Oriente Próximo, su cultivo se halla extendido por todos los países mediterráneos y del norte de África. Se cultiva asimismo en algunos países americanos.*

Descripción: *Planta vivaz de la familia de las Labiadas, que alcanza de 15 a 40 cm de altura. Sus flores son de color blanco o rosado, y crecen agrupadas en las extremidades de los tallos. Su aroma está entre el del tomillo y el de la menta.*

Partes utilizadas: *las sumidades floridas.*

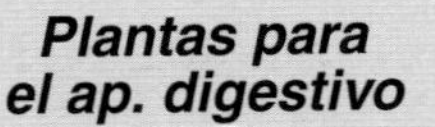

Pimentero

Estimula, pero también irrita

LAS PROPIEDADES digestivas de la pimienta ya eran conocidas desde muy antiguo por los habitantes de la India. Alejandro Magno fue quien, en el siglo IV a.C., introdujo esta ***especia*** en Europa. Actualmente es la ***más utilizada***.

PROPIEDADES E INDICACIONES: Los granos de pimienta contienen un 2% de esencia formada por diversos hidrocarburos, del 2% al 4% de resina, y el alcaloide de sabor picante piperidina, que se encuentra sobre todo en la corteza (a ello se debe que la pimienta negra sea más fuerte que la blanca). La pimienta posee las siguientes propiedades:

- **Tónico estomacal y digestivo:** En ***pequeñas dosis***, aumenta la producción de jugos digestivos (saliva, jugo gástrico, pancreático, etc.), a base de producir una discreta irritación sobre las mucosas; es también **carminativa** (reduce la formación de gases). En grandes dosis, es irritativa [❶].
- **Febrífuga.**
- **Parasiticida:** Mata los parásitos intestinales [❶].
- **Afrodisíaca** de efectos leves [❶].

Matico

En Chile y en Argentina se cría el llamado matico o moho (*Piper angustifolium* L.), que contiene un principio amargo y una esencia. En ***infusión*** (10 g por litro) se usa como **digestivo** y sobre todo, en el tratamiento de la **úlcera** gastroduodenal, tomando 3-5 tazas diarias. ***Externamente*** se emplea para lavar las **heridas** (decocción de 50 g de planta por litro de agua), por su acción **cicatrizante.**

Preparación y empleo

USO INTERNO

❶ Como **condimento,** la pimienta mezclada con los alimentos.

Precauciones

*La pimienta, tomada **en abundancia,** produce una **fuerte irritación** de las mucosas digestivas y urinarias (incluso sangre en la orina), así como un **aumento de la presión** arterial.*

*Su uso está **especialmente desaconsejado en caso** de gastritis, úlcera gastroduodenal, pancreatitis, hemorroides e hipertensión.*

Sinonimia hispánica: *pimienta [blanca de la India], pimienta negra [de la India];* ***Cat.:*** *pebrer;* ***Eusk.:*** *biperbeltz;* ***Gal.:*** *pimenteira;* ***Fr.:*** *poivrier [noir];* ***Ing.:*** *black pepper, white pepper;* ***Al.:*** *Pfefferstrauch.*

Hábitat: *Originaria de la India y países tropicales del sudeste asiático. Su cultivo se extiende actualmente por todas las regiones tropicales de ambos hemisferios.*

Descripción: *Arbusto trepador de la familia de las Piperáceas, cuyos frutos son unas bayas rojas, que una vez desecadas forman los granos de pimienta.*

Partes utilizadas: *los frutos secos con cáscara (pimienta negra) o sin ella (pimienta blanca).*

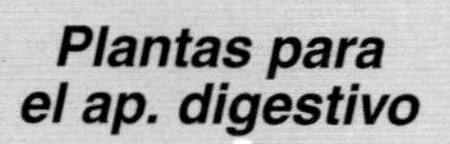

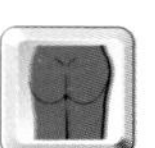

Argentina

Antiespasmódica y estomacal

HAY OTRAS dos especies de *Potentilla* medicinales, además de la argentina: la cincoenrama (*Potentilla reptans* L. / *Potentilla canadensis* L., pág. 520) y la tormentila (*Potentilla erecta* L., pág. 519). ***Todas*** ellas tienen en común su ***potente efecto*** sobre las **diarreas** y los **cólicos** intestinales.

PROPIEDADES E INDICACIONES: Toda la planta contiene tanino, flavonoides, ácidos orgánicos, colina, principios amargos y glúcidos.

En ***uso interno,*** tiene las siguientes propiedades:

- **Antiespasmódica:** Calma los dolores **cólicos,** especialmente los intestinales, y también los biliares y nefríticos [❶]. Se emplea asimismo en caso de **dismenorrea y espasmos uterinos.**
- **Antidiarreica,** debido a su contenido en tanino: Resulta muy efectiva en casos de gastroenteritis y diarreas infecciosas [❶]. Suele usarse asociada a la manzanilla (pág. 364).
- **Aperitiva y digestiva,** debido en parte a sus principios amargos: Abre el apetito y facilita la digestión [❶].

Externamente, se aplica en compresas sobre las **hemorroides,** para desinflamarlas y reducirlas de tamaño, merced a la acción de sus taninos [❷].

Preparación y empleo

USO INTERNO

❶ **Decocción** con 30-50 g de planta por litro de agua. Tomar de 3 a 5 tazas diarias.

USO EXTERNO

❷ **Compresas:** Aplicar la misma decocción que se usa internamente para empaparlas. Se colocan sobre las hemorroides durante 5-10 minutos, 2 o 3 veces al día.

Sinonimia hispánica: *hierba de la plata, [hierba] plateada, canelilla, potentila, anserina, buen varón silvestre, buen varón de Jarava;* ***Cat.:*** *potentola, potentil·la;* ***Eusk.:*** *antzar-belar;* ***Gal.:*** *prateada;* ***Fr.:*** *argentine, anserine;* ***Ing.:*** *silverweed, silver cinquefoil, argentina;* ***Al.:*** *Gänsefingerkraut.*

Hábitat: *Europa, salvo la costa mediterránea. Común en todo el continente americano. Se la encuentra en suelos ricos y húmedos.*

Descripción: *Planta de la familia de las Rosáceas, que alcanza de 20 a 40 cm de altura. Sus hojas dentadas y sedosas son plateadas por el envés, y nacen de una roseta central. Las flores son solitarias, de color amarillo vivo y con 5 pétalos.*

Partes utilizadas: *las hojas y las flores.*

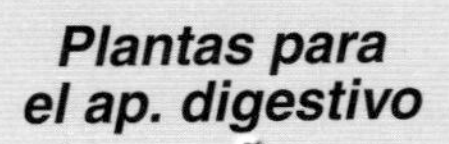

Prunus spinosa L.

Endrino

Refrescante, tónico y aperitivo

¡VAMOS A DAR un paseo por el monte, y recogeremos endrinas!

Estas pequeñas ciruelas silvestres, "sin dueño", refrescan a los caminantes y sirven de despensa otoñal a los tordos, palomas y otras aves. Su sabor es algo áspero, pero agradable. No se puede decir que sus propiedades medicinales sean espectaculares. Es posible, incluso, que sean debidas en buena parte al ejercicio que hay que realizar para ir a buscarlas.

Pero, en cualquier caso, vale la pena sacar provecho de esta humilde y simpática fruta silvestre.

PROPIEDADES E INDICACIONES: Las *FLORES* contienen amigdalina (glucósido cianogenético), derivados de la cumarina y flavonoglucósidos. Tienen

Preparación y empleo

USO INTERNO

❶ **Infusión:** Se prepara con de 60 g de flores por litro de agua. Se toma una taza diaria, por la mañana.

❷ **Frutos:** Pueden tomarse frescos o bien hervidos en agua (solo 2 minutos), para quitarles el gusto áspero.

❸ **Jarabe:** Se prepara con medio kilo de **frutos,** medio kilo de azúcar y un vaso de agua. Hágase hervir esta mezcla durante 15 minutos. El jarabe resultante, de color rojo y sabor agradable, se filtra mediante un paño, y se toma a cucharadas como antidiarreico o como aperitivo.

❹ **Decocción:** Se ponen a hervir 100 g de **frutos** en un litro de agua durante 10 minutos a fuego lento. Filtrar el líquido resultante y tomarlo a cucharadas.

USO EXTERNO

❺ **Taponamientos nasales** con gasa empapada en la misma decocción que se recomienda para uso interno.

❻ **Enjuagues bucales y gargarismos** con esta misma decocción.

Sinonimia hispánica: *endrinera, ciruelo endrino, ciruelo silvestre, bruño, arañón, arto negro, espino negro, acacia bastarda, amargaleja;* ***Cat.:*** *aranyoner, arç [negre], espí [negre], pruneller, escanyagats, barsal;* ***Eusk.:*** *elorri beltz, basaran;* ***Gal.:*** *abruñeiro, cambroeiro, gruñeiro;* ***Fr.:*** *prunellier [noir], prunier sauvage;* ***Ing.:*** *blackthorn, sloe;* ***Al.:*** *Schlehdorn.*

Hábitat: *Común en las laderas soleadas, y en los bordes de los caminos, de las regiones montañosas de toda Europa. Naturalizado en el continente americano.*

Descripción: *Arbusto de 1 a 3 m de altura, de la familia de las Rosáceas, que tiene la corteza de color pardo oscuro y abundantes espinas leñosas. Las flores son de color blanco marfil, pequeñas y muy numerosas. Su fruto es una baya redondeada de color azul oscuro cuando madura.*

Partes utilizadas: *las flores y los frutos (endrinas).*

Frescos, cocidos o en jarabe, los frutos del endrino abren el apetito y estimulan los procesos digestivos.

propiedades **laxantes, diuréticas y depurativas.** Su efecto **laxante** es suave, pero eficaz, y se acompaña de una acción **antiespasmódica** (relajante) de la musculatura que recubre al intestino grueso. Están muy indicadas en el estreñimiento espástico que se produce en el llamado **colon irritable [❶]**.

Los ***FRUTOS*** (endrinas) contienen tanino (por eso tienen sabor áspero), flavonoides, ácido málico, sacarosa, pectina, goma y vitamina C. Al contrario que las flores, tienen propiedades **astringentes,** por lo que resultan útiles en casos de diarrea banal y de descomposición intestinal. Además son **eupépticos** (estimulan los procesos digestivos), **aperitivos y tonificantes** del organismo en general **[❷,❸,❹]**.

Comunican al que los toma, un aumento del apetito y una sensación refrescante y revitalizadora. Pueden tomarse frescos, cocidos o en jarabe.

El líquido resultante de la decocción de las endrinas, se utiliza para cortar las **epistaxis** (hemorragias nasales), empapando con él un taponamiento nasal **[❺].** Sirve también para realizar enjuagues y gárgaras en caso de **gingivitis** (inflamación de las encías) y **faringitis [❻]**.

Precauciones

*Las **almendras** de los huesos de las endrinas, como las de muchas otras frutas de la familia de las Rosáceas, liberan ácido cianhídrico, que es un poderoso tóxico; por lo que **no se deben comer ni machacar.***

*La **corteza** de las ramas y de la raíz contiene también ácido cianhídrico o prúsico, por lo que **no se debe utilizar,** aunque haya quien la recomiende como astringente.*

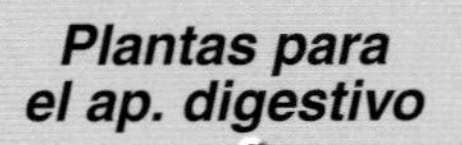

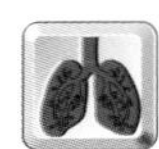

Ajedrea

Carminativa, tonificante y afrodisíaca

LA AJEDREA es verdaderamente una planta sensual. Parece que su penetrante aroma nos lo delate. No resulta extraño, por ello, que desde muy antiguo fueran conocidas sus virtudes culinarias y afrodisíacas. Se dice que los griegos la dedicaron a Dioniso, al que después los romanos llamaran Baco, dios en cuyo honor se celebraban fastuosas orgías. Y es que la ajedrea facilita la digestión, y estimula las funciones vitales. Verdad debe de ser, cuando los frailes de la Edad Media tenían prohibido plantarla en sus huertos...

Y, ¿quién no ha probado unas aceitunas caseras apetitosamente aliñadas con ajedrea, tal como lo hacían nuestras abuelas? En los pueblos de la España mediterránea, y sobre todo en los de Andalucía, todavía se puede degustar este castizo aperitivo.

PROPIEDADES E INDICACIONES: La ajedrea contiene hasta un 1% de aceite esencial rico en carvacrol y cimol, que le otorga propiedades **estimulantes, carminativas, antiespasmódicas, vermífugas, diuréticas y pectorales;** así como taninos y polifenoles.

• Sobre el aparato digestivo actúa como **aperitiva,** abriendo el apetito y facilitando la digestión. Pero además, resulta muy interesante su acción **carminativa.** Según cita el destacado botánico y farmacéutico Font Quer, «discute las ventosidades del estómago e intestinos». Nada mejor que la aje-

Sinonimia hispánica: *ajedrea silvestre, ajedrea de monte, ditén, orégano, salsa de los pobres, salvia de los pobres, hisopillo, tomillo real;* ***Cat.:*** *sajolida [de bosc], senyorida, saborija, hisopet, herba d'olives;* ***Eusk.:*** *azitrai;* ***Gal.:*** *axedrea;* ***Fr.:*** *sarriette;* ***Ing.:*** *winter savory;* ***Al.:*** *Winterbohnenkraut.*

Hábitat: *Aunque es una planta originaria de las regiones mediterráneas, se ha extendido por todas las regiones templadas de Europa y América. Se adapta mejor a los climas soleados y secos*

Descripción: *Se trata de una mata de no mucho más de 25-30 cm de altura, pero que allí donde se encuentra, se hace notar por su especial aroma, que invita al paseante a agacharse y a frotarse las manos con ella. Sus hojitas son finas, acabadas en punta, y repletas de unos pequeños hoyitos en los que se alojan las glándulas productoras de esencia. Sus flores son pequeñas, de color blanco o rosado, y divididas en dos labios, propio de la familia de las Labiadas, a la que pertenece.*

Partes utilizadas: *hojas, flores y tallos finos.*

Preparación y empleo

USO INTERNO

❶ **Infusión** con 20 g de planta por litro de agua, de la que pueden ingerir hasta 3 o 4 tazas por día.

❷ **Esencia:** de 3 a 5 gotas después de cada comida.

La ajedrea ejerce una acción carminativa (antiflatulenta) y antiespasmódica, por lo que constituye un complemento ideal para sazonar las legumbres y otros alimentos de digestión lenta o difícil.

drea, para sazonar los platos de legumbres como las judías (frijoles), así como los guisos de habas. Además, relaja los músculos del intestino (efecto **antiespasmódico**), por lo que resulta útil en los casos de retortijones abdominales o de diarrea {❶,❷}. Conviene a los que padecen de **gastritis.** También presenta cierta acción vermífuga.

• Sobre el **sistema nervioso** ejerce una suave acción **tonificante,** por lo que se halla indicada en caso de fatiga crónica, debilidad, hipotensión y astenia {❶,❷}. Claro que, el uso de la ajedrea, debe ***acompañarse*** de otros tratamientos naturales en el marco de una cura revitalizadora.

• Su acción **afrodisíaca** va mas allá de la simple leyenda, aunque es discreta y progresiva {❶,❷}. Si se desea una acción más contundente, se deberá asociar con otras plantas (ver pág. 602).

• Es ligeramente **diurética y depurativa,** por lo que conviene a los obesos, artríticos y gotosos {❶,❷}.

• Proporciona acción **balsámica y expectorante,** debido a los aceites esenciales que contiene. Es útil en bronquitis agudas y crónicas, así como en casos de asma {❶,❷}.

Usos culinarios

• *Para los **guisos**, puede emplearse tanto fresca como seca, o bien pulverizada en un molinillo de moler pimienta. La **esencia** también se usa como condimento.*

• *Para **aliñar las aceitunas** naturales, esta es la receta que se aplica en los mejores pueblos olivareros de España: Se ponen las aceitunas (olivas) a remojo durante varios días, cambiándoles el agua a menudo, hasta que salga clara y las aceitunas no amarguen. Después se dejan a remojo con ajedrea (un puñado por litro de agua), sal, ajos y corteza de naranja (para las negras) o de limón (para las verdes). Éxito garantizado.*

Ajedrea de jardín

Hay varias especies de ajedrea muy **similares en composición y propiedades**. Una de las más conocidas es la llamada **ajedrea de jardín** o ajedrea común (*Satureja hortensis* L.), que en castellano recibe también los nombres de: albahaca de tomillo, tomillo real y saborida. En Latinoamérica se denomina ajedrea, ditén y orégano*.

Además de por sus propiedades medicinales es cultivada por sus ***hojas,*** que se usan como **condimento**. La esencia que se extrae de ellas por destilación es asimismo un apreciado condimento.

La **ajedrea blanca** (*Satureja fruticosa* Béguinot) es conocida en Cataluña como *poliol blanc o tarongí blanc.* En las regiones mediterráneas españolas se cría la denominada **ajedrea fina** (*Satureja obovata* Lagasca), conocida en algunas comarcas valencianas como *sajolida de base* o *sajolida* a secas.

* ***Cat.:*** *sajolida [de jardí], sajurida, senyorida [de jardí], herba d'olives, timó de jardí;* ***Gal.:*** *oxedrea.*

Vainillero

Aromatizante y digestivo

LOS AZTECAS de México, desde remotos tiempos, venían usando la vainilla como aromatizante para su bebida favorita, hecha a base de granos de cacao con harina de maíz. Los españoles la introdujeron en Europa a finales del siglo XVI, pero no consiguieron que arraigara. En 1836, un botánico belga descubrió que el vainillero solo podía ser polinizada por un insecto que habita en México, y que fuera de allí era necesario polinizarlo artificialmente.

PROPIEDADES E INDICACIONES: El principio activo de la vainilla es el vanillósido, glucósido que durante el proceso de curación da lugar a la vanillina, responsable de su típico aroma. La vainilla posee propiedades **estomacales y digestivas, coleréticas** (aumenta la secreción de bilis), es un **estimulante** suave, y, según algunos, un afrodisíaco [❶,❷].

Aunque su uso actual se limita al de **condimento,** conviene tener presente su acción **tonificante** sobre las funciones digestivas.

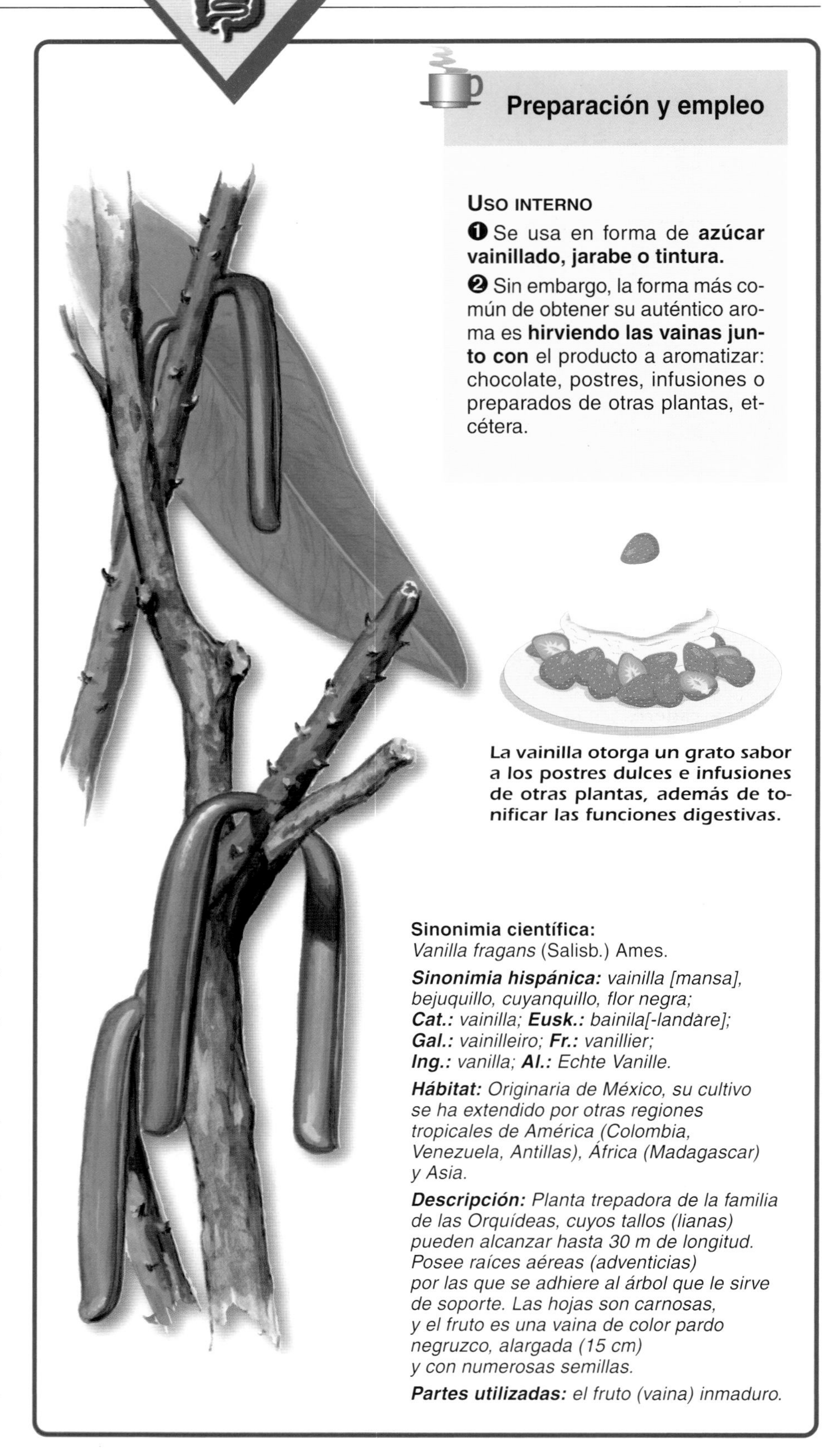

Preparación y empleo

USO INTERNO

❶ Se usa en forma de **azúcar vainillado, jarabe o tintura.**

❷ Sin embargo, la forma más común de obtener su auténtico aroma es **hirviendo las vainas junto con** el producto a aromatizar: chocolate, postres, infusiones o preparados de otras plantas, etcétera.

La vainilla otorga un grato sabor a los postres dulces e infusiones de otras plantas, además de tonificar las funciones digestivas.

Sinonimia científica:
Vanilla fragans (Salisb.) Ames.

Sinonimia hispánica: *vainilla [mansa], bejuquillo, cuyanquillo, flor negra;*
Cat.: *vainilla;* ***Eusk.:*** *bainila[-landare];*
Gal.: *vainilleiro;* ***Fr.:*** *vanillier;*
Ing.: *vanilla;* ***Al.:*** *Echte Vanille.*

Hábitat: *Originaria de México, su cultivo se ha extendido por otras regiones tropicales de América (Colombia, Venezuela, Antillas), África (Madagascar) y Asia.*

Descripción: *Planta trepadora de la familia de las Orquídeas, cuyos tallos (lianas) pueden alcanzar hasta 30 m de longitud. Posee raíces aéreas (adventicias) por las que se adhiere al árbol que le sirve de soporte. Las hojas son carnosas, y el fruto es una vaina de color pardo negruzco, alargada (15 cm) y con numerosas semillas.*

Partes utilizadas: *el fruto (vaina) inmaduro.*

Zingiber officinale Roscoe

Jengibre

Ayuda a hacer la digestión

CONFUCIO, hace 2.500 años, ya trataba del jengibre en sus escritos.

Los mercaderes lo llevaron desde Oriente hasta las costas mediterráneas, y en Roma era la especia más apreciada, después de la pimienta. Dioscórides (siglo I d.C.) ya lo conocía y lo recomendaba a los de estómago debilitado.

Durante toda la Edad Media se estuvo exportando a Europa, donde era sumamente apreciado; pero no llegó a poder ser cultivado en el viejo continente. A principios del siglo XVI, el español Francisco de Mendoza tuvo la feliz idea de llevar raíces de jengibre al Nuevo Mundo, y su cultivo se propagó rápidamente por las Antillas, México y Perú.

PROPIEDADES E INDICACIONES: El rizoma contiene un aceite esencial con diversos derivados terpénicos, responsables de su acción **digestiva y carminativa** (impide la formación de gases en el aparato digestivo).

Es también **sudorífico,** y en la India se le atribuyen efectos afrodisíacos.

Se recomienda en los casos de **agotamiento, inapetencia** y de **digestiones pesadas y flatulentas [❶,❷].**

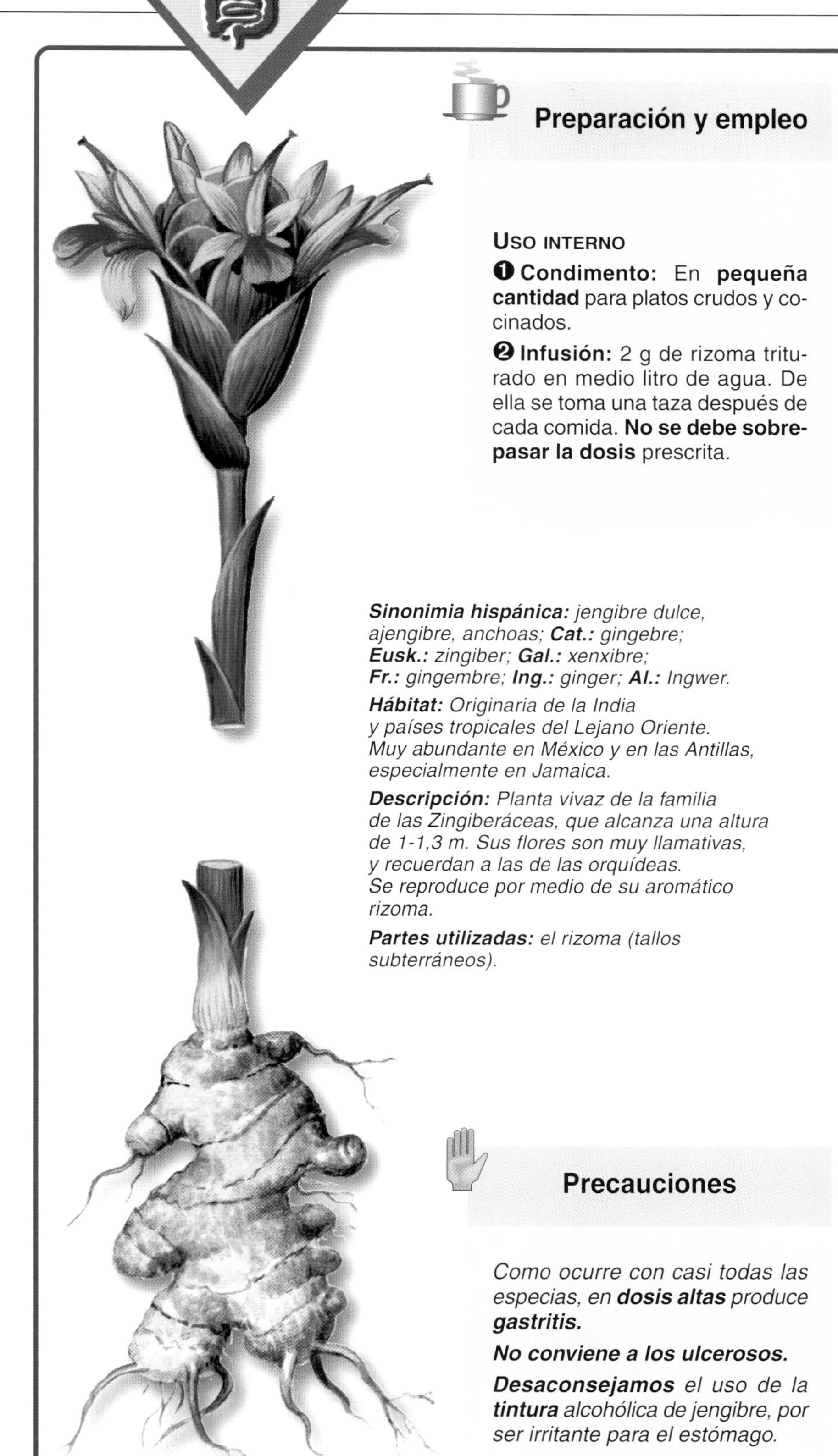

Preparación y empleo

USO INTERNO

❶ **Condimento:** En **pequeña cantidad** para platos crudos y cocinados.

❷ **Infusión:** 2 g de rizoma triturado en medio litro de agua. De ella se toma una taza después de cada comida. **No se debe sobrepasar la dosis** prescrita.

Sinonimia hispánica: *jengibre dulce, ajengibre, anchoas;* ***Cat.:*** *gingebre;* ***Eusk.:*** *zingiber;* ***Gal.:*** *xenxibre;* ***Fr.:*** *gingembre;* ***Ing.:*** *ginger;* ***Al.:*** *Ingwer.*

Hábitat: *Originaria de la India y países tropicales del Lejano Oriente. Muy abundante en México y en las Antillas, especialmente en Jamaica.*

Descripción: *Planta vivaz de la familia de las Zingiberáceas, que alcanza una altura de 1-1,3 m. Sus flores son muy llamativas, y recuerdan a las de las orquídeas. Se reproduce por medio de su aromático rizoma.*

Partes utilizadas: *el rizoma (tallos subterráneos).*

Precauciones

Como ocurre con casi todas las especias, en ***dosis altas*** *produce* ***gastritis.***

No conviene a los ulcerosos.

Desaconsejamos *el uso de la* ***tintura*** *alcohólica de jengibre, por ser irritante para el estómago.*

18 Plantas para el hígado y la vesícula biliar

Sumario del Capítulo

Enfermedades y aplicaciones

Plantas

Las plantas medicinales ejercen dos tipos de acciones principales sobre el sistema hepatobiliar: la colerética y la colagoga. La producción de la bilis es una de las funciones primordiales del hígado.

Las plantas con acción **colerética** aumentan la cantidad de bilis segregada por el hígado. La bilis queda almacenada en la vesícula biliar, hasta que el paso de los alimentos provoca su vaciamiento al intestino. Al aumentar la producción de bilis, las plantas coleréticas descongestionan el hígado y favorecen la digestión. Se emplean especialmente en los trastornos del hígado, como la hepatitis.

Las plantas **colagogas** facilitan el vaciamiento de la bilis contenida en la vesícula biliar al duodeno. Las plantas colagogas suprimen el espasmo de la vesícula y del esfínter de Oddi, aliviando el dolor y facilitando el correcto funcionamiento del sistema biliar. Se usan en caso de disquinesia biliar (vesícula perezosa), dispepsias biliares y colelitiasis (cálculos en la vesícula).

Hígado, mal funcionamiento

El hígado es la glándula de mayor tamaño de nuestro organismo, en la cual tienen lugar millares de reacciones químicas. Estas son sus tres funciones principales:

1. **Transformación** de unos principios nutritivos en otros.
2. Producción de la **bilis**, necesaria para la digestión de las grasas.
3. **Desintoxicación** de la sangre, neutralizando y eliminando numerosas sustancias extrañas o tóxicas que circulan por ella.

Muchas de estas plantas tienen acción **colerética**, es decir, favorecen la secreción de bilis por parte de las células hepáticas. De esta forma, se descongestiona el hígado y se facilitan sus funciones. Otras, estimulan la regeneración de las células hepáticas dañadas por diversas causas (virus, medicamentos, toxinas, etc.).

Cardo mariano

Planta	Pág.	Acción	Uso
Verbena	174	Descongestiona el hígado, antiespasmódica	Infusión, decocción
Cebolla	294	Estimula las funciones metabólicas y de desintoxicación del hígado	Cruda, jugo fresco, hervida o asada
Helenio	313	Favorece la función hepática y biliar	Decocción de raíz, polvo
Hepática	383	Antiinflamatoria, descongestiva del hígado	Maceración de hojas
Agracejo	384	Favorece la evacuación de la bilis, tónico digestivo	Infusión o decocción de corteza de raíz
Alcachofera	387	Protectora del hígado, colerética	Infusión de hojas, tallo y/o raíces, jugo fresco de hojas, extractos
Eupatorio	388	Descongestiona el hígado	Decocción de raíz
Fumaria	389	Descongestiona el hígado, desintoxicante	Infusión, jugo fresco, extractos
Boldo	390	Potente colerético y colagogo, facilita el vaciamiento de la bilis	Infusión de hojas, extractos
Polipodio	392	Laxante suave y colagogo	Decocción de raíz
Rábano	393	Descongestiona y desintoxica el hígado, regenera sus células	Crudo, jugo fresco
Cardo mariano	395	Estimula la regeneración de las células hepáticas dañadas	Ensalada de hojas, infusión o decocción de frutos, extractos
Diente de león	397	Aumenta la producción de bilis y facilita su vaciamiento	Ensalada, jugo fresco, infusión de hojas
Ajenjo	428	Descongestiona el hígado, estimula sus funciones	Infusión, maceración
Achicoria	440	Favorece la secreción de bilis, descongestiona el hígado	Ensalada, jugo fresco, infusión
Genciana	452	Estimula la secreción y el vaciamiento de la bilis	Maceración, decocción, polvo o extracto de raíz
Correhuela mayor	491	Colagoga (facilita la evacuación de la bilis)	Infusión de raíz u hojas, polvo
Frángula	526	Favorece el buen funcionamiento del hígado	Decocción de corteza
Tamarindo	536	Colerético y colagogo suave	La pulpa de los frutos
Caléndula	626	Aumenta la producción de bilis	Infusión de flores

Hepatitis

Es la inflamación del hígado, generalmente causada por un virus. Su síntoma principal es la **ictericia**, tinte amarillo de la piel debido a que el hígado es incapaz de eliminar la bilis, por lo que esta pasa a la sangre e infiltra la piel y otros tejidos. El tratamiento a base de plantas medicinales trata de poner al hígado en las mejores condiciones para que este recupere sus funciones de forma natural. Las mismas plantas pueden usarse como complemento en el tratamiento de la **cirrosis.** Además de estas plantas, todas las ***coleréticas*** (ver tabla, pág. 382) pueden ser de utilidad.

Planta	Pág.	Acción	Uso
Espirulina	276	Aporta nutrientes de elevado valor biológico	Cápsulas, preparados farmacéuticos
Cebolla	294	Estimula las funciones metabólicas y de desintoxicación del hígado	Cruda, jugo fresco, hervida o asada
Menta	366	Su esencia es activa contra el virus de la hepatitis A	Esencia, infusión
Alcachofera	387	Protectora del hígado, colerética	Infusión de hojas, tallo y/o raíces, jugo fresco de hojas, extractos
Rábano	393	Descongestiona y desintoxica el hígado, regenera sus células	Crudo, jugo fresco
Cardo mariano	395	Estimula la regeneración de las células hepáticas dañadas	Ensalada de hojas, infusión o decocción de frutos, extractos
Diente de león	397	Descongestiona el hígado, facilita su función de desintoxicación	Ensalada, jugo fresco, infusión de hojas
Ajenjo	428	Descongestiona el hígado, estimula sus funciones	Infusión, maceración
Vid	544	Descongestiona todos los órganos digestivos, aporta azúcares y otros nutrientes de gran valor biológico	Frutos (uvas), cura de uvas

Enfermedad	Planta	Pág.	Acción	Uso
HÍGADO, INTOXICACIÓN Cuando las células hepáticas han sido dañadas por la acción de fármacos, productos químicos o setas venenosas, estas dos plantas pueden contribuir a potenciar la función desintoxicadora del hígado y a regenerar sus células.	RÁBANO	393	Descongestiona y desintoxica el hígado, regenera sus células	Crudo, jugo fresco
	CARDO MARIANO	395	Estimula la regeneración de las células hepáticas dañadas	Ensalada de hojas, infusión o decocción de frutos, extractos
LÍQUIDO EN EL VIENTRE La acumulación de líquido en la cavidad peritoneal se denomina **ascitis**. La causa más frecuente de ascitis es la **cirrosis** hepática. Estas plantas activan la circulación en el sistema portal, descongestionan el hígado y favorecen la eliminación del líquido abdominal. De esta forma mejoran la evolución de la cirrosis hepática.	ACHICORIA	440	Activa la circulación portal, descongestiona el hígado	Ensalada o jugo fresco de hojas, infusión de raíz
	VID	544	Descongestiona el hígado, elimina residuos metabólicos	Frutos (uvas), cura de uvas
	ORTOSIFÓN	653	Diurético intenso rico en sales potásicas, colagogo	Infusión
	SAÚCO	767	Purgante, diurético	Decocción de la segunda corteza
VESÍCULA BILIAR, TRASTORNOS La vesícula biliar tiene que vaciar la bilis que contiene en el momento preciso, para que la digestión continúe su proceso normal. Pero este mecanismo de vaciamiento biliar sufre frecuentes trastornos, conocidos como **vesícula perezosa o coledisquinesia**, que se manifiestan con digestión pesada, dolor en la zona del hígado o en la paletilla, náuseas y dolor de cabeza. En muchos casos, estos trastornos son debidos a **colelitiasis** (piedras o cálculos en la vesícula) o a **barro biliar** (bilis espesa). La fitoterapia aporta plantas capaces de regular el mecanismo de vaciamiento biliar y de fluidificar la bilis, con lo que se puede evitar la formación de nuevos cálculos. Todas las plantas ***colagogas*** (ver tabla, pág. 382) resultan también de utilidad.	TILO	169	Antiespasmódico, mejora el funcionamiento de la vesícula biliar	Infusión de flores
	OLIVO	239	Colagogo, facilita el funcionamiento de la vesícula biliar	Aceite de los frutos (olivas)
	HELENIO	313	Tonifica las funciones digestivas y hepatobiliares	Decocción de raíz, polvo, extracto, esencia
	AGRACEJO	384	Colagogo, mejora las digestiones pesadas	Infusión o decocción de corteza de raíz
	CUSCUTA	386	Favorece el vaciamiento de la vesícula biliar	Infusión
	BOLDO	390	Potente colerético y colagogo, normaliza el vaciamiento de la bilis	Infusión de hojas, extractos
	DIENTE DE LEÓN	397	Aumenta la producción de bilis y facilita su vaciamiento	Ensalada, jugo fresco, infusión de hojas
	GENCIANA	452	Colerética y colagoga, mejora las disquinesias biliares, tónico estomacal	Maceración, decocción, polvo de raíz
	CUASIA	467	Favorece el funcionamiento de la vesícula biliar, aperitiva	Decocción
	CAMEDRIO	473	Amargo, tónico digestivo favorece el vaciamiento de la vesícula	Infusión de flores y hojas
	CORREHUELA MAYOR	491	Colagoga (facilita la evacuación de la bilis)	Infusión de raíz u hojas, polvo
	ORTOSIFÓN	653	Corrige la atonía o pereza de la vesícula	Infusión de hojas y flores
	HIPÉRICO	714	Facilita el funcionamiento de la vesícula biliar	Infusión de sumidades floridas

Boldo

Enfermedad	Planta	Pág.	Acción	Uso
CÓLICO BILIAR Se produce cuando la vesícula biliar intenta expulsar un cálculo o piedra que se ha formado en su interior. Es un cuadro agudo, que puede durar varios días, en el que se producen contracciones espasmódicas de la vesícula y de los conductos biliares que vacían la bilis al intestino delgado. Esto se traduce en dolor, náuseas, vómitos y malestar general. Además de estas plantas, están indicadas todas las ***antiespasmódicas*** (ver pág. 147).	PASIONARIA	167	Relaja los órganos abdominales huecos, como la vesícula biliar	Infusión de flores y hojas
	MANZANILLA ROMANA	350	Antiespasmódica	Infusión, polvo, esencia
	ASAFÉTIDA	359	Potente antiespasmódico y sedante	Lágrimas (granos de goma)
	ABELMOSCO	362	Antiespasmódico, sedante	Infusión de semillas
	MANZANILLA	364	Antiespasmódica, sedante	Infusión
	ARGENTINA	371	Antiespasmódica, calma los dolores cólicos	Decocción
	ALCACHOFERA	387	Colerética, favorece la secreción de la bilis	Infusión de hojas, tallo y/o raíces
	LINO	508	Antiespasmódico, sedante, antiinflamatorio	Cataplasmas con la harina
	HARPAGOFITO	670	Relaja los espasmos cólicos	Infusión de la raíz, cápsulas
PÁNCREAS, INSUFICIENCIA Estas tres plantas favorecen la función exocrina de la glándula pancreática, aumentando la secreción de jugo pancreático, imprescindible para la digestión.	ORTIGA MAYOR	278	Estimula la secreción de jugo pancreático	Jugo fresco, infusión
	PAPAYO	435	Estimula la producción de jugo pancreático	Látex, infusión de hojas
	CARDO SANTO	444	Favorece la función del páncreas	Infusión o decocción de hojas

El cardo mariano (pág. 395) constituye uno de los remedios vegetales más efectivos para las afecciones hepáticas. Su principio activo es la silimarina, sustancia capaz de regenerar las células hepáticas, y que por eso entra en la composición de diversos preparados farmacéuticos.

Todos los cardos son buenos para el hígado. Y la alcachofera (pág. 387), como cardo que es, no solo favorece las funciones de la glándula hepática, sino que además, reduce el nivel de colesterol en la sangre. La parte más medicinal de la alcachofera no es la alcachofa, sino las hojas, el tallo y la raíz, que se consumen en infusión o jugo fresco.

Plantas coleréticas y colagogas

Las plantas coleréticas aumentan la cantidad de bilis segregada por el hígado.
Las plantas colagogas facilitan el vaciamiento de la bilis contenida en la vesícula biliar al duodeno.

Planta	Pág.	Colerética	Colagoga
Tilo	169	✓	
Olivo	239	✓	✓
Pie de gato	297		✓
Helenio	313	✓	✓
Aspérula olorosa	351	✓	✓
Menta	366	✓	✓
Vainillero	376	✓	
Agracejo	384	✓	✓
Cuscuta	386		✓
Alcachofera	387	✓	✓
Eupatorio	388	✓	
Fumaria	389	✓	
Boldo	390	✓	✓
Polipodio	392	✓	✓
Rábano	393	✓	✓
Diente de león	397	✓	✓
Ajenjo	428	✓	✓
Centaura menor	436	✓	
Cúrcuma	450	✓	✓
Genciana	452	✓	✓
Cuasia	467	✓	✓
Acacia falsa	469		✓
Camedrio	473	✓	✓
Guanábano	489	✓	✓
Correhuela mayor	491	✓	✓
Globularia mayor	503	✓	✓
Cáscara sagrada	528		✓
Ruibarbo	529	✓	✓
Tamarindo	536	✓	✓
Artemisa	624	✓	✓
Caléndula	626	✓	✓
Ortosifón	653	✓	✓
Romero	674		✓
Milenrama	691		✓
Aloe	694		✓
Evónimo	707		✓
Carlina	749		✓

La naranja, especialmente la amarga, posee una cierta acción colagoga, si bien no lo suficientemente importante como para que figure en la tabla adjunta.

Ello explica que a algunas personas, especialmente mujeres, les provoque intolerancia digestiva cuando la toman por la mañana en ayunas, pues provoca un vaciamiento brusco de la vesícula biliar.

Caléndula

Hepática

Descongestiona el hígado

LAS HOJAS de esta pequeña y hermosa planta, que parecen recordar a los lóbulos anatómicos del hígado, posiblemente inspiraron a los médicos renacentistas para utilizarla en las afecciones hepáticas.

PROPIEDADES E INDICACIONES: Toda la planta contiene glucósidos, saponina y anemonol, sustancia tóxica cuando la planta está fresca.

Es **antiinflamatoria y descongestiva del hígado [❶]**, por lo que es un remedio más a tener en cuenta en caso de afecciones hepáticas (ictericias, hepatitis, cirrosis, etc.). También es **diurética.**

Ahora bien, en la actualidad se conocen ***otras plantas más eficaces y menos tóxicas,*** por lo que su uso para el tratamiento de las enfermedades del hígado ha disminuido. Sin embargo persisten otras de sus aplicaciones.

Externamente se utiliza como **vulneraria y cicatrizante** en caso de heridas y úlceras de la piel **[❷]**.

Sinonimia científica: *Hepatica nobilis* L.

Sinonimia hispánica: *hierba del hígado, hierba de la Trinidad, trinitaria, trébol dorado;* ***Cat.:*** *[herba] fetgera, herba de la Trinitat, herba melsera, viola de llop, viola de pastor, viola de galàpet, viola de ca, trèvol daurat;* ***Eusk.:*** *gibel-belar;* ***Gal.:*** *hepática;* ***Fr.:*** *anémone hépatique, herbe de la Trinité;* ***Ing.:*** *anemony, windflower;* ***Al.:*** *Leberblümchen.*

Hábitat: *Se cría en terrenos calcáreos y montañosos de toda Europa.*

Descripción: *Planta vivaz de 10 a 25 cm de altura, de la familia de las Ranunculáceas. No posee tallo. Sus hojas están divididas en tres lóbulos, y salen directamente de la base. Da flores azul claro, rosas o blancas.*

Partes utilizadas: *las hojas secas.*

Preparación y empleo

USO EXTERNO

❶ **Maceración:** Se realiza con 30 g de hojas secas en un litro de agua durante 12 horas. Tomar 2-3 tazas diarias endulzadas con miel.

❷ **Compresas** empapadas en el líquido resultante de la maceración. Se aplican sobre la zona de piel afectada.

Precauciones

La planta ***fresca*** *es* ***tóxica. No sobrepasar la dosis*** *indicada.*

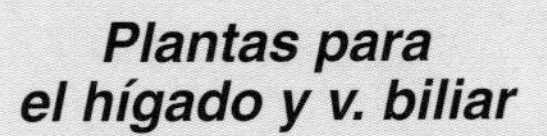

Agracejo

Digestivo y tonificante

PASEANDO por los lugares montañosos y secos, resulta muy grato encontrarse con este arbusto de aspecto un tanto hostil, por sus espinas puntiagudas, pero de exquisitos frutos. Hasta bien entrado el otoño se puede disfrutar de este refrescante regalo de la naturaleza. El autor mismo los ha consumido en abundancia. Aunque no cabría esperar mucho de ellos debido a su pequeño tamaño, los frutitos del agracejo tienen un sabor muy refrescante, entre dulce y ácido. Para las cabras monteses y para muchas aves, constituyen un "postre" muy apreciado.

PROPIEDADES E INDICACIONES: Toda la planta, excepto los frutos, contiene alcaloides muy activos, que pueden re-

Precauciones

*Debido a su contenido en **berberina,** alcaloide similar a la morfina, **la corteza de la raíz** de agracejo se debe usar con mucha prudencia **sin sobrepasar** en ningún caso **las dosis** prescritas.*

Sinonimia hispánica: *agracejo de España, agracejo de Europa, bérbero, retamilla, agracillo, cambrón, vinagrera;* ***Cat.:*** *bèrberis, coralet, espinavineta;* ***Eusk.:*** *berberis arrunt;* ***Gal:*** *arleira, uva espín, berberiz;* ***Fr.:*** *épine-vinette;* ***Ing.:*** *[common] barberry;* ***Al.:*** *Berberitzenstrauch.*

Hábitat: *Crece en regiones templadas y montañosas de Europa y América, en terrenos secos y pedregosos sobre todo.*

Descripción: *Arbusto espinoso de tallos rectos, de la familia de las Berberidáceas, cuyas especies destacan por presentar grupos de 3 o 5 espinas en cada nudo. Las flores son amarillas. Los frutos son unas pequeñas bayas ovaladas de color rojo o morado, dispuestas en racimos. La corteza del tronco y de las raíces presenta un color amarillento, que se ha usado para teñir la lana y otros tejidos.*

Partes utilizadas: *la corteza de las raíces, y los frutos.*

Preparación y empleo

USO INTERNO

❶ **Infusión o decocción:** Se prepara con 40 g de corteza de raíz por cada litro de agua. No es recomendable tomar más de 3 tazas al día.

❷ **Jarabe:** De los frutos se obtiene por presión un delicioso jugo, al que se le añade, después de colarlo, el doble de su peso en azúcar, con el fin de evitar que fermente. Así se dispone de un jarabe, a partir del cual puede obtenerse una refrescante bebida en cualquier época del año.

❸ **Confitura:** Con los frutos del agracejo también se elabora una deliciosa mermelada.

sultar tóxicos; de entre los que destaca la berberina. Este alcaloide es similar químicamente a la morfina, y según dice Font Quer, puede incluso utilizarse para la deshabituación de los morfinómanos.

La ***CORTEZA DE LA RAÍZ*** del agracejo es la parte de la planta más rica en berberina, y presenta las siguientes propiedades:

- **Colagoga y digestiva:** Al favorecer la evacuación de la bilis, descongestiona el hígado y el sistema biliar, con lo cual mejora las digestiones pesadas [❶]. Actúa, pues, como un tónico digestivo, aumentando el apetito.
- **Laxante:** Ayuda a vencer el estreñimiento, cuando es debido a una insuficiente secreción de bilis [❶].
- **Tónico cardíaco y circulatorio:** Tradicionalmente se viene usando como estimulante en estados de agotamiento o tras enfermedades febriles [❶].
- **Diurética y febrífuga,** aunque de efecto poco intenso [❶].

Los ***FRUTOS*** contienen glucosa y levulosa, vitamina C, así como los ácidos orgánicos cítrico y málico. Tanto frescos, como en jugo o en jarabe, son muy eficaces para refrescar y calmar la sed. Tienen un **ligero efecto laxante.** El jugo y el jarabe de agracejo resultan muy apropiados para calmar la sed de los **enfermos febriles,** pues además de bajarles la temperatura, los estimula y tonifica [❷,❸].

Los frutos del agracejo se recolectan al final del verano o en otoño. Pueden usarse sin limitación, pues no contienen alcaloides.

La corteza de las raíces del agracejo ejerce una acción favorable sobre la vesícula biliar. Al favorecer el vaciamiento de la bilis al duodeno, mejora las digestiones pesadas y la dispepsia de origen biliar.

Por su parte, los pequeños frutos silvestres del agracejo, son muy recomendables en caso de fiebre debida a la gripe u otras afecciones: bajan la temperatura y tonifican.

Cuscuta

Digestiva y cicatrizante

ESTA PLANTA es un auténtico vampiro vegetal. Con sus finos tallos se adhiere a su víctima, de la que chupa literalmente su savia hasta secarla y matarla. Sus preferidos son el tomillo, el espliego, la ajedrea, el romero, la ortiga, el trébol y el lúpulo.

Antiguamente se pensaba que la cuscuta adquiere las propiedades de la planta a la que parasita, lo cual no ha podido ser demostrado. Hoy, sin embargo, sabemos que la cuscuta tiene sus propias virtudes medicinales.

PROPIEDADES E INDICACIONES: Toda la planta contiene un glucósido amorfo (cuscutina), resina, tanino y goma. Por ***vía interna*** es **laxante y diurética,** a la vez que favorece el vaciamiento de la vesícula biliar (acción **colagoga**) y estimula los procesos digestivos. Se recomienda a los que padecen de cálculos biliares o de trastornos en el vaciamiento de la vesícula biliar **(❶)**.

Aplicada ***externamente*** en forma de cataplasma es **cicatrizante y antiséptica.** Da buenos resultados en caso de úlceras varicosas y de heridas infectadas o de cicatrización lenta **(❷)**.

Preparación y empleo

USO INTERNO

❶ **Infusión** con 30 g de planta por litro de agua. Tomar 2 tazas diarias.

USO EXTERNO

❷ **Cataplasmas:** Se hierven durante media hora de 60 a 100 g de planta por litro de agua. Triturar hasta conseguir una masa pastosa, que se aplica sobre la zona de la piel afectada.

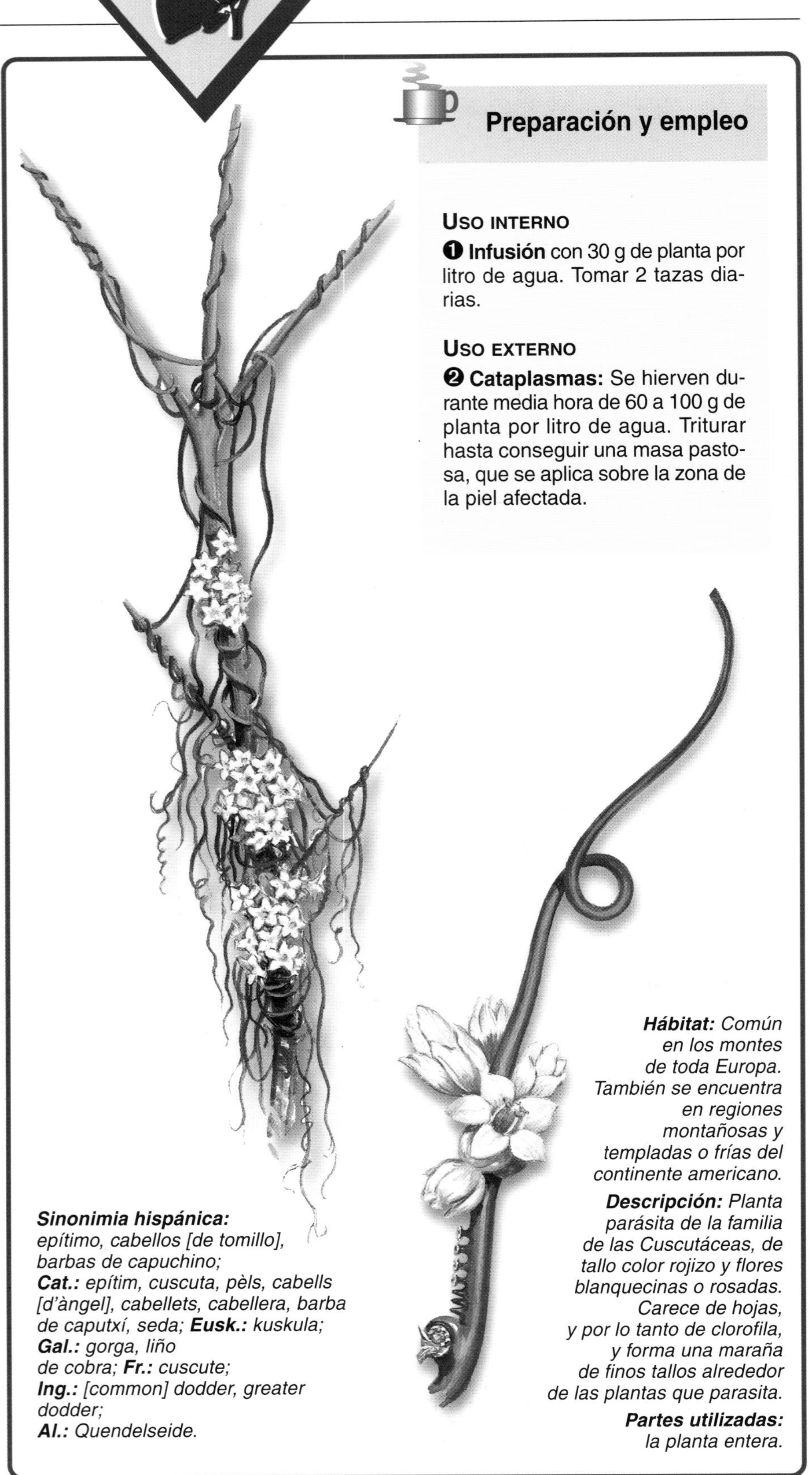

Sinonimia hispánica: *epítimo, cabellos [de tomillo], barbas de capuchino;* ***Cat.:*** *epítim, cuscuta, pèls, cabells [d'àngel], cabellets, cabellera, barba de caputxí, seda;* ***Eusk.:*** *kuskula;* ***Gal.:*** *gorga, liño de cobra;* ***Fr.:*** *cuscute;* ***Ing.:*** *[common] dodder, greater dodder;* ***Al.:*** *Quendelseide.*

Hábitat: *Común en los montes de toda Europa. También se encuentra en regiones montañosas y templadas o frías del continente americano.*

Descripción: *Planta parásita de la familia de las Cuscutáceas, de tallo color rojizo y flores blanquecinas o rosadas. Carece de hojas, y por lo tanto de clorofila, y forma una maraña de finos tallos alrededor de las plantas que parasita.*

Partes utilizadas: *la planta entera.*

Alcachofera

Regenera el hígado y baja el colesterol

LA ALCACHOFA fue considerada como afrodisíaca durante el siglo XVI, aunque no se le prestó mucha atención como planta medicinal. Fue a mediados del siglo XX, cuando alcanzó un gran prestigio como remedio para las enfermedades hepáticas y biliares. Actualmente los ***extractos de alcachofa*** entran en la composición de varios ***preparados farmacéuticos*** por sus notables acciones medicinales sobre el hígado y el metabolismo.

PROPIEDADES E INDICACIONES: Los principios activos de la alcachofera, que se concentran sobre todo en las hojas, son la cinarina (principio amargo) y unos flavonoides derivados de la luteína. Es muy rica en enzimas, inulina (hidrato de carbono muy bien tolerado por los diabéticos, ver pág. 80), potasio y manganeso. Aunque la alcachofa propiamente dicha, es decir, la cabezuela floral, también participa de los efectos medicinales que describimos, para conseguir una acción terapéutica importante hay que usar sobre todo las hojas, el tallo y/o las raíces de la planta.

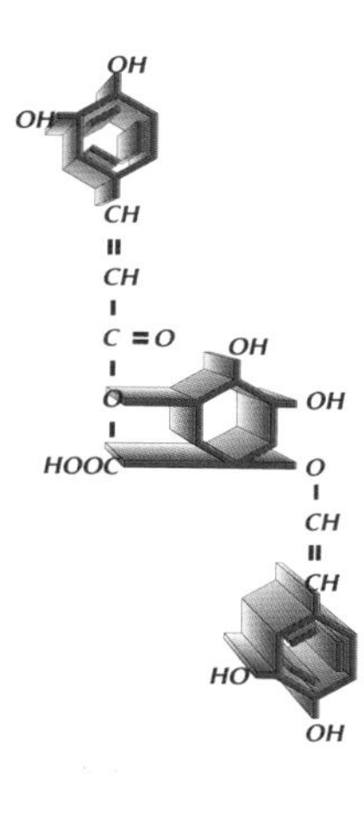

Fórmula química de la cinarina, principio activo de la alcachofa.

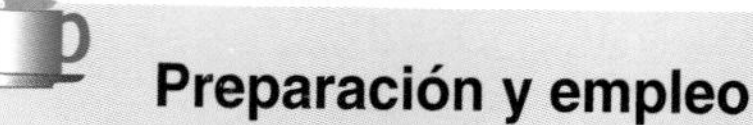

Preparación y empleo

USO INTERNO

❶ **Infusión** de hojas, tallo y/o raíces: 50-100 g por litro de agua. Tomar 3 tazas diarias preferentemente antes de las comidas.

❷ **Jugo fresco:** Se obtiene de las hojas y se ingiere a razón de un vaso en cada comida.

❸ **Extracto seco:** 1-2 g diarios, si no se tolera el sabor amargo de la infusión o del jugo fresco.

Sinonimia hispánica: *alcaucil, cardo alcachofero, morrillera;* ***Cat.:*** *carxofera, escarxofera;* ***Eusk.:*** *orburu, alkatxofa;* ***Gal.:*** *alcachofa;* ***Fr.:*** *artichaut;* ***Ing.:*** *artichoke;* ***Al.:*** *Artischockenpflanze.*

Hábitat: *Propia de los países mediterráneos. Cultivada en regiones templadas de todo el mundo.*

Descripción: *Planta de la familia de las Compuestas, que alcanza hasta 1,5 m de altura. Las hojas son grandes, muy segmentadas, de color verde grisáceo. Las cabezuelas florales son de color azul violáceo, rodeadas de brácteas (falsas hojas), en la base de las cuales se encuentra la parte comestible.*

Partes utilizadas: *las hojas de la planta, el tallo, las cabezuelas florales (alcachofas) y la raíz.*

Las propiedades de la alcachofera son:

- **Colerética** (aumenta la secreción de bilis) y **hepatoprotectora** (antitóxica): Se recomienda en caso de dispepsia o cólico biliar, y de insuficiencia hepática [❶,❷,❸]. Está ***muy indicada*** en caso de **hepatitis.**
- **Hipolipemiante:** Hace descender la concentración de colesterol y de otros lípidos en la sangre, por lo que resulta ***muy recomendable*** en caso de **arterioesclerosis** [❶,❷,❸].
- **Hipoglucemiante:** Por su contenido en inulina, es un alimento idóneo para los **diabéticos** [❶,❷,❸]. Favorece la disminución del nivel de azúcar en sangre.
- **Diurética, depurativa y eliminadora de urea:** Apropiada en caso de albuminuria y en la insuficiencia renal [❶,❷,❸].

Eupatorium cannabinum L.

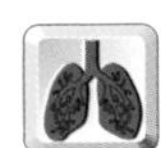

Eupatorio

Descongestiona el hígado y depura la sangre

NO HAY QUE confundir el eupatorio con la agrimonia, llamada también eupatorio griego (pág. 205), que pertenece a otra familia botánica y posee distintas propiedades medicinales.

PROPIEDADES E INDICACIONES: Toda la planta contiene resina, una sustancia amarga, tanino e indicios de esencia. Posee propiedades **coleréticas** (aumenta la secreción de bilis en el hígado, descongestionándolo), **depurativas, antirreumáticas, laxantes y expectorantes.** Se utiliza en casos de afecciones hepáticas (hepatitis, cirrosis), artritismo, dolores reumáticos, bronquitis y catarros, y como purgante suave **[❶]**.

Aplicado ***externamente*** es **vulnerario:** cura heridas infectadas, úlceras y lesiones de la piel **[❷]**.

Preparación y empleo

USO INTERNO

❶ **Decocción** con 50 g de raíz fresca cortada a rodajas, o con otros tantos de hojas en un litro de agua. Se toman 2 o 3 tazas diarias.

USO EXTERNO

❷ **Compresas** empapadas en la misma decocción que para uso interno. Se colocan sobre la zona de piel afectada.

Precauciones

*En **dosis altas** puede producir **vómitos.***

Sinonimia hispánica: *canabina;* ***Cat.:*** *eupatori, canabassa, lladracà, herba de talls, cànem bord;* ***Eusk.:*** *ariketa;* ***Gal.:*** *porqueira, cunegunda;* ***Fr.:*** *eupatoire;* ***Ing.:*** *hemp agrimony;* ***Al.:*** *Gemainer Wasserdost.*

Hábitat: *Terrenos y bosques húmedos de Europa y América.*

Descripción: *Planta vivaz de la familia de las Compuestas, que alcanza hasta 1,5 m de altura. Sus flores son de color rosa, azul pálido o blanco, agrupadas en cabezuelas. La raíz despide un olor fétido. Sus hojas son de sabor amargo.*

Partes utilizadas: *las hojas, y la raíz recién arrancada.*

Eupatorios americanos

En América existen varias especies de eupatorios:

- *Eupatorium collinum* D.**ángel,** C.: Llamado comúnmente **hierba del** barrilete y majitero. Se cultiva para usar sus hojas como sucedáneo del lúpulo.

- *Eupatorium perfoliatum* L.: Se cría en Norteamérica, donde se usa como **laxante, sudorífico y febrífugo,** en resfriados y gripes.

- *Eupatorium purpureum* L.: Empleado por los indios norteamericanos como **diurético y tonificante.**

- *Eupatorium staechadosmum* Hance.: Originario de Indochina, pero que se cultiva en la América tropical por las propiedades medicinales de sus hojas. Se lo conoce por el nombre de **ayapaná de Tonquín.**

- *Eupatorium triplinerve* Vahl. = *Eupatorium ayapana* Vent.: Procede del trópico americano. Con sus hojas se prepara una infusión **estimulante.** Es conocido en Latinoamérica con los nombres de **ayapaná,** curía y diapalma, y en algunos lugares como té del Amazonas.

Fumaria

Descongestiona el hígado y desintoxica

NO SE SABE si la fumaria se llama así porque al trocearla o machacarla hace llorar igual que si fuera humo, o bien porque sus hojas gris plata semejan el humo de un incendio, cuyas llamaradas serían las flores.

Viene usándose con éxito desde tiempos de Dioscórides (siglo I d.C.).

PROPIEDADES E INDICACIONES: Toda la planta contiene flavonoides que la hacen **colerética y antiespasmódica;** sales de potasio, a las que debe su acción **diurética y depurativa;** y diversos alcaloides derivados de la isoquinoleína (fumarina) que le otorgan acción **antihistamínica** (la histamina interviene en las reacciones alérgicas) y **antiinflamatoria.**

Además, la fumaria contiene principios amargos y mucílagos. Tiene las siguientes indicaciones:

- **Eccemas y erupciones** de la piel debidos a **autointoxicación** por putrefacción intestinal, insuficiencia renal y hepática, o alergias [❶,❷,❸].
- **Afecciones hepáticas:** congestión y mal funcionamiento del hígado o hepatitis crónica, por su efecto **colerético** (estimulante de la secreción de bilis) [❶,❷,❸].
- **Hipertensión arterial,** por su efecto diurético, antiespasmódico y depurativo, y fluidificante de la sangre [❶,❷,❸].

Preparación y empleo

USO INTERNO

❶ **Infusión** de 50 g de planta por litro de agua. Se toma una taza antes de cada una de las 3 comidas.

❷ **Jugo** de la planta fresca endulzado con miel, a razón de medio vaso antes de cada comida.

❸ **Extracto seco:** Se ingiere 1 g antes de cada comida.

Sinonimia hispánica: *plumaria, palomilla, flor de pajarito, hierba de la tierra, hierba de conejos, conejillos, capa de reina, gallocresta, gitanillos, mediterránea, sangre de Cristo, zapaticos;* ***Cat.:*** *fumària [oficinal], fumdeterra, herba de fum, herba de foc, colomets, julivert bord, cendrosa, pixallits;* ***Eusk.:*** *negakin;* ***Gall:*** *muruxa, moeiriña, herba do fogo;* ***Fr.:*** *fumeterre;* ***Ing.:*** *[hedge] fumitory, earth smoke;* ***Al.:*** *Gemeiner Erdrauch.*

Hábitat: *Común cerca de campos de cultivo, en los bordes de los caminos, y en terrenos baldíos. Originaria de Europa, pero difundida por todo el mundo.*

Descripción: *Planta anual de la familia de las Fumariáceas, que alcanza de 20 a 70 cm de altura. Sus hojas son de color gris verdoso, y las flores rosas o rojas. Su olor es ácido, y su sabor, amargo.*

Partes utilizadas: *toda la planta excepto la raíz.*

Peumus boldus
Molina

Boldo

Normaliza el funcionamiento de la vesícula biliar

EL BOLDO es una de las plantas medicinales ***más empleadas*** en la preparación de ***productos farmacéuticos*** para tratar las enfermedades del **hígado** y de la **vesícula** biliar. Existen varios medicamentos, producidos por diversos laboratorios, en cuya composición entra el boldo. Y es que esta planta presenta propiedades que ningún producto químico de síntesis puede igualar.

En Chile es una planta muy apreciada. Los primitivos pobladores indígenas de los Andes ya utilizaban el boldo como estomacal y digestivo. Hoy se puede encontrar este don de la naturaleza en las farmacias y herbolarios de toda Europa y América, donde se sigue denominando con su primitivo nombre araucano.

Cat.: *boldo;* ***Eusk.:*** *boldo;* ***Gal.:*** *boldo;* ***Fr.:*** *boldo;* ***Ing.:*** *boldo;* ***Al.:*** *Boldostrauch.*

Hábitat: *Crece espontáneo en Chile y en las regiones andinas de Sudamérica. Se cultiva en Italia y en el norte de África.*

Descripción: *Árbol o arbusto de hasta 5 m de altura, de la familia de las Monimiáceas, con hojas elípticas de superficie rugosa. Las flores son blancas o amarillentas. Toda la planta desprende un agradable aroma similar al de la menta.*

Partes utilizadas: *las hojas.*

Preparación y empleo

Uso interno

❶ **Infusión** con 10-20 g de hojas por litro de agua, de la que se toma una taza antes de cada comida, hasta 4 diarias.

❷ **Extracto seco:** 1 g, 3 o 4 veces diarias, antes de las comidas.

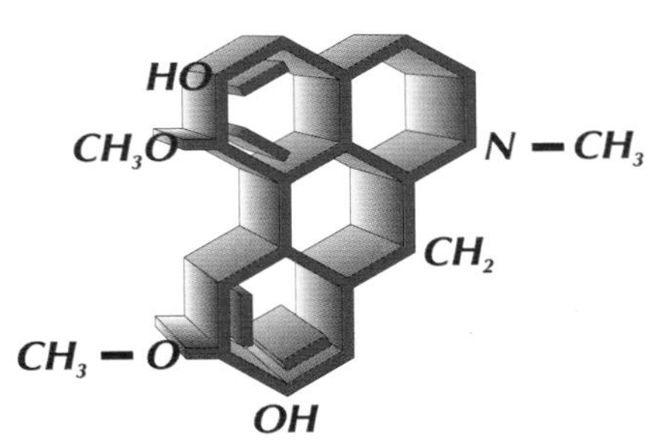

Fórmula química de la boldina, el alcaloide más importante del boldo.

Precauciones

No sobrepasar la dosis *indicada (4 tazas al día), pues a dosis elevadas el boldo actúa como somnífero y anestésico sobre el sistema nervioso central. Estos efectos se presentan únicamente cuando se ingieren dosis muy altas y en ningún caso con las que hemos indicado.*

Aunque no hay pruebas concluyentes de que pueda afectar al feto, como medida precautoria las mujeres ***embarazadas*** *deben* ***evitar su ingestión.***

Hermosa panorámica de las Torres del Paine (Chile). El boldo es originario de las regiones montañosas andinas de Chile, aunque actualmente se encuentra también, cultivado, en el sur de Europa y en el norte de África. Al aumentar la producción de bilis, activa el funcionamiento del hígado y de la vesícula biliar. Se ha comprobado que el consumo de boldo puede mejorar los eccemas cutáneos, debido posiblemente a que favorece la función desintoxicante del hígado.

PROPIEDADES E INDICACIONES: Las hojas del boldo contienen unos 20 alcaloides derivados de la aporfina, el más importante de los cuales es la ***boldina,*** que representa el 25%-30% del total. Son también ricas en el aceite esencial que proporciona a la planta su característico aroma, y en el que se han identificado eucaliptol, ascaridol y cimol. Las hojas del boldo contienen, además, diversos flavonoides y glucósidos (boldoglucina).

Las propiedades más destacadas del boldo son:

• **Colerético** (aumenta la producción de bilis en el hígado) y **colagogo** (facilita el vaciamiento de la vesícula biliar): Por ello las hojas de boldo están indicadas en caso de congestión hepática y disquinesia biliar (trastorno en el funcionamiento de la vesícula biliar) y cólicos biliares **[❶,❷]**.

El boldo también resulta beneficioso en caso de **litiasis biliar** (piedras en la vesícula), para aliviar las molestias digestivas y la sensación de distensión después de las comidas, típicas de esta enfermedad **[❶,❷]**.

En realidad el boldo no es capaz de deshacer los cálculos biliares, ni de provocar su expulsión. Se ha comprobado, sin embargo, que sí produce cambios en la composición química y en las propiedades físicas de la bilis. De este modo hace la bilis más fluida y menos litogénica (con menor tendencia a la formación de piedras o cálculos); es decir, que el boldo impide que la bilis precipite y se formen nuevos cálculos o aumenten de tamaño los ya existentes.

• **Eupéptico** (facilita la digestión) y **aperitivo:** El boldo está indicado en los casos de digestión lenta o difícil, inapetencia, pesadez de estómago y mal sabor (amargo) de boca **[❶,❷]**.

• **Laxante suave**, posiblemente como consecuencia del mayor aflujo de bilis al tracto digestivo que esta planta provoca **[❶,❷]**.

El boldo normalmente ***se asocia*** a otras plantas coleréticas y colagogas (alcachofa, romero, etc.), o laxantes (frángula, sen, etc.).

Polypodium vulgare L.

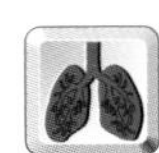

Polipodio

Descongestiona el hígado

Sinonimia hispánica: filipodio; **Cat.:** polipodi, regalèssia de falguera, herba dels humors freds, herba pigotera, daurada; **Eusk.:** haritz-iratze; **Gal.:** fenteria, fenta, fento das pedras; **Fr.:** polypode, fougère réglisse; **Ing.:** [female] fern, polypody; **Al.:** Tüpfelfarn.

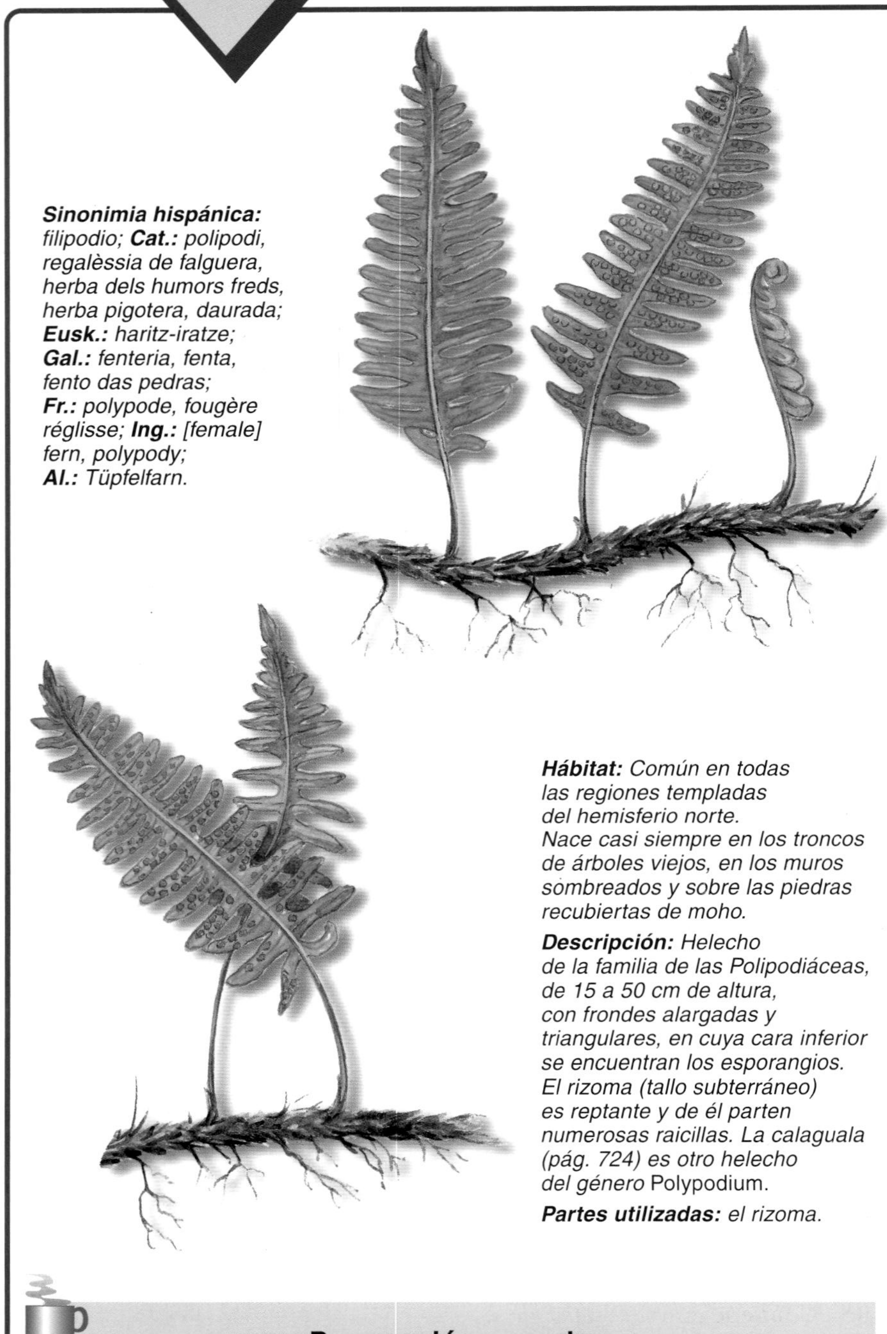

Hábitat: Común en todas las regiones templadas del hemisferio norte. Nace casi siempre en los troncos de árboles viejos, en los muros sombreados y sobre las piedras recubiertas de moho.

Descripción: Helecho de la familia de las Polipodiáceas, de 15 a 50 cm de altura, con frondes alargadas y triangulares, en cuya cara inferior se encuentran los esporangios. El rizoma (tallo subterráneo) es reptante y de él parten numerosas raicillas. La calaguala (pág. 724) es otro helecho del género Polypodium.

Partes utilizadas: el rizoma.

TEOFRASTO y Dioscórides ya conocían las propiedades laxantes de este helecho. En el siglo XVI, el médico español Andrés de Laguna decía que «el polipodio purga con grande facilidad, de suerte que ni revuelve el estómago ni engendra hastío». Siguiendo una vieja costumbre, este médico recomendaba a los que sufrían de estreñimiento, que tomaran el caldo de un gallo viejo relleno de raíz de polipodio y de sen.

PROPIEDADES E INDICACIONES: La raíz del polipodio contiene un principio amargo glucosídico, saponina, mucílagos y azúcares. Tiene un agradable sabor a regaliz. Estas son sus propiedades:

- **Laxante suave y colagogo:** Indicado en casos de estreñimiento crónico y de insuficiencia o congestión hepática, así como en trastornos de la vesícula biliar [❶,❷].
- **Expectorante y antitusígeno:** Útil en caso de catarros bronquiales y de tos seca [❶,❷].
- **Vermífugo:** Hace expulsar los parásitos intestinales [❶,❷].

Preparación y empleo

USO INTERNO

❶ **Decocción** con 30 g de raíz en un litro de agua, haciéndola hervir hasta que se reduzca a la mitad. Se la deja reposar durante unas horas, y de ella se ingieren cada día 3 o 4 tazas.

❷ **Polvo de raíz:** La dosis habitual es 1 g, hasta 3 veces al día.

Cómo ser bello ho bella

si quieres tener una figura esbelta, comparte tu comida con el hambriento. para tener labios atrativos, habla con palabras amables. para lucir ojos adorables, busca lo bueno en las personas. para tener un cabello hermoso, deja que un niño pase sus dedos por tus cabellos una vez al dia –

0495314 6383

~~MC Jovano~~

MCJovano

153

172

351

361

368

364

308

349

360

368

Rábano

Regenera el hígado. Combate eficazmente la sinusitis

LOS RÁBANOS son muy apreciados en los países mediterráneos como condimento para las ensaladas. En algunos lugares no solo se consume la raíz, sino también las hojas que tienen un agradable sabor picante. El ***rábano negro*** (*Raphanus sativus* L. var. *nigra*) es una ***variedad*** del rábano común, caracterizada por el color oscuro de su raíz, ***muy empleada en fitoterapia***.

PROPIEDADES E INDICACIONES: Contiene un glucósido sulfurado (glucorafenina) que por hidrólisis enzimática se transforma en rafanol, sustancia a la que se deben sus propiedades **colagogas, coleréticas, antibióticas y pectorales.** Contiene también sales minerales y vitaminas B y C. Estas son sus aplicaciones:

- **Afecciones hepatobiliares:** Aumenta la producción de bilis por el hígado (efecto colagogo), de modo que lo descongestiona y desintoxica. A la vez, mejora el funcionamiento de la **vesícula biliar,** al favorecer la correcta evacuación de la bilis al duodeno. Así que el rábano está muy indicado en

Preparación y empleo

USO INTERNO

❶ **Crudo en ensaladas** es un condimento saludable y curativo.

❷ **Jugo fresco** del tubérculo, a razón de 50 a 125 ml, 3 veces diarias, antes de las comidas, endulzado con miel o azúcar moreno.

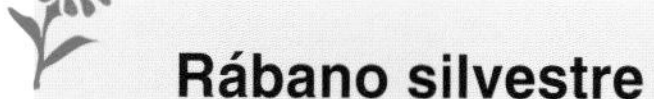

Rábano silvestre

El rábano silvestre o rabanillo (*Raphanus raphanistrum* L.)*, está considerado como la especie de la cual proceden los rábanos cultivados que se utilizan como hortaliza.

Sus **propiedades** medicinales son **las mismas** que las del rábano común (*Raphanus sativus* L.).

Las semillas contienen un alcaloide, la sinalbina, que, por acción de la enzima que lo acompaña, se transforma en ***esencia de mostaza.***

* ***Cat.:*** *rafanistre, erviana, ravenissa, ravenís, ravenet;* ***Eusk.:*** *errefautxo;* ***Gal.:*** *xaramago, labestro, piparelo, semradela;* ***Fr.:*** *ravenelle;* ***Ing.:*** *wild radish.*

Sinonimia hispánica: *rabaneta, rabanete, nabo chino criollo, nabón;* ***Cat.:*** *rave, ravenera;* ***Eusk.:*** *errefau, lutxarbi;* ***Gal.:*** *saramago, labestro, piparelo;* ***Fr.:*** *radis;* ***Ing.:*** *radish;* ***Al.:*** *Rettich.*

Hábitat: *Originario de Asia Central, actualmente se cultiva en todas las regiones templadas del mundo.*

Descripción: *Planta herbácea de la familia de las Crucíferas, de hojas muy ramificadas y flores blancas con rayas rosadas o violáceas. La raíz es un bulbo de color blanco, rojo o pardo negruzco.*

Partes utilizadas: *la raíz fresca.*

Rábano rusticano

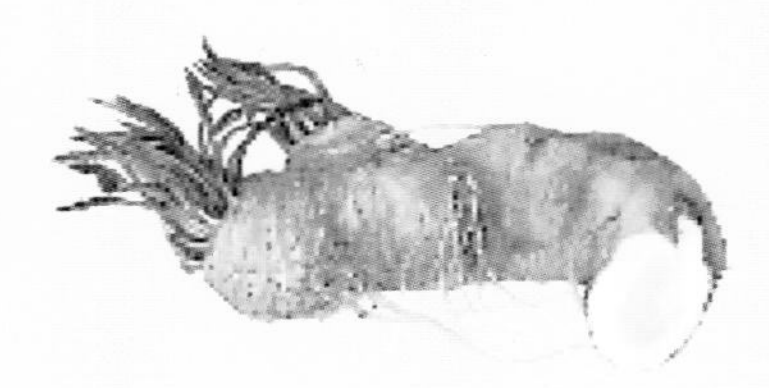

El rábano rusticano (*Armoracia rusticana* Gaertn. = *Cochlearia armoracia* L.), calificado asimismo de chino, silvestre o vagisco, en algunos países de Sudamérica se denomina jaramago*.

Tanto en su composición como en sus aplicaciones, es muy similar a la mostaza (pág. 663). Este rábano ha adquirido gran notoriedad porque los profesores Enamorado y López Garcés, de la Universidad Politécnica de Madrid, han obtenido de él un extracto, conocido como PDG (peróxido de difenilglioxal). Administrado a enfermos de **esclerosis múltiple,** este extracto de rábano ha producido ***notables mejorías.*** También se están investigando su **posible acción anticancerígena.**

* ***Cat.:*** *rave rusticà, rave de cavall, rave boscà, rave de riu, rave de porc;* ***Eusk.:*** *errefau min;* ***Gal.:*** *armoracio;* ***Fr.:*** *raifort;* ***Ing.:*** *horse-radish.*

caso de hepatitis aguda y crónica, hígado graso, cirrosis, intoxicación hepática por fármacos, productos químicos o setas, así como en las dispepsias biliares (vesícula perezosa). Puede contribuir a regenerar el hígado en la hepatitis alcohólica y en caso de degeneración grasa producida por el alcohol u otros tóxicos **[❶,❷]**.

• **Afecciones respiratorias:** Es **mucolítico** (ablanda la mucosidad), **expectorante y antibiótico.** Muy indicado en catarros bronquiales y bronquitis y laringitis, y de modo especial en las **sinusitis [❶,❷]**. Es un valioso remedio auxiliar en las curas de desintoxicación del tabaco.

• **Aperitivo y diurético [❶,❷].**

El rábano es un gran amigo del hígado, glándula a la que descongestiona y desintoxica. Su consumo, crudo o en jugo, está muy indicado en caso de hepatitis, cirrosis, degeneración del hígado debido al consumo de alcohol, e intoxicación hepática por fármacos o productos químicos.

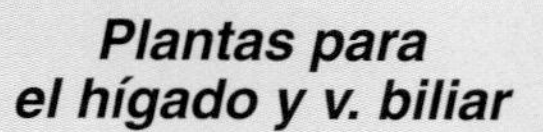

Cardo mariano

Regenera las células hepáticas

LAS ESPINAS de los cardos son las defensas que protegen un gran tesoro medicinal. Son muchos, sin embargo, quienes se permiten despreciarlos, pensando que se trata de plantas toscas, apropiadas únicamente para los borricos. De ahí el nombre de cardo borriquero, con que se conoce a esta planta en gran parte de España, o cardo asnal, nombre que recibe en algunos países latinoamericanos, como Argentina y Uruguay.

¿Habéis visto alguna vez a un borriquillo comiéndose un cardo? Los "inteligentes" humanos hemos necesitado muchos siglos para descubrir lo que estos humildes cuadrúpedos conocen. Es posible que muchos se extrañen al saber que de este cardo, el borriquero, se extrae la **silimarina,** potente medicamento contra las enfermedades del hígado, que forma parte de varios ***preparados farmacéuticos.***

Dice una leyenda que las manchas blancas que adornan las hojas de este cardo, son gotas de leche que cayeron del seno de la Virgen María, cuando ocultaba a su hijo de la persecución de Herodes. Basándose en ello, la medicina medieval recomendaba el cardo mariano a las puérperas y nodrizas, para aumentar la secreción de leche.

El progreso de la ciencia en los últimos siglos, que ha ido dando a conocer la composición química de las plantas, ha permitido abandonar mu-

Preparación y empleo

USO INTERNO

❶ **Ensalada:** Las hojas tiernas sin espinas, así como los corazones de la alcachofa del cardo mariano, pueden tomarse crudos, tal como lo hacen los beduinos del Sáhara, para quienes constituyen un exquisito manjar.

❷ **Infusión o decocción** con 30-50 g de frutos machacados o triturados en un litro de agua, a la que se pueden añadir hojas o raíces. Se toman de 3 a 5 tazas diarias. Esta dosis puede sobrepasarse sin peligro alguno, ya que esta planta no presenta ningún tipo de efecto tóxico.

❸ **Extracto seco:** 0,5-1 g, 3 tomas al día.

Sinonimia científica: *Carduus marianus* L.

Sinonimia hispánica: *cardo de María, cardo santo, cardo borriquero, cardo asnal, cardo lechal, cardo lechero, cardo blanco, cardoncillo, abrepuño, arzolla, bedega, hedegar;* ***Cat.:*** *card marià, card gallofer, card lleter, cardot, carxofa de burro, escardiot de Nostra Senyora, espinot;* ***Eusk.:*** *astalikardu;* ***Gal.:*** *cardo borriqueiro, arzola;* ***Fr.:*** *chardon Marie;* ***Ing.:*** *[milk] thistle, Saint Mary's thistel;* ***Al.:*** *Mariendistel.*

Hábitat: *Especie típicamente mediterránea, pero que se ha aclimatado en Gran Bretaña y América del Norte. Crece espontáneamente en terrenos secos y pedregosos.*

Descripción: *Planta vigorosa, de aspecto espinoso, que alcanza hasta los dos metros de altura. Pertenece a la familia de las Compuestas. Sus hojas, grandes y espinosas, llaman la atención por las manchas blancas que se extienden a lo largo de los nervios. Los capítulos florales son de color rosa o púrpura. Los frutos son duros, de 6-7 mm y de color oscuro.*

Partes utilizadas: *los frutos (semillas), las hojas y la raíz.*

chas de las supersticiones populares respecto a las propiedades de las plantas medicinales. Gracias a ello, hoy podemos usarlas con conocimiento de causa y mayor eficacia curativa.

PROPIEDADES E INDICACIONES: En los frutos del cardo mariano o borriquero, se encuentran las sustancias responsables de sus efectos medicinales. Son los llamados flavanolignanos. La doctora Coll (del Laboratorio de Farmacognosia y Farmacodinamia de la Facultad de Farmacia de Barcelona) indica que estos compuestos resultan de la unión de un flavonoide (la taxifolina) con una molécula de tipo fenilpropanoide (el alcohol coniferílico). La mezcla de los diversos tipos (isómeros) de flavonolignanos recibe el nombre de silimarina.

La ***SILIMARINA*** es capaz de estimular la regeneración de las células hepáticas dañadas por tóxicos como el alcohol etílico o el tetracloruro de carbono, así como por la faloidina, sustancia contenida en la amanita faloides (*Amanita phalloides* [Fr.] Link.), la más tóxica de todas las setas (hongos). La silimarina estimula la síntesis de proteínas en las células hepáticas, y posee además una importante acción antiinflamatoria sobre el mesénquima (tejido fibroso de sostén) del hígado.

Por todo ello, el cardo mariano está especialmente indicado en los siguientes casos:

De los frutos del cardo mariano, también llamado borriquero, se extrae la silimarina, sustancia capaz de regenerar las células hepáticas. La silimarina forma parte de diversos medicamentos.

- **Degeneración grasa del hígado,** tanto si está causada por el alcohol como por otros tóxicos **[❶,❸]**.
- **Inflamación del hígado** causada por fármacos, como, por ejemplo, antiinflamatorios, tuberculostáticos, anovulatorios o psicofármacos **[❶,❸]**.
- **Intoxicaciones por sustancias hepatotóxicas,** como el tetracloruro de carbono, los insecticidas organofosforados y las setas del género *Amanita* (*A. phalloides, A. verna, A. virosa*) **[❶,❸]**.
- **Hepatitis** vírica aguda, hepatitis crónica, hepatitis alcohólica (inflamación del hígado causada por el consumo de bebidas alcohólicas) **[❶,❸]**.
- **Insuficiencia y congestión hepáticas,** con o sin ictericia **[❶,❸]**.
- **Cirrosis hepática [❶,❸].**

En todos estos casos, la silimarina contenida en los frutos del cardo mariano, estimula la regeneración de las células hepáticas dañadas y restaura su funcionamiento normal. Conviene dejar constancia de que, ni esta planta, ni ***ningún*** otro ***tratamiento,*** hasta la fecha, son capaces de ***curar por completo la cirrosis,*** en la que ya se ha producido la necrosis (muerte o destrucción) de las células del hígado. Ahora bien, aun en los casos más graves, siempre cabe esperar una mejoría.

Los ***FRUTOS*** del cardo mariano, y, en menor proporción, las hojas y las raíces, contienen también otras sustancias activas (aminas biógenas, aceite esencial, albuminoides y tanino), las cuales podrían explicar su acción reguladora sobre el sistema nervioso vegetativo, que es el que controla el tono de los vasos sanguíneos. Debido a ello, se utiliza con éxito en casos de:

- **Jaquecas y neuralgias [❷].**
- **Agotamiento y astenia** (fatiga) **[❷]**.
- **Cinetosis** (mareos y vómitos en los viajes): tomar una taza de tisana antes de salir **[❷]**.
- **Reacciones alérgicas:** fiebre del heno, urticaria, asma **[❷]**.

Diente de león

Un gran amigo del hígado y de los riñones

NO JUGUÉIS con esas flores amarillas que os vais a hacer pis en la cama! –les dice una madre campesina a sus hijos.

–¿Por qué, mamá?

–Mirad, esa planta que tenéis entre las manos se llama diente de león por la forma de sus hojas. Pero en Francia, país en el que abunda, le llaman *pissenlit*, que quiere decir 'orinar en la cama'.

Efectivamente, el diente de león es un gran diurético, y quizá por ello, componente insustituible en las curas depurativas de primavera, a las que tan aficionados son en los países germánicos.

¿Y quién no ha soplado sobre esas esferillas blancas y peludas, que adornan los prados, y que contienen las semillas del diente de león? Su facilidad para dispersarse ha hecho que esta planta, originaria de Europa septentrional, haya conquistado los cinco continentes. Son muchos los habitan-

Sucedáneo del café

*Con las **raíces tostadas** del diente de león, se prepara una infusión que puede sustituir al café, con la ventaja de no poseer ninguno de sus efectos nocivos.*

*Tiene un sabor muy agradable, y **conserva** casi todas las **propiedades medicinales** de la planta.*

Preparación y empleo

USO INTERNO

❶ **Ensalada:** Su agradable sabor ligeramente amargo, hace de las hojas del diente de león un ingrediente muy apropiado para ensaladas primaverales, en las que se busca sobre todo el efecto aperitivo y depurativo. Se pueden aliñar con aceite y limón.

❷ **Jugo fresco:** Se obtiene por presión o trituración de sus hojas y raíces. Se toman 2 o 3 cucharadas antes de cada comida. Para conseguir un importante efecto **depurativo,** se debe tomar diariamente durante un mes o mes y medio, en primavera.

❸ **Infusión:** Se prepara con 60 g de hojas y raíces por litro de agua. Se toma una taza antes de cada comida.

Sinonimia hispánica: *amargón [común], taraxacón, pelosilla, achicoria silvestre, achicoria amarga, achicoria amarilla, lechuguilla, chinita de campo, radicheta, relojes, calceta, cardeña, flor de macho, lechiriega;* ***Cat.:*** *dent de lleó, pixallits, xicoira d'ase, lletsó [d'ase], bufallums, angelets;* ***Eusk.:*** *tikori-belar, sorginbelar;* ***Gal.:*** *tarrela, paciporca, almeirón;* ***Fr.:*** *pissenlit, dent-de-lion;* ***Ing.:*** *dandelion. lion's tooth;* ***Al.:*** *Löwenzahn.*

Hábitat: *Muy común en praderas, campos y bordes de caminos de toda Europa y América. Difundida por los cinco continentes.*

Descripción: *Planta vivaz de la familia de las Compuestas, que se levanta unos 30 cm del suelo. Las hojas están profundamente dentadas o lobuladas, y forman una roseta basal a ras de tierra, de la que salen los tallos florales, al final de cada uno de los cuales hay un capítulo floral de color amarillo vivo.*

Partes utilizadas: *las hojas y la raíz.*

Las flores son la parte más atractiva del diente de león, aunque no la más medicinal. Se usan sobre todo sus hojas y su raíz, tanto en jugo fresco como en infusión. Las hojas también se toman crudas en ensalada. La acción del diente de león sobre la vesícula biliar es muy notable.

tes de todo el mundo, que se han beneficiado de sus notables propiedades medicinales.

PROPIEDADES E INDICACIONES: Las hojas y la raíz contienen taraxacina, un principio amargo similar al de la achicoria (pág. 440), al que se deben sus propiedades tónicas y digestivas, e inulina. Las hojas contienen además flavonoides, cumarinas y vitaminas B y C. Estas son las propiedades del diente de león:

• **Aperitivo, digestivo y tónico estomacal:** Aumenta las secreciones de todas las glándulas digestivas, facilitando con ello la digestión y mejorando la capacidad digestiva **[❶,❷,❸]**. Aumenta la producción de saliva, de jugos gástrico, intestinal y pancreático, así como de bilis. Al mismo tiempo, estimula la musculatura de todo el conducto digestivo. Por todo ello, acelera y estimula todos los procesos de la digestión, tanto físicos como químicos.

• **Colerético** (aumenta la producción de bilis en el hígado) y **colagogo** (facilita el vaciamiento de la vesícula biliar): Su acción sobre el hígado y la vesícula biliar es la misma que sobre los restantes órganos digestivos, aunque más intensa. Es ***una de las plantas más activas sobre la función biliar,*** por lo que conviene especialmente a los que padecen de **[❶,❷,❸]**:

- ***Insuficiencia hepática, hepatitis y cirrosis:*** Puede llegar a ***triplicar*** la producción de ***bilis,*** descongestionando así el hígado y facilitando su función de desintoxicación.
- ***Disquinesias biliares:*** vesícula perezosa y otros trastornos de su funcionamiento.
- ***Colelitiasis*** (cálculos en la vesícula biliar): Aunque el diente de león no es capaz de disolver los cálculos, permite un mejor funcionamiento de la vesícula a la espera de un ***tratamiento definitivo.***

• **Diurético y depurativo:** Es uno de sus efectos más marcados. Aumenta el volumen de orina, y favorece la eliminación de sustancias ácidas de desecho, que recargan el metabolismo. Conviene a los pletóricos, gotosos y artríticos **[❷]**. Según el dicho francés, el diente de león "Limpia el filtro renal, y seca la esponja hepática".

• **Laxante suave,** no irritante, especialmente útil en los casos de pereza o atonía intestinal. Su efecto laxante unido al **depurativo,** hacen de esta planta un buen remedio para casos de eccema, erupciones, furúnculos y celulitis, que en muchas ocasiones son consecuencia de una autointoxicación producida por el estreñimiento **[❶,❷,❸]**.